Confidences royales

Paul Burrell

Confidences royales

Traduit de l'anglais
par Michel Robineau

Titre original :
A ROYAL DUTY

Remerciements

MERCI. « Un petit mot qui signifie tellement, et que les gens prononcent trop peu souvent de nos jours », avait coutume de dire la princesse.

Je doute qu'il eût existé plus prolifique que la princesse en termes de lettres de remerciement. Elle aura passé des heures et des heures à son bureau du salon de Kensington Palace, à rédiger au stylo-plume d'interminables lettres, en prenant le temps de s'asseoir et de remercier quelqu'un pour son aide, sa gentillesse, sa générosité, son hospitalité, ses conseils ou son amitié.

S'il était une chose que je l'encourageais à faire, c'était de coucher ses pensées sur le papier. S'il est une chose qu'elle m'a inculquée, c'est de ne jamais oublier l'importance des lettres de remerciement – une valeur que lui avait inculquée enfant son père regretté, le comte Spencer.

Ceci est ma lettre de remerciement à l'équipe qui m'a soutenu dans la rédaction de *Confidences royales*, mon hommage personnel à la vie et à l'œuvre de la princesse.

Alors, merci :

D'abord et avant tout à ma femme, Maria, et à mes deux fils, Alexander et Nicholas. Nous avons tous traversé une période traumatisante, et votre amour, votre appui et votre compréhension indéfectibles continuent de faire de moi le plus fier des maris et des pères, soutenu par ses proches des deux côtés de la famille.

À mon ami Steve Dennis, pour avoir déployé sa magie et m'avoir accompagné pas à pas dans cette aventure littéraire ; et pour avoir partagé ma passion de faire vivre le souvenir de la princesse.

À mon agent Ali Gunn, pour ses conseils inestimables, ses inlassables encouragements, et les rires qui les accompagnent toujours. Je lui suis à jamais redevable.

L'écriture de *Confidences royales* m'a montré les efforts de titan que réclame ce type d'ouvrages, et je crois avoir bénéficié de la meilleure équipe de la profession : un énorme merci à mon éditeur Tom Weldon, pour sa vision, son jugement, et pour avoir cru en moi et en mon projet dès le début ; et à tous les autres chez Penguin, à Londres comme à New York, notamment ma directrice littéraire Hazel Orme, pour son œil expert, Genevieve Pegg, Sophie Brewer et Kate Brunt, pour leurs trésors de patience et d'efforts en coulisses ; et aux directrices américaines Carole Baron et Jennifer Hershey, qui ont été « géniales ».

Aux gens de Naas en République d'Irlande, notamment Mary Elliffe, Laura et Kevin, et à tous les autres du Town House Hotel, d'avoir permis à Steve et moi de nous sentir chez nous, et d'avoir préservé notre équilibre durant ces derniers mois par leurs chansons et leur hospitalité.

À ma brillante équipe d'avocats, qui a combattu l'injustice de mon procès à l'Old Bailey : lord Carlyle, Ray Herman, Maître Andrew Shaw, et leurs assistantes Lesley et Shona. Les mots me manquent pour dire combien vous avez cru en moi durant cette période de cauchemar.

Aux amis proches de la princesse : chacun d'entre vous se reconnaîtra, et je n'oublierai jamais le soutien que vous m'avez apporté en vous tenant prêts à témoigner pour ma défense. Je sais que nous faisons corps pour défendre la mémoire d'une femme remarquable, dont la chaleur et l'amitié nous ont tous touchés.

Ce que vous allez lire est la contribution que certaines personnes ont voulu détruire, celle d'un homme qu'ils ont tenté de réduire au silence.

Paul BURRELL
octobre 2003

Avant-propos

Le dimanche 31 août 1997, à 4 heures du matin, la princesse Diana s'éteignait à l'hôpital parisien de la Pitié-Salpêtrière.

La dernière fois que je l'ai vue, elle agitait la main, à l'arrière de sa BMW, en quittant Kensington Palace, le vendredi 15 août.

La veille de son départ, nous nous étions rendus à la librairie Waterstones sur Kensington High Street. Nous avions pris la voiture à cause du mauvais temps, et pour éviter de rapporter à pied ce qu'elle appelait ses « grosses provisions de lecture » : une demi-douzaine de livres, grand format ou poche, traitant de spiritualité, de psychologie et de médecines douces. Elle les avait déposés dans le coffre, était montée à l'avant, et nous avions regagné le palais afin qu'elle termine ses préparatifs de départ en compagnie de son habilleuse, Angela Benjamin.

Lorsque nous avions franchi la grille du château, elle semblait détendue :

— Je vais enfin m'offrir un week-end paisible, en bonne compagnie et avec plein de lectures distrayantes !

Son amie, Rosa Monckton, avait loué un yacht et recruté quatre membres d'équipage pour l'emmener en croisière pendant six jours autour des îles grecques. À son retour, la princesse devait rejoindre une autre amie, Lana Marks, pour une escapade de cinq jours en Italie, à l'hôtel Four Seasons de Milan. Elle n'avait donc pas prévu de passer cette dernière semaine d'août en compagnie de Dodi al Fayed. Mais le séjour avec Lana avait été annulé au dernier moment car le père de celle-ci était mort subitement. Cela laissait la princesse désœuvrée jusqu'au retour de ses fils à Kensington Palace, prévu le 31 août. Aussi avait-elle accepté la proposition de Dodi : voguer avec lui à bord du *Jonikal*, au large de la Côte d'Azur et de la Sardaigne.

Avant qu'elle ne s'envole pour rejoindre Dodi, elle devait passer une dernière journée au palais, celle du 21 août, mais sans moi : j'avais fixé exprès mes vacances familiales à Naas, en république d'Irlande, en fonction de l'emploi du temps initial de la princesse. Le 15 août, tandis qu'elle achevait ses préparatifs avant de filer à l'aéroport, je fis part de mes états d'âme à Rosa qui attendait avec moi à l'intérieur de Kensington :

— On se doit d'intervenir, cette fois-ci. Ce n'est pas un homme pour elle, vous le savez comme moi. Vous me promettez de faire votre possible ?

Je savais la princesse attentive aux conseils de Rosa, et je sentais bien que cette dernière partageait mon inquiétude, car l'homme en question n'était autre que Dodi. Rosa acquiesça d'un sourire. Elle comprenait.

La princesse s'était affairée au salon, avait mis de l'ordre sur son bureau, sorti la corbeille à papier dans le couloir, examiné à plusieurs reprises le contenu de son sac de voyage. Comme les deux amies descendaient l'escalier pour le grand départ, elle s'arrêta à mi-chemin pour une ultime vérification, énumérant à voix haute :

— Passeport, téléphone, walkman...

Adossé à la rampe, je l'observai. Elle portait un fourreau signé Versace.

— Vous n'avez jamais été aussi belle, lui dis-je. Vous rayonnez. Vous n'avez pas besoin de soleil, vous avez une mine superbe !

Elle me décocha un sourire avant de dévaler l'escalier.

Nous avons traversé le hall.

— Tenez-moi ça.

Elle me fourra son sac dans les mains et disparut dans les toilettes. Quelques minutes plus tard, elle était fin prête. Elle sortit dans la lumière du soleil puis monta sur la banquette arrière de la BMW tandis que le chauffeur mettait le contact. J'ai attrapé et déroulé sa ceinture, avant de me pencher pour la lui attacher.

— Surtout, n'hésitez pas à m'appeler, dit-elle, d'accord ?

— Bien entendu.

Afin de préserver sa tranquillité, je lui avais fait attribuer pour la semaine un nouveau numéro de téléphone portable, qui n'avait été communiqué qu'à ses intimes.

— Passez de bonnes vacances, Paul.

Je regagnai l'entrée, et la princesse me salua de la main. Je regardai la BMW tourner à gauche puis disparaître. Elle se rendait à Heathrow, et allait s'envoler vers Athènes.

La petite tribu Burrell partit quatre jours à Naas avec ma belle-famille, les Cosgrove. Mon épouse Maria m'avait enjoint formellement d'oublier le travail et la princesse :

— C'est le temps des vacances et de la famille, m'avait-elle averti.

Le seul problème, c'est que j'avais promis à la princesse d'appeler dès que l'occasion s'en présenterait. Quatre jours de silence radio auraient alarmé la Patronne, et c'est ainsi que j'en vins à m'absenter pour de longues promenades en solitaire.

La princesse se trouvait avec Rosa sur le pont du bateau lorsque je parvins à la joindre. Elle me raconta combien il faisait beau et chaud. Je lui décrivis combien l'Irlande était humide et grise. Elle venait de terminer un livre sur la spiritualité et en entamait déjà un autre. Je raccrochai après avoir promis de la rappeler quand je serais de nouveau chez moi, à Farndon dans le Cheshire, et qu'elle aurait rejoint Dodi sur le *Jonikal*. Je déclarai à Maria que la longue balade m'avait fait un bien fou.

Le 21 août, la princesse passa à Kensington en coup de vent puis rallia l'aéroport de Stansted. Elle allait retrouver Dodi à Nice, avant de retourner sur le *Jonikal*. Pendant son absence, on avait terminé la remise à neuf du salon, si bien qu'elle découvrit les canapés retapissés et les tentures bleu ciel.

Ce réaménagement ne manquait pas de piquant, car, après avoir feuilleté des revues immobilières américaines, elle projetait d'acquérir une propriété californienne perchée sur une falaise : la demeure de l'actrice anglaise Julie Andrews. La princesse envisageait sérieusement d'y élire domicile six mois par an, tout en conservant ses quartiers londoniens à Kensington.

Les États-Unis étaient dans l'air depuis le printemps. Au mois d'août, entre deux voyages, elle avait déclaré :

— C'est en Amérique que me conduit mon destin, et si je prends cette décision, Paul, j'aimerais que vous m'y accompagniez avec Maria et les garçons.

Agenouillée avec moi sur la moquette du salon, devant le parterre de brochures, elle m'avait montré des photos en couleurs et des plans de la propriété de Julie Andrews.

— Voici la pièce de réception principale. Ici, ce sera la chambre de William, et là, celle de Harry. Et cette annexe sera pour vous, Maria et vos enfants. Ce sera comme une deuxième vie. N'est-ce pas excitant ? C'est un pays où tout le monde peut réussir.

J'avais longtemps rêvé de m'installer outre-Atlantique, mais cet engouement me semblait précipité.

— Je pense que vous devriez modérer vos ardeurs. Même moi j'ai du mal à suivre, lui répondis-je, sans vouloir jouer les rabat-joie.

La princesse passa le reste de l'après-midi à m'assaillir de questions :

— Admettons qu'on n'aille pas là-bas, que diriez-vous de Cape Cod ? Ça nous rapprocherait de Londres. On pourrait parcourir le monde, Paul, et aller à la rencontre de tous les déshérités.

Assis côte à côte, nous imaginions la vie à l'américaine : le footing sur la plage, le soleil tous les jours, la sensation de liberté. Et une dernière chose. Une chose dont elle avait toujours parlé. La chose dont elle avait toujours rêvé à Kensington, sans qu'elle lui parût jamais possible.

— Et on pourra avoir un chien, lança-t-elle.

La princesse avait toujours rêvé d'avoir un labrador noir. Son rêve américain la rendait si joyeuse...

— J'ai toujours dit que je finirais mes jours là-bas, n'est-ce pas ?

La princesse prenait des décisions sans appel. Nous examinâmes quantité de détails. Y compris des secrets que je ne puis révéler ici. Des secrets qui s'éteindront avec moi. Toujours est-il que la princesse nous réservait des surprises, et ses projets l'emplissaient d'un enthousiasme communicatif.

À mon retour de Naas, je l'ai eue au bout du fil quasiment tous les jours, mais sans jamais l'appeler de chez moi. Elle me parlait depuis le pont du *Jonikal*, ou à l'abri du soleil dans sa cabine. Dès notre première conversation, je compris qu'elle n'était pas dans son élément.

— En haut, c'est un four et en bas, c'est un frigo ! se plaignait-elle. Je rase les murs.

Dodi lui avait offert un cadre en argent, dans lequel il avait placé un poème. Elle me le lut au téléphone.

— Très éloquent ! raillai-je. Quelle profondeur...

— Mais non ! rit-elle. C'est tendre et romantique.

Il lui avait également offert un collier et une paire de boucles d'oreilles.

— On dirait qu'il est vraiment mordu ! gloussa-t-elle.

Je voyais bien ce qui se passait. La Patronne avait succombé au frisson d'une nouvelle idylle, au charme et à la séduction d'un homme attentionné qui avait le cœur chaviré. Comme toute autre femme. Mais, dans son cas, l'attrait de la nouveauté s'était émoussé. Dodi était amoureux. Il le lui avait déclaré au dîner. Mais elle ne lui avait pas rendu la pareille. Trop tôt, estimait-elle.

— Alors qu'avez-vous répondu ? demandai-je, brûlant de curiosité.

— Je lui ai dit : merci du compliment.

De toutes les théories fumeuses qui circulent depuis le décès de la princesse, deux sont parfaitement ineptes : l'une qui lui prêtait l'intention d'épouser Dodi, l'autre qui la disait enceinte.

Cette monstrueuse rumeur de grossesse n'est que pur mensonge.

Quant au projet de mariage, il semble surtout mis en avant par l'entourage de Dodi... Peut-être celui-ci avait-il signifié à ses proches son « intention » de demander la main de la princesse, mais l'intéressée n'était nullement disposée à la lui accorder. Heureuse, elle l'était probablement. Pressée, en aucun cas.

Au gré de nouvelles confidences depuis le bateau, la princesse me fit part d'un dilemme : que faire si le prochain cadeau était une bague ? En soi, c'était une perspective grisante, mais ses implications l'étaient de moins en moins...

— Comment dois-je réagir, s'il m'offre une bague ? J'ai autant envie de me remarier que d'une éruption de boutons !

— Vous l'accepterez avec grâce et l'enfilerez sur l'annulaire de la main droite. Mais ne vous trompez pas de doigt si vous ne voulez pas lui donner de faux espoirs ! lui conseillai-je d'un ton badin.

Annulaire. Main droite. Nous l'avons répété en boucle.

— Ainsi, vous lui ferez bien comprendre que vous l'acceptez en gage d'amitié, expliquai-je.

— Très astucieux ! C'est ce que je vais faire. Oui, c'est ce que je vais faire.

Jamais je ne l'entendrais reparler de bague, ni ne saurais si de bague il fut question.

Il y avait autre chose qui tracassait la princesse au sujet de Dodi.

— Il se rend sans cesse à la salle de bains et ferme le verrou derrière lui. Après il renifle, en incriminant l'air conditionné, et ça me perturbe. Je pourrais peut-être l'aider, Paul...

Puis la conversation dévia sur William et Harry, qu'elle avait grand-hâte de retrouver. Le décompte des jours lui semblait interminable jusqu'à leurs retrouvailles. Et la maison lui manquait au point qu'elle voulait écourter ses vacances avec Dodi pour regagner Londres plus tôt. Elle essaya d'avancer le vol du retour, mais Dodi la persuada de rester.

— Je meurs d'envie de rentrer, me confia-t-elle. J'ai besoin de refaire de la gym.

— Vous avez eu votre compte de luxe, calme et volupté ? lui demandai-je.

Il y eut un soupir. Alors, comme souvent, j'essayai de lire dans ses pensées :

— Laissez-moi deviner. Vous vous sentez prisonnière sur ce bateau, et il contrôle vos moindres faits et gestes ?

— Bien vu, une fois de plus. J'ai vraiment besoin de rentrer, de retrouver mes marques.

Le vendredi 29 août, elle me parla d'un crochet de dernière minute par Paris. Elle se trouvait alors sur le pont du *Jonikal*. Il s'agit de l'un des six coups de fil passés au cours des dernières vingt-quatre heures de sa vie, ainsi que l'attesterait le journal d'appels de son portable.

J'étais au téléphone, affalé par terre dans le salon du pavillon de mon beau-frère Peter Cosgrove, à Farndon, à deux portes du nôtre acheté au printemps dernier en guise de résidence de vacances. La famille au grand complet – Maria, nos deux fils, Peter, sa femme Sue et leurs filles Clare et Louise – m'avait laissé un peu d'intimité, mais l'impatience montait dans la cuisine : cela faisait bien quarante minutes que j'étais en ligne avec la princesse.

Son programme avait encore changé. À l'origine elle avait prévu de rentrer directement à Londres après la

Méditerranée, pour regagner ses pénates le samedi 30 août, c'est-à-dire la veille du retour des garçons. Mais Dodi était attendu à Paris « pour raisons professionnelles ». Elle rechignait à le suivre, mais encore une fois Dodi avait su vaincre ses réticences.

— Nous devons filer à Paris, mais je vous promets de rentrer dimanche, m'annonça-t-elle. À part ça, vous ne devinerez jamais où je suis.

— En Sardaigne, avançai-je.

— Non. À Monaco. Et vous ne devinerez jamais où je vais ce soir.

Je suggérai un restaurant réputé...

— Je vais visiter la tombe de la princesse Grace. Ce sera un moment unique.

Ce serait la première fois qu'elle y retournerait depuis qu'elle avait assisté aux obsèques de l'épouse du prince Rainier en 1982.

— Je vais déposer une gerbe et prononcer quelques mots, a-t-elle ajouté.

Puis elle en vint à des choses plus prosaïques. Anticipant les jours à venir, elle me donna des instructions : penser à réserver M. Quelch de chez Burberry (le tailleur des garçons), pour le lundi suivant. Et programmer l'essayage Armani le 4 septembre. Puis elle demanda ce qui était inscrit sur l'agenda. Un déjeuner avec Shirley Conran, répondis-je, et un rendez-vous avec l'aromathérapeute Sue Beechey. Elle pourrait consacrer le reste de son temps à William et Harry.

Comme ce marathon téléphonique touchait à sa fin, la princesse me confia :

— J'ai hâte de revoir mes amis, et je n'en peux plus d'attendre le retour des garçons. On aura plein de choses à se dire, alors tâchez d'être à l'heure ! Je vous raconterai tout le reste quand nous nous reverrons.

Du fond de la cuisine, j'entendais ma famille trépigner.

— Paul ? fit la princesse. Je voudrais que vous me promettiez une chose.

— Bien sûr.

— Promettez-moi que vous serez là, dit-elle, mutine.

Je ris devant sa crainte que j'arrive en retard, ou de ne pas me trouver sur le perron.

— Promettez-le ! insista-t-elle. Je veux entendre ces mots de votre bouche !

Je ris de plus belle.

— D'accord, d'accord. Si ça vous fait tellement plaisir, je vous promets d'être là.

La princesse rit à son tour. Ma famille s'esclaffait joyeusement derrière la porte de la cuisine. Le caractère poignant de cette requête ne me frappa que plus tard, et les ultimes paroles que m'a adressées la princesse ne m'ont jamais quitté depuis. Oui, j'assume la responsabilité d'être là pour elle – même si d'autres y trouvent à redire.

— Bien ! fit la princesse. Nous nous verrons à mon retour.

C'est la dernière fois que nous nous sommes parlé.

I

Enfance

L'autobus à impériale de nuit serpentait péniblement sur les petites routes vallonnées des quartiers miniers d'un pays de cocagne : le Derbyshire. Tel un mineur ivre qui rentre en titubant après la dernière tournée de bière, il ne semblait guère pressé d'arriver à destination. Dans l'air stagnait l'odeur familière de soufre et de goudron du front de taille, mâtinée d'un fumet de bois calciné. Il était environ 23 heures, en ce 5 novembre 1956.

En bas du bus, une silhouette austère : une femme seule, plutôt forte, portant des lunettes rondes à monture noire. Sac à main sur les genoux, coiffée d'un chapeau cloche noir, Sarah Kirk comptait le nombre d'arrêts restant avant le quartier minier de Grassmoor. Arrivée là-bas, elle traverserait la grand-route qui coupait à travers le village, descendrait une rue pavée jusqu'à Chapel Road, tournerait à droite au bout de la rue et pousserait jusqu'au numéro 57. Elle avait passé une bonne soirée et dégusté quelques demis de bière brune au pub Elm Tree de Clay Cross, à cinq kilomètres de là.

Les samedis soir lui permettaient de retrouver Dolly, sa fille aînée qui lui avait donné quatre petits-enfants. C'étaient aussi des moments de répit, où elle n'avait pas à veiller sur William, son mari malade, ancien mineur aux poumons encrassés de charbon après une vie passée sous terre à Grassmoor, la houillère voisine. Sarah, elle, partait toujours avant la dernière tournée pour attraper le bus de Chersterfield. Il était 23 h 15, William attendait sa femme avec impatience. Comme le bus ralentissait, Sarah sortit ses gants, les enfila et se leva. Enfin arrivée ! Presque. Elle posa le pied sur le trottoir, tourna à gauche et se mit en marche en suivant le trajet du bus. Dans l'air glacial, son haleine semblait de la fumée de cigarette. Aveuglée sur sa gauche par l'arrière de l'autobus, elle ne vit pas la moto qui la heurta et la projeta dans les airs. Sarah Kirk était la grand-mère que je n'ai jamais connue. Elle fut tuée sur le coup, sur le trottoir en haut de la rue pavée qui deviendrait mon terrain de jeu. Victime de multiples traumatismes crâniens. Elle avait soixante-trois ans.

De tous les tours que le destin a joués dans ma vie, cette tragédie, survenue deux ans avant ma naissance, fut un moment clé. Elle entraîna le mariage de mes parents et, par là même, façonna le monde tel qu'il m'accueillit.

Cloué au lit par une pneumoconiose incurable, mon grand-père William Kirk entendit les pas d'une femme sur les pavés, puis le loquet de la porte du fond s'ouvrir. Son bien le plus précieux, une montre à gousset en or, lui indiquait 23 h 10. Sarah avait cinq minutes d'avance.

Il entendit des pas escaladant au trot l'escalier de bois, et vit un visage apparaître à l'entrée de sa chambre. C'était sa dernière fille – ma mère, à qui il portait une véritable adoration. Beryl Kirk s'assit au bout du lit, pour lui raconter son délicieux rendez-vous avec un homme natif du village voisin de Wingerworth. Elle était la toute première conquête de Graham Burrell.

Papa, alors âgé de vingt-deux ans, parcourait à pied les trois kilomètres le séparant de chez lui, par des routes de campagne sans éclairage. Un autobus à impériale le dépassa sur le chemin de Grassmoor.

Les martèlements frénétiques sur la porte de service du 57, Chapel Road firent tressauter père et fille. Un voisin appela maman. « Il s'est produit un terrible accident. Venez vite ! Venez vite ! »

Maman, qui avait à peine vingt ans, se leva d'un bond et gagna le sommet de la colline mi-marchant, mi-courant. Là, une amie l'aperçut et lui barra la route, soucieuse de lui épargner un tel spectacle. Une précaution utile, si l'on en juge par les cris de douleur que ma mère poussa quand on lui rapporta les faits.

Elle n'allait jamais se remettre vraiment de la disparition de sa mère. Enfant, je la voyais souvent pleurer, quand elle ruminait ses souvenirs. Tous les dimanches, jusqu'à la fin de ses jours, elle s'est rendue au cimetière de Hasland pour astiquer la pierre tombale et y déposer des fleurs. Je l'accompagnais souvent. C'est pendant mon enfance que j'ai commencé à croire à « l'autre monde ». Maman parlait à mamie dans la cuisine ou devant sa tombe, la tenait informée des dernières nouvelles. Mamie était toujours parmi nous, affirmait-elle.

— Que dois-je faire ? Fêter mes vingt et un ans ou me marier ? On n'a pas les moyens de s'offrir une noce et un anniversaire ! déclara ma mère à mon père. Dans les semaines de deuil consécutives à l'accident, le romantisme semblait, lui aussi, enterré. On aurait cru que mon père devait choisir le menu du dîner. Viande et tourte aux pommes de terre, ou ragoût et boulettes ?

La réponse de papa fut tout aussi nonchalante :

— Eh bien, je suppose qu'il vaut mieux se marier.

Sans la mort de mamie Kirk, mes parents n'auraient pas convolé si tôt. C'est ce que prétend mon père, en tout cas. Les circonstances l'acculèrent au mariage et à la paternité. La disparition de ma grand-mère promut maman au rang de maîtresse du numéro 57, celle qui prenait soin de mon grand-père en alternance avec sa sœur aînée, domiciliée au 16 de la même rue.

Le 25 mars 1957, soit quatre mois après le décès de mamie, Beryl Kirk et Graham Burrell s'unirent pour le meilleur et pour le pire. Ce fut une journée morose, au cours de laquelle la grande absente éclipsa tous les présents. Après la cérémonie, maman fila au cimetière en robe de mariée pour déposer son bouquet de roses rouges sur la tombe maternelle.

Quatre années s'étaient écoulées depuis le premier rendez-vous de mes parents – une balade romantique le long de Mill Lane, qui reliait Grassmoor à Wingerworth, deux villages éventrés par la liaison ferroviaire Sheffield-Londres. À dix-sept ans seulement, maman occupait ses soirées comme barmaid au Miner's Arms, et travaillait le jour comme cuisinière à la mine. À même distance de la maison, le pub et la mine se trouvaient aux deux extrémités de Chapman Lane, parallèle à Chapel Road. Le long de ces deux rues, deux enfilades de maisons se pressaient les unes contre les autres. Chaque toit abritait un mineur, et chaque client du pub était soit mineur, soit épouse de mineur. C'est un soir de 1952 – l'année où la reine Élisabeth II accéda au trône – que papa et son frère Cecil poussèrent la porte de l'établissement. Plus tard, maman se souviendrait d'un homme qui la « fixait de biais ». Et papa d'un « joli brin de fille derrière son bar ».

À tout juste dix-huit ans, papa, garçon naïf et timide, n'avait jamais eu de petite amie. Maman et moi restions convaincus que sans l'alcool il ne l'aurait jamais abordée. Elle céda à ses avances – et de ce jour ne regarda plus d'autre homme. Issu d'une famille de cinq enfants, mon père avait grandi dans une modeste ferme au milieu des cochons, des poules et des pommiers. Il serait employé par la Chambre nationale du Charbon, sur les locomotives qui traînaient les berlines remplies de minerai vers les silos et la cokerie de Wingerworth. Il était fier d'échapper au destin de mineur que tous lui avaient prédit. Moi aussi, un jour, j'allais connaître ce sentiment. C'est au service militaire qu'il devait son salut : deux années loin de chez lui, à servir la Couronne, étaient autrement alléchantes qu'une vie entière sous terre, aussi s'enrôla-t-il comme aviateur dans la RAF. Il nous avait raconté qu'il balayait la piste de décollage des bombardiers Vulcan, mais en réalité il était planton au contrôle aérien. Il regagna le Derbyshire en 1954.

Si la date du 6 juin 1958 n'est pas restée gravée dans la mémoire collective, elle revêtit une importance de premier ordre pour mes parents. Par une belle soirée d'été précoce, je suis né à la maternité de Scarsdale, Chesterfield, et mon arrivée les prit de court. Papa et maman avaient prévu une fille et déjà choisi son prénom : Pamela Jane. C'est à la sage-femme que revint l'honneur d'annoncer la nouvelle :

— Ah, madame Burrell, ce n'est pas une petite Pamela, mais un garçon !

C'est ainsi qu'on me prénomma Paul.

Depuis l'instant où maman était descendue de l'autel, elle n'avait eu qu'une idée en tête : devenir mère. Hélas, papa n'était pas convaincu, et cela provoqua maintes disputes dès les premiers temps de leur union. Maman, qui avait rendu son tablier au pub et à la cantine de la mine pour s'occuper de grand-père Kirk, plaidait obstinément sa cause :

— De toute façon, je suis coincée ici vingt-quatre heures sur vingt-quatre. Ce n'est pas un bébé à nourrir et laver en plus qui changera grand-chose.

Maman attendait toujours que papy soit endormi pour parlementer avec papa dans la chambre à coucher. Et elle l'eut à l'usure. Mais quand elle annonça, fébrile, qu'ils seraient bientôt trois, papa ne fut pas le moins emballé des deux.

Maman continua de prendre soin de son père tout le temps de sa grossesse. Elle le changeait de position dans le lit, s'occupait de la toilette et du rasage, lui servait et desservait ses repas. Ces efforts avaient un prix, et quelque temps avant le terme prévu, maman fut admise à la maternité pour épuisement et hypertension. Papa l'accompagna en ambulance. Le soir il la laissa dans sa chambre en promettant de revenir le lendemain.

Mais à son retour, maman n'était plus là. En déambulant dans le couloir, il entendit ses cris dans la salle de travail : elle appelait sa mère. Saisi par la peur de la paternité, il se rua vers la sortie et courut à toutes jambes jusque chez ses parents à Wingerworth, à neuf kilomètres de là.

Sa mère le morigéna :

— Mais enfin, où est le problème, mon fils ? Elle met au monde un enfant, et après ? Ressaisis-toi un peu.

Pendant ce temps, à la maternité, on enveloppait le nourrisson que j'étais dans des couvertures. Vers 20 heures, papa apprit que sa femme et son fils se portaient bien. Je faisais mon entrée dans le monde, sous les auspices de la reine Élisabeth II.

Six mois après mon arrivée au 57, Chapel Road, papy Kirk déménageait au numéro 16, chez tante Pearl qui venait de perdre son mari et avait cédé la gestion du Miner's Arms. Deux ans plus tard, maman était de nouveau enceinte – cette fois-ci, à la demande instante de mon père. Mes parents se berçaient d'images de petite fille gambadant dans la maison...

Dans un autre coin du pays, dans un monde en tout point éloigné du nôtre, une autre famille priait pour un enfant. À Park House, dans le domaine Sandringham du Norfolk, les Spencer avaient déjà deux filles, Jane et Sarah. Leur fils, John, n'avait vécu que quelques heures. Il était absolument nécessaire que le prochain rejeton fût un fils, afin de donner un héritier au vicomte d'Althorp.

L'année 1961 n'allait satisfaire les espoirs d'aucun des deux couples.

Mon frère Anthony William naquit le 30 mars. Cette fois maman n'eut pas le temps d'atteindre l'hôpital, et fut accouchée dans son lit par notre voisine Annie Tunnicliffe. Mes parents étaient tout fiers d'avoir un second fils bien portant. La déception était plus rude du côté de Sandringham : toujours pas d'héritier, mais une troisième fille, née le 1er juillet, et prénommée Diana Frances. J'avais alors trois ans.

En décembre 1960, soit trois mois avant la naissance d'Anthony, la maladie finit par emporter papy Kirk. Je me souviens vaguement des funérailles : un cercueil disposé au centre du petit salon, une pièce bondée d'adultes, tous en noir, et moi qui pleurais de ne pas trouver mon grand-père dans la foule. Plus tard, maman me raconta que toute la rue s'était déplacée ce jour-là et que chaque maison avait tiré les rideaux en guise de dernier hommage. Il était de coutume que le défunt passe une dernière nuit chez lui, à la lueur des bougies, afin que parents, amis et voisins viennent se recueillir devant le cercueil ouvert. Ce qu'ailleurs on appelait une veillée était désigné dans notre village comme l'« ultime retour à la maison ».

J'étais trop jeune alors pour avoir gravé dans ma mémoire davantage d'images de la vie au numéro 57. Hormis l'enterrement, mon seul souvenir vivace est le moment du bain, dans la pièce du fond. On rapportait du lavoir une baignoire en ferraille que l'on remplissait d'eau tiède devant une bonne flambée. Pendant que je barbotais, maman approchait une serviette du feu pour la réchauffer. Il faisait toujours froid chez nous. Mais le bain n'avait pas le même charme quand maman était pressée : elle me hissait alors dans l'évier en émail blanc qui faisait le coin de la salle et me frottait vigoureusement, comme avec un tampon à récurer, tandis que je me retenais à l'unique robinet d'eau froide, dont le conduit vertical bringuebalait au mur.

Peu de temps après les obsèques de grand-père, nous nous installâmes cinq numéros plus bas, au 47. Chapel Road était une rue pavée, avec des lampadaires en fer forgé. Elle formait un L, au fond duquel se trouvaient nos deux maisons successives. Celles-ci étaient orientées plein ouest, avec des jardins donnant sur des champs qui descendaient en pente vers l'est et le périmètre de la houillère. On y dénombrait quelques boutiques : la mercerie Hartshorn où maman se fournissait en laine à tricoter, « Chez Tatie Hilda », avec ses plaques métalliques vantant les mérites des produits Bovril, Cadbury et Oxo au-dessus d'un store à rayures vertes, et le bookmaker Fletcher, chez qui papa ne mettait jamais les pieds. Mais c'est en bas de la rue, à deux pas de la maison, que se trouvait mon adresse préférée : le marchand de glaces Monty White, où l'on vous servait sur un cône de grosses louchées de crème glacée maison contre une pièce de trois pence. Pile en face de la nouvelle maison se dressait la boulangerie d'Eldred, et je me réveillais chaque matin dans une douce odeur de pain frais (avec, en sus, le vendredi saint, celle des brioches à la cannelle) vite supplantée par les relents de soufre et de goudron de la mine.

Par la fenêtre de ma chambre, je contemplais les champs qui s'étendaient jusqu'aux terrils montagneux, derrière lesquels se dressaient deux beffrois jumeaux. Au premier plan, chaque mois d'août, quatre-vingt-dix chevaux de mine quittaient l'obscurité pour paître au grand air, durant les quinze jours de congés annuels.

Les maisons accolées étaient toutes bâties à l'identique, une façade simple percée de fenêtres à guillotine ; avec le temps, la crasse avait terni le rouge des briques. Chacune possédait son lavoir, ses latrines et sa remise à charbon dans un jardin sans gazon où claquaient des draps blancs suspendus. Du haut de la grand-rue, les toits d'ardoise grise traçaient une longue perspective brisée par les créneaux de cheminées rouges. Les rues grouillaient de l'animation des cités ouvrières : les femmes en tablier, enturbannées d'un foulard, lessivaient les perrons, accouraient chez les commerçants, échangeaient quelques banalités avec les voisins par-dessus le portail ; les hommes, bottes aux pieds et casquette sur le front, se traînaient sur le chemin ou, au retour de la mine, échangeaient quelques blagues ; les enfants criaient et piaillaient, jouant à cache-cache ou à chat.

Nous avons déménagé au moyen d'une quantité de brouettes. La nouvelle maison constituait aux yeux de maman l'habitation idéale : elle possédait une salle de bains. Le nouveau loyer se montait à douze livres et six shillings, mais la possibilité de faire pipi au chaud valait bien le sacrifice, et puis, papa multipliait les heures supplémentaires. Adieu les baignoires en ferraille devant la cheminée et les pots de chambre qui gelaient sous les lits ! J'imagine que la salle de bains était notre seul luxe dans une maison où la vie s'organisait autour de la pièce du fond. De moquette sur mesure, il n'était pas question : c'était du lino dans toutes les pièces, parsemé de carpettes faites main. Un téléviseur noir et blanc trônait sur le buffet, et papa avait bricolé une antenne avec un câble et une poêle à frire suspendue au mur. Par miracle on arrivait à capter le signal, même si l'image était brumeuse et parfois sautillante. Cette invention rudimentaire me permit de suivre les émissions enfantines de la BBC. Un peu plus tard, on s'installerait en famille devant *Saturday Night at the London Palladium*, qui accueillait régulièrement Danny La Rue, l'humoriste le mieux payé du pays, en invité vedette.

Les corvées ménagères faisaient partie intégrante de l'éducation des enfants. Avant même d'entrer à l'école, à l'âge de cinq ans, il fallait mettre la main à la pâte. Les « lundis lessive », j'aidais ma mère à laver le linge de la semaine et la regardais manier l'« agitateur », entortillant les vêtements sales dans la baignoire tout en plongeant son battoir dans l'eau savonneuse. Puis je tournais la poignée pendant qu'elle enfournait les habits trempés dans l'essoreuse. Le mardi était le « jour des cuivres », quand on alignait ceux-ci sur la table de la cuisine nappée de papier journal. Les mains de maman noircissaient à vue d'œil, et je l'aidais à essuyer et astiquer les pièces. Un jour, ce ne serait plus les chevaux en cuivre de ma mère que je ferais briller, mais de l'argenterie remontant aux rois George. Nous possédions deux biens de valeur à la maison : une pendule en bois, dont le « carillon de Westminster » sonna tous les quarts d'heure de mon enfance, et le monstrueux piano droit qui encombrait tout le fond du petit salon. Chaque semaine on avait droit à un concert, quand ma mère invitait la couturière du quartier, Gladys Leary, et son amie Winifred Lee pour chanter des airs de music-hall devant ses deux fistons.

Maman était la plus méticuleuse des fées du logis. Elle raclait l'âtre tous les matins, frottait le seuil avec du crésyl, passait les vitres de devant à l'eau vinaigrée et lavait les voilages.

Financièrement, nous tirions toujours le diable par la queue. Il fallait avoir le prétexte de la maladie pour mordre dans un fruit frais. Une crise de jaunisse à l'âge de huit ans m'amena ainsi à découvrir les oranges, le raisin et la banane. Les gens qui gardaient une coupe de fruits sur leur buffet passaient pour des rupins ; un vase de fleurs était chose inconnue, sauf quand survenait un décès.

Le passage des employés du gaz et de l'électricité laissait espérer quelques rentrées de liquide. Les commodités étaient en effet facturées au moyen d'un compteur à pièces. Quand les collecteurs venaient, ils vidaient la monnaie sur la table de la cuisine, comptaient les pièces, et formaient des piles d'une livre. Maman surveillait les calculs de ses yeux de lynx, priant pour qu'il y eût davantage que ne l'exigeait la facture. Voilà comment de simples compteurs faisaient office de tirelire...

Le vendredi soir, papa rapportait sa paie, et maman attaquait la première. Elle rangeait le montant du loyer dans une théière, puis papa filait à la friterie pour faire la queue pendant une heure : les *fish and chips* étaient la gâterie familiale de fin de semaine. En grandissant, il m'apparut que mes parents étaient les plus pauvres parmi nos proches. L'oncle Bill, le frère aîné de maman, vendait de l'essence et des voitures. Une gigantesque enseigne lumineuse rouge et bleu, aux couleurs des carburants Regent, dominait la devanture de son garage. Il possédait tellement de voitures que je l'imaginais millionnaire. C'est grâce à l'oncle Bill que papa eut toute une série de voitures d'occasion. La première était une Morris Minor noire, puis nous sommes montés en grade avec une Ford Zéphyr 1957, bleu et crème. L'une et l'autre avaient des sièges en cuir, où il était impossible de s'asseoir en été pour peu qu'on soit en short.

La deuxième femme de l'oncle Bill, tante Marge, était une femme gracile à la mise impeccable, qui arborait des tailleurs en tweed faits sur mesure avec un col en fourrure. Je lui trouvais l'allure d'une star de cinéma. Maman, elle, portait des gilets par-dessus de jolies robes à fleurs. De son précédent mariage, Tante Marge avait deux filles, Sandra et Sheila. Leur train de vie était tel que ces deux-là s'achetaient chaque mois le magazine *Photoplay*, où Elizabeth Taylor, Jean Simmons, Bette Davis et Jayne Mansfield s'étalaient en couverture. Elles en possédaient toute une pile, entassée dans un coin.

— Prends-en quelques-uns, si tu veux, me proposa un jour Sandra. On les a tous lus.

N'en croyant pas mes oreilles, j'en attrapai de pleines brassées avant qu'elle puisse changer d'avis.

Je les dévorais dans ma chambre et découpais mes clichés préférés pour les afficher sur le papier peint fleuri bleu et crème.

L'arrivée de mon deuxième frère, prénommé Graham comme mon père, n'avait pas été prévue, et quand ma mère se sut enceinte, l'idée de Pamela Jane refit surface. Mais maman nourrissait surtout un autre espoir : que la naissance prévue pour novembre 1965 coïncide avec le neuvième anniversaire de la mort de mamie Kirk.

Maman perdit les eaux le 4 novembre. J'avais alors sept ans, et j'ai pleuré toutes les larmes de mon corps en la voyant monter dans l'ambulance. Avant la fermeture des portières, je l'entendis murmurer : « Pitié, Seigneur, pas aujourd'hui ! » Je croyais qu'elle allait mourir. Mais elle voulait seulement tenir quelques heures de plus. Son ange gardien dut l'entendre cette nuit-là, car le travail se prolongea jusque tard le lendemain. Après le recours aux forceps et à la ventouse, Graham vint au monde le 5 novembre à 23 heures, soit dix minutes avant la date anniversaire exacte.

J'ai connu une enfance heureuse dans un milieu où le labeur constituait l'unique gagne-pain de gens simples et honnêtes, dont les valeurs étaient centrées sur la cellule familiale. Je vivais dans une rue chaleureuse et généreuse, où les portes vous étaient toujours ouvertes. J'étais le parfait petit fils à sa maman : papa disait que j'étais sans cesse dans ses jupes.

Mon père était né le 2 août 1935. Il était le fils de Cecil Burrell, un maréchal-ferrant qui s'occupait des chevaux de la houillère de Bonz Main, à la lisière de Chesterfield. Grand-père était le dernier à exercer ce métier dans les mines du nord-est du Derbyshire. Papa avait écopé du surnom de Nip en raison de sa petite taille, de sa maigreur et de son statut de petit dernier : c'était le *nipper* (le mioche) de la famille. Peu de choses l'effrayaient – si ce n'est passer sa vie sous terre : c'est avec un grand soulagement qu'il devint convoyeur de charbon. Il était volontaire, discipliné, intelligent, et se plaquait les cheveux avec la fameuse brillantine Brylcreem. Je me souviens qu'il imprimait à ses pantalons un pli tranchant comme une lame, un reste de ses années dans la Royal Air Force. C'est lui qui m'apprit à repasser comme un chef – les rudiments de mon futur métier, en quelque sorte. Quand il quittait la maison le matin, avec sa casquette et sa grosse veste, c'était comme s'il n'allait jamais revenir : il rentrait juste à temps pour embrasser ses trois fistons couchés dans leur grand lit. Maman aimait à dire, pour plaisanter, qu'on voyait davantage le médecin de famille que notre propre père. Mais il travaillait comme un forcené pour nous offrir une vie meilleure.

Maman était née la même année bissextile que lui, le 29 février. À trente-six ans, elle prétendait en riant n'en avoir que neuf. Ce n'était pas une femme difficile. Tout ce qu'elle pouvait gagner ou épargner, elle le réinvestissait dans son foyer. Grande, la silhouette anguleuse, elle portait des lunettes à monture d'écaille et avait souvent une cigarette entre les doigts.

Mamie Kirk était toujours avec elle, dans un coin de sa tête. Dès que maman égarait quelque chose – un bijou, le patron d'un tricot ou son sac à main –, elle s'asseyait et lançait : « Allez, Sarah, aide-moi à chercher. » Et quand elle finissait par retrouver l'objet en question, ce n'était jamais le fruit du hasard. Sa gentillesse et sa générosité étaient sans bornes, et je ne me souviens pas qu'elle eût jamais élevé la voix. Elle glissait des mots tendres à l'oreille des malheureux, et les écoutait à son tour, pleine de compassion ; elle réconfortait les malades, offrait quelques sous aux nécessiteux, des présents aux plus pauvres que nous. Quand un incendie ravagea l'une des maisons de la rue, laissant toute une famille sur le carreau, maman frappa à toutes les portes pour récolter ici un vêtement, là quelques pièces. À la cantine de la mine où elle travaillait avant ma naissance, elle avait pour spécialités le hachis Parmentier, les tartes au fromage ou à l'oignon, et le Yorkshire pudding. On appréciait tant sa cuisine qu'après son départ, des mineurs vinrent frapper à notre porte pour lui réclamer des petits plats. Alors, quand elle nous préparait à manger, elle augmentait le nombre de portions afin d'apporter quelques assiettes en haut de la rue. Elle confectionnait aussi des repas pour des voisins sans le sou qui n'osaient pas quémander, et rendait visite aux vieillards alités ou en fauteuil roulant. Elle les rasait, les lavait et emportait leur linge sale. Elle faisait également le ménage deux fois par semaine chez une cancéreuse en phase terminale.

Je me souviens d'une femme qui se présenta chez nous en pleurs : déjà mère de quatre enfants en bas âge, elle était à nouveau enceinte ! Maman la fit asseoir et parvint à la calmer par de simples arguments de bon sens. Beaucoup de gens venaient lui confier leurs problèmes, car maman savait toujours quoi leur répondre. Dans ses rares moments de répit – généralement après nous avoir mis au lit –, elle tricotait gilets, pulls et layettes pour les enfants du voisinage. C'était à la fois la grand-mère, l'infirmière, la cuisinière et la conseillère conjugale du quartier, celle que tout le monde appelait Tatie Beryl.

Un jour, je vis le piano droit ressortir par la porte d'entrée. Maman l'avait donné à un garçon épris de musique, dont la famille ne pouvait s'offrir d'instrument.

— Mais c'est notre piano, maman ! protestai-je.

— Il sera bien mieux chez lui, m'assura-t-elle.

Bâtie à l'époque victorienne, avec ses immenses fenêtres, ses hauts plafonds et ses bruyants couloirs carrelés de blanc, l'école primaire de Grassmoor se trouvait sur la route principale du village, face à une immense pelouse qui accueillait le club de cricket. Les élèves s'asseyaient derrière des rangées de pupitres en bois, pour tremper leur plume dans l'encrier. C'était de la « vraie écriture » et ma mission, en tant que « responsable des encriers », consistait chaque matin à remplir de Quink neuve l'ensemble des godets en porcelaine. Chaque fois que je verrais la princesse écrire, me reviendrait le souvenir de ces jours d'antan. Elle se servait toujours d'un stylo-plume en or, mais au lieu de remplir la cartouche elle le trempait directement dans un flacon de Quink. Elle rédigeait toute sa correspondance ainsi, qu'il s'agît de lettres personnelles, de mots de remerciement ou de notes internes.

Un jour M. Thomas nous demanda, d'une voix de stentor que son accent gallois n'adoucissait guère, d'expliquer dans une dissertation ce que nous souhaitions faire à l'issue de notre scolarité. Trente gamins se creusèrent la cervelle en silence. La plupart de mes camarades pensaient naturellement suivre les traces de leurs mineurs de pères, mais moi je savais, dès l'âge de dix ans, que ce n'était pas ma vocation. La mine représentait un avenir de contraintes, de poussière, d'humidité et d'obscurité. Bien trop pénible. J'intitulai ma rédaction : « Quand je serai grand, je deviendrai prêtre. » Une vie de pastorat me semblait la solution rêvée. Peut-être était-ce dû à l'influence de ma mère, être mystique s'il en est, et à la ferveur qu'elle mettait à aider son prochain.

J'étais un gamin très timide et réservé. C'est pourquoi j'appréciai modérément l'expérience lorsque l'instituteur décida de lire ma copie devant toute la classe. Je devins rouge comme une tomate, au milieu des ricanements. Je n'ai jamais remercié M. Thomas, mais rétrospectivement je lui sais gré de tant de choses. Je n'allais jamais devenir un grand intellectuel, mais j'avais soif d'apprendre, et il vit mon désir de briser le moule où se coulaient toutes les familles de la région, génération après génération. Le grand-père Burrell était maréchal-ferrant, papy Kirk était mineur, papa travaillait pour la Chambre nationale du Charbon, et son frère Cecil était mineur. Maman avait travaillé à la cantine de la mine et ses trois frères – oncle Stan, oncle Bill et oncle Keith – avaient tous commencé comme mineurs. Même mes frères Anthony et Graham ont pris le chemin de la mine.

Le cursus classique voulait qu'on intègre ensuite le collège de Danecourt, dans le village voisin de North Wingfield. C'était là que les garçons devenaient des hommes lors des campagnes de recrutement de l'industrie minière. Et je semblais condamné au même sort après avoir raté l'examen d'entrée du lycée de Chesterfield. Mais c'est là que M. Thomas entra en lice. Il expliqua à mes parents qu'il décelait en moi des potentialités qui seraient bêtement gâchées à Danecourt, et m'obtint une place au collège de garçons William Rhodes, à Chesterfield. Mes parents ne se tenaient pas de joie. Le cycle infernal était enfin brisé.

Être admis à William Rhodes représentait un exploit dans notre rue. Il fallait un uniforme neuf, surtout pas d'occasion. Ce fut une grosse dépense, ainsi que mon tout premier voyage en train, jusqu'à Sheffield avec maman. La cravate et l'écusson étaient aux couleurs du club de foot des Wolverhampton Wanderers, gris et or, et maman me tricota un pull-over gris. Elle était si fière que, le jour de la rentrée, en septembre 1969, elle m'accompagna jusqu'au car de ramassage pour s'assurer que la casquette noire me restait bien vissée sur le crâne.

Je montai dans le bus rempli d'enfants et m'assis à côté du premier garçon qui portait le même uniforme que moi. Il me lança :

— Vire ta casquette, t'as l'air d'un con.

Je ne me le fis pas dire deux fois. Kim Walters, qui était plus costaud, plus grand, et dessinateur plus doué que moi, devint mon ami et mon protecteur pour les cinq années à venir.

William Rhodes était un établissement de garçons, où les maîtres portaient la toge noire et maniaient encore la baguette. Le proviseur Crooks, qui ne quittait jamais sa toque et m'enseigna à craindre le Tout-Puissant, y recourait fréquemment pour remettre au pas les esprits réfractaires. Il était très à cheval sur les bonnes manières et la présentation. L'école mettait l'accent sur les sports de compétition, mais mes points forts étaient la langue et la littérature anglaises. Kim excellait dans toutes les disciplines de plein air, et deviendrait footballeur professionnel.

L'histoire comptait aussi parmi mes matières préférées. Je collectionnais les cartes des navires célèbres, des inventions de l'ingénieur Brunel, des drapeaux du monde entier, et des vignettes des souverains d'Angleterre et d'Écosse que l'on trouvait dans les boîtes de thé. De là est né mon intérêt pour la royauté et le patrimoine depuis la conquête normande de 1066. Quand les autres garçons de la rue jouaient dehors après l'école, je restais chez moi à faire mes devoirs, que Kim recopierait le lendemain dans le bus. Et quand j'en avais terminé, je restais à mon bureau pour dévorer des ouvrages sur les rois et les reines. C'est ainsi que je décrochai mon certificat de littérature anglaise avec une dissertation sur Richard III, que je dépeignis à tort comme un bossu fourbe et vil : ce fut en vérité un souverain courageux et passionné, même s'il ne régna que deux ans. Cela aurait dû m'apprendre que l'histoire juge parfois cruellement les membres de la famille royale qui détonnent dans le tableau.

J'avais presque douze ans lors de notre premier séjour en famille à Londres, au printemps 1970. Nous avons arpenté The Mall, et l'imposante façade en pierres blanches de Buckingham Palace apparut peu à peu. Papa et maman tenaient à « voir où vit la reine ».

— Vous croyez qu'elle sera chez elle, les gars ? plaisanta mon père.

Anthony et moi étions fascinés par le somptueux bâtiment qui s'étirait sous nos yeux. Nous nous sommes accrochés à la grille noire, la tête entre deux barreaux, pour suivre la relève de la garde. Quel incroyable spectacle ! C'était à mille lieues de notre quotidien. J'ignore toujours pourquoi, mais c'est ce moment-là que je choisis pour déclarer :

— Un jour, j'aimerais travailler là, maman.

C'était le genre de réflexion naïve et spontanée que font tous les enfants – on veut être pilote quand on voit passer un avion, ou astronaute quand Neil Armstrong devient le premier homme à marcher sur la Lune.

Papa me frotta les cheveux affectueusement :

— Mais oui, mon canard.

Comment aurions-nous su, lui et moi, qu'au cours de la même décennie je prendrais place juste derrière Sa Majesté la Reine, en tant que valet de pied, à bord du carrosse *Irish State Coach* pour franchir cette même grille en cortège officiel ?

Ma première affectation royale allait pourtant m'échoir dès l'automne de cette année-là. Je fis partie de la troupe qui donna *Aladin* au Club des Ouvriers de Grassmoor, dans une mise en scène de Margaret Hardy, une amie de la famille. Mon rôle ? Un serviteur de la princesse Sadie...

J'ai quitté William Rhodes à l'âge de seize ans, avec six certificats en poche. Admis au High Peak College de Buxton, je m'installai dans une chambre meublée en septembre 1974. J'allais suivre une formation de deux ans en hôtellerie et restauration. J'y apprendrais à peu près tout, de la confection du repas parfait à l'art de faire les lits de la meilleure manière. Je remportai un prix national de restauration pour avoir sculpté la célèbre flèche tordue de Chesterfield dans un bloc de margarine. J'avais acquis une formation et une pratique de haut niveau ; ne me manquait plus que l'expérience.

J'ai donc dressé une liste d'endroits où mes aptitudes seraient le mieux mises à profit : Trusthouse Forte, les hôtels Travco, la Pacific & Orient pour ses navires de croisière et de fret, la Cunard – qui possédait le plus célèbre paquebot au monde, le *Queen Elizabeth II* –, et enfin le palais de Buckingham, qui possédait toute une armée d'employés. L'été venu, j'envoyai donc plusieurs courriers pour proposer mes services et montrer ma motivation.

Les hôtels Travco furent les premiers à me répondre ; ils m'offraient un poste d'adjoint au directeur du Lincombe Hall Hotel, un trois-étoiles de Torquay. Accepter cette proposition signifiait quitter l'école plus tôt que prévu pour assurer mes fonctions dès juin 1976, et jusqu'à la fin de la saison estivale, ce qui m'éloignerait de la maison pendant plusieurs mois. C'était un emploi, mais ce n'était pas ce dont je rêvais. Je finis tout de même par accepter, en demandant à maman d'ouvrir tous les courriers qu'elle recevrait à mon nom. Trusthouse Forte me répondit par la négative, tout comme P&O. En revanche, je décrochai un entretien aux bureaux de la Cunard à Southampton, et un autre au palais de Buckingham. Je rentrai alors de Torquay et roulai avec mon frère Graham jusqu'à la capitale.

J'entrai dans Buckingham par une porte latérale, vêtu d'un costume sombre. J'étais très impressionné de fouler ces couloirs, ces mêmes couloirs à moquette rouge dont parlaient les livres que je dévorais autrefois après les cours. Je me sentais comme un serf pénétrant dans un monde où l'on ne l'accepterait jamais.

Quand j'atteignis le premier étage et le bureau de M. Michael Timms, l'adjoint du Maître de la Maison royale, j'entendis résonner la douce voix de maman : « Reste toi-même et tout ira bien. » Pour une fois, je n'aurais pas dû l'écouter car je me suis assis avant qu'on me le propose et j'ai omis d'appeler mon patron potentiel « Monsieur ».

— Vous vous asseyez toujours avant que l'on vous y invite ? demanda M. Timms d'une voix pompeuse et apprêtée. Avez-vous du respect envers vos aînés ?

— Bien entendu.

— Alors pourquoi ne leur dites-vous pas « Monsieur » ?

Je reçus sous quinzaine une lettre de Buckingham m'informant que j'avais été refusé « cette fois-ci », mais que les renseignements me concernant restaient dans leurs dossiers. Quant à la Cunard, pas de nouvelles. Les deux postes de rêve paraissaient hors d'atteinte.

C'est à Torquay qu'un garçon timide et réservé prit de l'assurance, de l'épaisseur et de l'allant, au sein d'une prestigieuse équipe de direction. Je sentais que je pouvais aller loin dans l'industrie hôtelière. Mes supérieurs reconnurent mes qualités, et en octobre de la même année ils me confièrent un poste semblable auprès du directeur du fleuron du groupe, le Wessex de Bournemouth.

Mais cet établissement n'avait rien de commun avec le Lincombe. Logé dans une boîte à chaussures, je m'y déplus du début à la fin. La maison commençait à me manquer, et mes parents se firent un tel sang d'encre qu'ils vinrent me rendre visite. Maman voulait me ramener chez nous, mais ce n'était pas une solution : mes seules perspectives de carrière étaient là.

À Bournemouth, les choses allèrent de mal en pis. On m'envoyait au sous-sol pour jouer les magasiniers, on m'appelait en cuisine pour assurer le petit déjeuner quand le chef était en congé, puis on me dépêchait en salle pour faire le service dans les réceptions. Je n'avais pas d'amis et je n'allais nulle part.

C'était un matin glacial de novembre au 47, Chapel Road. Papa était parti travailler et Anthony, alors âgé de quinze ans, effectuait sa tournée de laitier. Dans la pièce du fond, maman préparait le petit déjeuner pour Graham qui dormait encore, quand elle entendit grincer la trappe du courrier. Elle s'essuya les mains sur un torchon, gagna la pièce principale et ramassa le courrier. Il y avait deux lettres pour M. Paul Burrell.

Elle ne reconnut pas le logo en forme de C de la première enveloppe, mais le verso indiquait « Cunard, Southampton ». Quant à la seconde lettre, elle en avait déjà reçu une semblable : l'enveloppe blanche était frappée du cachet noir de Buckingham Palace. Au dos se dessinaient en rouge et en relief les armoiries de la reine. Les deux missives étaient arrivées en même temps que la facture du gaz.

Maman les glissa dans la poche de son tablier, où elles restèrent une demi-heure tandis qu'elle s'affairait dans la cuisine. Graham descendit pour s'habiller devant le feu. Maman lui dit :

— Paul a reçu deux lettres. Une de la Cunard. Une autre de Buckingham.

Elle s'assit et prit un couteau sur la table de cuisine. Elle ouvrit délicatement l'enveloppe royale. Elle était signée de M. Michael Timms, qui m'offrait une place de sous-majordome à l'argenterie royale. L'autre lettre émanait du service du personnel de la Cunard, qui me proposait un poste de steward sur le *Queen Elizabeth II*. Maman contempla les deux documents. Elle savait que je sauterais sur l'occasion de partir vivre en mer, et s'interrogea sur ce qu'elle devait faire. Puis, brusquement, elle se décida :

— Il va sauter dans ce bateau et on ne le reverra jamais ! lança-t-elle à Graham avant de jeter la lettre et l'enveloppe au feu.

Ils regardèrent tous deux ma carrière maritime partir en fumée.

— Tant que je serai de ce monde, Graham, jure-moi que tu ne lui révéleras jamais ce que je viens de faire.

Elle posa la lettre de Buckingham Palace sur le rebord de la cheminée puis elle courut à la boulangerie

Eldred, de l'autre côté de la rue, pour passer un coup de fil.

Je me trouvais dans la réserve du Wessex quand on me demanda au téléphone.

— Paul ! Buckingham Palace vient de t'écrire pour te proposer un travail. Tu vas l'accepter, n'est-ce pas ?

Quelle question ! C'était une offre de rêve, et l'incrédulité prit le pas sur l'euphorie.

Sans que j'en sache rien, maman avait pris pour moi la décision la plus importante de ma vie, en m'orientant vers la terre ferme et le palais de la reine. Graham tint parole et garda son secret. Pendant dix-neuf ans. Jusqu'à ce qu'on se retrouve devant la tombe de maman, au cimetière de Hasland. Il m'avoua la vérité quelques instants après l'inhumation, en 1995, non loin du tombeau de papy et mamie Kirk.

À cette époque, je travaillais pour la femme la plus extraordinaire du monde : la princesse de Galles. Je devais ce privilège à ma merveilleuse mère, mais je n'ai jamais pu la remercier.

Alors, quand tout le monde se fut dispersé, je fis ce qu'elle faisait toujours avec mamie Kirk : penché sur sa tombe, je lui ai parlé. Et je lui ai dit merci.

II

Buckingham Palace

Le tableau qui se déroulait sous mes yeux était proprement incroyable.

La reine, en plein travail dans son salon de Buckingham, leva les yeux et me surprit en train de l'épier, le sourire aux lèvres. Elle s'interrompit.

— Pourquoi souriez-vous ainsi, Paul ? s'enquit-elle avec une pointe d'amusement dans la voix.

— Si seulement vous pouviez voir ce que je vois, Votre Majesté.

Nous échangeâmes un grand sourire. Il était tard le soir, presque l'heure de se coucher, et elle était assise dans son fauteuil, derrière son bureau près de la fenêtre, dans une élégante robe en soie. Elle portait la couronne impériale d'État. Et ses mules roses. À la fois majestueuse et maternelle, elle incarnait le pouvoir en toute simplicité. Un spectacle aussi charmant qu'incongru, et aussi cocasse que l'admettait son sourire.

Je l'avais surprise en venant lui souhaiter bonne nuit après avoir accompli ma dernière tâche : m'assurer que ses neuf corgis étaient bien installés dans leurs paniers, au bout du couloir à l'épais tapis rouge. Un grand paravent dissimule la chambre sur la gauche, après la porte. Il faut effectuer quelques pas sur le parquet puis sur un immense tapis pour être vu. C'est là que je me tenais.

Lunettes demi-lunes sur le nez, la reine était penchée sur ses papiers ; la lumière d'une lampe de bureau révélait les coffrets rouges des documents officiels et faisait scintiller sa couronne de mille éclats. Je connaissais bien ses chaussons, mais jamais je n'avais vu la reine les porter en même temps que le plus inestimable des joyaux de la Couronne. Néanmoins cet étrange accoutrement n'était pas fortuit : nous étions à la veille de l'ouverture de la session parlementaire, et comme tous les ans la reine devait habituer sa nuque au poids de sa coiffe, l'équivalent de deux sacs de sucre.

Je demandai :

— Votre Majesté désirera-t-elle autre chose ?

— Non, merci, Paul.

Et de se replonger dans son travail.

J'exécutai ma révérence.

— Bonne nuit, Votre Majesté.

Ce fut la seule fois où je la vis couronnée en privé.

Mes conditions de vie et de travail avaient connu une amélioration considérable le 20 décembre 1976, quand je quittai l'univers confiné du Wessex de Bournemouth pour l'immensité de Buckingham Palace à Londres.

J'avais les jambes molles en pénétrant dans le palais en ce premier jour, vêtu de mon plus beau costume sombre, et muni d'une petite valise. Je me demandais si j'allais retrouver en ce lieu les us et coutumes d'un grand hôtel. Mais cela n'avait rien à voir : les hôtels sont traversés d'étroits couloirs, les palais de longues avenues feutrées. Le décor baroque et les titres désuets évoquent davantage un musée.

Si mon vieux camarade de classe Kim Walters trouvait la casquette de William Rhodes ridicule, qu'aurait-il pensé de mon uniforme ! Je passai de longues minutes planté devant la glace de la penderie de ma chambre à examiner un reflet qui me semblait surgi d'une autre époque : un inconnu en costume de valet qu'on aurait cru au service du roi George III, non de la reine Élisabeth II. Une bombe en velours bleu marine ; une collerette blanche amidonnée sur une chemise sans col ; un gilet brodé noir, avec des rayures en fil d'or et un dos en soie, serré sur le devant par des boutons dorés frappés des armoiries royales ; une culotte en velours rouge épais fermée sous le genou par des boutons dorés et un pompon ; des bas de soie roses, et des escarpins à boucle en cuir verni noir. À ma taille, côté gauche, pendait une épée dans son fourreau. J'enfilai les gants de coton blanc.

Les toutes premières minutes je me sentis grotesque, puis une immense fierté m'envahit quand j'endossai la dernière pièce de la panoplie : une redingote écarlate, à la boutonnière frangée d'un épais liseré doré, et une cordelière dorée autour de chaque bras. Cet uniforme était passé de main en main depuis au moins deux siècles. Il était rapiécé, reprisé, un peu piqué, mais il n'avait rien perdu de son éclat. Un seul élément avait changé : l'insigne cousu au bras gauche portait les initiales « EIIR », cerclées de la devise royale « Honni soit qui mal y pense », en français dans le texte, le tout surmonté d'une couronne impériale brodée.

J'avais d'abord essayé ces habits dans la salle des costumes du sous-sol : une garde-robe couvrant toute la surface des murs, avec une longue table au centre de la pièce. Il fallut toute une journée pour assembler mes principaux uniformes. Tous avaient été portés par d'autres avant moi. À Buckingham Palace comme à Grassmoor, les vêtements de seconde main étaient chose courante. Jusqu'aux chemises, pantalons et costumes du jeune prince Andrew, qui revenaient au prince Edward après quelques retouches.

Le sergent-valet de pied Martin Bubb me remit cinq ensembles différents : le costume de grand apparat, pour les occasions officielles en intérieur comme en extérieur ; l'écarlate, un ensemble redingote et haut-de-forme pour les occasions semi-officielles, et le derby du Royal Ascot ; l'épaulette, une redingote croisée à col haut destinée uniquement au yacht *Britannia* ; la tropicale, veste blanche de style safari pour les climats chauds ; et l'uniforme de tous les jours : redingote noire et chemise blanche, cravate noire et gilet écarlate. On me remit aussi une cape de cocher en feutre rouge, des cartons de chemises et de cintres, et des pantalons de rechange.

Le palais était désert, avec un personnel réduit au strict minimum : la cour s'était retirée au château de Windsor pour les fêtes de fin d'année. Mais sa dernière recrue était fin prête pour le service royal. Du point de vue vestimentaire, en tout cas.

Rien ne m'avait préparé à ma toute première tâche, le soir du réveillon de Noël, quand on m'expédia en train à Windsor. Je me retrouvai planté au rez-de-chaussée d'une tour octogonale à l'angle nord-est du château, celle qui surplombait l'East Terrace avec sa vue panoramique sur les jardins et le golf. Les tasses à monogramme tintaient et cliquetaient sur le grand plateau d'argent qui tremblait entre mes mains moites. J'avais l'estomac noué, et l'uniforme me mettait mal à l'aise. Allais-je faire tache dans le tableau ? Allais-je lâcher le plateau ? Serais-je à la hauteur ? Allais-je droit au casse-pipe ? J'étais sur le point de pénétrer dans l'intimité de la famille royale au grand complet, pour la toute première fois.

Je patientais sous le plafond signé Pugin de la Salle Octogonale, entre ses murs lambrissés de chêne. Un petit couloir menait à la pièce où je m'apprêtais à entrer – la sinistre salle à manger où les Windsor dînaient aux chandelles. Deux heures durant, j'avais vu défiler un ballet de valets, de sous-majordomes, de pages et de sommeliers en uniforme. Un vrai tapis roulant humain, convoyant assiettes, couverts, verres et plats garnis ; un flot ininterrompu, de l'entrée jusqu'au pudding et les douceurs de fin de repas. Puis vint le moment du dessert à proprement parler – une poire, une banane, une tranche d'ananas ou une pêche, à déguster avec des couverts en or. Car on ne mange pas une banane comme un singe dans les résidences royales : on utilise son couteau et sa fourchette, comme pour un melon.

Tout ce qui concerne la famille royale, y compris les repas en famille, est planifié, écrit et orchestré dans les moindres détails. Un bataillon de domestiques, comme moi ce jour-là, attend fébrilement de jouer son petit rôle, tels les protagonistes d'une comédie musicale se préparant en coulisses. On prend position derrière la porte. Les valets se tiennent droits comme des i, assiettes dans les mains, alignés dans un ordre précis. D'abord la viande. Puis les pommes de terre. Les légumes. La salade. Il y a toujours une voix pour donner le départ.

— Viande... Top !

On laisse passer trente secondes.

— Patates et sauce... Top !

— Légumes... Top !

— Salade... Top !

Bien du temps passerait avant qu'on me confie la viande ou les patates. Des tasses de porcelaine vides : telle était l'étendue de mes toutes premières responsabilités.

Je compris soudain qu'on allait bientôt passer au café. Le grand moment était arrivé. Chargé du lourd plateau, je contemplai dans l'embrasure de la porte la splendeur de la pièce. Les rires et les conversations sonores de fin de repas me transperçaient le corps. M. Dickman, l'intendant de palais chargé du bon déroulement des opérations, sentit ma nervosité.

— Ne vous en faites pas, me dit-il. Il n'y a aucune raison de s'inquiéter.

C'était la tâche la plus simple qu'on m'avait confiée exprès. Il s'agissait pour moi de découvrir comment on sert les rois, et pour la famille royale de découvrir un nouveau visage.

— Vous entrez dans la salle à manger, vous vous postez dans le coin et le valet viendra décharger le plateau, expliqua M. Dickman. Tout ce que vous aurez à faire, c'est de rester là sans bouger. Le valet servira lui-même le café.

Pas un mot à prononcer. J'étais un simple figurant. Mais le sourire que je renvoyai ne devait pas être convaincant :

— Ils ne vont pas vous manger ! reprit mon supérieur, avant de me pousser gentiment. Allez-y maintenant. C'est bien, mon garçon.

Traînant dans la pièce des pieds lourds comme du plomb, je me rappelai les tout premiers conseils de M. Dickman : « Ne les observez pas et ne fixez jamais les gens dans les yeux. Les membres de la famille royale n'aiment pas qu'on les regarde manger. » Je restai concentré sur mes tasses tremblotantes. Doucement. Doucement... Tout ce qu'on me demandait, c'était d'avancer de dix pas vers le coin de la pièce.

J'arrivai à destination. Relevai la tête. Devant moi s'étalait la plus grande table que j'eusse jamais vue : un ovale d'acajou poli, long d'environ six mètres, traversé d'une rangée de chandeliers entrecoupée d'extravagantes compositions florales. Des rideaux cramoisis à glands dorés couvraient les gigantesques fenêtres gothiques. Au-dessus de la cheminée, l'imposant portrait de la reine Victoria veillait sur sa descendance.

Puis mes yeux enfreignirent l'interdit. Je cherchai la

reine parmi les trente convives, tous en tenue de soirée. Je repérai d'abord la reine mère, trônant au centre dans le fauteuil le plus richement décoré, en grande conversation avec son petit-fils préféré, le prince Charles. Sa deuxième voisine était la reine elle-même, assise comme les autres sur un siège plus modeste, en face du prince Philippe, duc d'Édimbourg, qui suivait la discussion avec intérêt.

La plupart des gens peinent à voir plus loin que l'image univoque d'une femme dont les lourdes fonctions occultent la véritable personnalité. Mais je la voyais, là, partager un moment de détente avec les siens. C'était la première fois que je surprenais la souveraine dans l'intimité. Je remarquai son sourire naturel, et la trouvai étonnamment petite. J'ai pensé à quel point j'étais près d'elle. J'ai pensé à maman. Si seulement elle avait pu me voir. Si seulement tout le village de Grassmoor avait pu me voir...

Les bijoux scintillaient à la lueur des bougies. Les valets servaient et desservaient avec des gestes rapides et efficaces, et j'étais heureux d'avoir pour seul rôle celui d'une statue tenant un plateau.

Je voyais les jeunes princes Andrew et Edward, la princesse Anne et le capitaine Mark Phillips, son mari depuis deux ans. La princesse Margaret dominait la conversation de sa voix perçante. « Ils parlent tous si fort », me dis-je.

Je détournai les yeux avant qu'on me prenne la main dans le sac. Soudain mon plateau fut vide et je quittai lentement la pièce, sans que personne le remarque.

— Vous voyez, mon garçon, ce ne fut pas si terrible, sourit M. Dickman quand je le retrouvai derrière la porte.

J'étais fier comme un roi.

Dans ma famille, la tradition voulait qu'on fête le nouvel an en introduisant un morceau de charbon par la porte d'entrée, pour que la chance nous accompagne toute l'année. Mais le destin avait voulu que je commence 1977 autrement. Je passai le réveillon au château de Sandringham où, en tant que plus jeune valet de pied, c'est à moi que revenait l'insigne honneur d'accueillir la nouvelle année au nom de la famille royale. Je me postai donc devant l'entrée principale, à attendre le signal. Transi de froid et d'appréhension, je voyais par les vitres mes collègues servir le champagne. Les Windsor étaient tous rassemblés, et le compte à rebours était enclenché. Au dernier coup de minuit, la porte s'ouvrit et j'entrai d'un pas décidé pour accomplir ma tâche : me frayer un chemin jusqu'à la cheminée, saisir une bûche et la jeter dans la braise. Elle se mit à grésiller sous un tonnerre d'applaudissements. Et pour me récompenser d'avoir honoré la tradition, j'eus le privilège d'être le premier serviteur à saluer mon nouvel employeur par la formule consacrée :

— Bonne et heureuse année, Votre Majesté.

Je rayonnais de bonheur.

Normalement, je n'aurais pas dû endosser les habits de valet. Après tout, la lettre qu'avait reçue maman parlait d'un poste de sous-majordome – chargé des porcelaines et des verres, avec de l'eau de vaisselle jusqu'aux coudes, à frotter assiettes et tasses jusqu'à ce qu'elles crissent de propreté dans les éviers en bois. Mais à la dernière minute, une place s'était libérée chez les valets de pied, et j'avais alors rejoint leurs rangs, sous l'autorité du sergent-valet de pied John Floyd. Je débutais au rang de quatorzième sur quatorze, avec un salaire mensuel de 1 200 livres. Les deux places de valet personnel de la reine me semblaient à des années-lumière.

Les quartiers du personnel étaient vastes comme des chambres d'hôtel moyennes, simples et dépouillées. Chaque pièce était munie d'un lavabo, d'un lit à une place, d'un bureau, d'une commode, d'une penderie et le sol était recouvert d'une moquette verte. Elles étaient sombres, leurs fenêtres élevées ne laissant entrer que peu de lumière.

Avant l'essayage des costumes, le sergent-valet adjoint m'avait conduit à ma chambre dans le « foyer des pages », non mixte, tapi derrière cette rangée de fenêtres étroites que l'on distingue sur la façade est du palais. N'ayant pas assez d'ancienneté pour jouir d'une vue sur le Victoria Monument et le Mall, je logeais de l'autre côté du couloir, qui donnait sur le gravier rouge de la cour carrée. J'étais souvent perché sur le radiateur pour surveiller le portique et la verrière de la Grande Entrée, par où ils arrivaient tous, des chefs d'État aux invités des garden-parties. Adjacente à celle-ci se trouvait la « Porte du Roi », réservée aux audiences privées de Sa Majesté, comme les comptes rendus hebdomadaires du Premier ministre, tous les mardis soir.

Il y avait une multitude d'informations à assimiler concernant la vie du palais. Les couloirs et corridors, véritable entrelacs de dédales, reliaient six cents pièces dont certaines communiquaient entre elles. Buckingham Palace s'apparente à un village autonome sur le sol britannique. Les gens y parlent la même langue, mais vivent dans un autre monde. Avec son propre poste de police, sa brigade de pompiers permanents, un bureau de poste, une consultation médicale, une laverie, des électriciens, une chapelle et son chapelain, des couvreurs, des doreurs et des plombiers. On y trouve même un bar, géré par une coopérative militaire.

Une liste surréaliste de postes hérités du XVIIIe siècle comprend une myriade d'emplois domestiques : Maître de la Maison royale, Intendant de palais, Page de la présence, Page de l'escalier de service, Page des chambres, Maîtresse des robes (qui doit être duchesse), Dames d'atours et Dames d'honneur, *Yeoman* de la vaisselle plate, *Yeoman* du verre et de la porcelaine, écuyers... Sans oublier le Gardien de la cassette privée et l'Huissier du sceptre. Buckingham Palace est administré par la Maison royale, que dirige le lord-chambellan. Six divisions sont placées sous ses ordres : le Bureau du Secrétaire privé, le Bureau de la cassette privée et du trésorier, le Bureau du lord-chambellan, le département du Maître de la Maison, le département des Écuries royales et le département des Collections royales. Le personnel dont je faisais partie obéissait au Maître de la Maison, dont le département était alors divisé en trois groupes : H pour l'intendance (*Housekeeping*), F pour la nourriture (*Food*) et G pour les affaires générales. Les valets de pied relevaient du groupe G, sous la responsabilité de l'intendant du palais Cyril Dickman.

Venait ensuite la procédure : les règles, protocoles et traditions qu'il fallait toujours garder à l'esprit. La première année, je me munissais toujours d'un carnet pour noter le nom et le titre de mes collègues et supérieurs, esquisser les raccourcis vers tel ou tel endroit, ou les croquis de la table parfaite. Le moindre plateau devait satisfaire des critères précis : l'anse de la tasse et la petite cuiller orientées à cinq heures ; les armoiries des assiettes et coupelles à midi ; le sel à droite, la moutarde à gauche et le poivre derrière ; jamais de sucre en poudre, mais toujours en dés, avec la pince ad hoc ; les toasts dans un porte-toasts en argent, jamais sur une assiette ; pas plus de trois noisettes de beurre par plat. Et ne jamais oublier les serviettes en tissu.

Même la salle de bains collective me sidéra. Elle contenait plusieurs baignoires réparties dans des box étroits, chacune surmontée d'un pommeau de douche chromé. Moi qui n'avais jamais pris de douche de ma vie, j'éprouvai une certaine gêne en demandant à mes voisins de m'en expliquer le fonctionnement.

Dans les couloirs tapissés de papier de soie, les femmes de ménage avaient interdiction de passer l'aspirateur avant 9 heures afin de ne pas déranger la famille royale. Au lieu de quoi l'on peignait les épais tapis rouges avec une brosse de jardin pour en redresser les mèches. Il n'était guère prudent de marcher au milieu desdits tapis : un tapis fraîchement brossé n'était destiné qu'aux pieds de droit divin, aussi le personnel était-il prié d'emprunter les marges latérales. Et lorsqu'un valet voyait s'approcher un membre de la famille royale, la règle était de s'arrêter, de se tourner dos au mur, et de saluer son passage d'une courbette, sans prononcer un mot.

J'ai appris que l'art du bon serviteur consistait à accomplir un maximum de tâches sans être vu. Le domestique évolue dans l'ombre – mieux, il est invisible. Poussé à l'extrême, ce principe amenait des bataillons de valets et de bonnes à se dissimuler jusqu'à ce que la voie soit libre. À Sandringham, les femmes de chambre se réfugiaient dans un placard sous les escaliers pour échapper à la vue de la reine lorsque celle-ci descendait dans le grand hall. Ce jeu de cache-cache sans chercheur donnait lieu à de drôles de situations, où l'on écoutait aux portes avant d'entrer, et où, tapi dans une cachette, on guettait le départ des derniers convives pour aller vider les verres, alimenter le feu, battre les coussins et brosser le tapis.

Quant au décorum, je découvris que le snobisme était un trait de caractère plus répandu au sein du personnel de la Maison que dans la Famille royale elle-même. La hiérarchie était omniprésente, jusque dans l'ordre des repas du personnel. C'était un système de classes comme sur les ponts du *Titanic*, encouragé par des maîtres que la princesse de Galles surnommait « les hommes en costume gris ».

Le personnel du bas de l'échelle – des sous-majordomes aux valets de pied, des chefs aux bonnes, des portiers aux postiers, des grooms aux chauffeurs – prenait tous ses repas au self-service du rez-de-chaussée, avec nappe blanche et carafe d'eau plate sur chaque table, sièges en plastique et sol en lino, un peu comme dans une cantine d'entreprise. L'ambiance était bruyante et les discussions terre à terre.

La salle à manger des intendants était située au premier étage. Fauteuils rembourrés et tapis. L'atmosphère était plus professionnelle. Elle était réservée au personnel ayant plus de vingt ans d'ancienneté, ou décoré pour sa loyauté – les pages, le Page de la présence, les Pages de l'escalier de service, les *Yeomen* de la vaisselle et des couverts, les sergents-valets, les habilleuses de la reine, son chauffeur – et présidée par l'Intendant du palais. Entre autres avantages, ses utilisateurs se voyaient proposer un assortiment de pains, un copieux plateau de fromages et des crackers.

Juste à côté, en s'élevant d'un échelon, on pénétrait dans le Salon des Officiers, destiné aux secrétaires et assistants privés, aux employés de bureau, aux attachés de presse, aux dactylos et au personnel administratif.

Puis venait l'autrement prestigieux Salon de lady Barrington, avec son plafond haut et son grand lustre. Ici, les assistants du Maître de la Maison, le Superintendant et le chef comptable échangeaient propos courtois et considérations sérieuses. Leur prestige était tel qu'on leur autorisait un sherry ou un whisky en apéritif, ainsi que du vin pendant le repas.

Enfin, voisin de la Bow Room, se trouvait le plus beau salon de tous, réservé à la crème de la crème. Des tableaux de la collection royale dominaient les buffets de style Chippendale ou Sheraton. La nourriture était servie dans un service de porcelaine fine, dégustée avec des couverts en argent, et l'on buvait le vin des caves royales dans du cristal. Ce luxe était l'apanage des dames d'honneur, des dames d'atours, de la Maîtresse des robes, des secrétaires privés, des attachés de presse, du Gardien de la cassette privée, du chapelain de la Reine, des écuyers d'honneur et du lord-chambellan. Il y régnait une ambiance stricte, guindée, que n'auraient pas reniée certains clubs conservateurs. Curieusement, cette salle faisait quatre fois la taille du salon de Sa Majesté, et la décoration y était bien plus riche.

Ces hautes sphères de la restauration devenaient une école de formation pour les jeunes valets de mon espèce. Mais avant d'apprendre à servir une tablée royale, je devais parfaire mes acquis auprès du lord-chambellan de l'époque, qui aimait à nous terroriser. Je devais passer maître dans l'art de dresser le couvert – disposer couteaux et fourchettes à un centimètre du bord de la table, et veiller à respecter une parfaite homogénéité d'une place à l'autre. Ou m'assurer que les grands crus ne remplissaient jamais plus de la moitié d'un verre.

Trois mois durant, je collai aux basques d'un valet aguerri afin d'assimiler au plus vite les subtilités du métier : faire en sorte que le repas de la reine arrive à l'heure et encore chaud, ou astiquer les bottes d'un écuyer. Si la discrétion était de mise lors de cette phase d'apprentissage, je devais redoubler d'attention. Mais hors de la salle à manger, il s'agissait de devenir un talentueux valet.

Posté, dans le noir le plus complet, dans le coin d'une chambre où dormait un invité, je regardai mon mentor Martin Bubb me faire la démonstration des qualités requises : discrétion, vitesse, et vision nocturne. On ne connaît pas le réveille-matin dans les châteaux et les palais. Le valet – ou la bonne – entre dans la chambre à une heure convenue d'avance pour appeler son maître ou sa maîtresse. S'affairant avec agilité dans l'obscurité, Martin posa donc un « plateau d'appel » recouvert de thé fumant, d'un verre de jus d'orange et d'un biscuit digestif, sur une chaise à portée du lit. Comme cela restait sans effet sur le dormeur, la suite des opérations porta ses fruits. Martin traversa la moquette à pas de loup et ouvrit les rideaux pour inonder la pièce de lumière. J'eus la cruelle impression de jouer les intrus quand la lumière me démasqua, planté dans mon coin, immobile comme un portemanteau.

Tandis que le gentleman s'étirait, Martin ramassa ses vêtements de la veille, attrapa un cintre en bois dans la penderie pour le pantalon, la chemise et la veste de soirée, et emporta le tout en même temps que les chaussures, qui avaient besoin d'être cirées, et que les sous-vêtements et chaussettes destinés à la laverie. Puis il choisit la tenue du jour et la disposa d'une manière qu'il me faudrait mémoriser : le pantalon plié à plat sur une chaise, avec une poche retournée pour qu'on l'attrape plus facilement ; une chemise pliée, comme si elle sortait de la boîte, posée perpendiculairement au pantalon, tous les boutons ouverts et les boutons de manchette déjà insérés ; par-dessus, un caleçon ; les chaussures aux lacets défaits au pied d'un fauteuil, recouvertes d'une paire de chaussettes. Puis Martin s'approcha de la coiffeuse et ouvrit le premier tiroir pour sélectionner quelques cravates (un valet doit toujours laisser le choix final à son maître). Il ajouta enfin un mouchoir repassé et plié.

Là-dessus, il me pria de le suivre dans la salle de bains de la chambre. L'homme dormait toujours. La porte refermée, mon instructeur ouvrit les robinets et fit couler un bain tiède, étendit un tapis et approcha une chaise. « Voici comment disposer une serviette », dit Martin en la déployant sur le siège, de telle sorte qu'en s'asseyant le gentleman puisse la rabattre sur lui et s'y envelopper comme dans un peignoir. Martin avait terminé et nous quittâmes la suite.

Les habilleuses et les valets appliquaient ces recettes non seulement avec les invités, mais avec l'ensemble de la famille royale. Malgré ma formation, la première fois que je fis office de valet (pour un invité plutôt âgé), ce fut la panique. Pas moyen de mettre la main sur les vêtements de la veille ! Puis un bras émergea de sous le duvet, et je vis qu'il avait dormi entièrement habillé.

Plus tard, j'ai appris que le prince de Galles avait ses propres exigences vis-à-vis de ses deux valets, Michael Facette et feu Stephen Barry. Une clé en argent, frappée de ses plumes princières, devait enserrer l'extrémité du tube de dentifrice, un peu comme sur une boîte de sardines : un tour de poignet déposait sur la brosse la quantité de pâte appropriée. Et il fallait repasser ses pyjamas de coton chaque matin.

C'est encore des valets qui gardaient les portes et entrées du palais, et apportaient à la reine les coffrets rouges reçus des ministères de l'Intérieur et des Affaires étrangères.

Vu de l'extérieur, ce haut degré de domesticité peut étonner, mais la monarchie ne pourrait fonctionner ni perdurer sans cette grande machine qu'est la Maison royale. Elle garantit à la fois la force et l'image de la

Couronne. Chaque pion du dispositif, du sous-major-dome jusqu'au lord-chambellan, est opérationnel vingt-quatre heures sur vingt-quatre, tous les jours de l'année, afin d'offrir à la royauté les meilleures conditions d'exercice et de vie.

La reine est en bons termes avec la majorité du personnel, et les rapports entre employeurs et employés sont fondés sur le respect mutuel ; la rigueur au travail alterne avec le relâchement lors des fêtes du personnel.

Les jours d'événements officiels, la porte de l'ascenseur s'ouvrait et, comme par magie, la reine apparaissait au rez-de-chaussée, déclenchant les courbettes des dames d'honneur et l'inclination de tête des écuyers. Un tableau fort solennel. Mais à son retour, la reine s'attardait souvent au pied de l'ascenseur, cherchant à engager la conversation. Pour raconter tel ou tel incident ou maladresse survenus dans la journée, ou tout simplement pour saluer le dévouement de son serviteur. Puis elle repartait vers l'ascenseur, et la bienséance reprenait ses droits, mais les courbettes et hochements de tête étaient plus sincères. Il n'empêche que ces gestes frôlaient parfois la caricature : je me souviens notamment de cette dame d'honneur qui pliait tellement les genoux que je craignais qu'elle ne bascule ou reste coincée.

Du jour où j'ai pris mes fonctions au palais, j'ai voué – et je voue toujours – un immense respect à Sa Majesté. Mais il me faudrait encore quelque temps pour mieux la connaître et l'apprécier. J'étais le valet que l'on surnommait « Buttons », sur une idée de Martin Bubb et de mon homologue Alastair Wanless, après que je fus affecté en salle des costumes pour polir et coudre des boutons dorés sur des dizaines d'uniformes. C'était une tâche fastidieuse, qui remplit une bonne partie de ma période d'essai de trois mois.

À l'approche du Jubilée d'Argent de la reine, le travail du personnel devint de plus en plus intensif, avec des réceptions et des banquets pratiquement toutes les semaines. En cette année cruciale, j'étais encore un débutant et l'on ne me confia aucun rôle majeur. Depuis le poste d'observation de ma chambre, je regardai, en ce mois de juin, le carrosse du couronnement, fabriqué sous George III, mener la reine hors de la cour carrée, pour un cortège officiel à travers Londres jusqu'à la cathédrale Saint-Paul. Des valets marchaient le long du carrosse en costume d'apparat, entourés des *Yeomen* de la garde (plus communément appelés « Hallebardiers ») et de la cavalerie de la Maison. J'entendais au loin les vivats de la foule en liesse.

C'était seulement la seconde fois que la reine montait dans ce carrosse bien plus impressionnant que confortable, la première remontant à son sacre en 1953. À son retour, je l'entendis glisser lors d'un cocktail :

— J'avais oublié combien ce trajet pouvait être éprouvant.

Le 2 juin 1977, tout employé du palais ayant atteint une année d'ancienneté se voyait remettre une médaille en argent agrémentée d'un ruban blanc. J'étais le seul valet à rester les mains vides car je n'avais travaillé que six mois. Je me demandais, l'âme en peine, combien d'années j'allais demeurer le quatorzième valet. Mais l'attente se révéla moins longue que prévu.

La rumeur se répandit dans les couloirs du château qu'il y avait eu un « accident » dans l'une des chambres, mais les indices recueillis indiquaient autre chose. Sur une table de chevet, une bouteille de gin à moitié vide, à côté d'un tube de comprimés ouvert. Un homme, connu pour ses antécédents dépressifs, gisait, inconscient, sur le lit. J'assistai à l'étrange spectacle d'une ambulance franchissant la porte de la tour Augusta, dans l'aile sud du palais. Elle entra sans gyrophare ni sirène pour ne pas affoler les badauds. Le valet privé de la reine – l'un des deux qui suivaient la souveraine où qu'elle se rende sur la planète – fut emmené sur un brancard, dans un état critique dû à une tentative de suicide en milieu de journée. C'était en avril 1978. Le valet en question survécut, mais ne reprit jamais le service, et bénéficia d'une retraite anticipée pour raison de santé. À peu près à la même période, le page de la reine (titre plus élevé que valet) Ernest Bennett se retira, lui aussi, après un service sans faille commencé au lendemain de la Seconde Guerre mondiale. Ces deux événements imposèrent la réorganisation du personnel privé de la reine et me valurent une promotion inespérée.

Si les chambres des deux partants furent réattribuées sans heurts, les spéculations allaient bon train quant au nom des élus qui deviendraient valets personnels de la reine, un poste qui comprenait entre autres la charge des neuf corgis. Mon camarade Paul Whybrew fut le premier promu, mais il en fallait un deuxième. Or, à notre insu, la reine avait discrètement observé ses valets lors de déjeuners ou de réceptions, surveillant du coin de l'œil leur méticulosité, leurs manières, leur présentation et leur savoir-faire.

Quelques jours plus tard, je fus convoqué dans le bureau du sergent-valet John Floyd.

— Vous plairait-il de devenir le valet de pied de la reine ? lança-t-il.

Il n'y avait qu'une seule réponse possible, et c'est ainsi qu'au bout de seize mois je décrochai une place enviée de tous – une telle proximité avec la reine constituait un insigne privilège. Seul un petit cercle d'individus est en contact direct avec la souveraine. Or, les personnages-clés de Buckingham ne sont pas les officiers chargés des questions administratives, du protocole et de l'agenda royal, mais les habilleuses, les pages et les valets qui partagent l'essentiel de son intimité, de son monde intérieur. D'un coup, je basculais du côté de « ceux qui savent ». Il ne serait pas rare qu'un secrétaire privé vienne « tâter le terrain » auprès de moi avant de soumettre telle idée ou telle déclaration à la reine. Les membres de la maison ne ménageaient pas leurs efforts pour glaner des bribes d'informations auprès du personnel privé. Mes paroles prenaient un certain poids.

Avoir deux Paul pour valets facilitait la vie de notre reine, car d'un seul mot magique elle était sûre que quelqu'un lui répondrait. Les intéressés, en revanche, avaient du mal à s'y retrouver. Par souci de clarté, Sa Majesté consentit donc à nous choisir des surnoms : je devins « Petit Paul » (pour mon mètre soixante-dix-sept), et lui « Grand Paul » (un mètre quatre-vingt-sept).

Ce système satisfaisait la reine, à la différence de la princesse Margaret. Car la taille ne lui était d'aucun secours au téléphone : « Auquel des deux ai-je affaire ? Petit Paul ou Grand Paul ? » articulait-elle de son inimitable voix traînante, bien plus maniérée que celle de sa sœur.

Je fus désolé de devoir répondre :

— C'est Petit Paul, Votre Altesse Royale.

Toute la famille royale nous appellerait ainsi, dix ans durant.

Devenir valet de la reine comportait un autre avantage : je quittai le hall des Pages pour une chambre sur le devant, avec vue imprenable sur le Mall. Ma fenêtre était la quatrième en partant de la gauche, sous le fronton.

Chaque matin, sur le coup de 7 heures, la journée commençait comme elle se terminait : par la promenade des neuf corgis – Brush, Jolly, Shadow, Myth, Smokey, Piper, Fable, Sparky et Chipper, le seul mâle de la meute. De retour au palais, ils étaient admis dans la chambre de la reine ; les chiens – et la tasse de thé – sonnaient le réveil de 8 heures.

À 9 heures, nouvelle promenade. La reine ouvrait la porte de sa chambre, et je leur passais la laisse à mesure qu'ils sortaient. Mais il n'est pas aisé de retenir neuf chiens, et c'est à Sandringham que ces derniers me montrèrent leur vraie force. Les corgis sont des petites créatures déterminées, et chacun voulait être le premier à mettre le museau dehors. Un matin, une averse avait mouillé les marches du perron, réputées redoutablement glissantes en hiver.

Comme je me retournais pour refermer la porte, neuf laisses me tirèrent en arrière. Je perdis l'équilibre et me cognai la tête contre les marches avant de perdre conscience, tandis que les chiens s'enfuyaient dans la neige. Je me réveillai surmonté des visages inquiets de la reine et de la princesse Anne.

— Vous allez bien, Paul ? demanda ma patronne.

J'étais étendu depuis une dizaine de minutes lorsqu'elles m'avaient trouvé. Elles m'aidèrent à me relever. J'avais une énorme bosse et m'étais froissé un muscle du dos. La douleur me mettait au supplice. La reine appela le médecin généraliste de Sandringham, le Dr Ford, et il me conseilla de garder la chambre jusqu'au lendemain. Dieu merci, quelqu'un avait rattrapé les corgis.

Les nourrir était moins ardu. Ils avaient droit au service royal, mais dès qu'elle le pouvait, la reine aimait donner elle-même à manger à ses compagnons chéris. Nous bavardions alors le plus naturellement du monde, que ce soit à Buckingham, à Windsor, à Sandringham ou au château de Balmoral. Le repas des chiens devint ainsi mon moment privilégié avec Sa Majesté, l'occasion de parler sans être entendus ni interrompus, et nous eûmes de bonnes discussions au fil des ans.

Je m'habituai à l'image de la reine mélangeant, avec ses couverts en argent et un plaisir certain, des portions de nourriture pour chiens avec du lapin et des biscuits secs avant de les recouvrir de jus de viande. Parfois, elle ajoutait comme gâterie des restes de faisan de la veille. J'avais pour mission d'aligner neuf écuelles en plastique jaune sur des tapis individuels pendant qu'elle les appelait un à un. Dans ces moments-là, je la trouvais au mieux de sa forme : joyeuse, avenante et détendue. Elle me confiait des anecdotes sur sa journée, qu'elle agrémentait de commentaires humoristiques, et il n'était pas rare que nous partagions de grands éclats de rire.

Elle commençait souvent par : « Il est arrivé une chose incroyable... » Après avoir rencontré un vieil ami, ce serait : « Savez-vous qui j'ai vu hier ? » Ou après un

incident cocasse : « Il est arrivé une chose tordante... »
Mieux encore, lorsqu'un de ses pur-sang était arrivé premier : « Savez-vous que l'un de mes chevaux a remporté... ? »

C'est dans un tel contexte que la reine me raconta l'histoire édifiante d'un autre monarque, Charles Ier, lors de son exécution le 30 janvier 1649, quand Oliver Cromwell marcha sur Londres porté par une vague anti-royaliste :

— Le savez-vous ? Il m'est arrivé une chose incroyable, l'autre jour. J'ai reçu une lettre d'une personne dont l'aïeul avait assisté à l'exécution du roi Charles Ier. (Tout en mélangeant la pâtée des chiens, elle poursuivit :) Lorsqu'ils lui ont coupé la tête, un morceau de clavicule a jailli dans le public, et a été ramassé par l'aïeul en question. Ils se sont ensuite transmis la relique de génération en génération, et ils viennent de me l'envoyer.

À ce moment-là, je ne prêtais plus aucune attention aux corgis à mes pieds.

— Et qu'allez-vous en faire, Votre Majesté ?

— Il n'y a qu'une attitude possible, Paul : la rendre à son propriétaire. Alors j'ai demandé qu'elle regagne le cercueil du roi Charles Ier.

Et de m'expliquer qu'à l'ouverture de la sépulture, ils avaient vu que la tête du roi avait été recousue au tronc.

— Or, le savez-vous, grâce à l'étanchéité du cercueil, sa barbe était intacte – parfaitement préservée. Imaginez-vous un peu : Votre Majesté face au visage de l'histoire !

Cette pensée la fit glousser.

Mais c'est encore dans les imitations, qu'elle réserve exclusivement à ses proches, que l'humour de la reine prend toute sa dimension. À l'époque, elle s'amusait particulièrement des accents régionaux. Ceux de l'East End, d'Irlande, du Yorkshire, du Merseyside et d'Australie, qu'elle reproduisait avec une malice mêlée de tendresse car elle en aimait les bénéficiaires, autrement dit ses sujets, qu'elle rencontrait lors de ses tournées royales. L'image de la reine en pleine imitation ne correspond pas tout à fait à celle qu'on se fait d'une souveraine, mais ses dames d'honneur et ses secrétaires privés ont plus d'une fois succombé au fou rire.

Je n'oublierai jamais ce jour de Royal Ascot où, comme j'accompagnais la reine dans une calèche ouverte, une voix à l'accent cockney lança dans la foule :

— Fais-nous un signe, Liz !

Une remarque aussi spontanée fit sourire le clan royal, à l'exception du prince Charles qui, assis face à sa mère, n'avait pas entendu l'apostrophe :

— Qu'a-t-il dit, mère ?

Avec un parfait accent de l'East End, la reine lui répondit :

— Il a dit : « Fais-nous un signe, Liz ! »

Charles et son père se mirent à rire, tandis que la reine continuait d'agiter la main.

Si seulement nous pouvions tous entendre son rire irrésistible, ou la voir sourire plus souvent... Car derrière les fastes et l'apparat, le protocole et la tradition, et le sens du devoir qu'elle place au-dessus de tout, il se cache une femme chaleureuse et naturelle à mille lieues de la caricature froide et sévère qu'elle inspire. Elle me parlait longuement des jardins, de la nature, mais aussi de mes collègues. Les gens la fascinent et elle vous entretient volontiers de ses rencontres passées ou futures. Sa Majesté évoque un peu une dame de la campagne qui se serait retrouvée propulsée sur le trône.

C'est aussi un modèle d'attention pour ses chiens. Un corgi avait une quinte de toux ? La voilà qui s'agenouillait pour immobiliser l'animal et lui ouvrir la gueule afin que j'administre à l'aide d'une seringue souple la dose d'antitussif prescrite par Sa Majesté. Mais, si mignons fussent-ils, les corgis savaient se battre. Un soir que la reine avait quitté Windsor pour le dîner, je venais de regarder *Dallas* sur BBC1 et m'apprêtais à sortir les chiens. Au moment d'enfiler mon manteau, je les vis courir jusqu'à la porte d'entrée dans un raffut de tous les diables. Jolly, le corgi des princes Andrew et Edward, était attaquée par les huit autres, tel un renard cerné par la meute. Ils avaient pris pour cible la plus malingre du groupe. Le temps que j'arrive, la pauvre bête avait le ventre ouvert et il y avait du sang partout. Alerté par le bruit, Christopher Bray, le page de la reine, m'aida à ramener l'ordre en sortant un par un les chiens de la mêlée pour les enfermer derrière une porte. Cela nous valut quelques morsures, mais j'étais surtout mort d'inquiétude pour Jolly, persuadé qu'elle allait mourir. Et là, une terrible pensée m'envahit : la reine ne décolérerait pas.

On convoqua le vétérinaire, ainsi que le médecin pour soigner nos blessures. Si Christopher et moi en fûmes quittes pour une piqûre et un sparadrap, la pauvre Jolly dut être opérée d'urgence. Elle survécut, mais après vingt points de suture à l'abdomen.

Quand la reine rentra de son dîner, je lui rapportai l'incident avec appréhension. Et c'est là que je découvris l'indulgence de Sa Majesté. Elle était horrifiée, mais compréhensive. Elle se rendit à son vestiaire et revint avec deux pilules homéopathiques d'arnica.

— Tenez, Paul, cela facilitera votre guérison.

Il s'avéra que les chiens se battaient régulièrement. Et quand ils s'agitaient à l'heure du repas, la reine leur criait :

— Taisez-vous un peu ! Ce qu'ils peuvent être turbulents !

Lorsque nous nourrissions les corgis, la conversation tournait souvent autour des sujets favoris de la reine : les chevaux, les chiens, le prince Philippe et ses enfants. Le personnel répétait à l'envi qu'ils venaient là par ordre d'importance. Ce n'était pas tout à fait exact. Je crois simplement qu'elle s'enflammait davantage pour les chevaux et les chiens. Où qu'elle aille, les chiens la suivaient. Les bruits de pattes et de halètements devinrent vite le signal que Sa Majesté était dans les parages.

Ce n'est pas le duc d'Édimbourg qui allait oublier leur présence. Quand la reine s'installait à son bureau face aux coffrets des ministères, les corgis se couchaient telles des butées de porte devant toutes les issues de la pièce. Pour entrer, le duc devait pousser de tout son poids afin de les déloger. Un jour, il s'écria de sa voix rauque :

— Satanés chiens ! Mais pourquoi faut-il que vous en ayez autant ?

Jamais la reine ne comprit son agacement :

— Mais enfin, mon ami, c'est une si jolie collection...

Dans le monde réel, les gens collectionnent les timbres. La reine, elle, collectionne les corgis (bien qu'elle soit également philatéliste, et possède à cet égard la plus grande collection du pays, initiée par son grand-père George V).

Ces bêtes-là accueillaient tous les visiteurs avec un concert de grognements et d'aboiements, mais il suffisait d'un sec « Taisez-vous un peu » pour les réduire au silence. Même les chiens obéissaient à la reine.

Les nourrir était facile. La corvée, c'était de les sortir. On aurait dit que Sa Majesté attendait toujours le mauvais temps pour laisser entendre qu'une promenade serait la bienvenue.

— On va sortir ! lançait-elle aux corgis.

Les fenêtres de Balmoral me montraient toujours le même spectacle : des trombes d'eau. « Seigneur... », soupirai-je à part moi, me rappelant qu'une promenade devait durer au minimum quarante-cinq minutes.

— Venez là, Chipper, Piper, Smokey...

J'attachais les neuf laisses rouges et me traînais sous la pluie battante. Mais je trouvai vite un abri dans ces mornes collines écossaises : les épaisses forêts bordant le fleuve Dee, à quelques encablures du château, où les corgis pouvaient gambader.

Chaque chien avait un collier muni d'un disque indiquant « HM The Queen [1] » au cas où l'un d'eux se perdrait, perspective qui m'emplissait de terreur lorsqu'ils m'étaient confiés. Je n'oublierai jamais le jour où je suis

---

1. Sa Majesté la Reine. (N.d.T.)

rentré, fatigué et trempé, avec une meute réduite à huit têtes.

— Mais il n'y en a que huit, s'alarma la reine.

Shadow manquait à l'appel.

L'effroi devait se lire sur mon visage, mais la reine me fixait en silence.

— Ne vous inquiétez pas, Votre Majesté, je vais la retrouver.

La pluie, toujours la pluie...

Au bout d'une demi-heure j'aperçus la chienne au bord de la Dee, et je pus de nouveau respirer.

J'avais un faible pour Chipper, et la reine le sentit vite. Alors, au bout d'un an de bons et loyaux services, elle autorisa le chien à dormir dans ma chambre, mais seulement à Balmoral, Sandringham et Windsor, car à Buckingham mes quartiers au dernier étage étaient trop éloignés. Dès que nous couchions à l'extérieur du palais, Chipper dormait à mes pieds, au bout du lit une place, et cela jusqu'à sa mort, neuf ans plus tard.

La vie de la souveraine était réglée comme du papier à musique. L'habilleuse de la reine entrait dans la chambre à 8 heures avec le « plateau du réveil » et une théière d'Earl Grey. Les corgis surgissaient dans la pièce et fêtaient leur maîtresse tandis qu'on ouvrait les rideaux.

Le laitier royal livrait ses caisses quand tout le monde dormait encore. Dans le grand parc de Windsor, tout un troupeau de vaches Jersey fournissait à la famille royale sa ration quotidienne de lait entier, conditionné dans des bouteilles à large goulot estampillées « *EIIR Royal Dairy, Windsor* » en lettres bleues, et scellées par une capsule vert et or. Le beurre arrivait dans des briques de papier sulfurisé frappées du même sceau.

À 9 heures, Sa Majesté traversait son salon et sa salle à manger avec, à la main, son vieux transistor Roberts réglé en permanence sur BBC Radio 2. Quelques minutes plus tôt, j'avais dressé sur un guéridon un petit déjeuner frugal : un toast de pain complet, à peine beurré et nappé d'une fine couche de marmelade brunâtre. La pièce servait aux repas familiaux, mais la reine y mangeait souvent seule. La petite table ronde, conçue pour accueillir quatre convives, baignait dans le soleil qui projetait la silhouette de la grande fenêtre sur l'immense tapis. Des tableaux champêtres, issus de la Collection royale, pendaient par des chaînettes aux murs tapissés de soie bleue.

Je m'habituai vite à voir la reine rivée au buffet, près de la bouilloire électrique, attendant de pouvoir remplir sa théière en argent. Ensuite, elle s'asseyait devant la presse du jour, disposée toujours dans le même ordre, avec chaque titre en évidence : le *Times*, le *Daily Telegraph*, le *Daily Express*, le *Daily Mail*, le *Daily Mirror*, et, tout en haut de la pile, le *Sporting Life* plié en deux. Au rayon des magazines, elle préférait *Harpers & Queen*, *Tatler* et *Horse and Hound*. Elle ne lisait jamais le *Sun* ni le *Daily Star*, mais tout article traitant de la famille royale était immédiatement porté à sa connaissance, grâce à la revue de presse quotidienne qui accompagnait les journaux.

Le *Daily Telegraph* était toujours ouvert et plié à la page des mots croisés. La reine mettait en effet un point d'honneur à remplir les deux grilles quotidiennes. Elle prenait parfois du retard, mais ces pages étaient archivées dans un dossier qui s'épaississait au fil du temps, et la suivait partout dans ses déplacements pour être consulté, et complété, à tout moment.

Elle commençait sa lecture par *Sporting Life* afin de se tenir au courant des épreuves hippiques de la journée et de consulter les pronostics. Son directeur de courses tenait à jour son petit carnet de courses, où figuraient les dates et le type de compétitions où concouraient ses chevaux. Quand les couleurs de la reine figuraient sur la liste de départ, c'est avec une ferveur redoublée qu'elle épluchait les pronostics et les fiches des autres partants. Si elle dispose d'un moyen de s'évader de ses obligations, c'est bien grâce à sa passion pour les chevaux, fascinée qu'elle est par le « sport des rois ». Si, d'aventure, il vous arrivait de devoir soutenir une conversation avec la reine, sachez que l'hippisme est une valeur sûre. Mais vous devrez maîtriser le sujet : la souveraine possède un savoir encyclopédique, qui va des vainqueurs de classiques à la structure des handicaps, en passant par les coulisses de l'élevage. Je n'ai jamais osé la défier sur ce terrain-là, même s'il m'est arrivé, à l'occasion, de hasarder un pronostic quand l'un de ses favoris était en lice.

— Je vois que Highclere concourt aujourd'hui, Votre Majesté. A-t-il ses chances ?

— Cela dépend, Paul, répondait-elle avant de se lancer dans de grandes explications scientifiques où il était question de poids, de rivaux, de classes et d'état du terrain – et dont je ne ressortais pas plus savant.

Je n'ai jamais bénéficié d'un tuyau royal, mais, fidèle jusqu'au bout, j'ai toujours soutenu les chevaux de la reine au Royal Ascot comme à Epsom pour le Derby, la seule classique sur terrain plat que son écurie n'ait encore jamais remportée.

À 10 heures, la reine passait aux choses sérieuses. Elle s'installait à son bureau, perpendiculaire à la fenêtre, face à un vieil interphone à commutateurs et pressait le gros bouton carré marqué « Secrétaire privé » :

— Voudriez-vous monter, s'il vous plaît ?

— Bien sûr, Madame, répondait une voix.

Quelques secondes plus tard, le secrétaire privé – à l'époque, sir Martin Charteris – remontait le couloir d'un pas vif, muni d'une petite corbeille à courrier carrée. Il frappait doucement à la porte, entrait et se postait face à la reine debout pour lui exposer, une heure durant, les requêtes, obligations et dilemmes du royaume et des pays du Commonwealth. (Le secrétaire privé n'est pas, plus que quiconque, censé s'asseoir lors d'une audience avec la reine, à moins d'y être expressément invité.)

Il n'y avait pas d'interphone pour appeler un valet ou un page, mais une sonnerie reliée à un boîtier en bois situé dans l'antichambre. Un disque rouge tombait dans l'une des cases indiquant une pièce de la suite : salon, chambre, salle à manger, salle d'audience, salle de réception, etc.

La plage de 11 heures à 13 heures était réservée aux audiences privées ou aux engagements de la matinée. C'est également à ce moment-là que les ministres, conseillers privés ou ambassadeurs se présentaient à la reine sous les ors de la Bow Room ou du salon XVIIIᵉ siècle pour officialiser leur nomination, au cours du traditionnel rituel dit du « baisemain ». Chaque élu s'agenouillait et, de la main droite, s'emparait de la main droite de la souveraine pour y déposer le plus léger des baisers.

Au cours de ces cérémonies, qui duraient parfois deux heures d'affilée, la reine ne s'asseyait pas. Il n'est guère surprenant alors qu'en regagnant ses quartiers elle demandât invariablement :

— Le plateau des boissons est-il prêt, Paul ?

Mais chaque fois je devançais cette requête. La reine optait en général pour son apéritif de midi préféré : une mesure de gin et une mesure de Dubonnet, accompagnées de deux glaçons et d'une rondelle de citron. Le déjeuner était toujours fixé à 13 heures, et durait environ une heure.

Les matins sans obligations, la reine partait pour de longues promenades avec les corgis. Tout en revêtant foulard et manteau, elle me demandait souvent :

— Vous serait-il possible de m'enregistrer la course ?

Il s'agissait de programmer le magnétoscope sur la retransmission d'une rencontre à Epsom, à Ascot, York ou Goodwood, car elles se déroulaient entre 14 h 30 et 17 heures. Et si la course n'était pas diffusée à la télévision, Buckingham se connectait au réseau câblé des bureaux du tiercé. Les pages et valets ont appris à ne jamais déranger la reine pendant qu'elle suit une course. Ce serait le comble de l'impolitesse.

Jamais la reine ne grignote ni ne boit entre les repas. En toutes circonstances, le thé était servi à 17 heures sonnantes. Que Sa Majesté se trouve dans quelque palais saoudien, à bord du yacht *Britannia* ou au château de Buckingham, je lui servais une tasse d'Earl Grey avec une goutte de lait, un sandwich sans croûte et une douceur. Quant aux *scones* aux fruits tout chauds que préparait quotidiennement le chef pâtissier Robert Pine, ils finissaient rarement dans les panses royales. La reine préférait les déposer morceau par morceau dans la gueule des corgis. Ils allaient jusqu'à se rouler par terre ou tournoyer sur eux-mêmes pour décrocher ces friandises !

Le thé terminé, les plateaux de boissons réapparaissaient, mais jamais avant 18 heures, heure à laquelle la reine prenait d'ordinaire un gin tonic. La journée pouvait se conclure par une obligation de début de soirée, un cocktail ou un dîner officiel. Quand leur fol emploi du temps le permettait, la reine et le duc d'Édimbourg partageaient un moment de détente et soupaient en tête à tête, au milieu des corgis répartis aux quatre coins de la pièce. Ils dînaient à 20 h 15 – à moins que la reine mère ne soit invitée. Car la reine mère n'était jamais à l'heure. Elle arrivait parfois avec une heure de retard, l'air parfaitement innocent, et s'exclamait de sa voix chuchotante :

— Oh, serais-je en retard ? Vous m'attendiez ?

Au moment de la messe, le temps s'arrêtait pour elle. Je me souviens d'un certain jour à Sandringham : les hommes étaient déjà partis et la reine attendait, en compagnie d'une dame d'honneur, sa mère qui n'arrivait pas. L'office devait commencer à 11 heures. Exaspérée, Sa Majesté rajusta nerveusement ses gants noirs et demanda :

— La reine Élisabeth compte-t-elle descendre ou attendons-nous pour rien ?

À 11 heures précises, le couloir se mit à bruisser et la reine mère apparut coiffée comme toujours d'un large chapeau à plumes.

— Oh, je suis en retard ? Vous attendez depuis longtemps ?

Personne ne fit la moindre remarque, et j'allai lui ouvrir la portière au milieu des sourires. Lorsque la reine fut confortablement installée sur la banquette arrière, je dus m'agenouiller dans l'habitacle pour disposer un plaid sur ses genoux. Comme toujours.

Dieu merci, le quotidien de la reine suivait dans l'ensemble une routine bien établie. Quand elle dînait seule à Buckingham, on allumait le téléviseur du salon ou de la salle à manger. Debout – je passais ma vie debout – dans l'encoignure de la porte, je lui offrais quelques minutes de compagnie supplémentaires devant le début d'un téléfilm policier, des sketches de *Morecambe and Wise*, ou des informations de 21 heures, sur BBC1.

Un jour que je me trouvais inoccupé dans le vestibule, je fus surpris par un soudain vacarme : de grands éclats de joie suivis d'un concert d'aboiements. Échangeant un regard amusé avec le page Christopher Bray, nous accourûmes à la porte sans être annoncés.

— Venez vite, venez vite ! nous dit la reine, debout devant son poste.

Les patineurs Torvill et Dean venaient de remporter la médaille d'or à Sarajevo en dansant sur le *Boléro* de Ravel.

Après le dîner, il me restait deux ultimes tâches. D'abord, confectionner un plateau comprenant deux verres, une bouteille d'eau de Malvern pour la reine, ainsi qu'une bouteille de whisky Glenfiddich et une petite bouteille de bière Double Diamond pour le duc d'Édimbourg. Puis je sortais une dernière fois les corgis. À notre retour, je les menais à la pièce qu'ils occupaient dans la suite royale, et il arrivait que la reine me rejoigne pour les coucher. Même en robe de soirée, parée d'un collier et de boucles d'oreilles en diamants, elle se mettait à genoux pour vérifier s'ils étaient tous bien installés dans leurs paniers respectifs.

— Vous veillerez à leur laisser la fenêtre ouverte. Bonne nuit, Paul.

Ainsi s'achevait ma journée.

Celle de la reine, en revanche, n'était pas tout à fait

finie. Avant d'éteindre, elle remplissait religieusement son journal intime, toujours au crayon. Un document inestimable, tout comme le journal de la reine Victoria, qui irait, lui aussi, enrichir la Collection royale. Jusque dans son lit, la reine était animée du sens du devoir.

En mai 1978, une nouvelle couturière rejoignit la maison royale. Elle avait pour charge de repriser les chaussettes du prince Philippe, de retoucher les costumes et les chemises, de rapiécer les draps et de laver les serviettes des corgis. Dans un premier temps, je ne lui prêtai guère d'attention. Elle était rapide et, à première vue, chaleureuse, brillante et gaie. Mais elle ne m'appréciait pas.

Je pense que le fait de devenir en si peu de temps le valet personnel de la reine m'était un peu monté à la tête. L'ancien gamin des bassins houillers avait désormais des conversations quotidiennes avec la souveraine, qui lui accordait sa confiance pleine et entière. Un tel succès élargissait sensiblement mes perspectives d'avenir. Je m'apercevais que tout était possible, et l'assurance que j'en concevais me faisait traverser les couloirs royaux avec l'aplomb d'un géant. Même mon accent du Nord se fondait dans les rondeurs du langage de palais.

J'étais toujours un enfant de la classe ouvrière, qui n'oublierait jamais ses racines et ses valeurs, mais certains collègues ont dû avoir l'impression que je ne passais plus les portes. Tel était, en tout cas, l'avis de la nouvelle couturière. Issue d'une modeste famille catholique de Liverpool, elle avait quitté le petit village de Holt, au nord du pays de Galles, pour Londres.

Apparemment, mon crime était d'avoir fait irruption dans la buanderie pour jeter le linge sale des corgis à ses pieds, en annonçant superbement :

— Serviettes !

Nul besoin de traduire son dédain en paroles : tout était dit dans son regard. Elle me qualifia auprès de ses amis d'« aristo à deux balles ». Elle s'appelait Maria Cosgrove. Ma future épouse.

L'année suivante, Maria monta en grade et se vit confier la charge de la Suite belge, un ensemble d'appartements indépendant qui donnait sur le jardin. C'était la suite la plus stratégique du palais, celle qui accueillait tous les chefs d'État en visite.

La promotion de Maria coïncida au printemps avec mon premier trajet officiel en carrosse. En costume de grand apparat, bombe de velours bleu sur la tête, je me perchai à l'arrière du landau doré de 1902, avec ses grands bras de lanterne de chaque côté, pour défiler de Victoria Station au palais, via Whitehall et le Mall. Selon la tradition, mon rôle en pareille occasion était de protéger les passagers du carrosse grâce à mon épée. Longer les foules en liesse aux côtés de Sa Majesté me mit dans un état d'euphorie que seule ma conscience professionnelle permit de contenir.

J'occupais le coin gauche du landau, juste derrière la reine, qui était coiffée d'un chapeau rose. À son côté se trouvait Nicolae Ceaucescu, qui dormait dans la Suite belge – avec un revolver sous son oreiller. À notre gauche, sur l'un des chevaux de la Household Cavalry qui escortaient le carrosse, se trouvait une vieille connaissance de la reine : le lieutenant-colonel Andrew Parker Bowles, époux depuis six ans d'une dénommée Camilla.

Une poignée de valets était agglutinée autour du plateau garni de boissons dans le salon de réception de Sandringham, la résidence de campagne début de siècle bâtie sur un terrain de huit mille hectares dans le Norfolk (l'une des deux résidences privées de la reine avec le château de Balmoral dans l'Aberdeenshire).

Bonnes et valets n'avaient pas chômé autour du grand piano et sous la balustrade en bois de la mezzanine : ils avaient reconstitué le tas de bûches à côté de l'immense cheminée (deux mètres cinquante de haut), ramassé et vidé les verres abandonnés, brossé les tapis, battu les coussins et replié la table de jeu utilisée pour la canasta et le bridge. La famille royale s'était retirée dans les chambres pour se changer avant le dîner.

Croyant avoir le champ libre, les valets décidèrent de s'envoyer en douce une rasade de gin. Après tout, personne ne connaissait la quantité exacte bue par les convives...

Comme l'un d'eux jetait la tête en arrière pour avaler une lampée, ses yeux tombèrent sur un visage éminemment familier, derrière une vitre intérieure perpendiculaire à la mezzanine. Le valet faillit s'étrangler. Mais à part le regard qu'elle lui décocha, la reine ne donna aucune suite à l'incident. Elle savait mieux que personne combien nos fonctions étaient exigeantes. En fermant les yeux, elle admettait que son personnel avait parfois besoin d'un remontant pour supporter l'âpreté du travail et l'isolement vis-à-vis du monde extérieur. La souveraine était un modèle de tolérance.

Une autre fois, comme elle et moi nourrissions les corgis dans un étroit corridor du rez-de-chaussée de Sandringham, une porte de service s'ouvrit brusquement. Il en surgit un vieux serviteur, de toute évidence ivre, qui tituba avant de se cogner au mur opposé. Zigzaguant au milieu d'un parterre de corgis, il avisa la reine – qui le fixait, fourchette et cuiller en l'air –, marmonna quelques mots inintelligibles et passa son chemin. J'étais persuadé qu'elle lui ferait payer sa conduite en le renvoyant sur-le-champ. Mais la reine se contenta de lever les sourcils, sans autre commentaire, avant de revenir à ses chers toutous. L'homme ne fut jamais inquiété.

Je n'eus pas la même chance. À Sandringham, j'eus un jour le malheur de débarrasser un verre de gin tonic du salon de la reine, pensant à tort qu'elle l'avait abandonné pour aller se changer avant le dîner. Dissimulées dans le placard sous l'escalier, attendant que la reine ait quitté sa chambre pour faire le ménage, Maria et l'habilleuse Elizabeth Andrew entendirent soudain la souveraine s'écrier :

— Ah ! le sagouin. Le sagouin ! Il m'a repris mon apéritif tout neuf !

Et de se lancer à mes trousses dans le couloir.

Je le lui rapportai tout en m'excusant platement.

La reine n'aimait pas causer du désordre dans sa maison, même si elle y détenait le pouvoir absolu. Un soir qu'elle soupait seule à Buckingham, je lui servis une darne de poisson un peu racornie. Elle fronça les sourcils, la tapota avec le dos de sa fourchette, et me fixa d'un air interrogateur :

— Que suis-je censée faire de ça ?

— Je vais la renvoyer en cuisine, Votre Majesté, et la faire remplacer.

— Non, non, n'en faites rien. Ne causons à personne d'ennuis inutiles, répondit-elle avant de se rabattre sur les légumes et la salade.

Et nul n'en sut jamais rien.

La reine avait, certes, des principes tranchés, mais elle possédait surtout la patience d'une sainte. Elle connaissait la pression qui pesait sur nos épaules, et tenait à maintenir un climat harmonieux. En cela, elle était tout l'opposé de sa sœur Margaret, réputée pour son intransigeance.

Obsédée par la discipline, cette dernière ne tolérait aucun écart. Je n'oublierai jamais cette soirée au château de Balmoral où deux pages, un autre valet et moi-même avions attendu jusque très tard le retour de la famille royale après un barbecue au chalet. Pour tuer le temps, nous avions allumé le téléviseur royal, même si le règlement nous l'interdisait.

Le crissement des roues des Land-Rover sur les graviers sonna la fin de la récréation. Nous éteignîmes l'écran et regagnâmes nos postes. Mais la princesse Margaret soupçonnait quelque chose. Elle s'avança vers le poste, posa la main derrière l'appareil, et lança :

— Lilibeth, quelqu'un a regardé la télé !

Il n'y avait que quatre coupables possibles, et nous étions terrifiés. La princesse Margaret nous adressa un regard cinglant. Mais, par bonheur, la reine ne dit rien.

La princesse m'impressionnait aussi par son esprit d'indépendance. Un après-midi au château, je la trouvai accroupie sous l'escalier du fond, en train de fureter dans le panier à bûches pour réapprovisionner le salon. Pensant lui être utile, je m'approchai, toussotai et proposai :

— Puis-je aider Votre Altesse Royale ?

Elle se releva lentement, se retourna et rétorqua :

— J'ai été éclaireuse, vous savez.

Puis elle s'accroupit de nouveau pour vaquer à son affaire.

Mais la princesse Margaret avait aussi ses bons côtés, ainsi que le découvrirait mon collègue préféré Roger Greed, un soir à Sandringham. Supposant que tous nos patrons avaient quitté le salon, il se mit à parodier un ténor d'opéra, en chantant d'une voix tonitruante et en gesticulant, pour accompagner la musique que diffusait le tourne-disque. Nous tentâmes aussitôt, par des signes de tête et des coups d'œil, de lui signifier que la princesse Margaret se trouvait encore devant la cheminée, un long porte-cigarette noir entre les lèvres. Roger finit par comprendre, se tut et vira à l'écarlate. Alors la princesse applaudit lentement :

— Bravo... Bravo, déclara-t-elle. J'ignorais que nous avions autant de talents parmi nous.

Toutefois, la mansuétude de la reine aurait peut-être connu des limites si elle avait tout su des petits coups de canif que nous donnions au règlement en coulisses. Le gin, par exemple. C'était la boisson préférée du personnel, et la plus accessible. Les valets étaient passés maîtres dans l'art de siphonner les carafes en cristal pour remplir leurs flasques chromées. Et personne n'allait soupçonner un valet de dissimuler sur lui un tel accessoire. Mais les plus rusés étaient encore les pages, qui remplissaient de gin les bouteilles de tonic vides pour les glisser dans les basques de leur redingote, équipées de poches.

Ces provisions alimentaient les beuveries qui faisaient rage dans nos quartiers privés. Et si la reine ignorait tout de nos réserves d'alcool clandestines, elle savait que la fête battait son plein plus souvent qu'à son tour. Mais elle tolérait nos parties car elle comprenait pourquoi nous les organisions. Nous travaillions tous très dur, et c'était un bon moyen de décompresser.

Le personnel menait une vie d'isolement et de restrictions, dans un univers éprouvant et confiné. Le lieu de travail était aussi notre maison. Nous évoluions en vase clos, et formions une communauté à la fois soudée et coupée du monde extérieur. Il n'était pas question d'inviter une conquête pour la nuit. Tous les visiteurs – qui étaient préalablement soumis à de strictes procédures de sécurité – devaient avoir quitté les lieux à 23 h 30.

La paie était modeste, même si nous étions nourris et logés. Comme à l'armée, nous acceptions d'adapter nos vies aux horaires, aux règles et au fonctionnement de la maison. Et comme à l'armée, il régnait un fort esprit de camaraderie, pour ne pas dire « potache ». Il n'était pas rare qu'une jeune recrue retrouve sa chambre vidée de fond en comble, jusqu'aux ampoules électriques. Et cette pauvre bonne qui découvrit une chauve-souris morte sur son oreiller ! À Balmoral, des valets facétieux avaient décoré la corde à linge de sous-vêtements, comme s'il s'agissait de drapeaux. Hélas, la farce tourna court lorsqu'une dame d'honneur reconnut l'une de ses culottes bouffantes. Elle n'apprécia guère, et l'Intendant du palais ordonna la disparition de cette corde, déclarée « de mauvais goût ».

Les blagues aidaient à briser l'ennui et la monotonie du quotidien, tout comme les fêtes. Les faibles lueurs visibles depuis les grilles du palais ne laissaient pas soupçonner l'ambiance de boîte de nuit qui régnait au dernier étage. Du *Pages Lobby* des garçons au *Finch's Lobby* des filles, tout le monde se mélangeait. Personne ne fermait sa porte et chaque chambre devenait une annexe des autres, comme dans un couloir d'hôtel investi par des congressistes. La musique emplissait l'étage et nous dansions jusqu'aux aurores sur les mélodies de Donna Summer, de Barry White et d'Abba.

Il fallait juste éviter la gouvernante, Mlle Victoria Martin, et sa mentalité de vieille institutrice. « Les garçons ne sont pas admis dans l'aile des filles ! » me gronda-t-elle un après-midi où je m'étais permis de prendre un raccourci entre le couloir de la nursery et le quartier des pages.

Il est vrai qu'elle patrouillait régulièrement à notre étage. Jusque dans leur propre chambre, les bonnes n'osaient pas laisser traîner de cendriers sales. Les résidentes devaient se conformer aux normes de propreté observées par la famille royale, et Mlle Martin, qui était ex-officier de Marine, exigeait que les cendriers soient vidés tous les matins. Un mégot oublié la mettait dans une colère noire, on entendait souvent les bonnes murmurer : « Mlle Martin a encore fait sa crise. » Aussi la programmation des fêtes exigeait-elle une certaine habileté, afin qu'elles coïncident avec une absence, un voyage, les vacances ou les arrêts-maladie de la gouvernante.

Le personnel qui partait à Sandringham ou à Balmoral rencontrait toutefois des responsables plus coulants. Ce qui se traduisait par des soirées quotidiennes au cours desquelles tout le monde se laissait aller. Comment s'étonner, dans ces conditions, que nous surnommions ce château : « l'Immoral Balmoral » ?

Tous les ans, la cour se retire au château de Balmoral d'août à octobre pour les congés d'été de la reine. À l'époque, la tradition voulait qu'on s'y rende en yacht, à bord du *Britannia*. La « Croisière des Hébrides » durait une semaine. Partant de Portsmouth, elle longeait la côte ouest par la mer d'Irlande et l'archipel écossais, avant de mettre le cap plein est jusqu'à Aberdeen.

De 1979 à 1986, j'occupai la cabine n° 44 du pont inférieur, avec sa porte coulissante métallique, son unique hublot, son étroite couche, son petit bureau et son lavabo en inox. Je n'étais pas rassuré de savoir qu'une simple tôle, maintenue par des rivets, me séparait des profondeurs de l'océan. Je dormais juste au-dessus des énormes hélices, qui me berçaient divinement la nuit venue. Les jours de gros temps, le spectacle du hublot évoquait une machine à laver lancée à plein régime.

Tout ce qui se trouvait à l'avant du mât principal était alloué aux 250 officiers et membres d'équipage de la *Royal Navy*, et toute la partie arrière était occupée par la trentaine de passagers de la Maison royale.

Prendre la mer signifiait échapper à une lourde tâche : promener les corgis. Ceux-là faisaient toujours le voyage par avion, dans un Andover de l'escadrille royale. Ma mission était de servir Sa Majesté dans les carrés vitrés du pont arrière, qui offraient une sublime vue panoramique. Une frégate nous suivait en permanence, à portée de vue.

Pour le petit déjeuner de 9 heures et le thé de 17 heures, je dépliais une table de bridge à l'intention de la reine et du prince Philippe. Ils prenaient les deux autres repas dans la salle à manger du pont principal avec le reste des passagers, respectivement à 13 heures et à 20 h 15, comme à la maison. On mangeait tous les jours dans de la porcelaine armoriée – le service du yacht royal *Victoria and Albert*.

Négocier les recoins du bateau avec mon plateau relevait du grand art. Je devais le tenir dans le sens de la longueur pour traverser les étroites passerelles et descendre les marches d'acier raides comme des échelles. Plus d'une fois la vaisselle se brisa en mille morceaux quand un soubresaut du bateau renversait mon plateau. Si seulement celui-ci avait possédé le même revêtement que la table du dîner : un vernis magique, à la fois lustré et antidérapant.

Pour acheminer les plats malgré le roulis et le tangage, j'appris à garder l'équilibre en me déplaçant pieds écartés et genoux fléchis. Cette dégaine de clown amusait beaucoup notre reine, autant que l'effet du mal de mer sur notre teint. Les jours de calme plat, le *Britannia* jetait l'ancre près du rivage. Des canots à moteur acheminaient la suite royale jusqu'aux plages désertes, le temps d'un barbecue. Pendant que les monarques pique-niquaient sur des rochers recouverts de plaids, les officiers de marine veillaient sur le bateau, ce qui permettait au personnel de la maison de se détendre à bord, d'organiser de petites fêtes ou des jeux de culture générale entre différents carrés, au moyen de questions diffusées sur la radio interne.

Le temps fort du voyage, à l'approche de la côte écossaise de Caithness, était le passage devant la résidence de la reine mère. Le personnel sortait au complet sur le pont, et nous agitions serviettes, nappes ou draps, tandis que les officiers lançaient des fusées et actionnaient la puissante corne de brume.

En guise de réponse, les employés de la reine mère suspendaient du linge à la tourelle et aux fenêtres, et lâchaient des feux d'artifice depuis le toit. Armée d'une paire de jumelles, la reine cherchait sa mère qui, depuis la terre, cherchait également sa fille. Quand elles se trouvaient mutuellement, elles agitaient fébrilement la main. Elles se reverraient quelques jours plus tard à Balmoral, où la reine mère viendrait séjourner deux semaines avant de gagner sa résidence de Birkhall.

Pendant que le *Britannia* voguait au large des côtes, l'armée se chargeait de convoyer des tonnes de bagages et des centaines de malles entre Buckingham et Balmoral. Le palais était déserté ainsi que les contraintes qu'il imposait. On jetait des draps sur le bureau, les canapés, les tables du salon et les buffets. Et l'on empaquetait les garde-robes, les chapeaux, la vaisselle, l'argenterie, le cristal, les cadres, les livres, les téléviseurs, magnétoscopes, radios, vins fins et spiritueux. On prévoyait des tenues pour toutes les occasions, dont une robe et un chapeau noirs au cas où surviendrait un décès. Une malle en cuir contenait une bonne vingtaine de plaids écossais, une autre une précieuse collection de kilts. Sa Majesté portait le kilt tous les jours à Balmoral, tout comme la reine mère, la princesse Margaret et la princesse Anne. La reine portait aussi bien le tartan rouge *Royal Stewart* que le vert *Hunting Stewart*, mais son préféré était le gris *Balmoral*, dont le port est réservé aux seuls membres de la famille royale.

Les princes Philippe, Charles, Andrew et Edward étaient en kilt du lever au coucher, avec une cravate noire en soirée, tandis que les dames dînaient en robe du soir. Le point d'orgue de la saison mondaine était le bal des *Gillies*, au cours duquel les femmes, parées de châles écossais maintenus par une broche en diamants, sautillaient, tournoyaient et s'accrochaient aux bras des hommes sur le parquet de la piste de danse. C'était la seule fête que la gouvernante Victoria Martin approuvât, celle où la famille royale, le personnel de la Maison et celui des lieux dansaient tous ensemble : reine, duc, princes, princesses, valets, bonnes et jardiniers. La musique était assurée depuis la mezzanine par les cornemuses et les accordéons du Black Watch, un contingent de la Garde écossaise en kilts bleu et vert, soutenu par les battements de mains et les cris ravis des danseurs.

C'est en 1979 que j'ai dansé avec la reine – dans l'intimité de quelque cent cinquante personnes. Dans le jeu de permutations d'une danse de groupe, le *Dashing White Sergeant*, ma ligne de trois valets se retrouva face à une autre ligne comprenant la reine. Les deux trios s'unirent pour former un cercle de six, et je me retrouvai voisin de la souveraine. Tout ce dont je me souviens, c'est ma hantise de lui broyer les doigts avec ma main moite.

Le Maître Souffleur de la reine annonçait chaque danse et, lors du dîner – si dîner il y avait –, jouait de la cornemuse entre les tables. Mais tous les matins, il devait satisfaire à une autre tradition, instaurée sous le règne de Victoria. À 9 heures précises, et quelle que soit la résidence du moment de la reine, il devait jouer de la cornemuse pendant dix minutes en faisant les cent pas sous les fenêtres de la souveraine. Ce rituel, censé marquer le début de la journée, prenait tout son charme à Balmoral, quand le sifflement des cornes se répandait dans les vallons de Balmoral.

C'était un château extraordinaire, construit en 1853 par le prince Albert pour permettre à la reine Victoria d'échapper aux contraintes de la vie publique et de se reposer au milieu des siens. De toutes les résidences royales, Balmoral demeure celle où l'ambiance est la plus familiale et chaleureuse, les règles les moins rigides, les relations les plus détendues et la reine au sommet de sa forme.

À l'instar de sa trisaïeule, la souveraine trouve en Balmoral un havre de paix à la mesure de son amour de la nature, et rien ne lui plaît davantage que d'arpenter ces vallons écossais. Si Buckingham est son bureau, Windsor sa résidence préférée et Sandringham le cadre rêvé pour recevoir, dans un monde idéal, Balmoral serait sa vraie maison.

Avec ses tourelles et ses murs gris envahis de lierre, le château donne l'impression que le temps s'est arrêté. VRI – les initiales impériales de la reine Victoria – ornent toujours le papier floqué qui recouvre les murs des halls somptueux, et un tapis au motif *Hunting Stewart* s'enfonce dans les couloirs sombres. Le hall lambrissé, où l'horloge rustique trône sur le marbre en damier noir et blanc, témoigne de l'attachement royal à la campagne, avec sa collection de cannes à pêche, de cuissardes et d'épuisettes suspendues au plafond ; des têtes de cerfs, trophées de chasse de précédents monarques, vous dévisagent sur pratiquement chaque mur de chaque couloir, et surplombent des tableaux de Landseer représentant d'autres cerfs au milieu de vallées brumeuses, ou des épagneuls courant la tourbe et la bruyère.

On y menait une vie quasi autarcique. Les saumons pêchés dans la Dee et les cerfs tirés dans les collines fournissaient le plat de résistance ; les myrtilles et framboises du jardin étaient servies avec le pudding. Les repas n'étaient jamais ruineux à Balmoral, dont la reine payait les factures sur ses deniers personnels. En outre, elle détestait le gâchis, et nourrissait les corgis avec les restes du repas. De même qu'elle faisait le tour des pièces pour éteindre les lumières inutiles, et baissait chaque matin le radiateur de sa chambre. Elle semblait d'ailleurs vaccinée contre le froid, et dormait régulièrement avec la fenêtre ouverte. À la mi-octobre, il arrivait que les habilleuses retrouvent de la neige – précoce dans les Highlands – sur le tapis en dessous de la fenêtre. Et, même baissé, le radiateur électrique attirait vite les corgis.

Mes quartiers privés étaient tout aussi glacials. Au point qu'un château royal au mois d'octobre me rappelait la maison de mon enfance à Grassmoor : un lino froid et du givre aux carreaux, dans une pièce nue et sans chauffage.

Enfant, je gravais mon nom sur la glace des vitres. À Balmoral, les jeunes mariées de la famille royale avaient coutume de graver leur nom sur les carreaux de la Suite des visiteurs, avec le diamant de leur bague de fiançailles.

Fin 1979, les médias commençaient à spéculer sur les prochaines épousailles royales. On se demandait qui, parmi toutes les prétendantes de l'héritier du trône, saurait tenir le rang de princesse de Galles.

III

Une princesse amoureuse

— Êtes-vous perdue ? demandai-je à l'invitée hagarde. Puis-je vous aider ?

— Oui, s'il vous plaît. Pourriez-vous m'indiquer comment regagner ma chambre ?

Elle s'était arrêtée au milieu d'un couloir sombre de Balmoral, en ce samedi matin de septembre 1980. J'avais découvert son visage la veille au soir, en montant sa valise au premier étage. Il était si facile de se perdre ici. Tous les couloirs se ressemblent, jusqu'au détail des portes, au motif des tapis écossais, aux murs beiges ornés de têtes de cerfs. Le château était parfaitement calme, ce matin-là. Le prince Charles était parti chasser avec son père et ses frères. La reine mère et la princesse Margaret émergeaient rarement avant midi, et la reine était dans son salon.

La jeune femme se confondit en excuses pendant que je lui montrais le chemin. D'un sourire gêné, elle ajouta :

— Je suis vraiment désolée. C'est difficile de se repérer quand on arrive dans une drôle de maison.

Je la rassurai :

— Ne vous inquiétez pas. C'est normal. Et si vous avez besoin de quoi que ce soit, n'hésitez pas à demander. Ici, les employés sont très sympas.

Elle me remercia et disparut dans sa chambre dotée d'un lit à une place. La plaque sur sa porte indiquait : « Lady Diana Spencer ». Quelques mètres plus loin, on pouvait lire : « S.A.R. le Prince de Galles ». Lors d'une précédente visite au mois d'août, Diana avait logé à un kilomètre de là, dans le cottage de sa sœur Jane et de son mari, sir Robert Fellowes. C'était la première fois qu'elle séjournait à Balmoral, en tant qu'invitée du prince Charles.

Pauline Hillier, la femme de chambre affectée au Couloir de la Nursery, surgit dans la buanderie où je buvais mon café, en tenant à hauteur de visage une longue robe noire.

— Voici la robe de madame. C'est la seule qu'elle ait apportée, or elle est ici pour trois nuits. Comment va-t-elle faire ? se demanda-t-elle, rongée d'inquiétude pour lady Diana Spencer, l'aide institutrice de Londres.

La plupart des invitées pensaient à prévoir plusieurs robes de soirée, et le personnel craignait que cette jeune femme de dix-neuf ans ne fasse pâle figure au milieu des habitués du cercle royal.

Pourtant, les problèmes de garde-robe n'étaient qu'un détail au regard des mille autres questions qui taraudaient les novices : comment s'adresser aux membres de la Couronne, à quel moment rejoindre un cocktail, comment converser à table, comment se faire accepter... Par chance, il fit un temps splendide, ce qui préserva notre débutante d'un faux pas vestimentaire : la robe ne fut utile qu'un seul soir, car les deux autres dîners se déroulèrent autour d'un barbecue au chalet de la propriété que la reine avait offerte au duc d'Édimbourg pour leurs noces d'argent.

Aux yeux du personnel, lady Diana était une invitée parmi tant d'autres, une escorte bon chic bon genre pour le prince Charles qui allait sur ses trente-trois ans. Elle était plutôt réservée et rougissait facilement, mais elle n'avait rien d'extraordinaire. Si le personnel nota quelque chose, c'était sa beauté, sa politesse, sa simplicité – et une garde-robe inadaptée pour apparaître au bras de l'héritier du trône.

Des dames d'honneur s'étaient alors penchées sur les tenues de celle qui deviendrait « Lady Di », avant de lui commander un ensemble dans une boutique de prêt-à-porter londonienne : un tailleur jupe bleu vif, avec un corsage blanc à col montant et des chaussures assorties. La future princesse n'avait rien de mettable pour les grandes occasions, or un costume à la fois sobre et élégant était de mise en ce 24 février 1981 où Buckingham allait annoncer ses fiançailles avec le prince Charles.

Le rez-de-chaussée bourdonnait comme une ruche, et les reporters se perdaient en conjectures. Depuis Noël, une seule rumeur circulait parmi les valets : « Ce sera Lady Di. » Le nom de lady Amanda Knatchbull – petite-fille de lord Mountbatten – avait longtemps été évoqué parmi nous. Mais cette hypothèse s'effondra le jour où David Thomas, le joaillier de la Couronne, se présenta au palais une mallette à la main. La version officielle prétendait que celle-ci contenait une sélection de chevalières en vue des vingt et un ans du prince Andrew. Mais l'opération paraissait trop clandestine pour un anniversaire. Les spéculations reprirent de plus belle. En fait, David Thomas, qui veillait sur les bijoux de la Couronne à la Tour de Londres, apportait bel et bien des bagues de fiançailles, avec pour consigne d'exclure rubis et émeraudes. Il disposa des diamants et des saphirs sur un plateau, pour les soumettre – chose curieuse – à la reine. Puis, quand celle-ci eut fait son choix, le prince de Galles donna son assentiment, et lady Diana fut la dernière à exprimer son avis. Elle alla dans le sens des goûts de son futur fiancé, pour ne pas jouer les enfants gâtées. Mais elle m'avouerait plus tard :

— Je n'aurais jamais opté pour un bijou aussi criard. Si c'était à recommencer, j'aurais choisi une bague plus élégante, plus simple.

Le jour où le secret fut dévoilé, la journée avait commencé comme d'habitude, par le petit déjeuner de la reine à 9 heures. Puis la souveraine annonça un changement de programme :

— Nous prendrons le thé à 16 heures. Et nous serons quatre : Son Altesse Royale [le duc d'Édimbourg], le prince de Galles et lady Diana Spencer.

Elle m'expliquait tout cela car je devais connaître le nombre de femmes et d'hommes conviés : celles-ci boivent dans de petites tasses à thé, ceux-là dans de grandes tasses de petit-déjeuner. Je compris que les fiançailles étaient imminentes : un emploi du temps qui changeait à la dernière minute, et une lady Diana qui n'avait encore jamais pris le thé avec la reine...

Je faisais ainsi partie des tout premiers Britanniques à être au courant, et je ne tenais plus en place. Après avoir dressé la table, je m'attardai exprès dans le couloir de la reine pour saisir une image du jeune couple. Le prince Charles et lady Diana me croisèrent, main dans la main et tout sourires, avant de passer dans le salon de la reine, puis dans la salle à manger.

John Taylor, le page de la reine, entra pour déposer les *scones* chauds sur la table. Je ne pus m'empêcher d'épier la tablée par l'embrasure de la porte. Vêtue de son nouvel ensemble bleu, lady Diana semblait pétrifiée face à ses futurs beaux-parents. Je remarquai, en débarrassant, qu'elle n'avait pas touché aux *scones* ni même goûté son thé – j'apprendrais plus tard qu'elle ne buvait que du café. Mais son anxiété n'avait rien de surprenant : le thé avec la reine serait suivi d'une apparition face aux médias du monde entier. Selon un plan finement élaboré, le prince et sa promise devaient quitter la Bow Room – le salon central situé au fond du rez-de-chaussée –, descendre les grandes marches en pierre et poser sur la pelouse devant une armée de caméras, de micros, de reporters et de photographes.

Ayant dix minutes devant moi, je prévoyais de suivre ce moment historique depuis une salle d'audience du premier, quand la reine contraria mes plans :

— Paul, pourriez-vous emmener les chiens longer l'arrière du lac ? Cela créera moins de dérangement.

Jamais les corgis n'auront été promenés aussi vite ! Retenant mes neuf chiens, j'atteignis l'arrière du lac juste à temps pour distinguer le prince et lady Diana descendre les fameuses marches. Mais il m'aurait fallu des jumelles pour reconnaître les visages des deux personnages qui paradaient sur la pelouse, puis répondaient aux questions sous le crépitement ininterrompu des flashs.

— Tu l'as vue ? Elle est assise toute seule dans son coin, me dit Mark Simpson, un soir.

Il avait jeté un coup d'œil discret sur lady Diana Spencer, qui avait intégré Buckingham dans la foulée de ses fiançailles, et il s'était subitement senti pris de pitié.

— Allons lui acheter un McDo, suggéra-t-il.

Le prince Charles effectuait un voyage officiel d'un mois en Australie, laissant sa fiancée, qui avait jusqu'alors vécu en colocation avec des copines, abandonnée à elle-même. Mark était mon voisin de chambre, et le valet du Couloir de la Nursery royale qui hébergeait Andrew et Edward depuis qu'ils étaient enfants. C'est également là que logeait leur future belle-sœur, dans une petite suite comprenant chambre, salle de bains, cuisine et vestibule. Elle avait emménagé avant le mariage prévu pour juillet. Le prince Charles résidait au même étage. Sa suite à lui occupait toute une aile, et comprenait en sus un salon, une salle à manger et un vestiaire. Si lady Diana cherchait un ami dans ces moments de solitude, elle sut très vite qu'elle pouvait compter sur le dévoué Mark Simpson. Depuis le début, elle avait des alliés dans la place. À l'office, tout du moins.

Mark ne démordait pas de son idée d'escapade nocturne. Mais je n'étais guère emballé. Il n'était pas dans nos attributions d'offrir des cadeaux surprise à ceux que nous servions. Que penserait la reine si elle l'apprenait ? Et le Maître de la maison ?

— Allez, Paul, elle sera contente d'avoir un peu de compagnie, dit-il avant d'empoigner son manteau.

Je me laissai convaincre, et le suivis dans Victoria Street pour acheter trois menus Big Mac. Nous rentrâmes par la porte de service, comme si nous étions en service à l'étage supérieur. Rien que de très banal, en somme.

Ne sachant comment réagirait la princesse en voyant surgir un visage qu'elle n'avait croisé qu'une fois, je laissai Mark livrer son hamburger. Sans soupçonner qu'il reviendrait me chercher :

— Paul, ramène-toi.

Alors, tels deux garnements, nous nous sommes faufilés en douce dans les couloirs, et sans uniforme, ce qui constituait une infraction patente au règlement. Mais la princesse Diana m'intriguait. Je suivis Mark sur le tapis rouge. Nous dépassâmes la nursery, l'appartement du prince Edward puis celui du prince Andrew, avant d'atteindre une porte légèrement entrouverte sur la cuisine de lady Diana.

Elle attaquait déjà son Big Mac. Elle était ravie de cet interlude inattendu, et, de son propre aveu, inespéré. Mais si elle était surprise par notre geste, je l'étais tout autant par sa simplicité, sa spontanéité et sa décontraction. D'emblée, les barrières aristocratiques sautèrent : nous étions juste trois personnes qui bavardaient et rigolaient dans une cuisine.

Sauf que nous risquions gros à rester ici, bien plus qu'en s'aventurant chez les filles. Et malgré tout le charme de la future princesse, je ne fus jamais aussi soulagé de quitter une pièce du palais que lorsque nous prîmes congé au bout de dix minutes.

— Tu vois, me dit Mark, tandis que nous filions vers nos quartiers, c'est quelqu'un comme nous.

Jamais je ne reprendrais un tel risque, contrairement à Mark qui devint une sorte de visiteur du soir attitré, jusqu'à ce qu'il soit surpris dans la chambre de la princesse, assis au bout de son lit, par un prince Charles médusé. Lady Diana était en chemise de nuit, ce qui prêtait le flanc aux pires interprétations – même s'il ne s'était rien passé. Heureusement, Mark et sa carrière en ressortirent relativement indemnes.

Peu de temps après, il reçut une photo de presse de la future mariée, dédicacée : « Pour Mark, avec toute mon affection, Diana. » Je soupçonne qu'il s'agissait là de son tout premier autographe.

Lady Diana fut bien seule pendant ces longs mois précédant le mariage. Elle n'osait mettre un pied dehors par peur des médias, et Buckingham était un effrayant dédale. Elle n'avait personne pour la guider, ni même lui fournir un plan. La moindre erreur d'orientation, et l'on surgissait dans un cocktail ou une réception officielle. Personne ne savait sur quoi – ou qui – il allait tomber au détour d'un couloir. Chez le personnel, il existait une complicité et une camaraderie qui rendaient les lieux plus sympathiques. Mais lady Diana ne disposait pas d'un tel réseau. Alors elle veillait tard, pour écrire à ses amis. Et quand le prince était en déplacement, elle prenait son courage à deux mains pour instaurer le dialogue avec la reine. Ainsi, une fois par semaine, le téléphone sonnait chez nous...

— La reine prévoit-elle de dîner seule ce soir ? demandait lady Diana d'une petite voix.

Si la réponse était oui, l'un de nous allait demander à la reine :

— Lady Diana souhaite savoir si Votre Majesté sera seule pour le dîner ?

— Eh bien, demandez-lui donc de se joindre à moi, répondait alors la reine. Nous dînerons à 20 h 15.

Pas une seule fois Diana n'essuya de refus. Mais elle regrettait de devoir passer par des pages ou des valets pour communiquer avec sa belle-mère. Cela bridait sa spontanéité, et l'ambiance des repas s'en ressentait. Elle s'imposait cet effort une fois par semaine, mais préférait manger dans sa chambre, où elle pouvait se retrouver et se détendre.

Elle concevait néanmoins une sincère affection pour la reine. Je me souviens qu'elle passait souvent par notre couloir en remontant de la piscine, les cheveux encore tout mouillés.

— La reine est seule ? demandait-elle.

Puis elle frappait à la porte et pénétrait dans le salon d'un pas léger.

— Bonjour, Votre Majesté, lançait-elle.

Et chaque fois la reine souriait devant sa fraîcheur.

Après le mariage, elle fut dispensée du « Votre Majesté », et invitée à appeler en privé ses beaux-parents « Maman » et « Papa ».

La reine s'est toujours montrée conciliante, bien qu'elle ne se soit pas démenée pour l'intégration de sa belle-fille. Car à ses yeux, adaptabilité et force de caractère allaient de pair avec le sens du devoir, et elle-même avait dû s'acclimater aux protocoles stricts et à la solitude des palais quand elle était enfant. Lady Diana étant d'extraction noble, on supposait que la transition se ferait sans heurts. Mais elle avait besoin de soutien. Elle ne possédait pas la volonté de fer de la reine. Populaire dans l'âme, elle supportait mal la solitude d'un mode de vie complexe. L'ironie veut que la reine l'ait laissée se débrouiller parce qu'elle lui faisait confiance : « Si elle a besoin de moi, elle sait où me trouver. » Car la souveraine croyait en lady Diana, quitte à être la seule des deux.

Le jour où Diana rendit visite à ses anciens élèves de maternelle, les bambins s'accrochèrent à ses manches pour lui demander : « T'étais passée où ? », et « Quand est-ce que tu reviens ? ». Elle le vécut comme un « cauchemar traumatisant » et les quitta au bord des larmes.

Le retour à son appartement du 60, Colherne Court, pour récupérer ses affaires, ne fut pas moins éprouvant. Elle frotta et balaya tout en ruminant ses souvenirs de colocation entre filles. Là encore, elle était ressortie avec une furieuse envie de pleurer, me confierait-elle.

Mais au fond d'elle-même, il y avait aussi une part d'excitation, et elle savait qu'elle devait être forte. Alors pour tuer l'ennui, elle multiplia les activités et se concentra sur son mariage, au fil des visites régulières des deux stylistes chargés de créer sa robe – dont ils devaient régulièrement resserrer la taille, car lady Diana suivait un régime en prévision du grand jour.

Elle prenait des cours de danse classique et de claquettes dans la Salle du Trône, sous un baldaquin à pompons dorés. Les deux trônes étaient disposés côte à côte, leurs dossiers cramoisis brodés de fil d'or – « EIIR » sur l'un, « P » sur l'autre. Comme le voulait la tradition, le trône de la reine était légèrement surélevé par rapport à celui du duc d'Édimbourg.

Lady Diana était une nageuse émérite, et comme la princesse Margaret elle commençait presque toutes ses journées par quelques longueurs dans la piscine à petits carreaux bleus et blancs. On y accédait par un couloir de la Suite belge, où chaque matin elle croisait Maria Cosgrove. Entre elles deux, les salutations d'usage devinrent de brefs échanges, qui devinrent à leur tour de grandes discussions entre femmes sur la vie au palais. Maria était une fille sans chichis et, comme avec Mark Simpson, lady Diana trouva en elle une alliée tendre et accessible.

Lady Diana sympathisa rapidement avec le personnel. Elle se sentait bien plus à l'aise en bas de l'échelle qu'en haut, et peut-être était-ce lié au fait que les Spencer avaient autant baigné dans la domesticité que dans la noblesse. La grand-mère de Diana avait été Dame de la chambre à coucher de la reine mère, et son père, le comte Spencer, Écuyer du roi George VI. Dans la ruche d'en bas, la future princesse trouvait de la vie et de la compagnie.

Elle s'asseyait souvent avec le *Yeoman* de la vaisselle plate Victor Fletcher, un homme carré, qui mordillait en permanence sa branche de lunettes entre les dents, à la manière d'une pipe. Il savait tout sur le protocole royal, et il faisait part de ses lumières à son auditrice fascinée, qui l'appelait respectueusement M. Fletcher. Elle alla de même visiter la pâtisserie royale du chef Robert Pine, dont l'humour froid pince-sans-rire, servi avec un accent du Devon, la faisait mourir de rire. Puis elle allait flâner dans la salle du café, et s'installait face à la demoiselle en chef Ann Gardner, dont la mise impeccable dissimulait un sens aigu de la fête, et qui la régalait d'anecdotes savoureuses.

Elle surgissait dans la buanderie pour bavarder avec les lingères, ou bien dans la cuisine pour saluer le robuste chef Mervin Wycherley, à l'impayable franc-parler. Evelyn Agly, du Couloir de la Nursery, était l'un des tout premiers visages qui lui avaient souri. Evelyn veillait à lui aménager une chambre aussi confortable que possible, et assumait la charge d'une garde-robe qui ne cessait de s'étoffer.

Lady Diana devint même amie avec l'Intendant de palais, Cyril Dickman – le grand patron –, une mine de renseignements sur la tradition, les usages et le protocole de la cour.

Pour autant, lady Diana était loin de faire l'unanimité... Certains conservateurs voyaient d'un très mauvais œil cette jeunette qui venait « s'immiscer » dans leur monde. Telle employée qui avait servi quarante ans ne supporta pas de voir lady Diana ouvrir un placard et se servir de biscuits. « Vous ne devriez pas vous trouver dans cette cuisine », lui dit-elle d'un ton sec. Et lady

Diana, habituée aux marques de sympathie, de se réfugier dans sa chambre.

Ce que peu de gens comprenaient, c'est qu'elle était en « mission de reconnaissance », afin de sélectionner une équipe capable de faire tourner les deux futures maisons du prince et de la princesse de Galles : la résidence de campagne de Highgrove, dans le Gloucestershire, et une aile du palais de Kensington, à Londres. Le prince Charles avait acheté la maison de campagne de Highgrove, en 1980, l'année précédant ses fiançailles. La localisation de cette dernière était pratique à plus d'un titre. Elle se trouvait à environ dix kilomètres de la résidence de la princesse Anne à Gatcombe Park et à quelques minutes en voiture du Manoir de Bolehyde, la résidence du lieutenant-colonel Andrew Parker Bowles et de sa femme Camilla.

Tout sourires, la princesse de Galles sautillait le long du tapis rouge avec la grâce d'une ballerine, ses chaussons de soie crème dans une main, ses huit mètres de traîne enroulés sur l'autre bras. L'espace d'un instant elle redevenait elle-même, en ce jour de noces bouffi de pompe et de protocole. C'était quelques minutes après que le monde entier l'avait vue embrasser le prince au balcon de Buckingham, le 29 juillet 1981.

La mariée bondissante m'avait surpris alors que, adossé au mur du couloir, j'attendais, en redingote écarlate, le retour de la reine dans ses appartements – lequel signifierait que les invités quittaient la Salle du Balcon pour la Galerie de la Peinture et son plafond de verre, à l'arrière du château, en vue du petit déjeuner royal.

Courant dans ses frous-frous de soie ivoire, son voile flottant derrière elle, la nouvelle princesse pensait avoir le couloir pour elle. L'un des murs se composait d'une rangée de portes-fenêtres donnant sur la cour carrée. Elle dansait dans les rayons du soleil qui se déversaient sur le tapis et illuminaient le diadème de la famille Spencer. Elle était pleine de confiance, radieuse. Le visage du bonheur. Je savais que cette image me resterait à jamais, mais sur le moment j'ai craint que mon regard ne l'embarrasse. Alors je me suis retiré chez la reine et j'ai fermé la porte.

C'est dans ce même salon que j'avais vu lady Diana Spencer devenir la princesse de Galles, en même temps que 750 millions de téléspectateurs. Assis en tailleur, devant le poste de la reine, au milieu des corgis. Je n'étais pas censé regarder le téléviseur royal, mais je savais qu'en un tel jour, la reine n'y trouverait rien à redire.

Comme toute la nation, votre serviteur royal fut ensorcelé par le spectacle : la foule à perte de vue ; lady Diana dans le carrosse de verre, à côté du comte Spencer, agitant la main sur le chemin de la cathédrale Saint-Paul ; sa traîne inondant le tapis rouge de l'allée centrale ; le prince et la princesse de Galles émergeant sur les marches... Je devais me tenir prêt pour le petit déjeuner royal, qui serait servi dans la salle de bal attenante à la galerie, et le téléviseur me permettait de suivre la progression de la cérémonie, même si je passai la moitié du temps à guetter le visage de Paul Whybrew, le deuxième valet de la reine qui avait été choisi pour accompagner Sa Majesté et le duc d'Édimbourg dans le landau du cortège officiel.

Rivé à l'écran, je regardai les jeunes mariés aborder la cour carrée. Puis sortir sur le balcon, acclamés par une foule en délire. Alors je me précipitai dans ma chambre du dernier étage, qui donnait sur le Victoria Memorial et le Mall, et m'agenouillai devant la vitre oblongue. Des milliers de gens photographiaient le jeune couple ; je photographiai les milliers de gens. Puis filai reprendre mon poste.

C'était cette même foule qui m'avait maintenu éveillé la nuit précédente en hurlant *Dieu bénisse le prince de Galles* et *God save the Queen* sous nos fenêtres. Une envie de liesse s'était emparée du pays, tout au long d'une semaine d'effervescence grandissante.

L'avant-veille du mariage, une réception suivie d'un bal avait rassemblé un millier de personnes à Buckingham – têtes couronnées d'Europe, ambassadeurs, hauts commissaires, évêques et archevêques, membres du gouvernement, Premier ministre et ses prédécesseurs –, réparties dans les différents salons du palais. J'étais préposé à la salle du Trône où, secondé par un page aguerri, je m'occupai d'une table ronde réunissant entre autres le prince de Galles, celle qui était pour quelques heures encore lady Diana Spencer, et Grace de Monaco accompagnée de son fils Albert. Jamais je n'ai vu plus belle femme que la princesse de Monaco, la légendaire actrice que le prince Rainier avait prise pour femme. Ce soir-là elle parvint même à éclipser la future mariée, et son diadème n'était pas moins somptueux que celui de la reine.

Lady Diana était fascinée. Les deux femmes se prirent immédiatement d'amitié, et se lancèrent dans de grandes conversations avant le bal. Lady Diana avait trouvé en Grace son modèle. Comme elle, l'actrice américaine venait d'un tout autre milieu. Star habituée aux lumières de la gloire, elle avait épousé un monde où le devoir prenait le pas sur l'amour.

La future princesse demanda des conseils à son aînée.

— Vous vous en sortirez très bien, répondit Grace. Après, ça se corse, mais on apprend à faire avec.

Ma hantise, lors du petit déjeuner, était de piétiner la robe de la princesse, qui semblait déborder de partout. Je servis la table de tête, qui comprenait les jeunes mariés, les deux couples de parents, des demoiselles et garçons d'honneur, et les princes Andrew et Edward.

Les cérémonies avaient eu raison de l'exultation de la princesse dont j'avais été témoin un peu plus tôt dans le couloir. Elle était désormais en retrait, écoutant davantage les conversations qu'elle ne les animait, tout en faisant semblant de manger. Des années plus tard, elle me confierait : « J'avais l'estomac noué. J'étais toute retournée. » Mais ce jour-là, en tout cas, elle se sentait promise à un avenir radieux. Tout ce qu'elle désirait, c'était un mariage heureux avec le prince Charles. Car la princesse n'était pas simplement amoureuse de lui : elle l'adorait.

Quelques années plus tard, une seule chose lui importerait : que sa passion pour le prince Charles soit relatée de manière plus objective. Elle estimait qu'on offrait à l'opinion une image galvaudée de leur relation. Livre après livre, article après article, on déformait leur histoire en minimisant le bonheur et l'amour qui avaient bercé les débuts de leur union. D'aucuns répondront que la princesse l'avait en partie cherché, dès lors qu'elle collabora au livre du journaliste Andrew Morton *Diana, sa vraie histoire*, paru en juin 1992 et révisé à sa mort. L'ouvrage se voulait une quasi-autobiographie, ce qui était bien sûr mensonger. Car, à supposer que la princesse eût rédigé ses mémoires, jamais elle n'aurait repris à son compte cette image d'éternelle martyre qu'on lui prêtait depuis le premier jour. Si seulement elle avait livré sa vérité un peu plus tard, avec le bénéfice du recul, et non en 1992 lorsqu'elle commit cet appel au secours, le monde se serait fait une autre idée de son mariage. Leur profond amour – car c'est bien de cela qu'il s'agissait entre eux deux – avait survécu aux douloureux ajustements des premières années et, loin de rejeter la princesse, le prince Charles avait tout fait pour écouter sa femme et supporter ses sautes d'humeur causées par la boulimie, dont elle avouerait plus tard être atteinte. On peut même dire que l'amour de la princesse ne s'est jamais complètement éteint. Mais quand, à partir de 1985, leurs divergences atteignirent l'irréparable, la brèche devint un gouffre. L'amertume tourna à l'échange d'invectives entre deux personnes qui ne comprenaient plus les manques de l'autre. Mais jamais ce ne fut la « guerre des Galles » : la guerre requiert de la haine, et il n'y en eut point entre eux. Si guerre il y avait, elle se déroulait au-dessus de leurs têtes, entre clans et « conseillers » ennemis.

Ce qu'il faut comprendre, c'est que la princesse collabora avec Andrew Morton, par l'intermédiaire d'amis, à une période où son mariage partait à vau-l'eau, où son instabilité émotionnelle coïncidait avec le deuil du comte Spencer, ce père qu'elle aimait tant, et où les amis du prince Charles semblaient tous se liguer contre elle. Ainsi qu'elle l'expliquerait plus tard : « C'était comme si les gens autour de moi avaient tous six paires d'yeux au lieu d'une, pour me surveiller et me juger en permanence. » Blessée, amère, elle se tourna vers Morton au moment où elle était le plus vulnérable.

La publication de l'ouvrage eut l'effet escompté. Elle ne se sentait plus seule, car le peuple britannique savait enfin la vérité, et la raison pour laquelle William et Harry n'avaient pas eu de frères ou de sœurs.

Mais elle allait longtemps regretter cet acte précipité. Car toute à son désespoir d'être entendue, elle avait grossi le trait sur le prince Charles, et le livre minimisait leurs heures de félicité. La colère l'avait mal conseillée.

Voilà pourquoi le récit de Morton ne saurait, comme il le revendique de bonne foi, tenir lieu de mémoires officiels. La princesse aurait voulu en dire plus. Et mon témoignage, étayé par les lettres de celle qui fut pour moi l'amie d'une vie, dévoile des vérités tues à cette époque qui permettront de rétablir la balance.

Pour leur lune de miel, le prince et la princesse de Galles partirent en Méditerranée à bord du *Britannia*. La princesse était au comble du bonheur – et non, comme le rapportent certains écrits, rejetée par l'homme qu'elle appelait affectueusement « Hubby », soit « mon petit mari ». À une amie proche, elle écrivit depuis le yacht :

Je ne pourrais être plus heureuse, et jamais je n'aurais cru me sentir aussi épanouie.

La croisière sur le Britannia *a été extrêmement plaisante, et on a passé la majeure partie du temps à rire et à se taquiner. Le mariage me convient merveilleusement et j'adore avoir quelqu'un à chérir et gâter. C'est la meilleure chose qui me soit arrivée – à part d'être la femme la plus chanceuse au monde.*

À bord du yacht, ils visionnèrent en boucle la vidéo de leur mariage. Le jeune couple fut pris d'un fou rire devant la bévue de la princesse à l'autel, quand elle intervertit l'ordre des prénoms du prince. La princesse écrivait encore :

On manque de fondre en larmes chaque fois qu'on regarde la vidéo du mariage, et j'imagine déjà, dans dix ans, l'un des petits « de Galles » demander : « Pourquoi tu as appelé papa "Philippe" ? » Ça, j'ai hâte d'y être.

Contrairement à d'autres jeunes mariées, elle n'allait pas reprendre le chemin de son travail – le jardin d'enfants de Londres. On lui imposait de changer son mode de vie à un point dont nous étions peu nombreux à mesurer l'ampleur. Et le développement de sa boulimie n'aidait pas à stabiliser ses émotions ni son humeur. En vérité, sans l'appui du prince Charles, elle n'aurait jamais tenu. Elle en était consciente. Lui comprenait toute la difficulté de sa charge, et pour quelqu'un qu'on a prétendu distant et froid, il savait plutôt lui mettre du baume au cœur. Et la princesse d'écrire :

J'ai surmonté ces dépressions uniquement grâce à Charles, à sa patience et à sa bonté. On n'imagine pas dans quel état de fatigue et d'abattement je me trouvais, et il ne méritait pas ça.

Toujours sur le yacht, le couple princier mit le cap sur Balmoral. Les employés de la propriété étaient si fiers de les accueillir qu'ils les attendirent à la grille avec une calèche à deux places recouverte de bruyère. Hilares devant l'absurde de la situation, les époux remontèrent la légère pente de l'allée tirés à bout de bras par un groupe de *gillies*, de jardiniers et de grooms. La princesse arrivait lestée de cent cinquante mangues, un cadeau du président égyptien Sadate qu'ils avaient reçu à bord du *Britannia*.

Dans le cadre romantique du château de Balmoral, le prince lui lisait des histoires et elle faisait un peu de tapisserie. Ils se promenaient en amoureux à travers les vallons et elle savourait les barbecues au chalet dans les douces soirées d'été. Elle parvint même à lire tout un livre en une journée, une grande première ! Une surprise non moins charmante fut la visite inopinée de son ancienne colocataire Carolyn Pride, future Bartholomew, qui séjourna au château, invitée par le prince Andrew. Enfin des gens de son âge avec qui s'amuser !

Peut-être est-ce bien à cette époque qu'elle découvrit aux poignets de son mari des boutons de manchette ornés de deux C entremêlés. Un cadeau de Camilla. Elle s'en émut auprès de lui, mais elle n'allait pas laisser gâcher son bonheur, alors elle réagit de la seule façon qu'elle connaissait : en rendant la pareille. Sur le papier à en-tête de Highgrove et de Kensington Palace, sous le logo en forme de couronne, un D vint se joindre à la lettre C. Le symbole d'un mariage heureux et éternel, espérait Diana, qui acheta aussi une statuette figurant deux colombes entrelacées.

L'heure du thé venait de sonner, à Balmoral, quand la princesse en bottes, veste de tweed et culotte de cheval, apparut au bout du couloir avec du sang sur le visage. Je m'immobilisai, horrifié, tandis qu'elle passait devant la statue, grandeur nature, en marbre blanc, du prince Albert. Elle avait passé la journée à la chasse avec le prince Charles, un *gillie* et quelques autres, et elle rentrait maculée de véritables peintures de guerre. Elle venait de subir le rituel d'initiation royale, après avoir réclamé des leçons de chasse. On avait éventré le cerf sous ses yeux, et du sang avait giclé sur ses joues. Elle était officiellement « baptisée ». La dépouille de l'animal fut hissée sur un poney et rapportée au château par un soldat. On coupa la tête, réserva les bois et suspendit la carcasse dans la cave à gibier – à la suite d'une rangée de bécassines, de faisans et de coqs de bruyère – en prévision du dîner.

Si la princesse aimait l'atmosphère des Highlands d'Écosse, elle ne partageait pas le goût des Windsor pour les sports sanguinaires. Elle ne chassait que pour plaire à son mari, et acceptait que cela fasse partie intégrante – au même titre que le tir et la pêche – de la vie à Balmoral. Certains prétendent qu'elle a passé sa lune de miel à bouder, et n'a jamais consenti le moindre effort, mais quel que soit le programme de la journée, elle tâchait de s'y conformer au mieux.

Même après deux ans de mariage, elle tenait à faire honneur à son mari, et écrivait à une amie en 1983 :

J'estime qu'il faut faire des efforts, aussi je m'apprête à suivre un match de polo... pour la deuxième fois en deux jours. Je préférerais largement dormir, mais ça semble tellement faire tellement plaisir à C. Je suis sûre qu'il fait tout cela pour crâner !

Le prince n'était pas en reste de concessions. Il savait que son épouse préférait Londres à la campagne, et modifia ses habitudes en conséquence : la princesse devait se pincer quand elle se réveillait le dimanche matin à côté de son mari à Kensington et non à Highgrove !

Mais le prince Charles n'aimait rien davantage que de chasser à Balmoral. Après un copieux petit déjeuner écossais, comprenant porridge, hareng fumé et pilaf de poisson, les équipages exclusivement masculins entassaient chiens, fusils et munitions dans les Land-Rover et partaient pour la journée vers une destination préétablie. Chaque participant se voyait remettre à la Porte de la Tour une besace étanche contenant invariablement un croissant à la viande, des côtelettes d'agneau froides, des fruits et des parts de plum-pudding enveloppées dans du papier sulfurisé. Sans oublier la flasque de whisky ou de gin à la prunelle.

Un jour, le prince fit irruption dans le hall en appelant :

— Quelqu'un peut-il venir m'aider ?

Quittant en catastrophe le Vestibule des Pages, je le trouvai planté devant deux énormes saumons gisant sur le marbre.

— Pourriez-vous les apporter au chef, s'il vous plaît ? Je pense qu'on les mangera ce soir.

Je me penchai pour les ramasser, mais leurs écailles glissantes ne facilitaient pas la prise. Le prince Charles me regarda me débattre piteusement.

— Arrêtez ça ! s'impatienta-t-il. Vous vous y prenez n'importe comment. Regardez.

Il m'attrapa la main, et m'enfonça deux doigts dans les ouïes d'un des poissons. Je crus que j'allais défaillir.

— Maintenant, emmenez-les à la cuisine.

Je m'exécutai, et partis trouver le chef avec mes poissons à bout de bras.

Jamais je n'aurais eu le cran de chasser comme le faisait la famille royale.

Un matin, après le petit déjeuner, la reine parcourut la propriété sur un cheval rapporté de Windsor. Ensuite elle devait retrouver les autres dames, qui émergeaient vers midi, dans la salle à manger. Le duc d'Édimbourg et la reine étaient convenus d'un rendez-vous pour le pique-nique. La reine mère, la princesse Margaret, les dames d'honneur et quelques autres invitées montèrent en voiture avec les repas. La princesse Anne se trouvait déjà sur place, ayant fait le voyage avec les hommes.

En général, on ne revoyait les équipages qu'en fin d'après-midi. Je me souviens de ce pauvre bougre qui, rentré tard avec l'estomac dans les talons, fut renvoyé dans la lande quand il avoua avoir blessé un animal : quoique adepte de la chasse, la reine ne supportait pas la souffrance, et exigeait en conséquence que tout animal blessé soit abattu sur-le-champ.

— Vous devez retourner là-bas, le retrouver et l'achever, insista-t-elle.

L'homme ne fut pas rentré pour le dîner.

Comme nous révisions le plan de table en catastrophe, la reine murmura :

— C'est très embêtant d'avoir un gentleman en moins pour dîner.

Et d'ajouter, alors que le chasseur puni se démenait dans le froid :

— Il ne nous reste plus qu'à inviter l'officier de la garde à sa place.

Ainsi la traditionnelle alternance « un homme, une femme, un homme, une femme... » fut préservée. La reine était la plus parfaite des hôtesses ; elle tenait à ce que chaque invité profite au mieux de son séjour. Elle veillait à ce que deux personnes ne se retrouvent jamais deux fois voisins au cours d'un même séjour. Cela agaçait passablement la princesse, qui aurait voulu rester continuellement à côté de son mari, alors que le savant système de rotation les éloignait chaque fois davantage. Mais la reine est infaillible pour mémoriser les plans de table, et elle tient à susciter le maximum de rencontres et d'échanges. De même qu'elle évite scrupuleusement les tablées de treize – l'une des règles non écrites de la Couronne. Et quand ce chiffre est inévitable, on recourt à un stratagème pour briser l'unité du groupe : grâce à un mécanisme de poulies actionnées par une clé, on ouvre la table en deux, sans mettre les rallonges, de façon à obtenir une tablée de six et une autre de sept.

La reine estime qu'une assemblée de treize personnes est l'apanage du Christ et de ses disciples.

Chef de l'Église anglicane et Gardienne de la Foi, Sa Majesté est une fervente croyante. Où qu'elle se trouve dans le monde, elle assiste à la messe du dimanche. Sur le *Britannia*, on remplace la table du salon par des rangées de chaises, et l'amiral, en tant que maître du bateau, célèbre l'office avant de faire entonner l'*Hymne des marins* en mémoire des disparus en mer. De retour sur la terre ferme, la reine dépose toujours dans l'urne de la quête un billet de cinq livres, qu'une habilleuse aura préalablement plié en quatre, avec son profil en évidence, et aplati au fer à repasser. Tous les ans à Pâques, elle dépose sur son secrétaire un brin d'épines de Glastonbury, envoyé par le doyen de la cathédrale du même nom, en référence à la couronne d'épines que porta le Christ sur sa croix. Elle reçoit également un œuf en chocolat de chez Charbonnela et Walker, à Londres, qui la suivra dans tous ses déplacements jusqu'à la dernière miette. J'ai ainsi connu un œuf qui dura six mois !

La figure intègre et résolue du duc d'Édimbourg se tient en permanence au côté de la reine. Le moment préféré du couple est lorsqu'il se retrouve seul, en fin de journée, une fois leurs obligations remplies. L'un et l'autre disposent de salons, de bureaux et de salles d'audience séparés, mais leurs suites sont reliées par une chambre à coucher commune. En onze années passées au service de la reine, à partager jour après jour son intimité, pas une seule fois je n'ai entendu un mot plus haut que l'autre. Le prince Philippe peut parfois se montrer grognon et maladroit en public, mais c'est un mari dévoué et attentionné. Leur union est un curieux mélange de formel et d'informel. Mais c'est surtout un vrai partenariat.

La princesse Élisabeth avait vingt et un ans lorsqu'elle épousa le 20 novembre 1947 son lointain cousin grec, alors âgé de vingt-six ans. Six ans plus tard, à l'occasion du Couronnement, l'officier de marine fit devant Dieu le serment d'allégeance à la souveraine. Et il s'y attela avec le plus grand sérieux. Au bout de quatre ans de mariage, il renonça à la Marine, qu'il vénérait, pour s'adapter aux exigences de la vie royale. Jusque dans son couple, il observe le protocole, et marche toujours un pas derrière sa femme en public. Elle est certes la reine vis-à-vis du duc, mais en ce qui concerne les affaires familiales, c'est le mari qui mène sa femme. Quand les portes se referment au château de Windsor, le patron, c'est le prince Philippe. Qu'il s'agisse de choisir entre pique-nique et barbecue – « Demandez donc à Son Altesse Royale », répondait la reine – ou de veiller à la gestion de la cassette privée, dans l'esprit du personnel le duc est le vrai maître de la maison.

Pour faire face à la solitude et l'isolement qu'entraîne parfois sa fonction, la reine s'appuie sur son conjoint comme la reine Victoria se reposait autrefois sur le prince Albert. Le prince Philippe est son tout premier conseiller, la personne en qui elle a le plus confiance, son élément stabilisateur. Et on sent bien toute l'affection qui les unit. Par exemple, le duc prenait toujours son petit déjeuner à 8 h 30, et souvent la reine le trouvait encore à table quand elle arrivait à 9 heures. Il la saluait généralement d'une bise sur la joue et d'un : « Bonjour, chérie. »

Mais l'autre facette du personnage était moins séduisante. Son caractère légendaire fit pleurer plus d'un valet. Le duc avait une présence imposante, et il exigeait rigueur et discipline en toutes circonstances. Il avait l'œil pour repérer nos oublis. Quand il s'en apercevait le volcan entrait en éruption et sa voix profonde se muait en cris terrifiants. Les portes claquaient et tout le palier semblait vibrer sous ses éclats : « Vous n'êtes qu'une bande d'imbéciles ! » ou : « Qu'est-ce que c'est que ces foutaises ! » En tant qu'ancien officier de marine, il attendait de ses hommes qu'ils supportent ses foudres, mais avec les bonnes il n'était que gentillesse et respect.

Au retour de leur lune de miel, le prince et la princesse de Galles retournèrent auprès de la reine et du duc à Buckingham, le temps que décorateurs et menuisiers aient fini d'aménager Highgrove et les appartements 8 et 9 de Kensington Palace, supervisés par l'architecte d'intérieur sud-américain Dudley Poplak.

Pendant son séjour au palais, la princesse s'occupa personnellement du choix des tapis, rideaux et décorations de ses futures résidences, et se rendit à Highgrove le week-end pour vérifier l'avancement des travaux. Elle endossa également le rôle de recruteuse pour se constituer une équipe de domestiques, et piocha dans ses amitiés nouées à l'office. L'occasion de mesurer l'épineuse complexité des questions de personnel. Dans un message transmis par le porteur Graham Smith, elle encouragea Maria Cosgrove à postuler pour devenir son habilleuse. Mais Maria venait d'être promue femme de chambre du duc d'Édimbourg en février 1981, et lorsque la proposition de la princesse de Galles parvint aux oreilles de lady Susan Hussey, la dame d'honneur de la reine, l'intéressée se vit signifier qu'elle n'irait nulle part. Alors la princesse débaucha deux autres de ses alliés : l'habilleuse Evelyn Dagerly et le chef Mervyn Wycherley.

À cette époque, les jeunes époux menaient une vie des plus rangées. Ils sortaient à l'Opéra, ou fréquentaient les réceptions des cercles d'amis du prince Charles, mais ce n'étaient pas des noceurs. La princesse ne possédait pas encore l'aplomb qui ferait sa renommée, ni l'assurance que certains serviteurs apprendraient à craindre. Elle en était encore à chercher ses marques dans le milieu royal, tout en bénissant le ciel pour sa nouvelle position. Jusqu'au jour où un employé lui infligea un profond choc, et qu'elle découvrit que tous ne la portaient pas dans leur cœur.

La princesse avait eu des mots avec cet employé à propos des horaires du personnel, et ils s'étaient affrontés sur la place de chacun et la nécessité de s'y tenir. Les joues en feu, la princesse tentait d'affirmer son autorité face à un homme qui ne voyait en elle que l'ancienne jardinière d'enfants. Il devint de plus en plus virulent, puis soudain, comme elle était adossée au mur, il plaqua ses deux mains de part et d'autre de son visage, et lâcha :

— Si vous n'étiez pas aussi chiante, on bosserait peut-être mieux.

Il fut renvoyé au bout de quelques semaines.

Rien ne brisa autant le cœur de la princesse, à cette période, que la disparition de Grace de Monaco dans un accident de voiture le 13 septembre 1982. En compagnie de sa fille, la princesse ralliait Monaco depuis Roc Agel, le Balmoral de la famille Grimaldi. Au bout de trois kilomètres, leur Rover rata un virage en épingle à cheveux, quitta la route et dévala trente mètres de corniche. Stéphanie en réchappa mais Grace décéda à l'hôpital qui portait son nom. L'état des freins de la voiture soulèverait de nombreuses interrogations.

La princesse de Galles se trouvait à Balmoral lorsque la famille royale apprit la nouvelle. Elle se rendit à Monaco toutes affaires cessantes, et assista aux funérailles de son amie sans le prince Charles. C'était la première fois qu'elle représentait seule la famille royale.

Diana n'oublia jamais la princesse qu'elle appelait simplement « Grace ». Elle vantait souvent son élégance et son style. Et considérait sa mort comme une grande perte pour le monde. Elle possédait une robe de cocktail en mousseline de soie blanche qu'elle baptisa « ma robe Grace Kelly », pour son élégante simplicité, apanage de la princesse trop tôt disparue.

IV

La reine et moi

Si la princesse devait se pincer devant le monde hors norme où elle évoluait désormais, elle n'était pas la seule. Assis près de la fenêtre de ma chambre de Buckingham Palace, je repensais souvent aux rues pavées de Chapel Road, en me demandant ce qu'il serait advenu de moi si le sort m'avait retenu à l'hôtel Wessex.

Chaque jour, je mesurais ma chance d'officier dans l'ombre de la reine. Et la vue sur la capitale dont je jouissais ne faisait qu'accroître mon émerveillement : le Victoria Monument, le Mall qui se jetait sous Admiralty Arch, l'étendue de Saint James Park, parsemée l'été de transats bleu et blanc, et Big Ben qui pointait à l'horizon. Si maman a nourri l'enfant que j'étais, c'est la reine qui a façonné l'homme que je suis. Chaque être est le produit de ses rencontres et de son milieu, et le mien se trouvait au cœur de la Maison des Windsor, où la souveraine me démontrait au quotidien son attachement aux valeurs d'équité, de tolérance, de sérénité, d'amour d'autrui, et son indéfectible sens du devoir.

Quand maman faisait passer le bonheur des gens de Chapel Road avant le sien, la reine se mettait au service de son pays et de ses sujets. Combien de fois ai-je rêvé que maman puisse me voir à l'œuvre, mais mon travail se faisait pour l'essentiel derrière des portes closes. Le personnel s'attire peu de louanges pour faire tourner une maison avec la maîtrise et la précision d'une troupe de ballet. Il n'y a jamais de rappels pour l'équipe des loges, mais il suffisait d'un sourire ou d'un signe de tête de Sa Majesté pour doper notre satisfaction professionnelle.

Offrir aux miens un aperçu de cette vie était un grand bonheur. Combien de fils ont-ils la chance d'appeler leur mère pour l'inviter à rencontrer la reine et toute la famille royale ? Maman avait fait installer le téléphone exprès pour garder le contact avec moi. Fumant cigarette sur cigarette, elle écoutait avec fascination le compte rendu de mes journées, et il suffisait que je lui raconte que j'avais servi le thé à la reine pour la faire glapir d'excitation.

Lors de ma première année au poste de valet privé, j'attendis impatiemment le Bal de Noël, au cours duquel le personnel pouvait convier des parents.

— Maman, j'aimerais que tu me fasses l'honneur d'assister au Bal de Noël avec moi... et la reine.

S'ensuivit un cri à ameuter toute la mine.

Ma mère cassa sa tirelire pour s'acheter une longue robe de soirée bleue avec une ceinture-chaîne, qu'elle accompagna d'un châle en tricot. Personne au village n'avait jamais rencontré la reine. Pas plus, sûrement, qu'à la salle de loto de Chesterfield.

— J'ai l'impression d'être Cendrillon, souffla-t-elle, cramponnée à mon bras le jour du bal, et tu es mon prince charmant !

— Bonsoir, Paul, dit Sa Majesté en venant vers nous.

Tu entends ça, maman ? voulais-je crier. *Elle m'ap-*

pelle par mon prénom ! Mais ma mère semblait hypno-
tisée par le collier de diamants qui l'éblouissait.

On peut toujours compter sur la reine dès qu'il s'agit
de briser la glace, et la voilà qui entreprend ma mère
sur les mineurs et le Derbyshire. Maman sourit beaucoup. Et m'avoua après coup qu'elle n'avait pu détourner les yeux du cou royal, elle qui n'avait encore jamais
vu le moindre diamant.

— Elle correspond exactement à l'image que je me
faisais d'une reine, confia ma mère.

Telle fut son introduction à ma nouvelle vie. Au fil
des ans, elle allait rencontrer ma patronne à deux reprises au palais, et une fois à Balmoral, où nous croise-
rions par hasard la reine promenant ses corgis dans les
collines.

Ma mère s'était révélée très douée pour les monda-
nités. Ce ne fut pas le cas de ma tante Pearl, que j'invitai
à son tour. Sur son trente et un, elle se pétrifia à l'approche de la reine, et lui laissa le soin d'engager la
conversation.

— J'ai entendu qu'il faisait un temps exécrable dans
le Derbyshire ces jours-ci ? glissa la reine, toujours parfaitement renseignée.

Tante Pearl resta coite, puis répondit spontanément :
— Oh oui, horrib', Vot' Majesté, horrib'.

Avant d'accomplir une théâtrale courbette.

Après coup, elle fut dévorée par la honte d'avoir
mangé ses mots devant la reine. Je la rassurai en riant :
la souveraine adorait les accents régionaux !

Parents et gens de l'extérieur n'étaient pas les seuls
à perdre leurs moyens devant la reine. Tous ceux qui
travaillaient à Buckingham appréhendaient le moment
des présentations, qui avaient lieu à chaque Noël. La
veille du départ de la Cour pour le château de Windsor,
la dernière obligation annuelle de la reine consistait à
saluer l'ensemble de son personnel, soit quelque trois
cents personnes. Debout deux heures durant, elle nous
recevait un par un, du plus novice au plus ancien, pour
nous souhaiter à tous un joyeux Noël. Et là, les filles

de la salle du café ou de la lingerie, les sous-majordomes ou les portiers du sous-sol se mettaient à trembler, tétanisés à l'idée d'approcher Sa Majesté, qu'ils ne croisaient jamais.

La reine tenait à ce rituel, manière de saluer le travail de tous ceux qui faisaient tourner la machine au quotidien. Un jour, comme on lui demandait combien de serviteurs elle avait, elle répondit :

— Aucun, à vrai dire. J'ai de nombreux employés, mais aucun serviteur.

Même le défilé du personnel était savamment orchestré. Le personnel cessait le travail et formait une file indienne qui remontait tout le couloir de l'escalier de service pour traverser le Hall de Marbre du rez-de-chaussée, la salle du petit déjeuner et le salon 1844 jusqu'à la porte de la Bow Room. On retrouvait des valets en gilet écarlate, des pages en redingote bleu foncé avec leur col en velours, des chefs en toque et des femmes de chambre en uniforme noir et tablier blanc. Sur les quatorze valets, Paul Whybrew passait le premier, juste avant moi. Ce rituel nous a toujours paru étrange car nous côtoyions la reine matin, midi et soir, mais il n'était pas question de se dérober. Approcher la reine était notre quotidien, quand d'autres étaient rongés de trac.

À l'appel de notre nom par l'Intendant du palais, nous traversions la Bow Room pour recevoir des mains de la reine et du duc, non pas une médaille, mais un cadeau choisi sur catalogue. Les femmes qui lavaient la vaisselle devaient troquer leurs gants de latex contre une paire en coton blanc, car une dame se devait d'être gantée en présence de la reine. Cette dernière, en revanche, nous recevait les mains nues, contrairement à son habitude dans les événements officiels.

Un Noël royal est aussi magique qu'épuisant. L'esprit de la Saint-Nicolas était à son comble au château de Windsor lorsque les enfants du domaine, dont les choristes de la chapelle Saint-George, gravissaient la colline aux chandelles et se rassemblaient dans la cour pour entonner des chants traditionnels. La reine se postait seule au coin des marches tapissées de l'Entrée de la Souveraine, et savourait le spectacle en buvant du vin chaud. Elle pouvait respirer en songeant qu'elle n'avait pas à emballer les cadeaux : ses valets personnels étaient aussi là pour cela.

J'adorais œuvrer sur la chaîne de production des cadeaux royaux. Ainsi je savais à l'avance ce qu'allaient recevoir les enfants et le reste de la famille. Elle choisissait ses présents en décembre, lorsqu'un magasin venait exposer au château. Le directeur, Peter Knight, apportait quelque deux mille articles – jouets, jeux, céramiques, gadgets, éléments de décoration et d'arts ménagers – qu'il agençait sur un immense stand dans l'une des salles d'audience. Tous les soirs après le dîner, la reine faisait son shopping en solitaire. Elle sélectionnait un objet, y inscrivait le nom d'un proche et le sortait dans le couloir pour qu'on l'emballe. Paul Whybrew et moi choisissions le papier et le ruban, et c'était à qui réaliserait le plus grand nombre de paquets. Il y avait une centaine de cadeaux chaque année, et la compétition était toujours âprement disputée.

Une nuit que j'étais cerné de scotch, papier et rubans, la reine entra dans la pièce.

— Il est l'heure d'aller au lit, Paul. Vous en avez assez fait comme ça.

Il fallait bien trois semaines pour envelopper tous ces cadeaux, et je craignais parfois que vingt-quatre heures ne suffisent pas dans une journée.

La reine n'avait ni sapin ni décorations dans son appartement. Et aucune carte de vœux n'apparaissait avant le grand transfert à Windsor. Seul un arbre haut de cinq mètres, provenant du domaine de Windsor, décorait Buckingham dans le Hall de Marbre. Aujourd'hui encore, en vous postant à la grille pour regarder à travers l'arche dans la cour carrée, vous verrez scintiller ses lanternes colorées.

Selon la tradition, nos présents amoureusement emballés étaient ouverts la veille de la Noël après le thé de 17 heures, dans le Salon Cramoisi où d'immenses portraits du roi George VI et de la reine Élisabeth lors du couronnement en 1937, signés sir Gerard Kelly, encadraient la cheminée en marbre. Un sapin géant se dressait au milieu de la pièce, et une table à tréteaux de seize mètres de long occupait tout un côté. Protégée par un ruban rouge, elle servait à entreposer les piles de cadeaux de chacun. La reine et le duc se postaient à un bout, les dames et écuyers d'honneur à l'autre. Le reste du personnel restait en dehors de la pièce, mais nous savions, aux cris de joie et aux aboiements excités des corgis, que le Noël des Windsor avait commencé. Tout en bas, dans les caves aux airs de donjon et à l'acoustique discrète, les employés, qui avaient souvent travaillé jusqu'à minuit, décompressaient en fête et en musique.

Le jour de Noël, tout le Commonwealth se met au diapason pour suivre l'allocution télévisée de la reine (à l'époque enregistrée à la mi-décembre), et Windsor n'échappait pas à la règle. Vers 15 heures cet après-midi-là, toute la famille royale se rassemblait devant le téléviseur de la Salle en Chêne. Certains prenaient les canapés ou les fauteuils, mais la plupart restaient debout, à l'image de la reine qui se tenait en silence dans le fond de la pièce. Lorsque l'émission touchait à sa fin, elle s'était déjà éclipsée dans les jardins pour promener les corgis. La souveraine n'est pas femme à se mettre en avant.

Les visites d'État créaient une agitation particulière, qui brisait la routine de la maison tout autant que Noël. La venue de Ronald Reagan au château de Windsor reste pour moi un grand moment : celui où les Services Secrets se sont fait moucher par Sa Majesté.

Une semaine avant l'arrivée du président, une flotte de voitures noires blindées investit la cour carrée pour « ratisser les bâtiments » en prévision du tout premier séjour officiel d'un chef d'État américain au château. La reine sourit devant ce spectaculaire déploiement : il en fallait davantage pour l'impressionner. Elle fit transmettre par un employé le message suivant : « Ceci est mon château, et si la sécurité me convient, alors elle conviendra au président. » Imparable, n'est-ce pas ?

Lorsque le président Reagan et son épouse Nancy arrivèrent en hélicoptère le 7 juin 1982, un page et moi-même fûmes mis à leur disposition. On leur attribua la Suite 240, qui occupe tout le rez-de-chaussée de la tour Lancaster, avec sa vue époustouflante sur la Straight Walk, longue d'un kilomètre et demi.

Déjà à l'époque, Nancy était la gardienne du président. Il n'avait même pas besoin de valets puisqu'elle ne le quittait pas d'une semelle, et que ses vêtements nous arrivaient parfaitement repassés et pliés. Notre seul rôle était de se tenir à sa disposition. Nous avions disposé dans sa suite des boîtes de chocolats aux rubans rouge, blanc et bleu, mais il apparut que le chocolat n'était pas la friandise préférée du président des États-Unis. À la place, il avait apporté des bocaux de *jelly beans* (bonbons à la gelée). Des dizaines de bocaux. L'une des tables de sa suite ressemblait à un étal de confiseur, et chaque bocal était frappé des insignes présidentiels. C'était un drogué du *jelly bean*. Le premier soir se tint un dîner aux chandelles. Dans le Salon Vert, j'évoluai en redingote écarlate à proximité de l'entourage du président et de quelques membres de la famille royale, dont le prince et la princesse de Galles – établis désormais à Kensington Palace et Highgrove. Comme je me tenais auprès du président et de son épouse, je découvris la timidité de Ronald Reagan : il hésitait à aller au-devant de la reine.

— Vas-y. Va donc parler à la reine Élisabeth ! le pressa Nancy.

Alors il s'exécuta, et je trouvai touchant que même les présidents américains aient besoin d'encouragements pour approcher Sa Majesté. Maman et tante Pearl n'étaient pas les seules !

Eux, au moins, avaient eu la chance de rencontrer la reine, ce qui n'était pas donné à tout le monde. Il se trouve que j'avais échangé quelques lettres avec l'actrice Bette Davis, la légende hollywoodienne, après une première missive de fan qui lui avait plu. Le 3 août 1984, elle m'écrivit pour se plaindre de n'avoir pas pu serrer la main de Sa Majesté lors du dîner donné en son honneur par la 20th Century Fox :

Nous n'étions même pas assez près pour voir à quoi elle ressemblait. Cela nous a fendu le cœur, d'autant que nous avions fait l'effort de porter des gants blancs. L'impression que nous en avons tous gardée est que Sa Majesté prend les acteurs et actrices de Hollywood pour une bande de « paumés mondains » (...) mais je reste tout émoustillée quand je vois les mots « Buckingham Palace » sur votre papier à en-tête.

Bette Davis

Une visite d'État, c'est un peu comme lorsqu'on sort sa plus belle porcelaine à Chapel Road pour recevoir un ami plus aisé. Les coffres royaux sont vidés de leurs trésors. Et on ne lésine sur rien : les candélabres argentés, des services à condiments si grands qu'il faut quatre bras pour les porter, sans oublier les couverts en or datant du roi George III. La table en fer à cheval de la Salle de Bal de Buckingham peut accueillir cent soixante invités, bien plus qu'à Windsor, avec son unique table de quarante mètres sur trois. Le plateau était si large que les sous-majordomes devaient nouer des chiffons autour de leurs souliers pour monter sur la table afin de suspendre les lustres et de disposer les fleurs. En ces grandes occasions, la précision et la méticulosité étaient plus que jamais de mise. Chaque place devait être calibrée et aménagée à l'aide d'une règle, jamais plus d'un pouce – 2,5 centimètres – entre le rebord et les couverts, et les chaises alignées au cordeau avant l'inspection du Maître de la maison.

Les banquets étaient des extravagances destinées à impressionner les chefs d'État en visite, chorégraphiées avec maestria par un système de feux de signalisation actionné par l'Intendant de palais, installé tel un régisseur derrière sa console, avec une vue plongeante sur la pièce. En coulisses, nous regardions toutes les ampoules de couleur s'allumer au fur et à mesure : orange pour « prêts », vert pour « partez ». Alors une paisible procession de pages et de valets convergeait depuis différents coins de la pièce. Du pur théâtre aux yeux des invités, et son exécution d'apparence si fluide reflétait mal la frénésie qui régnait à l'office, où l'on préparait déjà l'arrivée du plat suivant.

Enfant, on m'a toujours appris à attendre que tout le monde soit servi pour entamer mon assiette. Dans les cercles royaux, cette règle n'a pas cours. Sitôt qu'elle est servie, la reine commence à manger, même si d'autres ont leur assiette encore vide. Car il est très grossier de ne pas manger tant que c'est chaud. Du temps de la reine Victoria, on enlevait son assiette dès qu'elle avait terminé, ainsi que celles des autres, qu'ils aient fini ou non. De nos jours, on attend que tout le monde ait reposé les couverts pour débarrasser.

Si le système de feux verts témoigne d'une certaine modernité, l'espionnage autorisé rappelle des temps révolus : la Grille, ce treillage qui recouvre tout un mur de la Salle de Bal, demeure une loge de choix pour observer en toute impunité les grands de ce monde dans leurs plus beaux atours.

Il est arrivé une fois que je regrette qu'il n'existât aucun protocole pour me faire disparaître dans les entrailles de la terre. En 1979, le matin du départ de la reine pour sa première tournée dans le Golfe persique, je roulais vers l'aéroport d'Heathrow en compagnie de l'habilleuse Margaret MacDonald, qui veillait sur les toilettes royales avec un soin frôlant la maniaquerie (elle vérifiait et revérifiait sans cesse mon travail), quand soudain elle s'écria :

— On a oublié la tenue de la reine !

Je devins blanc comme un linge. La reine devait embarquer sur le Concorde dans moins d'une demi-heure.

En cette froide matinée de février, Sa Majesté portait un épais manteau et une robe en laine. Celle qui était restée dans l'atelier de l'habilleuse à Buckingham était longue, en soie, de style oriental. La reine avait prévu de l'enfiler juste avant d'atterrir au Koweït.

Aussi paniqué que nous, le chauffeur prévint un motard de l'escorte, et le palais envoya une voiture à nos trousses pour acheminer la robe sous une seconde escorte.

Ainsi la reine fut-elle retenue plus longtemps que prévu dans la Hounslow Suite de Heathrow, et le Concorde manqua-t-il son créneau de décollage. Moi qui priais pour que tout soit parfait pour ma première tournée, j'avais commis cette lamentable bévue. Mais la reine, égale à elle-même, trouva cocasses les mesures désespérées pour récupérer sa robe, et elle souriait lorsque le lord-chambellan l'accompagna jusqu'à la passerelle de l'avion – la tradition veut qu'il soit le dernier à lui dire au revoir, et le premier à accueillir son retour.

C'était la première fois que la reine prenait le Concorde, et que je quittais le sol natal.

Après avoir été accueillie par l'Émir du Koweït, la reine reçut une succession de dirigeants arabes à bord du *Britannia*, qui devint une sorte de caverne d'Ali Baba : chaque souverain, désireux de surpasser son prédécesseur, offrait des présents toujours plus luxueux – tapis persans, parures de saphirs et de diamants, chameaux dorés sur socle de lapis-lazuli, ou broc en or en forme de faucon.

Par la suite, la reine prendrait l'habitude de récompenser son personnel par de généreux cadeaux. Lors d'un voyage en Jordanie, je reçus une montre Omega en or portant les insignes du roi Hussein, des médailles pour services rendus telles que l'ordre du Lion du Malawi, et une décoration en argent venant du roi de Suède.

C'est au Koweït que je montai pour la première fois à bord du *Britannia*. Comme il était beau, avec ses cinq pavillons accrochés aux différents mâts et sa kyrielle de drapeaux reliant la proue à la poupe ! Chaque fois que je mettais les pieds dans les appartements, je devais garder à l'esprit qu'il s'agissait d'un yacht et non d'une maison de campagne, tant ses trois ponts étaient vastes et luxueux. Nous voguâmes vers Bahreïn sous un éclatant soleil, et fûmes autorisés à faire bronzette sur la passerelle de la cheminée.

La reine était parfaitement détendue tandis que le *Britannia* fendait les vagues, jusqu'à ce qu'elle glisse sur la passerelle pentue lorsque nous accostâmes pour le dîner. C'est la seule fois où je l'ai vue perdre contenance. Elle portait une robe du soir en soie turquoise et un diadème en diamants, quand ses tout nouveaux escarpins dérapèrent sur le tapis rouge et qu'elle glissa sur toute la longueur de la passerelle. Étant déjà sur le quai, à côté de la voiture, je ne pouvais rien faire, sinon regarder la scène avec effroi, persuadé que la reine allait chuter. Elle réussit miraculeusement à garder l'équilibre en se rattrapant à la rampe et criant « À l'aide ! À l'aide ! ». Elle atteignit la terre ferme avec des gants maculés. Elle y remédia dans la voiture, en enfilant la paire de rechange qu'elle conservait toujours dans son sac.

Pour ce qui est de garder l'équilibre, la reine a toujours été plus douée que moi. Après l'épisode où je m'étais retrouvé les quatre fers en l'air en sortant les corgis, la reine dut une nouvelle fois se pencher sur moi en demandant : « Vous allez bien, Paul ? » lors d'un voyage dans le Kentucky.

C'est sa passion des chevaux qui nous avait conduits jusqu'aux haras de l'éleveur Will Farrish (futur ambassadeur à Londres), à qui elle avait confié des juments poulinières et quelques chevaux d'un an. Il possédait une superbe ferme avec des écuries rouges et des barrières blanches aux environs de Lexington. Je souffrais du dos depuis ma mauvaise chute à Sandringham, et me faisais régulièrement soigner pour un disque déplacé. Après le vol en avion, la douleur redoubla, et ne fit qu'empirer au cours des six jours suivants. Le simple fait de me baisser pour ramasser les chaussures de la reine me mettait au supplice, mais je tins bon, sachant qu'on serait bientôt à la maison. Puis ce fut l'accident.

Le dernier soir, la reine était à table et je descendais précautionneusement les escaliers menant à la salle à manger, quand une intense douleur fusa dans ma jambe gauche, me faisant trébucher et dévaler douze marches. Je hurlai comme jamais, avant de m'apercevoir que je n'éprouvais plus aucune sensation en dessous de la taille. La reine et son aréopage avaient accouru dans le hall. Ils me regardaient tous, sans savoir quoi faire. On appela le 911, le numéro des secours américains, ainsi que le médecin des Farrish, le Dr Ben Roache.

Personne n'osa me déplacer jusqu'à l'arrivée des ambulanciers, qui m'évacuèrent sous escorte policière.

Les médecins du centre de traitement du cancer Lucille Markey Parker, qui servait également d'hôpital généraliste, parlèrent d'une intervention impérative. J'avais réservé une suite au nom de la reine en cas d'urgence, conformément à la procédure en matière de déplacements, et je devins le premier valet royal estropié à coucher dans le lit destiné à la reine !

Le diagnostic révéla qu'un disque s'était rompu dans le bas de ma colonne pour envelopper le nerf sciatique, d'où la perte de sensibilité sous ma taille.

Lord Porchester, le directeur de courses de la reine, vint m'expliquer que la suite royale regagnerait Londres sans moi. Et d'ajouter :

— Vous êtes entre les meilleures mains qui soient, et la reine se charge de régler tous les détails.

À minuit, on décida de m'opérer. Je me réveillai devant le visage brumeux d'une infirmière qui m'annonça que tout s'était bien passé, et que j'allais recouvrer le parfait usage de mes jambes.

À moitié drogué, entouré de fleurs et de fruits envoyés par les convives dont j'avais ruiné la soirée, je suivis en direct, sur le téléviseur mural, le départ de l'avion royal de l'aéroport de Lexington.

Au bout de trois jours, je me déplaçais dans les couloirs à l'aide d'un déambulateur. Dans la chambre contiguë je fis la connaissance de Ron et Julie Wright, les parents d'une adolescente de dix-huit ans, Beth, qui luttait contre une tumeur au cerveau depuis l'âge de dix ans. Sa mère lui faisait manger sa purée, au milieu de tubes et de machines.

— Beth n'a encore jamais entendu d'accent anglais, me dit Julie. Accepteriez-vous de lui tenir un peu compagnie ?

Les onze après-midi suivants, j'allai parler à Beth. Après ma sortie, je restai en contact avec son père Ron ainsi que son frère Claude et sa femme Shirley, qui lirait mes lettres à Beth. Elle s'est éteinte trois ans et demi plus tard.

La reine avait tenu parole : je ne vis pas l'ombre d'une facture, et elle me fit rapatrier avec les honneurs à bord d'un tout nouveau jet British Aerospace 146. Celui-ci n'avait pas encore intégré la flotte royale, puisqu'il lui restait encore à accomplir quelques heures de vol avant d'accueillir la reine. Je fis donc office de cobaye et le jet, dans lequel on avait aménagé des lits, vint chercher dans le Kentucky un valet convalescent. Je fus ainsi le tout premier passager du BA 146 de la Flotte royale, devançant la reine elle-même.

J'ai fait le tour du monde avec la reine. J'ai vu la Chine, l'Australie, la Nouvelle-Zélande, les Caraïbes, l'Europe, l'Algérie, le Maroc. Mais le voyage le plus prisé nous menait tous les ans à quelques kilomètres à peine du château de Windsor : Royal Ascot. Cette course était l'événement préféré de la reine, celui où elle pouvait assouvir sa passion pour le sport des rois.

En juin 1982, le personnel préférait parier sur la naissance du premier enfant du prince et de la princesse de Galles : surviendrait-elle pendant les quatre jours du derby, et serait-ce un garçon ou une fille ? Par chance, les premières contractions eurent le bon goût d'attendre, et la reine put se concentrer pleinement sur la piste. Elle ne parie jamais car elle n'a jamais d'argent sur elle (hormis à la messe), mais cela ne gâche en rien son plaisir. Elle choisit un gagnant « pour du beurre », et se délecte de voir en action les meilleurs chevaux de la saison du plat.

Pour moi, l'expérience la plus marquante fut la promenade de quinze minutes en landau de Home Park à l'hippodrome, puis le traditionnel défilé sur la célèbre ligne droite du Straight Mile, instauré en 1825. Droit comme un piquet à l'arrière du carrosse royal, en redingote écarlate et haut-de-forme, un valet doit regarder devant lui d'un air inexpressif et concentré, mais ses oreilles se dressent à mesure que se rapprochent les clameurs de la foule, et que la fanfare des Blues and Royals se met à jouer.

Non que la reine se laisse davantage distraire. À peine les roues du landau ont-elles mordu l'herbe qu'elle dresse la tête pour jauger l'empreinte tracée dans la terre, et donc la fermeté du terrain.

Je devais guetter les premières notes de l'hymne national, puis donner un léger coup de coude à mon valet de voisin afin que nous retirions simultanément nos hauts-de-forme. Tout autour de nous les femmes lançaient des vivats et les hommes brandissaient leur chapeau. Puis comme la musique déclinait, et que le landau ralentissait à l'approche de l'Enceinte royale, je devais descendre pour assister la reine. Sauter d'une carriole en marche demande un certain entraînement, mais je m'en suis toujours bien tiré.

Une fois installée dans le Box royal, la reine, armée de ses jumelles, s'animait comme jamais. C'était le lieu par excellence où tombait le carcan du devoir. Elle encourageait un cheval, applaudissait joyeusement et, parfois, lançait un hourra. C'était à la fois drôle et touchant de voir Sa Majesté suivre la course sur le téléviseur du box, puis se précipiter au balcon pour assister à l'explication finale dans les deux derniers *furlongs*.

Lord Porchester était toujours à ses côtés pour l'éclairer de ses conseils. J'étais là également, pour m'assurer qu'on lui serve son Earl Grey entre la troisième et la quatrième course. La princesse Margaret ne buvait pas de thé : elle préférait le Pimm's.

Les premières contractions de la princesse de Galles n'auraient pu mieux tomber. Royal Ascot ne fut pas perturbé, et le 21 juin 1982, à 21 heures, le prince William, ou *Baby Wales* (« Bébé Galles »), comme le surnommerait sa mère, vint au monde à l'hôpital St Mary de Paddington. Trois kilomètres plus loin, à l'étage de la reine au palais de Buckingham, les premiers employés dans la confidence débouchèrent le champagne.

Toute la maison avait hâte de voir le bébé princier, et cela nourrissait toutes les conversations à l'office, mais l'héritier de l'héritier passa ses premières semaines dans la nouvelle nursery de Kensington Palace, auprès de la nourrice Barbara Barnes.

Ce n'est que deux mois plus tard, fin août à Balmoral, que je découvris le visage du prince William. Il était seul, dans son grand landau bleu, protégé par une moustiquaire, devant la fontaine de la pelouse. La nounou le surveillait depuis la fenêtre.

Si Royal Ascot était l'occasion de voir la reine s'enflammer, Buckingham fut l'endroit où je la vis saisie de stupeur, lorsque lui fut soumise en avant-première, dans la Salle à manger chinoise, la dernière version de son mannequin de cire pour le musée Madame Tussaud.

— Aimeriez-vous la voir ? me proposa la reine.

Elle me précéda dans la salle, suivie de ses remuants corgis. Comme son nom l'indique, la pièce est décorée dans un style extrême-oriental, dans des tons rose, or et vert. La cheminée est sculptée de dragons et de serpents entrelacés et la lumière provient de lanternes chinoises. On a l'impression de retrouver l'extravagance du Pavillon Brighton du temps de la Régence.

La reine pénétra dans la salle et vit immédiatement l'œuvre de cire isolée au milieu de la pièce. Avant même d'allumer la lumière, elle exécuta un grand pas en arrière. La ressemblance était confondante.

Je connaissais le visage de la reine par cœur, et les sculpteurs en avaient capturé les moindres traits, jusqu'aux deux mèches grises sur les tempes.

— C'est vraiment très bon, n'est-ce pas ? me dit la souveraine en se rapprochant un peu.

C'était pour le moins insolite d'observer une reine inspectant la reine.

— Comment cela peut-il être aussi ressemblant ? s'émerveilla-t-elle.

Elle resta là quelques instants, puis approuva d'un hochement de tête, avant d'éteindre la lumière et de regagner le hall. C'est bien la seule et unique fois que je laissai la « reine » plantée dans le noir. Après notre inauguration, le mannequin fut exposé chez Madame Tussaud sur ordre royal.

Mais l'ordre royal qui changea le cours de ma vie fut donné en 1984, lorsque j'épousai Maria Corsgrove. La reine nous autorisa, fait sans précédent, à nous marier tout en continuant de travailler dans le palais de Buckingham. Une décision qui rompait avec des siècles de protocole, et qui nous valut une couverture médiatique d'envergure nationale.

V

L'autre mariage royal

« La reine se réjouit d'un mariage au palais », annonçait la manchette du *News of the World*. « Bénédiction royale pour une histoire d'amour », proclamait le *Daily*

Mirror. Mes noces avec Maria défrayèrent la chronique à une époque où les tabloïds ne faisaient pas encore leurs choux gras de ce genre d'événement.

Après huit années d'anonymat dans les couloirs du palais, Maria et moi avons vu converger les projecteurs sur l'église catholique de St. Mary, à Wrexham, le samedi 21 juillet 1984. Les reporters et photographes qui avaient campé toute la matinée devant la maison des Cosgrove, suivirent nos invités jusqu'à l'église pour couvrir ce que l'on appelait l'« autre mariage royal ». Leur vif intérêt pour la cérémonie tenait au fait que le marié travaillait pour la reine, et la mariée pour le duc d'Édimbourg.

Une journaliste futée du *News of the World* se fondit dans le flot des convives et réussit à s'introduire dans la maison familiale. Elle monta à l'étage et trouva la maman de Maria en train de se préparer dans sa chambre. « Fichez le camp, sale fouineuse ! » fut la réaction – publiée – de la mère de la mariée.

Quand j'arrivai devant l'église en compagnie de mon frère et témoin Anthony, nous vîmes l'attroupement de journalistes prêts à mitrailler. Aucun membre de la famille royale n'était pourtant attendu. Nous n'étions qu'une bande d'inconnus de l'office : Paul Whybrew, le valet de la reine, Peggy Hoath, son habilleuse, et Michael Fawcett, un des premiers valets de la maison. Le chapelain de la reine, le chanoine Anthony Caesar, somptueux dans son aube écarlate, nous prodigua ses bénédictions et ses prières.

Au lieu de placer les convives dans la salle, les huissiers, transformés en vigiles, barrèrent l'entrée aux journalistes. Mon seul souhait, c'était que la cérémonie se déroule sans encombre car de nombreux amis avaient fait le déplacement depuis Londres. Neuf camarades manquaient hélas à l'appel : les corgis de Sa Majesté – et surtout Chipper – brillaient par leur absence. Ils nous adressèrent cependant un télégramme officiel, que j'ai soigneusement encadré. « Bien que nous autres, corgis, ne soyons pas invités, ton mariage nous ravit tous, sans exception. Si tu veux qu'à l'avenir on se tienne à carreau, réserve-nous une part de gâteau – Meilleurs vœux de Chipper, Smokey, Shadow, Piper, Fable, Myth, Jolly, Sparky et Brush. » L'un d'eux avait signé, avec une empreinte de patte.

Les reporters n'apprirent jamais l'existence de ce télégramme, obsédés qu'ils étaient par l'histoire de notre rencontre.

Je me dois ici de rendre grâces à Rose Smith, femme de chambre à l'étage de la princesse Anne, pour avoir joué les Cupidons. Comme moi, Rose était native du Derbyshire et avait fréquenté le High Peak College de Buxton, mais elle avait débuté à Buckingham six mois plus tôt. Elle avait épousé mon meilleur ami, le valet Roger Gleed, ce qui l'avait contrainte à quitter ses fonctions : en ce temps-là, les couples mariés ne pouvaient travailler ensemble au palais. Elle devint alors habilleuse de la duchesse de Gloucester, à Kensington Palace.

Rose me présenta sa meilleure amie, Maria Cosgrove, lingère préposée à la Suite belge puis à la Suite du duc ; c'était la jeune femme que j'avais souvent croisée sans même m'arrêter ; qui m'avait traité d'« aristo à deux balles ». Par l'entremise de Rose, je l'ai enfin remarquée. Son esprit vif, son rire contagieux, ses yeux noisette à tomber et l'éclat de ses cheveux bruns, sa façon de danser le *mashed potato* – une sorte de crawl à l'envers, les bras ondulant en arrière. L'atmosphère romantique de Balmoral joua son rôle lors des feux de camp dans la lande, où nous entonnions des chants écossais au son de la cornemuse du Maître Souffleur McCrae et de la cloche de Cyril Dickman. Maria devint mon amie, puis ma meilleure amie, enfin ma petite amie à l'automne 1983.

En rencontrant ses parents à Holt, à la frontière anglo-galloise, je retrouvai toutes les valeurs fraternelles de la classe ouvrière. Je me sentais comme chez moi. La mère de Maria me pria de l'appeler par son prénom, Betty. Elle passait ses journées à cuisiner. Une vraie usine à tartes : tartes aux fruits, tartes à la viande, tartes aux pommes de terre... Même le chef pâtissier royal en confectionnait moins qu'elle. Le catholicisme dominait la vie de Betty de la même façon que la reine dominait la mienne. On trouvait chez elle autant de portraits du pape que de photographies de tartes. Elle gardait un pichet d'eau bénite près de la porte, pour s'y tremper les doigts et se signer chaque fois qu'elle sortait.

— Ça te protège quand tu mets les pieds dehors, disait-elle. Tu devrais en parler à la reine, Paul.

Ron, le père de Maria, un électricien jovial, me faisait l'éloge de sa « magnifique fille unique » entre deux séries de blagues. Atteint d'un cancer du poumon, il ne fut bientôt plus le même homme. Reclus dans son salon avec un masque sur le visage, relié à deux bonbonnes d'oxygène, Ron se mourait. En juin 1983, Maria voulut à tout prix qu'il admire le Salut du Drapeau depuis la fenêtre de sa chambre, sur la façade de Buckingham. Ron était tout excité de visiter le palais, et tellement fier de la réussite de sa fille. Il mourut quatre semaines plus tard, à l'âge de cinquante-neuf ans.

Pour le réveillon de la Saint-Sylvestre, j'emmenai Maria dans mon Derbyshire natal ; je lui fis ma demande officielle, à genoux, et lui offris un solitaire qui m'avait coûté toutes mes économies.

Une fois la nouvelle annoncée à nos parents respectifs, il ne restait qu'une personne à informer. Le repas des chiens semblait le moment idéal pour révéler à la reine que l'amour avait réuni son valet de pied personnel et la femme de chambre de son mari.

— Quel dommage qu'elle doive quitter ses fonctions, glissai-je.

— Ah bon ? Mais pourquoi donc ? demanda la reine, qui s'était déclarée enchantée par la nouvelle.

Je n'en revenais pas qu'elle ignore cet interdit en vigueur depuis des siècles.

— Et il n'y a rien à faire pour y remédier ? reprit-elle, lorsque je lui expliquai la situation.

— Eh bien, avec tout le respect que je vous dois, Votre Majesté, c'est vous, la reine.

Un mot de sa part suffit à régler la question. Une lettre du Maître de la maison nous informa que Maria n'aurait pas à quitter le service, le fameux interdit ayant été levé par la reine.

Une semaine avant les noces, la reine nous convoqua. Je n'étais pas de service ce jour-là, et Maria et moi patientâmes comme deux visiteurs extérieurs dans le Vestibule. J'eus le vertige quand le page John Taylor ouvrit la porte du salon en annonçant : « Paul et Maria, Votre Majesté » de la même façon que j'avais prononcé : « Le Premier ministre, Votre Majesté » lorsque Margaret Thatcher était montée à bord du *Britannia* aux Bahamas.

La reine se trouvait au centre de la pièce.

— Un week-end mémorable s'annonce pour vous deux, dit-elle.

Elle nous remit alors un petit paquet enveloppé de papier bleu foncé, présent de Sa Majesté et du prince Philippe. Nous l'ouvrîmes devant elle : une pendulette en or et en émail, portant leurs deux monogrammes. Puis elle releva le couvercle d'un petit coffre et nous offrit deux chandeliers en porcelaine, ornés de fleurs peintes à la main. Nous étions transportés d'émotion. C'étaient nos tout premiers cadeaux de mariage.

— Mes meilleurs vœux... Je vous reverrai tous deux à Balmoral, nous congédia la reine.

Maria fit une révérence. Je saluai bien bas.

Comme les notes vibrantes de l'orgue accompagnaient ma splendide épouse et moi vers le parvis, nous rencontrâmes un nouveau contretemps médiatique : impossible d'atteindre la voiture avec la cohue de journalistes qui nous bloquait la route ! Le chanoine Caesar et Michael Fawcett parvinrent enfin à les contenir et nous posâmes pour quelques clichés en haut des marches avant de nous sauver.

Nous atteignîmes le Brym Howell Hotel de Llangollen, le lieu de la réception, dans la chaleur d'un après-midi d'été. Mon témoin lut les cartes et télégrammes envoyés par les amis, gardant l'un d'eux pour la fin :

« *Félicitations et meilleurs vœux pour votre bonheur à venir* – Élisabeth Regina et Philippe. »

Cette nuit-là, Maria et moi partîmes en lune de miel – deux nuits à Llandudno. Le lendemain matin, on nous déposa les journaux sur le palier. Notre mariage faisait la une.

Les quartiers des domestiques à Balmoral n'étaient pas conçus pour héberger un couple. La chambre de Maria étant moins spartiate que la mienne, nous avons décidé de partager son lit à une place, avec les corgis Chipper et Shadow couchés par terre. La princesse de Galles, qui attendait son deuxième enfant, brûlait d'entendre le récit du grand jour. Maria la suivit dans ses quartiers et, juchées sur le grand lit comme deux lycéennes, les deux femmes bavardèrent et s'esclaffèrent devant les clichés du mariage. Elles étaient là depuis une dizaine de minutes lorsqu'une voix se fit entendre :

— Diana ? Où êtes-vous, Diana ? On déjeune !

C'était la reine.

— Je ferais mieux d'y aller, dit la princesse à regret. Je suis en retard. Mais laissez les photos, je les regarderai plus tard.

Grâce à Maria, la princesse apprit à mieux me connaître : j'étais le mari d'une employée qui lui inspirait confiance. Surtout, j'étais le valet de la reine et j'avais son oreille. La princesse allait peu à peu me considérer comme un allié précieux, mais il nous restait à nous apprivoiser mutuellement.

En ce mois d'août à Balmoral, la princesse avait la nostalgie de ses déjeuners londoniens avec Janet Fiderman, célèbre esthéticienne, Caroline Bartholomew, Carolyn Herbert ou Sarah Ferguson, dernière conquête en date du prince Andrew. Esseulée, elle prit l'habitude de me retrouver dans le Vestibule des Pages, près de l'escalier principal. Nous plaisantions, bavardions de tout et de rien. Sous ses dehors très avenants, la princesse me mettait à l'épreuve. Elle me confia combien la capitale lui manquait. Je m'enquis du bon déroulement de sa grossesse, lui parlai des joies du mariage, de notre désir d'enfants. Mais pendant toutes ces conversations, une petite voix me répétait que je n'étais pas à ma place.

À l'époque, la princesse aimait à dire qu'à force de sourire en public, ses joues allaient s'affaisser. Ravie du sobriquet de « Lady Di » – qui, selon elle, irritait les champions de la République en Grande-Bretagne –, elle estimait que sa « détermination de Spencer » lui interdisait d'apparaître fatiguée, triste ou nerveuse devant la presse. Elle prenait de l'assurance et de la stature, et se sentait prête à s'investir dans le débat public. Dans une lettre à une vieille amie, elle résumait toute l'ambivalence de sa position : « Le changement qui s'opère en moi est impressionnant... Je suis partagée entre la petite Diana qui préfère se cacher plutôt que d'être sur le devant de la scène, et la princesse qui s'efforce d'accomplir un travail du mieux qu'elle peut. La seconde remporte la partie, mais à quel prix pour la première ? »

La peur de ne pas être à la hauteur aggravait sa boulimie, mais grâce au prince Charles, elle tenait bon. Elle écrivit à une amie : « Les jours filent à un rythme... Je dois m'habituer à être ici, là, partout à la fois. Charles est merveilleux, et se montre tellement compréhensif quand toute cette pression m'effraie ou m'attriste. Je n'avais jamais compris à quel point il pouvait être un appui. J'essaie de le soutenir moi aussi et d'être une bonne mère. Difficile de dire lequel de nous deux doit primer sur l'autre. C, bien entendu, mais que puis-je faire quand la presse se met à nous comparer, et renvoie C au second plan ? »

Les plus médisants reprochèrent à la princesse son manque de considération pour le prince Charles, quasi éclipsé par la « Lady Di-mania » de l'époque. Toujours à cette amie, la princesse écrivait :

Il faut aussi comprendre que c'est la première fois
qu'il vit avec quelqu'un, et les foules me supplient de
venir leur parler. Quand je me mets à sa place, ce doit
être tellement dur.

C'est vers cette période que la princesse me fit certaines confidences, visant à vérifier si ce qu'elle me racontait revenait aux oreilles de la reine. Je me trouvais seul dans le Vestibule des Pages quand la princesse vint me trouver. La discussion porta une fois de plus sur sa grossesse et sa santé. Puis, de but en blanc, elle déclara :

— J'attends un garçon.

Je ne sais si elle voulait me surprendre ou si elle espérait une réponse, mais je m'étonnai de recueillir une information aussi personnelle. Était-ce de notoriété publique ? Était-ce un secret ? Pourquoi s'épancha-t-elle ainsi ?

Ma surprise dut se lire dans mes yeux ronds.

— Je ne crois pas que vous devriez me confier cela, Votre Altesse Royale.

La princesse se mit à rire. Elle aimait prendre les gens au dépourvu. J'interrogeai Maria : elle-même ne savait rien. En tout état de cause, s'il s'agissait d'un test, je le réussis haut la main, car ni Maria ni moi n'avons rien dit à personne.

Aucune ombre ne semblait ternir le mariage royal. La princesse était encore follement éprise. Et continuait de clamer son bonheur à ses amis dans ses lettres.

Le 15 septembre 1984 à 16 heures, un petit Henry, que tout le monde appellerait le prince Harry, vit le jour à l'hôpital St. Mary.

La princesse traversait une période faste : « Je dois l'admettre, je me sens particulièrement gâtée par la vie ces temps-ci. »

Maria et moi étions tout autant à la fête : mon épouse attendait notre premier enfant.

— Allez-y, Paul, m'ordonna la reine. La pauvre fille attend depuis trop longtemps.

Admise à l'hôpital de Westminster, Maria avait dépassé le terme de deux semaines. J'appelais régulièrement les infirmières depuis Buckingham où j'étais retenu par mon travail, mais devant ce retard inquiétant, la reine jugea que ma place était auprès de ma femme. Elle se contenta d'exiger que j'appelle son page, John Taylor, dès qu'il y aurait du nouveau.

Mon meilleur ami Roger Gleed tenait à m'accompagner, et nous avons couru jusqu'à l'hôpital sous l'orage, pour arriver trempés comme une soupe. De 15 heures à 4 h 30 le lendemain matin, je n'ai pas quitté le chevet de Maria.

Le 22 mai 1985, Alexander Paul Burrell vint au monde en poussant un cri strident. Je sortis dans le couloir où Roger était resté à m'attendre. Me souvenant des consignes de la reine, je joignis son page ; c'est donc ma souveraine qui eut la primeur de l'heureuse nouvelle, avant même mon père, ma mère ou mes frères.

Frances Simpson et Harold Brown, respectivement femme de ménage et majordome du prince et de la princesse de Galles à Kensington, arrivèrent porteurs d'un grand bouquet, d'un flacon de bain moussant et d'un mot écrit à la main : « Bravo, Maria ! Affectueusement, Diana, William et Harry. »

La manchette du *Sunday Mirror* nous toucha moins : « Le bébé royal de Maria ». Tandis que le journaliste Brian Roberts qualifiait Alexander de « nouvel enfant royal ».

Amusée par les titres dans la presse, la reine exprima sa hâte de connaître notre premier enfant. Rares sont les nourrissons de sept jours à pouvoir se targuer d'être reçus par Sa Majesté soi-même. Son bébé dans les bras, la maman rejoignit le papa le plus fier du monde devant la souveraine qui portait une tenue des plus décontractées : bottes noires – que j'avais astiquées la veille –, culotte d'équitation et chemise. Elle venait de monter Burmese dans les jardins du palais. C'était un cheval de police toute l'année, sauf le jour de la parade d'anniversaire de la souveraine – le Salut au Drapeau –, et ces jours-ci elle reprenait ses marques avec son vieil ami.

Maria fit une courbette. J'inclinai la tête. Alexander s'endormit immédiatement, pas impressionné pour un sou.

— C'est tellement gentil de nous recevoir, Votre Majesté, dis-je.

Elle sourit et s'approcha du bout de chou dans les bras de Maria.

— Regardez ces petits doigts, dit-elle en glissant une phalange dans le poing de notre fils. Tenez, j'ai un petit quelque chose pour vous. (Elle prit un paquet sur la table.) C'est pour Alexander.

Maria ouvrit la boîte, qui renfermait deux gilets en tricot, soigneusement pliés dans une étoffe. Notre audience avait duré cinq minutes, mais ce fut pour nous un grand moment de fierté. Qui fut un rien gâché lorsque, en repartant dans le couloir, nous suscitâmes cette remarque d'un ancien de la maison :

— Il aurait pu mettre une cravate.

Nous avions quitté les quartiers du personnel du dernier étage pour un deux-pièces mis à disposition dans les Écuries royales au fond des jardins, dans le quartier sud-ouest de Buckingham Palace Road. Maria avait pris congé du duc d'Édimbourg pour se consacrer à son nouveau rôle de mère. Nous avions pour voisins immédiats Roger et Rose Gleed. Attribués pour l'essentiel aux grooms et aux chauffeurs, les appartements se situaient au-dessus d'arcades qui desservaient les garages de la flotte de Rolls-Royce et les écuries des trente-cinq chevaux de carrosse. Le plus grand emplacement, au centre, abritait l'impressionnant carrosse doré du couronnement. Les Écuries royales sont bâties autour d'une cour, à l'image du palais, et placées sous la direction de l'Écuyer de la Couronne, dont la fonction consiste à superviser l'ensemble des moyens de transport à disposition des familles et maison royales.

Les Écuries royales devinrent un point de passage régulier pour la princesse de Galles après sa séance de natation matinale au palais. Une semaine après la naissance d'Alexander, elle vint en personne lui offrir un cache-cœur en tricot. Elle aimait bavarder avec Maria devant un café et pouffait de rire en fouillant dans nos placards à la recherche de biscuits.

La reine savait quand la princesse utilisait la piscine : l'arrivée de la voiture dans la cour faisait crépiter le gravier sous les fenêtres du salon. Aussi la princesse se sentait-elle obligée d'aller saluer sa belle-mère après ses brasses quotidiennes. À sa sortie, elle me demandait presque invariablement :

— Ça ne pose pas de problème si je passe voir Maria ?

Alors, pendant qu'elle franchissait la grille, contournait le Victoria Monument et descendait Buckingham Palace Road, j'appelais mon épouse :

— Vérifie que tout est en ordre, mon chou, la princesse arrive.

Ma mère et ma belle-mère se trouvaient toutes deux à la maison quand la princesse rencontra Alexander pour la première fois. Comme elle ne frappait jamais et se contentait d'entrer en saluant gaiement, elle prit les deux grands-mères au dépourvu.

— Mais qu'il est beau ! roucoula la princesse, avant de se pencher avec Maria sur le porte-bébé.

Quand elles se redressèrent, les deux mamies étaient sorties sur le balcon. Maria demanda à sa mère ce qu'elles faisaient. La réponse ne tarda pas : Betty et maman s'estimaient indignes de côtoyer la princesse de Galles.

Cette dernière s'empressa de les mettre à l'aise :

— Ne restez pas là. Rentrez donc, qu'on admire ensemble le petit Alexander !

Les rapports entre Maria et la princesse s'apparentaient à ceux qu'entretiennent deux voisines et jeunes mamans lorsque leurs maris s'absentent pour le travail. La princesse prenait toujours le canapé pour bercer Alexander. Au printemps 1986, elle commença à évoquer l'idée de nous embaucher, Maria et moi. Cela faisait cinq ans qu'on avait refusé à Maria de devenir son habilleuse.

— J'adorerais travailler pour vous, expliquait Maria, mais Paul ne voudra jamais quitter la reine. Il lui est dévoué corps et âme.

La princesse en prit acte, mais sans renoncer à son idée. Petit à petit, ces pauses-café hebdomadaires se muèrent en véritables séances de persuasion.

— Ce serait tellement bien si Paul et vous veniez travailler à Highgrove ! insistait-elle.

Et de semaine en semaine, le message faisait son chemin. La princesse joua sur la corde sensible de Maria, ses responsabilités maternelles. Elle mit l'accent sur la qualité de vie qu'offrait la campagne par rapport à la ville. Nous aurions un cottage au lieu d'un deux-pièces, un jardin privatif pour Alexander au lieu du minuscule terrain de jeu de St James Park. Elle brossa le séduisant tableau d'une vie idyllique, auquel Maria eut de plus en plus de mal à résister.

Ma femme se laissait peu à peu gagner, et je n'en avais pas conscience. Quand j'étais en déplacement ou à Windsor pour le week-end, Maria – qui restait seule avec le bébé – finissait par reconnaître qu'à Highgrove, son mari resterait tout le temps auprès d'elle. Fini les tournées royales, les week-ends séparés, adieu les Noël à Windsor, les croisières sur le yacht royal.

À mesure que 1986 avançait, Maria se rangea au projet de la princesse. La vie serait bien meilleure à Highgrove. Et la princesse compterait des amis sincères parmi ses employés.

— Laissez-moi faire, lui déclara Maria. Je vais le travailler au corps.

Le 23 juillet 1986, Sarah Ferguson épousa le prince Andrew à l'abbaye de Westminster, et ils devinrent ainsi Leurs Altesses Royales le duc et la duchesse d'York, une semaine avant le cinquième anniversaire de mariage du prince et de la princesse de Galles.

Cette fois, c'est Paul Whybrew qui resta au palais pour s'occuper des corgis pendant que j'accompagnais la reine et le prince Philippe dans le somptueux landau doré de 1902.

La dernière fois que j'avais traversé des foules de cette importance remontait à 1980, avec la reine, le prince Philippe et les princes Andrew et Edward : nous nous étions rendus à la cathédrale St Paul pour célébrer les quatre-vingts ans de la reine mère. Six ans plus tard, la marée humaine était peut-être un peu moins dense que pour une autre mariée royale, mais le Mall demeurait excessivement bruyant. Comme nous filions sous un ciel magnifique, je regardais droit devant moi, raide à souhait, sans guère profiter du beau temps : si la main de la reine s'agitait vers la foule comme à l'accoutumée, la mienne était crispée sur le câble du frein à l'approche d'Admiralty Arch et du virage serré dans Whitehall. Se voir confier les freins était une responsabilité hautement stressante. J'étais là pour veiller, dès que la route marquait la moindre pente, à ce que le carrosse n'aille pas emboutir l'arrière des chevaux. Dieu merci, en matière de freinage, mon casier resta vierge.

J'avais décliné l'honneur d'assister à la cérémonie : en tant qu'ancien de la maison, j'avais reçu des services du lord-chambellan une invitation dorée sur tranche qui m'offrait l'alternative suivante : ou bien m'asseoir parmi des centaines de personnes dans l'abbaye de Westminster, ou bien me percher derrière la reine dans le landau royal. Je n'hésitai pas une seule seconde, et l'avenir allait me donner raison car, sans que je le sache encore, il s'agissait là de ma toute dernière parade en landau. Pendant que je roulais dehors, Maria prenait sa place d'invitée dans l'abbaye, coiffée d'un chapeau prêté par la duchesse de Gloucester.

Sarah Ferguson s'était installée à Buckingham quelques mois avant les noces. Contrairement à lady Diana Spencer qui avait dû occuper une suite individuelle jusqu'à la cérémonie, Sarah Ferguson partageait avec le prince Andrew l'appartement du premier qu'avaient occupé, jeunes mariés, le prince et la princesse de Galles. La duchesse souffrit moins de l'isolement que la princesse, car sa personnalité bouillonnante l'amenait à s'entourer de monde. Si les employés de Buckingham voyaient en la princesse une âme esseulée en mal de réconfort, la duchesse passait pour un animal grégaire qui passait sa vie à recevoir ses amis et à donner des fêtes. Le prince Andrew et elle commandaient cinq plats par repas, et le personnel des cuisines se demandait quelle mouche les piquait. Même la reine recevait plus chichement !

— Au moins, Sa Majesté dîne à une heure décente. Mais ces deux-là vous commanderont des repas n'importe quand après 22 heures, et on travaille comme des dingues pour tâcher de suivre le rythme, se plaignait un chef.

Depuis le début 1982, la duchesse déjeunait régulièrement avec la princesse, devenant sa confidente et son amie. Elles se surnommaient toutes deux les « *Wicked Wives of Windsor* » – les « épouses espiègles de Windsor ». Ensemble, elles étrillaient les austères hommes en gris de la maison royale : « l'ennemi intérieur », comme elles disaient. Ayant intégré la famille royale la première, la princesse pouvait éclairer la duchesse sur les usages et les interdits, sur les gens dignes de confiance et ceux dont il fallait se méfier – vaste majorité de la domesticité.

Il est à la discrétion de la souveraine, à la veille du mariage d'un de ses fils, d'accorder à celui-ci un duché royal. Or, le choix de conférer à Andrew le titre de duc d'York était tout un symbole, car ce dernier avait longtemps été associé au père de la reine, le roi George VI. La force de ce geste n'échappa pas à la nouvelle duchesse qui, soucieuse de plaire à sa belle-mère, voulut y voir la preuve de son admission chez les Windsor.

Elle commettait là une erreur de jugement. Car la souveraine ne lui avait pas conféré en propre le titre de duchesse : elle avait octroyé le titre de duc à Andrew, qui le partageait alors avec son épouse. Une nuance qui témoignait de toute la subtilité du protocole. Toujours est-il que les costumes gris furent sans pitié lorsque la duchesse écrivit à la reine pour la remercier du fond du cœur. Elle croyait bien faire, mais, comme elle l'avait suspecté, certains membres de la domesticité l'attendaient au tournant depuis le début, bien décidés à la faire trébucher. La grande bouffée d'oxygène qu'elle apportait au palais se heurtait à des vents polaires, créant des perturbations. Un aristocrate la qualifia de « vulgaire, vulgaire, vulgaire », et un journal la rebaptisa *Duchess of Pork* – duchesse du Porc. Elle découvrait combien les cercles royaux pouvaient se révéler blessants.

Même vis-à-vis des simples employés, elle partait perdante. Du haut en bas de la hiérarchie, la maison royale avait décidé de lui tourner le dos. La reine, le prince et la princesse de Galles et Andrew étaient probablement ses seuls alliés. Un jour qu'elle remontait le grand hall de Balmoral en direction de l'entrée, aussi vive et gaie qu'à son habitude, un employé lâcha :

— Qu'est-ce qu'elle veut encore, cette putain de jument rousse ?

Il avait dit cela trop fort pour qu'elle n'ait pas entendu. Mais elle continua de sourire. La duchesse restait joyeuse en toutes circonstances. En apparence, du moins.

Au palais, une autre femme paraissait heureuse de son sort, quand, en son for intérieur, elle commençait à déchanter. Depuis que Maria avait abandonné ses fonctions auprès du duc d'Édimbourg, son métier lui manquait, et les Écuries royales n'étaient pas commodes pour élever un enfant de deux ans. Aussi, la perspective de travailler en famille auprès du couple princier à Highgrove était pour elle une planche de salut.

Un soir à mon retour, elle aborda le sujet :

— Ce n'est pas facile de vivre ici, et tu n'es jamais là. Il est temps qu'on réfléchisse à notre avenir, mon chou.

Alexander n'avait pas d'endroit où jouer. Et nous ne

pourrions pas accueillir un deuxième enfant entre ces murs étriqués. C'est tout juste si la poussette passait dans l'escalier. La vie à la campagne comporterait bien des avantages. Maria m'expliqua tout cela avant d'en arriver au but :

— On nous offre la possibilité de partir et de changer de vie en travaillant tous les deux pour le prince et la princesse de Galles. Toi en tant que majordome, moi en tant que bonne.

— Pas question, répliquai-je. Il est hors de question que je quitte la reine.

Les soirs suivants, la même discussion aboutit à la même impasse. Mais la détresse de Maria me perturbait. J'avais des devoirs envers la reine. Elle était le numéro un, et je ne pouvais concevoir de travailler pour le numéro deux : j'y voyais là une rétrogradation. En outre, j'étais valet de pied, et non majordome : jamais je ne saurais gérer une maison. Et puis, renoncer à sillonner le monde pour m'enfermer dans un manoir ? C'était absurde.

— Voyons, Maria, pourquoi laisserais-je tomber le meilleur boulot du monde ?

— Pour ta famille, Paul. Pour ta famille.

Voilà le problème lorsque l'on sert la Couronne : les obligations professionnelles prennent toujours le pas sur les obligations familiales.

Maria soutenait que la vie à Highgrove serait bien meilleure du point de vue familial. Elle m'expliqua qu'elle était très proche de la princesse, et qu'elles avaient étudié la question dans les moindres détails.

Les moindres détails ?

— Et ça fait combien de temps que vous en parlez ? m'étonnai-je.

— À peu près une année, par périodes. Écoute, mon chou, tout ce que je te demande, c'est d'aller à Highgrove jeter un coup d'œil. Fais-toi ta propre idée. Pour moi.

Je cédai. Maria informa la princesse, et une visite discrète fut organisée. Par un après-midi d'été, le majordome du couple princier à Kensington Palace accepta de me conduire dans le Gloucestershire afin de me montrer la maison, le domaine et le cottage du personnel. C'était un jour de semaine, et les deux patrons étaient sortis ; Harold me fit faire le tour du propriétaire, de pièce en pièce. C'était une demeure sublime, comme ses jardins. Elle me rappelait une autre résidence du Gloucestershire, Gatcombe Park, où vivaient la princesse Anne et le capitaine Mark Phillips et où officiait désormais le premier ami et livreur de hamburgers de la princesse, Mark Simpson, reconverti en majordome. Les grandes pièces donnaient sur de saisissants paysages et le calme des lieux tranchait radicalement avec la frénésie de la vie londonienne. J'entendais les moutons et les vaches, au lieu des klaxons et sirènes du Mall. J'imaginai Alexander grandir ici, avec un petit frère ou une petite sœur. L'argument « liberté et qualité de vie » avait fait mouche.

Puis Harold me conduisit huit cents mètres plus loin, à Close Farm, où se trouvait notre futur cottage. Je tombai des nues. C'était une maison jumelle toute délabrée qui à l'évidence n'avait pas été habitée depuis des années. Elle avait des carreaux cassés, des murs lépreux et une jungle pour jardin. Une vraie ruine.

— Rassurez-vous, le prince compte bien la restaurer pour votre arrivée, dit Harold.

Mais avec la meilleure volonté du monde, je peinais à imaginer un résultat convenable. Comment pourrais-je quitter le monde enchanté de Buckingham et notre appartement douillet pour ce taudis ?

De retour à Londres je fis part de mes craintes à Maria. Mais elle était si malheureuse que même pour une tente de camping elle aurait signé des deux mains :

— On en fera quelque chose de bien, affirmait-elle.

Au palais, je regardais la reine et je me disais qu'il n'existait pas de meilleur patron au monde. À la maison, je regardais Maria se morfondre et je me disais qu'il fallait agir.

J'essayais d'imaginer à quoi ressemblerait le service auprès du prince de Galles, que l'on disait strict et exigeant avec ses employés. Puis j'imaginais Maria auprès de la princesse, et je savais combien celle-ci se montrerait douce et accessible. Pour sûr, Alexander s'épanouirait mieux à la campagne qu'à la ville. Or la famille passait avant tout le reste.

Et pourtant, tout en m'apprêtant à dire oui à Maria, j'étais miné par le doute. J'allais quitter une situation sûre et privilégiée pour l'inconnu. On quitte rarement les quartiers privés de la reine pour une autre résidence royale. En d'autres termes, ce n'est pas la raison mais l'instinct qui me guida.

— Tu es cinglé ? s'écria Paul Whybrew, incrédule, quand je lui fis part de ma décision.

Il me supplia d'y réfléchir à deux fois. Mais lui ne connaissait pas la même situation que moi : il était célibataire et pouvait se concentrer sur son plan de carrière. Moi, j'avais une famille à chérir. Ma décision était prise. Mon seul souci, désormais, consistait à trouver la manière de l'annoncer à la reine.

En juin 1987, lors du Derby d'Epsom, calé dans un fauteuil en rotin, le prince Charles rédigeait sa correspondance dans le coin du Box royal. La reine, le duc d'Édimbourg, la princesse Alexandra, le prince Michael de Kent et le reste de la suite royale prenaient l'apéritif un ou deux mètres plus loin. J'interrompis le prince pour lui demander s'il souhaitait boire quelque chose. Il commanda son habituelle citronnade. Quand je revins avec mon plateau, il se pencha vers moi et chuchota :

— La princesse m'a appris que vous alliez bientôt travailler pour nous.

Le bourdonnement des conversations alentour signifiait que personne n'avait entendu.

— De grâce, n'en parlez pas à la reine, Votre Altesse Royale. Je ne lui ai encore rien dit et j'aimerais autant le faire moi-même.

Vêtue de son kilt vert Hunting Stewart et d'un gilet, la reine se tenait de dos devant la cheminée du salon de Craigowan House, la petite résidence qui domine le golf de Balmoral où elle se réfugie lorsque le reste de la famille n'est pas du voyage. Elle rentrait de promenade et les corgis étaient dispersés autour du tapis écossais. C'était deux semaines après le Derby d'Epsom.

— Puis-je prendre deux minutes de votre temps, Votre Majesté ? demandai-je.

La reine sourit.

— Je ne sais vraiment pas par où commencer, bredouillai-je.

Toute une partie de mon être m'enjoignait de faire volte-face et de dire à Maria que j'avais changé d'avis.

— Qu'y a-t-il, Paul ?

— C'est tellement difficile pour moi, continuai-je sous le regard intrigué de la reine.

Cela faisait dix ans que je travaillais pour elle, et jamais je n'avais eu autant de mal à lui parler.

— J'ai énormément réfléchi à mon avenir et à ses implications pour Maria et Alexander... (La reine continuait de sourire)... et c'est la décision la plus difficile qu'il m'ait été donné de prendre.

Elle aurait pu sortir deux fois les corgis le temps que j'en arrive au fait. Mais je finis par cracher le morceau :

— Nous avons évoqué, avec le prince et la princesse de Galles, le projet que j'entre à leur service.

— Mais, Paul, répondit la reine, vous n'avez pas besoin de me le dire. Charles m'a déjà prévenue. (Voyant mon désarroi, elle me rasséréna par quelques paroles bienveillantes :) Regardons les choses sous un autre angle, Paul. Vous ne me quittez pas vraiment. Disons que vous bifurquez vers une branche de la famille. Charles et Diana ont besoin de gens comme vous. Un jour, quand je ne serai plus là et qu'ils deviendront roi et reine, vous reviendrez ici.

Comme je tournais les talons, elle ajouta :

— Quoi qu'il en soit, Paul, vous partez pour la meilleure raison qui soit : pour le bien de votre famille. Et je le conçois parfaitement.

— Merci de vous montrer si compréhensive, Votre Majesté.

De fin juin à début août, je poursuivis ma besogne comme si de rien n'était. La reine ne fit aucune allusion à mon départ. Un valet de la maison me suivait comme mon ombre, pour apprendre le métier avant de me remplacer aux côtés de Paul Whybrew.

Un après-midi, lady Susan Hussey, dame d'honneur de la reine, me convoqua dans le salon du premier étage réservé à elle et à ses consœurs. J'avais toujours apprécié cette femme, qui était l'épouse du président de la BBC de l'époque, Marmaduke Hussey. Lady Susan était une femme honnête, franche, et très écoutée de la reine. Contrairement à beaucoup d'autres entre ces murs, elle n'était pas hautaine pour un sou.

Je la trouvai assise à son bureau, en train de signer des lettres. Elle me demanda de fermer la porte. Elle m'expliqua qu'elle venait d'apprendre mon départ, avant de demander :

— Êtes-vous sûr d'avoir pris la bonne décision ? Vous l'ignorez peut-être, mais les choses ne sont pas tout à fait ce qu'elles paraissent au sein du foyer que vous allez rejoindre.

Les efforts de discrétion de lady Susan étaient quelque peu dérisoires : l'office grouillait de rumeurs concernant les « difficultés » que connaissait le couple princier.

C'est par amitié que la dame d'honneur de la reine tenait à m'avertir. Étant aussi une grande confidente de la princesse, elle détenait des informations de première main.

Je me bornai à lui répéter les raisons familiales qui m'appelaient à la campagne. Je lui avouai que la décision avait été difficile à prendre, mais je ne pouvais plus revenir en arrière. Alors elle me rappela combien la reine m'appréciait, et me souhaita le meilleur pour l'avenir.

Au début du mois d'août 1987, le départ de la reine pour la croisière des Hébrides coïncida avec mon dernier jour de service. Dernier petit déjeuner, dernière promenade avec les corgis, derniers pas dans le couloir de la reine à Buckingham, dernière fois que je demandais : « Désirerez-vous autre chose, Votre Majesté ? » À chaque étape, une pensée m'obsédait : « Comment va-t-elle me dire au revoir ? »

Elle me sonna depuis le salon pour me demander de sortir les chiens. Sur un ton des plus anodins. À notre retour, sa Rolls-Royce l'attendait pour l'emmener vers Portsmouth. Mon ultime tâche consistait à l'accompagner à sa voiture. Je me postai donc à la Grande Entrée, sur le côté du palais, et attendis. Elle monta en voiture avec lady Susan Hussey, je recouvris leurs genoux avec deux plaids, puis claquai la portière et restai planté là, à chercher le regard de la reine. Elle n'avait pas dit un mot, et j'espérais un geste ou un sourire. Mais je n'obtins rien de tout ça. Elle regarda le plancher, puis le pare-brise, et la voiture s'éloigna.

Un peu plus tard, je revis lady Susan Hussey.

— Savez-vous pourquoi la reine n'a pas voulu me dire au revoir ?

— Elle en était incapable, Paul. Elle n'osait même pas vous regarder. Pour elle non plus, ce n'était pas facile.

La lèvre supérieure de la reine n'avait pas le droit de trembler.

VI

Mensonges à Highgrove

Alerte rouge à Highgrove. Des policiers prêts à faire feu se regroupent sur le seuil avant d'investir la résidence. On a repéré la silhouette d'un intrus près d'une fenêtre à l'étage. Les gouttes de sueur qui perlent à mon front témoignent de la peur qui s'est emparée de moi, et le gilet pare-balles sanglé par-dessus mon uniforme de majordome ne parvient nullement à me rassurer. J'approche de la porte de service et dois me ressaisir pour tourner la clé dans la serrure. Je suis entouré d'une unité armée de la gendarmerie, de maîtres-chiens accompagnés de bergers allemands et des six policiers habituels qui patrouillent sur la propriété. C'est l'un des leurs qui a donné l'alarme en milieu de soirée.

Maria a décroché le téléphone :

— Allô, Maria, Paul est-il encore au palais ? a demandé l'un des officiers.

— Non, il est rentré. Je vous le passe.

J'ai pris le combiné.

— Paul, y a-t-il quelqu'un au palais ?

— Non, je viens de verrouiller toutes les entrées.

— Une lumière vient de s'éteindre à l'intérieur. Un de mes gars a aperçu une silhouette derrière la fenêtre. Vous feriez mieux de venir tout de suite.

Tandis que je me rue au poste de police, une unité armée est appelée en renfort. Puis on distribue des gilets pare-balles.

— Restez derrière nous, me conseille un officier à voix basse.

Les policiers, marchant à pas feutrés, investissent la résidence royale, leur mitraillette au côté. Je les escorte, armé pour ma part du plan des lieux.

Chaque étage est passé au crible, en commençant par le sous-sol. Mon cœur bat la chamade.

Lorsque nous atteignons le dernier étage qui regroupe la chambre de William et de Harry, celle de la nurse et la nursery, les bergers allemands se mettent à grogner.

— Ils flairent quelque chose, explique un maître-chien.

On fouille chaque pièce de l'étage. Personne.

Quelques soldats se détachent du groupe pour inspecter les combles. Personne.

On grimpe sur le toit. Personne.

Le policier qui a repéré du mouvement dans la résidence est perplexe. Le lendemain, le prince et la princesse seront informés de l'incident, mais le mystère reste entier.

À Highgrove, un objet quotidien suffit à me rappeler Buckingham : la boîte en bois fixée au mur de l'office. Tout comme la reine, le prince Charles convoque le personnel en appuyant sur une sonnette qui fait basculer un disque rouge. On pourrait même le qualifier de « carton rouge », car le prince Charles déteste attendre. D'après lui, on arrivait toujours quinze secondes trop tard. Chaque fois que le disque rouge basculait à l'office, je me précipitais à travers le couloir revêtu de moquette, jusqu'à ses appartements.

La princesse riait lorsqu'elle me surprenait au pas de course.

— Allez, courez ! Courez donc ! s'esclaffait-elle. Vous ne courez pas aussi vite pour moi !

Pour la princesse, en effet, je n'avais pas besoin de m'essouffler. Pour la reine non plus. Mais nous connaissions tous l'exigence du prince Charles. Même la princesse reconnaissait que son époux se montrait pointilleux, et comme il était difficile d'être à la hauteur de ses exigences. C'est pourquoi elle se moquait gentiment de moi quand j'accourais aux moindres désirs de l'héritier au trône. En particulier quand je montais sur le toit hisser le drapeau royal, qui devait flotter au-dessus du palais quand Son Altesse y séjournait. Chez la reine, un sergent était préposé à cette tâche, mais à Highgrove, cette charge m'incombait. Lorsque le personnel me prévenait de son arrivée, je grimpais dans la mansarde en passant par une trappe aménagée dans le plafond du dernier étage. Plié en deux pour ne pas me cogner la tête, je me faufilais à travers un vasistas qui donnait sur le toit pentu. Une planche surplombait la gouttière incurvée pour que je puisse atteindre tant bien que mal ce maudit mât. Les jours de vent violent, ou de pluie battante, je restais accroché au mât blanc pour garder l'équilibre. J'attendais, encore et encore, que la voiture ou l'hélicoptère princier soit en vue, avant de hisser le drapeau. Fort heureusement, il n'était pas nécessaire de déployer l'emblème de la princesse lorsqu'elle était là sans son époux.

Juillet 1988. Le disque rouge bascula et je me hâtai vers la bibliothèque. Comme à l'accoutumée, le prince était assis à une table ronde au centre de la pièce. L'air embaumait les lys disposés sur le guéridon. Leurs corolles émergeaient des piles de livres qui encombraient la table. Il se leva et m'annonça qu'on attendait une invitée de marque à Highgrove :

— La reine Élisabeth vient nous voir cet après-midi.

Ses enfants et petits-enfants appelaient toujours la reine mère « la reine Élisabeth » lorsqu'ils s'adressaient au personnel.

Je savais l'importance que le prince attachait à cette visite – la première –, lui qui adorait sa grand-mère. Un thé fut prévu spécialement pour l'occasion – contrairement à sa mère, le prince n'en prenait jamais. Je dressai la table sur la terrasse et installai un parasol pour épargner à la reine mère la brûlure du soleil. Je tenais à ce que tout soit parfait.

Tandis que la Daimler avançait au pas dans la large allée, je me tenais aux côtés du prince sur les marches du perron.

J'ouvris la portière, et la reine mère, coiffée d'un chapeau à large bord piqué de roses en soie, descendit de la voiture. Son petit-fils s'inclina et lui baisa la main.

— Bienvenue, grand-mère chérie, dit-il en souriant.

Puis ils marchèrent tout doucement dans le magnifique jardin dont il avait conçu les plans dans les moindres détails.

Dans les cuisines, le chef et moi préparions des sandwichs au saumon fumé, au poulet, au jambon et au concombre, sans oublier les minuscules toasts ronds au jambon, connus sous le nom de « pennies au jambon », dont on se régalait à la nursery royale.

Chargé d'un plateau en argent, je me dirigeai vers la terrasse où les branches d'un cèdre ancestral projetaient leur ombre sur le dallage de pierre.

J'offris à la reine mère un sandwich au saumon fumé. Elle hésita un instant.

— Non, merci, Paul. Voyez-vous, ce sont ceux que j'aime le moins, dit-elle en penchant légèrement la tête.

Le prince parut mortifié.

— Désirez-vous un autre sandwich, grand-mère ?

— Non, du thé me suffira.

Elle ne goûta pas un seul sandwich.

Quelques heures plus tard, la reine mère regagna sa Daimler, puis agita un foulard en mousseline par la vitre arrière. Ainsi débutait le rituel des adieux entre la grand-mère et son petit-fils. À son tour, le prince tira de sa poche de poitrine une pochette en soie et l'agita en guise de réponse. Il était visiblement ému.

— Je ne sais pas ce que je ferais sans elle, me confiat-il, tandis que la voiture s'éloignait, soulevant un nuage de poussière.

De retour dans la maison, l'humeur du prince Charles changea du tout au tout.

— Dommage que ce thé ait été gâché, dit le prince d'une voix coupante. La prochaine fois, je vous prie, prenez la peine d'appeler l'intendant pour vous informer des goûts de la reine Élisabeth, au lieu de supputer à tort, ajouta-t-il.

— Je suis désolé, Votre Altesse Royale. À la Cour, on sert toujours des sandwichs au saumon fumé pour le thé.

Vaine protestation. Ses remarques cinglantes eurent l'effet désiré : je me sentais démoralisé. Il avait suffi d'un sandwich au saumon fumé pour que je mesure pleinement toute la différence entre la vie à Buckingham et à Highgrove. Servir l'héritier du trône allait s'avérer plus délicat que servir la souveraine elle-même.

Par exemple, je ne saurais définir à laquelle de ces deux activités le prince se livrait le plus : écrire des notes de service ou serrer des mains. Pour fournir Highgrove en bloc-notes, on a certainement abattu une petite forêt. Cocasse pour un homme qui milite autant pour la protection de l'environnement. La reine préférait transmettre ses instructions de vive voix. Le prince Charles, quant à lui, communiquait avec le personnel par écrit. Les notes s'accumulaient comme une pluie de confettis.

Quelqu'un a-t-il déplacé les graines dans le jardin ?
Y a-t-il un container de recyclage du verre au village de Tetbury ?
Pouvez-vous trouver quelqu'un pour répondre à mon téléphone ?
Pourrait-on réparer le plat de porcelaine, s'il vous plaît ?

Il n'était pas non plus enclin aux efforts. Un jour, il rédigea cette note de service : *Une lettre de la reine est tombée par inadvertance dans la poubelle à côté de la bibliothèque. Veuillez la chercher, s'il vous plaît.*

Après la publication d'extraits du livre d'Andrew Morton dans le *Sunday Times*, il laissa ce mot : *Je ne veux pas revoir ce journal dans la maison ! Quant aux journaux à scandale, si quelqu'un désire les lire, qu'il aille se les procurer lui-même, et cela vaut aussi pour Son Altesse Royale !*

Je pris mes fonctions à Highgrove le 1er septembre 1987. Le prince et la princesse de Galles se trouvaient alors en Espagne, invités par le roi Juan Carlos. Ils devaient regagner la résidence la deuxième semaine d'octobre. Durant cet intervalle, je tentai de m'acclimater à cette maison inconnue et à ce nouveau mode de vie. Sans Wendy Berry, la gardienne, je ne sais pas si j'y serais parvenu. Travailler à ses côtés me ramena au temps où j'étais novice, et je me formai à ma nouvelle fonction dans son ombre. En l'absence du maître et de la maîtresse des lieux, la résidence princière restait fermée. Les meubles étaient recouverts de housses. Pour des raisons de sécurité, les volets de bois étaient clos en permanence. Moi qui m'étais habitué au palais de

Buckingham, grouillant de vie, avec son bourdonnement de ruche affairée, je me sentais désorienté par le silence de cette demeure isolée au cœur de la campagne.

Nostalgique des fêtes extravagantes, je partageais à la fin du service une bouteille de vin avec Wendy et Paddy Whiteland, le valet d'écurie...

Ce dernier habitait ces lieux depuis qu'on avait livré les meubles en bois de rose, voilà quarante ans. Le prince Charles lui répétait souvent :

— À votre mort, Paddy, nous vous ferons empailler, et vous exposerons dans le hall d'entrée !

Paddy avait une connaissance encyclopédique de Highgrove. Si le prince voulait abattre un arbre, il s'adressait à Paddy. Désirait-il ériger une clôture ? C'est à Paddy qu'il en parlait. Une plate-bande tardait à fleurir, il en avertissait Paddy. Souhaitait-il se tenir au courant des commérages ? Paddy s'en faisait l'écho. Paddy était un vieux renard et tout le monde avait de l'affection pour lui, en particulier le prince.

L'équipe des jardiniers était tout aussi pittoresque. Dennis Brown choyait ses plantes et légumes comme s'il élevait des enfants. Toujours une bêche ou un plantoir à la main, il travaillait dans le potager victorien, qui fournissait la maison en fruits et légumes bio. Ses collègues David et James entretenaient les autres parties des jardins, qui offraient à perte de vue un paysage multicolore : ici une avenue d'ifs mordorés semblables à de gigantesques hérissons en boule ; là, des haies d'un vert luxuriant ; de ce côté, des prés parsemés de fleurs sauvages ; un peu plus loin, des champs de boutons-d'or semblables à de grands tapis blonds. Ils allaient en faire l'un des plus beaux jardins d'Angleterre.

Enfin, Maria et Alex me rejoignirent. Nous attendions alors notre second enfant. Notre nouveau domicile était très éloigné de la propriété, et toutes les pièces sentaient encore la peinture fraîche. Mais le revêtement neuf ne parvenait pas à masquer les problèmes. Le jardin était une forêt vierge, les gouttières fuyaient et les fenêtres du rez-de-chaussée avaient des vitres cassées. Bien que Maria fût l'instigatrice de notre mutation, elle commençait à se demander si ce choix se révélerait judicieux.

Vivre dans ce cottage délabré, travailler dans une résidence recouverte de housses, à cent soixante kilomètres de mes amis du palais, m'incitait, moi aussi, à me poser des questions. J'avais tenté un pari professionnel et les premières impressions n'étaient pas encourageantes.

Par bonheur, Paddy était toujours là pour nous remonter le moral.

— Puisque vous allez avoir un bébé, vous aurez besoin d'œufs frais, décida-t-il.

Il arriva cet après-midi-là sur son tracteur, et installa dans notre jardin un poulailler, et six poussins roux.

— Œufs frais à volonté tous les matins, annonça-t-il.

Maria se réjouit qu'il n'eût pas insisté pour que nous disposions de lait frais.

Au retour du prince et de la princesse de Galles commença ma véritable mise à l'épreuve. Les trois cents membres du personnel au palais de Buckingham me faisaient défaut. Je n'étais plus l'un des deux valets de pied, secondé par deux pages. J'étais majordome, responsable de toute l'intendance d'une résidence royale. Certes, les domestiques de la famille de Galles étaient les mieux payés. Quitter Buckingham pour Highgrove m'avait valu une augmentation de dix mille livres, ce qui doublait presque mon salaire annuel.

Cette gratification méritait que je mette les bouchées doubles.

Ce fut le baptême du feu. Il n'y avait pas de sommelier pour décanter les bouteilles de porto et de bordeaux dans les carafes. Pas de second pour faire l'argenterie ou la vaisselle, pas de valets de pied pour accueillir les invités, s'occuper de leur vestiaire, aller chercher des bûches pour le feu, pas de fleuriste pour disposer les bouquets sur la table, personne pour courir sur le toit hisser le drapeau, personne pour faire les courses. Fini le temps de revêtir les livrées officielles. Je portais maintenant un simple blazer bleu marine à boutons dorés avec, au revers, l'insigne du prince de Galles : trois plumes entourées du cercle de l'ordre de la Jarretière.

Mais à quelque chose malheur est bon. Je passais des neuf corgis de la reine aux deux terriers du prince, Tigger et Roo, et la corvée de promenade, Dieu merci, échappait à ma responsabilité. C'est le prince Charles qui s'en chargeait lui-même.

En revanche, répondre aux communications figurait parmi mes obligations. Un jour le téléphona sonna à l'office. Je décrochai :

— Allô, ici Highgrove.

— Bonjour, Paul.

Je reconnus immédiatement cette voix. C'était la reine.

— Bonjour, Votre Majesté.

Quel plaisir de lui parler ! Je ne pus m'empêcher de lui demander de ses nouvelles. Des nouvelles de Chipper, mon préféré de tous ses chiens. Et des nouvelles de...

— Son Altesse Royale est-elle là ?

Elle coupa net ma logorrhée et je transférai la communication au prince Charles.

— C'est la reine, Votre Altesse Royale.

On m'informa que le prince « n'avait pas l'intention de demeurer souvent à Highgrove », qu'il l'occuperait un peu comme la reine utilisait le château de Windsor ou la reine mère le Royal Lodge. Le couple de Galles comptait passer la semaine au palais de Kensington. Du moins, telle était la version officielle. Mais dès ce premier automne, l'héritier du trône séjourna à Highgrove en solo, accompagné d'un valet, d'un chef et d'un garde du corps, au moins trois jours par semaine. Aussi m'habituai-je à voir tournoyer le Wessex rouge, hélicoptère de l'escadrille royale, qui se préparait à atterrir dans l'enclos à chevaux. Ce poste, où je n'avais été affecté que pour les week-ends, m'occupa bientôt à plein temps.

Quand le prince était présent, Highgrove ressemblait à une salle d'attente : la vie y était protocolaire, calme, réglée. Le prince Charles recevait des amis à déjeuner, parmi lesquels le paysagiste Vernon Russell-Smith, Camilla Parker Bowles, l'auteur Candida Lycett Green, Charles et Patti Palmer-Tomkinson, et Nicholas Soames, membre du Parlement.

Quand il avait un peu de temps libre, il passait des heures et des heures dans le jardin. Je me souviens de l'avoir vu bêcher la terre et planter un parterre de thym. Autrement, il s'installait dans la bibliothèque et écoutait de la musique classique si fort que, parfois, il n'entendait pas lorsqu'on frappait à sa porte. J'allais et venais dans la maison au rythme de l'*Aïda* de Verdi.

La princesse, elle, ne venait jamais en semaine. Elle restait à Londres avec les enfants et déjeunait au palais de Kensington avec des amis, notamment le styliste de mode Jasper Conran, Laura Lonsdale – sa dame d'honneur –, ou Carolyn Bartholomew – son amie d'enfance –, ou dînait au Harry's Bar avec l'ex-roi Constantin (qu'elle appelait Tino) et la reine Anne-Marie de Grèce. Ou encore elle rejoignait lady Carine Frost, la femme du présentateur de télévision David Frost, au San Lorenzo, cantine des stars réputée de Knightsbridge. Deux jours par semaine, à 7 h 30, elle prenait des leçons d'équitation avec le major James Hewitt. En effet, elle avait décidé d'explorer de nouvelles activités. Pendant ses loisirs, elle tâchait d'assimiler le langage des signes, et multipliait les cours de danse.

Le vendredi après-midi, la princesse rejoignait Highgrove en voiture avec William et Harry, âgés respectivement de cinq et deux ans. Ils regagnaient Londres le dimanche après déjeuner, accompagnés d'une nurse, d'une habilleuse et d'un garde du corps. La princesse adorait Londres pour sa vie sociale trépidante et se sentait chez elle au palais de Kensington. Le prince, au contraire, utilisait de plus en plus la retraite de Highgrove, ne séjournant qu'un soir sur deux dans la capitale avec son épouse.

Dans les familles royales, il n'est pas rare qu'un couple mène sa vie chacun de son côté. Il me semblait donc naturel que les centres d'intérêt du prince le retiennent à la campagne. Après tout, la reine et le duc d'Édimbourg, qui menaient leur vie séparément, se retrouvaient régulièrement et leur union était solide.

Dans les premiers temps de mon affectation à Highgrove, les époux se rejoignaient toujours le week-end. Contrairement à la rumeur, jamais je n'ai eu à servir un plateau-repas à la princesse dans sa chambre. Chaque soir, on dressait une table devant le téléviseur et les époux prenaient leur repas ensemble. Ils discutaient, comme n'importe quel couple après une journée de travail. J'ai lu un jour dans la presse que le prince ne s'enquérait jamais des occupations de la princesse, ni de son état de santé. C'est tout à fait absurde. Le prince, courtois et loquace, était le premier à entamer la conversation. Il témoignait un grand intérêt pour le travail de sa femme et ses activités diverses. Si celle-ci souhaitait s'entretenir avec lui à d'autres moments, elle le retrouvait dans la bibliothèque. Il veillait tard, écoutait de la musique, et se penchait sur des dossiers. La princesse se retirait dans sa chambre où sa propre chaîne stéréo diffusait une musique plus contemporaine. Elle passait et repassait toujours la même chanson : *I Will Always Love You*. Verdi et Haydn régnaient en maîtres au rez-de-chaussée, Whitney Houston au premier étage.

Chaque soir, je devais vérifier le plateau de boissons et remplir une Thermos en argent de jus d'orange fraîchement pressé à l'intention du prince. La princesse, qui raffolait de jus d'orange, se servait souvent la première... Son époux en concevait une légère irritation qu'il me rappela dans une note de service : *« Je vous prie, à l'avenir, de vérifier la bouteille de jus d'orange à la fin du dîner, comme Son Altesse Royale a tendance à la vider il n'en reste plus pour moi. C. »*

Dans le salon, une autre tâche m'incombait : celle d'installer un petit autel tous les dimanches matin pour que le prince puisse recevoir la communion de l'évêque Woods. J'étalais une nappe blanche sur une table de bridge et disposais deux chandeliers d'argent. Puis je plaçais un petit plateau en métal, un calice en argent et des carafes de cristal remplies d'eau et de vin. C'était un rituel que le prince prenait extrêmement au sérieux mais la princesse ne se joignait pas à lui. Elle estimait que c'était se livrer à une pratique de paresseux qui n'avait aucun sens quand elle ne se déroulait pas dans la maison du Seigneur.

Lorsque la princesse venait avec les enfants, High-grove soudain débordait de vie. La maison résonnait du rire et des cris joyeux des deux enfants, de leurs courses-poursuites avec leur mère autour du vestibule lors de folles parties de cache-cache, et des grognements du prince Charles qui prenait la voix du grand méchant loup. Dans la journée, ses garçons près d'elle, la princesse jouait du piano adossé contre le mur couleur pêche de l'entrée, près de la porte du salon.

Aveuglé par cette ambiance toute familiale, et en dépit des avertissements de lady Susan Hussey, selon qui les apparences étaient trompeuses, je ne voyais pas de gros problèmes affleurer. Le prince et la princesse semblaient merveilleusement à l'aise dans leur rôle de parents, et personne ne contribuait plus qu'eux à offrir à leurs enfants un foyer chaleureux. Ils ne donnaient pas en spectacle la « guerre des Galles » comme on l'a lu ici ou là. Si tant est qu'ils aient laissé voir quelque chose, ce n'était que l'image d'une trêve à l'amiable.

En présence de la princesse et des enfants, la salle à manger du personnel retrouvait, elle aussi, une animation de bon aloi. Nous n'étions plus seulement deux : il y avait les nurses, Barbara Barnes ou Ruth Wallace, les femmes de chambre Evelyn Dagley ou Fay Marshalsea, et les gardes du corps Graham Smith ou Dave Sharp. Membres du personnel particulier de la princesse, ils partageaient avec elle son sens de l'humour. Il n'y en eut qu'un qui paniqua légèrement à son arrivée : Paddy. Il savait qu'elle aimait, le matin, aller piquer une tête dans la piscine chauffée en plein air, recouverte en hiver par une bulle gonflable géante. Il était constamment soucieux d'obtenir la bonne température et ne savait jamais tout à fait quelle dose de chlore utiliser. Il en versait souvent au hasard, puis s'affolait lorsque la princesse sortait avec les yeux rouges de son bain matinal. Plutôt que d'en prendre ombrage, elle ne voyait que le côté drôle de l'histoire.

La princesse était proche de son personnel et prenait grand soin de tous, de certains plus que d'autres, mais de personne autant que de son garde du corps Graham Smith, que tout le monde aimait et appréciait. Il était facile à vivre, pas prétentieux, et les dernières années de sa vie, la princesse parlait toujours de lui comme de son préféré. C'est Graham qui présenta Maria à la princesse pour le poste de femme de chambre qui lui fut attribué au début, et il était ravi de nous voir tous les deux à Highgrove. Hélas, il contracta une mauvaise toux et un mal de gorge qui se révélèrent les symptômes d'un cancer. Chaque fois qu'elle le pouvait, la princesse prenait sur son emploi du temps le matin pour l'accompagner à l'hôpital suivre ses séances de chimiothérapie. Sa maladie le contraignit à quitter le service, et il mourut quelques années plus tard.

Maria faisait aussi partie des favoris de la princesse. Lors de son premier week-end en octobre, elle nous rendit visite à notre nouveau domicile et nous apporta un cadeau de bienvenue : des coussins matelassés assortis au papier Laura Ashley.

— Vous vivez un peu trop loin de moi à mon goût, il faut que j'étudie ça de plus près, dit-elle.

Jusque-là, j'étais un inconnu pour elle ; il allait falloir qu'elle m'étudie moi aussi de plus près. J'étais encore le mari de Maria, l'ex-valet de pied de la reine désormais majordome à Highgrove, fief du prince Charles.

La princesse offrait régulièrement des coussins à ses amis. Elle avait l'œil pour la décoration d'intérieur. C'est elle qui avait supervisé celle de ses deux résidences royales, sans juger nécessaire de copier la splendeur baroque du palais de Buckingham. La façade en pierre délavée ocre de la demeure néoclassique de Highgrove, avec sa fenêtre vénitienne au-dessus de la porte d'entrée, cachait un décor simple. À l'intérieur, des murs peints en jaune clair, des rideaux vert tilleul, dans la bibliothèque des sièges cannés ; au sol, du parquet et de la moquette verte. On aurait pu se croire dans n'importe quelle grande maison de campagne de Chelsea. Des photos de William et Harry étaient accrochées au mur et posées sur les tables à côté de boîtes à pilules en porcelaine hongroise. Le prince Charles avait lui aussi apporté son empreinte au décor : ses aquarelles étaient en bonne place sur les murs, ses faïences écossaises favorites regroupées sur le manteau des cheminées et, sur les tables, des plantes et des fleurs étaient disposées un peu partout. Sur une table ronde au milieu du vestibule, un impressionnant bouquet de fleurs séchées attirait le regard. Des arbres nains alternaient avec des fuchsias dans de grands pots alignés de part et d'autre dans l'entrée.

Mais c'est à l'extérieur du domaine que l'empreinte personnelle du prince se faisait réellement sentir, témoignant de son amour et de sa connaissance de l'architecture et du jardinage. La maison n'avait pas grande allure lorsqu'il s'en était porté acquéreur en 1980, aussi fit-il ajouter des colonnes ioniques à la façade pour soutenir un nouveau fronton, percé en son centre d'une ouverture vitrée. Tout autour du toit, il fit courir une balustrade en pierre surmontée d'une vasque aux quatre coins.

Les jardins aux plans très complexes servaient de refuge au prince et constituaient son univers à lui. Il y passait des heures entières à creuser, désherber, planter, tailler. Tout en s'adonnant simultanément à son autre passion, l'aquarelle, il fit de ce jardin, à l'origine sans attrait, la toile de fond naturelle de son authentique chef-d'œuvre. Il ordonna qu'on taille de hautes haies en forme de fenêtres et d'arches, taquina des rosiers grimpants pour les faire pousser sur une pergola et former ainsi un tunnel de roses, traça une allée de pelouse au milieu d'un champ de fleurs sauvages. Il rendit sa gloire d'antan au jardin potager clos de murs en briques, où l'on entrait par une barrière rose. Ce potager victorien regorgeait de fleurs, de fruits et de légumes, mais une pièce d'eau et une fontaine en son centre en faisaient également un jardin d'agrément. Sans oublier le « jardin des bois » : un enchevêtrement de racines et de souches d'arbres sculptées en sièges, des rideaux de saules et des tapis d'écorces. Une femme nue couleur rouille, gigantesque, reposait au centre. Le prince me passa un pot de cire et je devais l'en enduire et l'astiquer deux fois par mois. Surplombant la statue, à six mètres du sol dans un houx, se nichait la cabane au toit de chaume de William et Harry, peinte en rouge et vert, avec ses placards et ses chaises faits main. Une cachette idéale où les deux jeunes princes passèrent de très bons moments avec leurs deux compagnons de jeu : Alexander mon fils aîné, et Nicholas, le plus jeune, né à 0 h 16, le 19 avril 1988, au Princess Margaret Hospital de Swindon. Avec la permission du prince, je plantai un cerisier d'ornement dans le jardin de notre maison pour commémorer la venue au monde de notre deuxième enfant.

Le prince avait même conçu un système de tout-à-l'égout écologique : un ensemble de cuves et de rose-lières qui traitaient et filtraient les eaux usées. Même cette partie du jardin n'échappait pas à l'attention du prince, comme en témoigna clairement cette autre note de service : *Voudriez-vous, je vous prie, informer nos hôtes de passage de NE PAS jeter de tampons ni de préservatifs dans les toilettes car ceux-ci asphyxient les roseaux.* Mais comment formuler cette consigne à nos invités ? Je dois admettre que lorsque l'occasion s'en présenta, j'étais trop embarrassé pour relayer fidèlement cet ordre très particulier et demandai simplement aux hôtes de s'abstenir de déposer des corps étrangers dans les toilettes. Point n'était besoin d'être aussi précis que le prince. Celui-ci recyclait tout ce qu'il pouvait. Il exigeait que toutes les carcasses de volailles et les restes des repas, y compris les coquilles d'œuf, soient jetés sur le tas de compost.

La princesse mieux que quiconque savait combien son mari avait à cœur la mise en valeur de la propriété et de ses jardins. Dès le début, elle prit des photos, étape par étape, saison après saison. Avec grand soin, et dans le seul but de faire plaisir à son époux, elle prenait note de chaque amélioration et collait des centaines de photos couleurs dans des albums reliés en cuir. Pour ceux qui prétendent qu'elle dédaignait la passion de son mari pour le jardinage, ces albums constituent un éclatant démenti. C'est pour lui qu'elle avait entrepris cette tâche. Pour lui montrer l'intérêt que lui inspiraient ses passions. Même si, comme nous l'apprîmes plus tard, dès cette époque chacun, l'un comme l'autre, avait des aventures extraconjugales.

Pour rester informés de la vie itinérante du prince, Wendy et moi tenions à jour un agenda. Ce registre des arrivées et des départs constituait notre carnet de bord. Un coin de l'agenda marqué au feutre rouge signifiait que le prince Charles était seul à Highgrove. Une page barrée d'un large trait vert nous signalait que la princesse était seule à la résidence, et quand un N majuscule – pour nursery – y était adjoint, nous savions que William et Harry étaient présents aussi. Du rouge, du vert, et un N, surtout le week-end, indiquaient que la famille de Galles était au complet.

Dans un souci d'organisation, nous inscrivions religieusement le nom des hôtes attendus et l'heure à laquelle ils étaient censés arriver, pour ne pas nous laisser déborder par un surcroît de travail, dans un univers tout à la fois réglé et soumis à des changements aléatoires. Je notais les noms sans la moindre arrière-pensée, sans imaginer une seconde, sur le moment, que notre système serait cause de problèmes.

Cet agenda à l'usage du personnel était exposé à la vue de tous dans l'office du majordome. En effet, comme il avait été conçu pour faciliter l'intendance, son existence n'avait rien de secret.

Au printemps 1988, sur une page « rouge », qui indiquait que le prince était seul, j'inscrivis les noms des invités attendus ce jour-là pour le repas – « 4 personnes à déjeuner : S.A.R., Mme Parker Bowles, M. Neil Foster et M. Vernon Russell-Smith » – à côté d'une note rappelant que l'électricien devait passer effectuer des réparations dans la bibliothèque. Rien d'extraordinaire. Juste un banal déjeuner de plus. De la même manière, d'autres noms figuraient sur l'agenda : « Emma Thompson et Kenneth Branagh pour le déjeuner », « Michael Portillo pour le déjeuner », « Jimmy Savile pour le déjeuner » – seule personne autorisée à fumer dans l'enceinte de Highgrove –, la présentatrice de télévision « Selina Scott », « M. et Mme Hector Barrantes pour le déjeuner » – la mère de la duchesse d'York et son beau-père. Et je continuai à noter : « M. et Mme Oliver Hoare et Mme Parker Bowles pour déjeuner », « Mme Candida Lycett Green et Mme Parker Bowles pour déjeuner ». ou « M. et Mme Parker Bowles et leurs enfants ».

Un beau matin d'août 1988 – trois mois avant le quarantième anniversaire du prince Charles –, le disque rouge tomba dans la boîte, devant la case marquée « bibliothèque », et j'allai voir ce qu'il voulait.

— Paul, pouvez-vous me dire comment il se fait que la princesse sache très précisément qui nous a rendu visite à Highgrove cette semaine ?

Je tombai des nues. Je n'avais rien dit à la princesse. J'étais confus.

— Je suis désolé, Votre Altesse Royale, je ne comprends pas.

Et en cet instant-là, j'étais vraiment sincère. Je n'avais pas alors à l'esprit le nombre de fois où la princesse m'avait rejoint soit à l'office – pour glisser, mine de rien, un coup d'œil à la presse, papoter un instant autour d'une tasse de café –, soit à la cuisine quand je faisais la plonge et qu'elle essuyait la vaisselle. Rien ne m'avait effleuré quand, rentrant du bâtiment principal à l'office, je l'y trouvais à m'attendre. On voyait souvent la princesse dans le quartier des domestiques depuis son passage au palais de Buckingham. Je ne me doutais pas à quel point elle était habile. Du moins pas encore.

Comme le prince me pressait de questions, la lumière se fit dans mon esprit.

— Je tiens à jour un registre où j'inscris le nom des invités au déjeuner, Votre Altesse Royale, dis-je humblement.

— Pourquoi ?

Nous savions alors tous deux ce qui s'était passé.

— Pourquoi notez-vous leurs noms dans votre agenda ? répéta-t-il avec insistance.

— Afin d'indiquer aux policiers le nom des invités qui se présenteront à eux à la grille d'entrée, et que Wendy et moi soyons à jour dans notre...

— Eh bien ! Cessez ! Plus aucun nom ne doit figurer dans cet agenda ! coupa-t-il.

De cet instant, je renonçai à ce moyen efficace qui m'avait valu des remontrances. Le système de codage au feutre de couleur fut abandonné et l'on put désormais lire sur la page du jour : « 4 à déjeuner. » Pas de noms.

Après les vacances familiales annuelles à Balmoral, un changement plus notable se produisit. Désormais, le prince et la princesse de Galles séjournaient séparément à Highgrove ; s'ils s'y trouvaient ensemble, ce n'était qu'en de rares occasions ou en présence d'hôtes. Pendant l'automne 1988 et l'hiver suivant, la princesse restait seule avec ses enfants du vendredi au dimanche, sauf les week-ends où le prince était présent. En ce cas, elle ne venait pas.

Peu à peu, une distinction claire se fit sentir entre ce que nous appelions « la Maison de la princesse » et « la Maison du prince ». Quand la princesse arrivait de Londres avec ses enfants et son personnel, l'atmosphère était plus légère, l'ambiance plus détendue. Ils prenaient les repas sur un buffet dans la salle à manger, et la longue table en acajou était recouverte d'une toile cirée. À son retour, le prince se faisait servir à table sur une nappe en toile de lin blanche.

Quand la princesse était là, elle venait discuter à l'office tout en grignotant des barres de chocolat blanc, que je gardais pour elle dans la cave à vins. En entrant dans la pièce, elle fermait la porte communiquant avec la cuisine, comme pour dire à mes collègues : « Ne pas déranger », tout en laissant l'autre porte – qui donnait sur le couloir – légèrement entrouverte. Il arrivait ainsi au prince Charles de « passer par là » pour surprendre sa femme le dos appuyé à la cuisinière, en train de bavarder ou, comme il disait, de se livrer aux commérages. Il l'enjoignait de ne pas écouter les ragots du personnel, les bruits de couloir, et je craignais que ces conversations anodines ne me discréditent et n'affectent ma relation avec mon patron. Lors d'un bal du personnel que donna la reine au palais de Buckingham pour Noël, la princesse resta une demi-heure à parler avec Maria et moi, au fond de la Galerie aux tableaux. Elle portait, ce soir-là, une robe de cocktail de Zandra Rhodes, à l'ourlet savamment élimé. Je me souviens de m'être fait la réflexion que nous monopolisions sa compagnie.

— Votre Altesse Royale, vous devriez faire le tour de la salle, lui dis-je.

Les gens avaient remarqué que notre conversation s'était prolongée au-delà du convenable, et que Maria et la princesse gloussaient comme deux vieilles copines. Je trouvai cela très gênant sur le plan des apparences, mais je mentirais si je disais que je ne me sentais pas flatté par tant d'attention. La princesse ne partageait pas mes scrupules.

Elle faisait un saut à l'office et ne restait pas plus de quinze ou vingt minutes. Elle riait et plaisantait. Elle nous parlait de William et Harry et de leurs progrès. Un jour, elle était toute contente car William avait perdu sa première dent. C'était dans ces moments-là que resurgissait l'image de la princesse esseulée que j'avais observée en train de manger un hamburger en compagnie de Mark Simpson. Elle disait qu'elle se sentait seule, qu'il fallait qu'elle soit forte, et qu'elle s'estimait mal aimée. Elle parlait de façon générale et plutôt vague. Elle ne donnait aucun détail. C'était comme si elle se délestait auprès de moi de ses soucis, essayant peut-être de trouver une réponse, d'obtenir une réaction, qui ne vint pas.

J'écoutais, plein de compassion envers elle, mais en ce temps-là, je me bornais à écouter. Et elle à manger son chocolat blanc. Elle me confia qu'elle avait un « ami très cher » dont tout le monde ignorait l'existence. Là encore, je gardai le silence. Il aurait été incorrect de poser des questions.

Entre les murs de cette pièce, quand nous y étions seuls, elle apparaissait vulnérable, anxieuse, mais lorsqu'elle franchissait le seuil de l'office, d'un coup, elle redevenait princesse, et le personnel, Wendy en particulier, posait des questions.

— Qu'est-ce qu'elle a dit ? Qu'est-ce qui se passe ?
— Des histoires de famille.

Quelles étaient mes relations avec le prince quand il était seul à Highgrove ? Il me laissait des notes de service.

Wendy fut au courant bien avant moi de ce qui se tramait. Je dus tout découvrir par moi-même. Comme un puzzle qu'on reconstitue morceau par morceau sans l'image de référence du couvercle, la réalité m'apparut petit à petit. Je pouvais bien ne faire figurer aucun nom, aucune marque de couleur, sur mon agenda de bureau, j'écrivais constamment le mot « privé » sur d'innombrables pages en ce printemps de l'année 1989 : un rappel à l'adresse du majordome et du gardien que le prince était ailleurs, dans une résidence privée. Seuls Richard Aylard, l'adjoint de son secrétaire particulier, son garde du corps personnel Colin Trimming et son valet de chambre, alternativement Michael Fawcett ou Ken Stronach, savaient exactement où il se trouvait.

Fin 1989 et début 1990, la trêve fut compromise par des tensions extrêmes. Les domestiques avaient beau être tenus dans l'ignorance des faits, ils n'étaient pas sourds. Lorsque le prince et la princesse venaient ensemble, occasions qui se faisaient de plus en plus rares, quand les enfants étaient depuis longtemps montés se coucher, on entendait des éclats de voix dans les pièces du rez-de-chaussée, des portes qui claquaient, des pas qui montaient lourdement les marches de l'escalier, s'éloignaient dans le couloir, puis un silence de mort qui s'abattait sur toute la maison.

Si nous n'étions pas sourds, donc, nous n'étions pas aveugles non plus. Un samedi où j'entrai dans le salon, la table de jeu, que j'avais soigneusement dressée pour un dîner à deux, était sens dessus dessous. Des verres étaient renversés et cassés, des fines herbes répandues çà et là, et la nappe de lin blanche était trempée. Le prince dans sa robe de chambre en soie, avec son emblème brodé sur la poche de poitrine, ramassait à quatre pattes des couverts tombés au sol.

— Mon Dieu ! se lamenta-t-il. Ma robe de chambre a dû se prendre dans le pied de la table et fait des dégâts...

La princesse s'était éclipsée.

Quand le prince était seul en milieu de semaine, et souvent le dimanche soir, le dîner, habituellement servi à 20 h 30, était avancé.

— Je pense que je vais dîner plus tôt ce soir, Paul, puis me retirer, disait le prince.

On préparait la table pour un seul convive. Comme j'en avais reçu l'instruction, j'ouvrais aussi les programmes télévisés du *Times* à la page du jour et le plaçais sur un tabouret capitonné devant le canapé, avec une télécommande à portée de main, puis je mettais le téléviseur en veille. On remplissait de bûches le panier situé à côté de la cheminée à petits carreaux noirs. Une mise en scène qui pouvait fort bien laisser penser que le prince s'apprêtait à passer une soirée tranquille à la maison. Jusqu'au soir où Wendy fit cette réflexion à voix haute :

— Il va l'allumer pour deux minutes et puis s'en aller. Quel gâchis !

Le prince aimait prendre son temps pendant les repas, mais ces soirs-là, il dînait en toute hâte. Quand le disque rouge tomba dans la boîte du salon, il fut temps de débarrasser la table. Je n'étais pas plus tôt revenu à l'office avec le plateau que j'entendis des pneus de voiture crisser sur le gravier de l'allée.

— Il ne reviendra qu'au petit matin, remarqua Wendy.

Le prince Charles possédait une Aston Martin verte garée dans une étable reconvertie en garage à trois places à côté d'une Bentley classique à l'intérieur beige, et d'une Aston Martin de collection, cadeau de la reine pour ses vingt et un ans. Il la conduisait lui-même avec Colin Trimming assis à ses côtés à la place du passager. C'est la première que nous avions entendue démarrer.

Je n'avais jamais pensé grand-chose de ces équipées nocturnes jusqu'au jour où je me rendis à la guérite des officiers de la gendarmerie du comté de Gloucester qui patrouillaient en permanence sur la propriété. Je leur avais porté des restes de la cuisine pour leur faire plaisir. Là, les allées et venues du prince faisaient l'objet de joyeuses plaisanteries, et c'est ainsi qu'un secret bien gardé fut éventé.

Sans doute pensaient-ils que j'étais au courant. D'après eux, le prince Charles, lors de ses mystérieuses escapades, parcourait toujours la même distance : seize kilomètres à l'aller, seize kilomètres au retour. Or seize kilomètres le séparaient de Middlewich House, demeure de Mme Camilla Parker Bowles.

— Allons, Paul, tu devais bien le savoir, me dit Wendy à mon retour.

Je repensai à la princesse qui me confiait sa solitude. À l'avertissement de lady Susan Hussey. Aux week-ends que le couple ne passait plus ensemble. À l'histoire de l'agenda et des noms. La princesse savait. Tout ce que je compris ce soir-là me laissa le cœur lourd.

Sur ces entrefaites, lors de son week-end suivant à Highgrove, la princesse, alors âgée de vingt-huit ans, entra en coup de vent à l'office et me demanda s'il y avait quelque chose à manger dans le réfrigérateur. Les maîtres étant à couteaux tirés, le personnel de maison devait réaliser une prouesse : servir tantôt le prince tantôt la princesse en oubliant l'alternance imposée et en occultant les événements survenus lors du séjour de l'un ou de l'autre – un exercice mécanique où les émotions et la morale n'avaient pas leur place. Pour être majordome à Highgrove, il fallait savoir où était sa place, avoir l'œil sur tout, mais s'abstenir de tout commentaire. Motus et bouche cousue était la devise du métier. J'avais alors la ferme intention de rester impartial. Jusqu'au jour où la princesse décida de m'impliquer dans sa vie. Elle allait pour la première fois me faire passer une épreuve de confiance. Au cours de l'été 1989, elle me confia un secret – qui le demeura jusqu'à ce qu'elle-même le révèle publiquement – qui contribua à forger entre nous un lien inaltérable.

C'était un vendredi. Il faisait chaud cet après-midi-là. Après le déjeuner, William et Harry étaient remontés à la nursery avec Olga Powell. La princesse entra à l'office et alla droit au but.

— Je voudrais vous demander un service, Paul. J'aimerais que vous fassiez une course pour moi. Personne ne doit être au courant, absolument personne.

Elle m'expliqua ma mission.

— Voudriez-vous passer prendre quelqu'un de ma part à la gare de Kemble demain après-midi ? me demanda-t-elle.

— Bien sûr, Votre Altesse Royale.

— Ce sera mon « ami très cher », le major James Hewitt.

Quoique le prince ou la princesse puisse me demander, je m'efforçais de m'acquitter de ma tâche au mieux, sans poser de questions. Mais en me demandant de remplir cette mission clandestine, elle m'accordait d'emblée toute sa confiance. Elle prenait un risque, toutefois calculé, en me le demandant à moi, ancien serviteur de la reine et majordome attitré du prince Charles. Elle faisait le pari que le lien d'amitié qui l'unissait à Maria allait faire pencher la balance en sa faveur. Ce qu'elle ignorait encore, c'est que j'étais déterminé à ne pas la décevoir. J'avais vu sa souffrance, perçu sa solitude. Cet « ami » lui apportait joie et bonheur. Cela sautait aux yeux.

Après le déjeuner, je montai dans ma Vauxhall Astra métallisée pour me rendre à Kemble, à dix kilomètres de Highgrove. Je pris à gauche au bout de l'allée et m'engageai sur la route nationale qui contournait Tetbury, avant de prendre à droite sur une route étroite qui menait au village où l'invité attendait sur le parking désert. Je le vis le premier : appuyé contre une voiture de sport décapotable, il était vêtu d'une veste en tweed et d'une chemise blanche à col ouvert, et portait des lunettes de soleil.

— Bonjour, Paul, comment allez-vous ? dit-il, la main tendue.

Il prit place à côté de moi et je repris le chemin de la maison, sentant sa légère gêne.

— Je peux vous faire confiance, Paul, n'est-ce pas ?

Je lui répondis que puisque la princesse s'en remettait à moi, il le pouvait aussi.

En mon for intérieur, cette mission m'excitait. Au cours des années suivantes, arranger des rendez-vous secrets et introduire clandestinement des soupirants à la résidence seraient monnaie courante. Quant aux noms, dates et circonstances, ils sont hors de propos.

Je rentrai la voiture dans la cour, introduisis le major Hewitt par une porte latérale près de la piscine, lui fis traverser le jardin, la terrasse et il entra enfin par les baies vitrées qui donnaient sur le couloir central. La princesse nous attendait. Elle embrassa tendrement son « ami très cher » qui devait partir à l'automne en poste en Allemagne. Elle avait le visage radieux.

158

— Merci, Paul.

— Appelez-moi, si vous avez encore besoin de moi, Votre Altesse Royale.

Et je retournais faire la vaisselle du déjeuner qui m'attendait dans l'évier.

Le major James Hewitt – il convient de le souligner ici – ne fut introduit à Highgrove que bien longtemps après Mme Camilla Parker Bowles. C'est le prince Charles qui avait donné le premier coup de canif au contrat.

La princesse, sur le plan de la duplicité, ne fit que s'élever à l'égal de son mari. Bien entendu, le prince ne fut jamais informé de ces visites. Je n'avais aucune intention de les lui révéler. J'étais le majordome de Highgrove, mais ce week-end-là c'était la maison de la princesse. Loin de me poser un cas de conscience, j'étais heureux d'avoir rendu service. Colin Trimming, Richard Aylard et Michael Fawcett avaient aidé le prince à organiser sa vie privée. De mon côté, je rendais service à la princesse pour lui faciliter la vie. Et ce qui, pour moi, comptait par-dessus tout, je me faisais l'artisan de son bonheur.

Le jeudi 28 juin 1990 – sept jours après le huitième anniversaire de Harry –, un accident se produisit qui allait, aux yeux de la princesse, se révéler déterminant pour l'avenir de son couple. En tout état de cause, il lui donna l'occasion de se sentir encore plus indésirable qu'auparavant.

La princesse se trouvait au palais de Kensington, prête à partir assister à une pièce de théâtre à l'école que fréquentaient ses fils. Pendant ce temps, un vent de folie soufflait sur Highgrove où le prince était resté seul toute la semaine. J'avais servi le déjeuner à dix personnes et ne savais plus où donner de la tête pour préparer une réception, prévue pour le soir même dans la grande salle, dédiée au Wildfowl and Wetlands Trust, avec l'acteur Michael Caine comme hôte d'honneur. Le prince Charles avait trouvé le moyen de glisser dans son emploi du temps une partie de polo à Cirencester en milieu d'après-midi.

Puis le téléphone sonna, et l'enfer sembla soudain s'abattre sur le valet de chambre du prince, Ken Stronach, pris de soudaines palpitations à l'annonce de la nouvelle. Il démarra en trombe pour se précipiter au chevet du prince Charles qui venait de faire une chute de cheval et s'était cassé le bras droit. Souffrant atrocement, il venait d'être admis à l'hôpital. Une cinquantaine d'invités commençaient à affluer et... le spectacle devait continuer. J'accueillis donc Michael Caine sur le seuil, et lui annonçai qu'il allait devoir se glisser dans la peau d'un prince absent. Animer une réception à la place du prince de Galles était un rôle inédit, qu'en tant qu'acteur chevronné la star assuma avec brio.

Quant à moi, je conservai le mien, mais changeai de décor, passant d'une grande maison de campagne à une modeste chambre d'hôpital de l'Assistance publique à Cirencester, à seize kilomètres de Highgrove. Transformé en cantine royale roulante, je portais au prince ses repas préparés à la maison, et quelques autres menus objets, histoire d'améliorer l'ordinaire : de l'argenterie, pour remplacer les couverts en inox, des verres en cristal gravés et des assiettes en porcelaine tendre aux armoiries de la famille, pour les substituer à la vaisselle de l'hôpital. J'apportai même le tableau préféré du prince, celui figurant ses deux terriers, Tigger et Roo, et le plaçai sur un chevalet dans un coin de sa chambre : un petit peu de Highgrove pour chasser la douleur, associé à un puissant antalgique.

Ce week-end-là, la princesse célébrait son vingt-neuvième anniversaire et prit sa somptueuse Mercedes neuve pour venir chercher à l'hôpital son mari, le bras toujours en écharpe, et le ramener à Highgrove. Elle voyait là l'occasion de le soigner, de s'occuper de lui, de le materner, ou, selon son expression favorite, de lui « accorder de l'attention », ce qu'elle savait faire mieux que personne. Mais alors qu'elle était aux petits soins pour lui, se donnait de la peine et tentait de prendre la situation en main, elle essuya une rebuffade. Rendu irritable par la souffrance, le prince la repoussa et lui dit qu'il souhaitait rester seul. Elle resta à peine une demi-heure et s'enfuit à Londres, en pleurs. Ce sentiment de rejet, sans aucun doute, fut la goutte d'eau qui fit déborder le vase et qui remit en cause l'issue du mariage royal. Elle n'était pas plus tôt partie que Camilla Parker Bowles arriva. Le prince lui fit bon accueil. Sa visite fut de courte durée. En fait, je ne me souviens pas de l'avoir jamais vue s'éterniser.

Camilla Parker Bowles se montra à Highgrove plus souvent qu'auparavant, mais contrairement au mythe établi, elle ne vint jamais s'y installer ou y donner des réceptions en soirée. Déjà régulièrement invitée aux déjeuners, elle le fut désormais aussi aux dîners ou dans la journée accompagnée de son terrier Fred. De tout l'été, cette année-là, on ne la vit guère plus d'une vingtaine de fois.

Eût-elle été la seule à venir rendre visite au prince, la vie eût été plus simple. Mais ce n'était pas le cas. Beaucoup d'amies venaient le distraire, ainsi qu'une multitude d'invités officiels. Le prince Charles était un patient irascible qui n'était plus en mesure de rédiger son courrier, ni de s'adonner à ses passions – le polo, la peinture, ou encore le jardinage. Cet accident l'avait condamné à un repos forcé, le temps de se rétablir à Highgrove en juillet et août. Il passait ses journées dans sa bibliothèque ou dans sa chaise longue, au soleil, sur la terrasse. Il manifestait des signes d'impatience et était résolu à continuer de donner ses audiences privées, ses déjeuners et ses dîners, et à accueillir ses amis. Certains d'entre eux comme le député Nicholas Soames ou lord et lady Romsey restaient passer la nuit. Il fallait, dans ce cas, assurer le service d'une chambre en plus. Le prince n'avait jamais fait preuve d'une grande indépendance, même au mieux de sa forme, mais privé de l'usage de son bras droit, il contraignit encore davantage ses valets de chambre et moi-même à lui servir de béquilles. Il devint encore plus irritable lorsqu'il tenta d'apprendre à écrire de la main gauche, rédigeant de courtes lettres et des notes d'une écriture tremblée qui ressemblait aux gribouillis d'un enfant de quatre ans.

— Que je me sens inutile, nom de Dieu ! pesta-t-il un jour.

Je ne m'étais jamais senti aussi exténué. Tout cela avait contribué à me donner une surcharge de travail considérable. Et à m'envoyer finalement à l'hôpital. On avait rallongé mes horaires, multiplié mes charges, abusé de ma résistance, jusqu'aux limites de mes possibilités, car le prince exigeait une attention de tous les instants. Auparavant, il ne passait que trois jours à la maison, ce qui me donnait naturellement l'occasion de me reposer. Après l'accident, assurer le service royal devint une tâche aussi lourde qu'assister un parent invalide. Pendant presque deux mois pleins, je travaillai de 7 heures du matin à 23 heures passées.

Un jour où j'avais fini à minuit, je rentrai chez moi avec une seule idée en tête : me laisser choir comme une masse sur mon lit. C'est sur le sol de la salle de bains que Maria me trouva effondré et plié en deux de douleur. Elle appela le médecin du coin, qui m'envoya au Princess Margaret Hospital de Swinson. L'interne de garde diagnostiqua une infection virale que j'avais contractée à la suite de ma fatigue extrême due au surmenage. Maître et serviteur se retrouvaient donc tous deux contraints au repos. Je passai la semaine suivante à l'hôpital, dans une chambre privée d'un service de santé public.

Au fond de mon lit, je ne pensais qu'à une chose : retourner à Highgrove. Personne n'est indispensable mais je me disais que nul mieux que moi ne pouvait s'occuper de l'intendance. Force ou faiblesse, il faut toujours que je mette la main à la pâte par souci de perfection, et j'ai besoin de tout faire par moi-même, autant que possible. Le deuxième jour, je ressassai ces pensées, quand trois visages connus firent leur apparition dans l'encadrement de la porte : la princesse et ses enfants. William et Harry surgirent dans la pièce, tenant chacun un ballon gonflable sur lequel était écrit « Bon rétablissement » et leur mère vint s'asseoir au bout de mon lit. La princesse réprima à grand-peine un fou rire communicatif. Le spectacle qu'offrait à sa vue son majordome au lit, sans uniforme, en tee-shirt blanc, la mine défaite et abattue, était désopilant.

— Je ne vous ai jamais vu si calme. (Puis avec un autre gloussement de rire :) Vous faites peine à voir !

Ensuite elle partit visiter les services, comme toujours lorsqu'elle se trouvait dans un hôpital.

— Allons voir s'il y a quelqu'un d'intéressant par ici, dit-elle en s'en allant visiter les chambres avec William.

J'imaginai la réaction des patients qui se réveillaient d'une anesthésie et trouvaient la princesse de Galles à leur chevet. La mère et le fils firent connaissance d'une femme qui venait de se faire opérer et dont c'était l'anniversaire. Puis la princesse revint gaiement « surveiller son patient ». Elle était tout émue du geste de William qui était allé acheter des fleurs au kiosque pour la dame qu'ils venaient de rencontrer.

Elle me parla des vacances imminentes à Balmoral, de Maria, de nos enfants, de la vie dans notre nouvelle maison, un somptueux cottage sur la propriété de Highgrove, qu'elle avait officiellement inauguré le 10 août 1990.

*
* *

La princesse de Galles, short jaune et sweat-shirt turquoise, est plantée devant la porte, derrière ce cottage en pierre du XVIIIe siècle, au toit couvert d'ardoises. Pendant qu'elle s'apprête à couper le ruban rouge tendu devant elle avec une paire de ciseaux de cuisine, Harry fait du vélo sur la pelouse et William, Alexander et Nick se poursuivent en riant. L'importance de la cérémonie leur échappe.

La princesse ne la prend pas très au sérieux non plus. Dehors sur le seuil, face à la cuisine, elle prononce la phrase officielle en tentant d'emprunter un ton solennel :

— Je déclare cette maison ouverte...

Mais un fou rire l'interrompt à mi-phrase.

Cette inauguration se passait un vendredi soir, et j'avais fait pour l'occasion un saut à la maison, avant de préparer le dîner du prince et de la princesse qui devaient partir pour Majorque. Je laissai le prince Charles dans la bibliothèque. Pour fêter notre emménagement, il nous avait offert en guise de cadeau de bienvenue quelques-unes de ses aquarelles : les toits de Florence, la campagne italienne, une scène de polo et un dessin ancien du navire à voile de Sa Majesté, le *Sirius*.

Le projet mûri de longue date par la princesse, de rapprocher la famille Burrell de Highgrove, s'était enfin réalisé. Nous avions quitté l'ambiance austère de Close Farm pour emménager au numéro 3, *The Cottages*. C'était le genre de maison peinte sortie tout droit d'un couvercle de boîte de chocolats : trois chambres, des poutres basses, une façade couverte de rosiers grimpants, un portail blanc et un mur d'enceinte en pierres du Cotswold.

C'était la maison dont Maria avait toujours rêvé et elle était parfaite. Le prince Charles avait même fait transformer une réserve abandonnée en salle de jeu pour nos enfants. Elle avait même une certaine classe : Dudley Poplack était passé par là, la princesse y avait veillé. La propriété autrefois occupée par le valet du prince, Ken Stronach, avant qu'il ne parte s'installer à Londres, était à quelques pas de la résidence.

Pas un serviteur, dans toute l'Angleterre, ne pouvait rêver plus belle balade pour se rendre à son travail. Partant de l'ouest, on commençait la promenade touristique en passant sous l'arche d'une haie taillée, on descendait l'allée de pelouse qui coupait à travers champs au milieu des fleurs sauvages, on passait devant le « jardin des bois », puis on traversait le potager.

Je ne pense pas que le prince ni moi puissions jamais oublier la visite du comédien Spike Milligan, extravagant personnage, qui coucha à Highgrove la nuit du samedi au dimanche. Il avait refusé les services d'un valet de chambre et le système d'alarme se déclencha lorsqu'il ne parut pas au petit déjeuner. Nous découvrîmes ensuite qu'il n'avait pas passé une seule seconde cette nuit-là dans son lit à baldaquin, mais à même le sol inconfortable de la salle de bains dans la Chambre bleue. Quelques semaines plus tard, il envoya une plaque en porcelaine avec ses instructions pour la fixer sur la porte de la salle de bains. On y lisait : « Spike Milligan a dormi ici. » Le prince Charles a beaucoup ri.

La sonnette retentit et le fameux disque rouge tomba dans la boîte. Le prince se tenait au centre de la pièce. Camilla Parker Bowles était présente. Ils admiraient tous deux des tableaux appuyés contre le mur.

— Où sont passés les tableaux qui se trouvaient ici l'autre semaine ? demanda-t-il, en montrant la cheminée.

Son invitée me souriait. J'étais terriblement gêné.

— Voulez-vous dire vos aquarelles, Votre Altesse Royale ?

— Oui, celles qui représentaient les toits de tuiles et les paysages florentins.

— Vous me les avez offertes, à l'occasion de notre emménagement au cottage, répondis-je.

Il réfléchit une minute.

— Ah, oui !

Puis se tournant vers Mme Parker Bowles :

— Eh bien, nous devrons vous trouver quelque chose d'autre...

On apprit par la suite que le prince et son invitée cherchaient des tableaux à accrocher chez elle. Le prince lui avait offert beaucoup de cadeaux toutes ces années. Aujourd'hui encore, elle porte une broche en diamants. Trois plumes, l'emblème du prince de Galles. Je comprends aujourd'hui en y repensant que j'aidais alors le prince à choisir des cadeaux pour sa maîtresse, à l'insu de la princesse. Je ne faisais que mon devoir. En fermant les yeux, en m'abstenant de tout avis sur la question. Comme on me l'avait appris.

Un assortiment de bijoux arrivait régulièrement, convoyé par une personne de confiance dépêchée par Geneviève Holmes, la secrétaire particulière du prince à St James Palace. Ces écrins de bijoux, enveloppés dans du papier de soie, étaient envoyés par Kenneth Snowman, des bijoutiers Wartski à Londres. Il était souvent allé présenter à la reine des pièces de Fabergé. Mon travail consistait à extraire les bijoux de leur écrin et à les disposer sur un plateau de bois que je plaçais sur un présentoir recouvert d'une nappe blanche, dans un coin de la bibliothèque. Une fois que j'avais quitté la pièce, le prince Charles choisissait un bijou pour Camilla Parker Bowles, puis on remballait et on renvoyait le reste.

Pourtant le prince n'oubliait jamais la princesse. Pour leur dixième anniversaire de mariage en 1991, alors que les médias ressassaient que les époux n'avaient que mépris l'un pour l'autre, il lui envoya une breloque à suspendre au bracelet en or qu'il lui avait également offert. Elle déplia le papier d'emballage et y trouva un X de deux centimètres, en or lui aussi. Symbole d'un baiser, peut-être ? Non. Il s'agissait du chiffre romain qui symbolisait le nombre dix, pour accompagner le W et le H en or qu'il lui avait donnés en 1982 et en 1984, à la naissance de William et Harry. Chaque année, il lui envoya une nouvelle breloque : une paire de chaussons de danse – hommage à l'amour qu'elle éprouvait pour cette discipline –, une raquette de tennis – pour lui rappeler les leçons qu'elle aimait tant –, un ours – parce qu'elle adorait les peluches –, une casquette de polo, une pomme, et, plus touchant encore, une reproduction miniature de la cathédrale Saint-Paul où ils s'étaient mariés.

La princesse tenait beaucoup à ce bracelet et le gardait au coffre. Son mariage avait subi bien des avaries mais ce bijou lui rappelait les bons moments, disait-elle.

Elle continua à envoyer à son mari des cartes de vœux pour son anniversaire et pour la Saint-Valentin, même après leur séparation en 1992, et ce jusqu'au divorce, quatre ans plus tard. Le dernier cadeau du prince à la princesse consista en un chapeau de paille orné de coquillages. Le devait-elle à son sens de l'humour ou à son mauvais goût ? se demandait-elle.

— Qu'est-ce qu'il veut que je fasse de ça ? disait-elle en riant.

J'avais bien cru en avoir fini avec les voyages à l'étranger : seul le majordome du palais de Kensington, Harold Brown, accompagnait le prince et la princesse de Galles dans leurs déplacements. Mais un jour, la princesse évoqua à l'office un voyage de cinq jours au Japon pour l'anniversaire du couronnement de l'empereur, et me demanda de les y accompagner en novembre 1990.

— Je ne vois pas pourquoi ce serait toujours à Harold de partir, dit-elle.

Ce devait être le commencement de la fin entre Harold et la princesse, et le début d'un rapprochement entre elle et moi, même si je n'en avais pas conscience alors. Le voyage au Japon fut tout sauf une partie de plaisir pour l'aréopage du couple. Leurs brouilles éclatèrent au grand jour, avant même leur arrivée à l'ambassade de Grande-Bretagne, et on leur attribua des suites séparées au premier étage. Partenaires en affaires, sans rien d'autre en commun, ils n'étaient réunis que par leur travail. C'était une autre princesse que celle que j'avais connue à Highgrove. J'entrevoyais la facette instable de sa personnalité. J'étais témoin de son irritabilité et de sa frustration.

Extrêmement tendue en présence du prince, elle adoptait un ton des plus secs pour nous parler, à Helena Roache et à moi : il manquait des serviettes de bain, le séchoir à cheveux ne marchait pas correctement, sa robe était humide. Les tensions étaient telles entre le prince et la princesse qu'on marchait sur des œufs en passant d'une chambre à l'autre. J'étais surpris, car jamais encore je ne m'étais senti mal à l'aise en sa compagnie. Cette princesse-là, vidée, lasse, m'était inconnue. Elle s'était plainte à demi-mot de ne pas se sentir valorisée ni considérée, et pourtant les Japonais l'adoraient. Mais la princesse voulait surtout être adulée dans sa vie privée. Elle étouffait sous les contraintes du protocole qui réglait ce voyage à deux, et l'attitude vieux jeu des domestiques du prince lui pesait.

— Je veux parcourir le monde et faire ce que j'aime et non qu'on me dicte ma conduite. Je veux faire les choses à ma façon, répétait-elle dans sa chambre.

Les voyages officiels en couple, avec leur emploi du temps astreignant et leur protocole immuable, imposaient un carcan à l'esprit libre et spontané qu'elle était. Plus elle était loin du prince, mieux elle se portait et plus elle était heureuse.

Au Japon, j'assistai à des scènes au cours desquelles le prince Charles s'arrangeait pour mettre à mal sa confiance en elle chaque fois qu'elle tentait de gagner son approbation. Par exemple, son personnel et lui regardaient leur montre en faisant les cent pas dans le grand hall, quand la princesse, ravissante dans une robe rouge écossaise de Catherine Walker à col et poignets de velours, descendit l'escalier le sourire aux lèvres. Sa tenue était voyante mais très seyante. J'attendais au bas des marches quand elle s'avança vers le prince :

— Tu aimes ma toilette, Charles ?

La réponse arriva d'une voix douce, mais son effet fut brutal :

— Oui, on dirait une hôtesse de l'air de la British Caledonian.

Sur ces mots, il tourna les talons et sortit pour monter dans une voiture qui l'attendait. Le sourire disparut du visage de la princesse et elle baissa les yeux. Alors elle rassembla tout son courage, et trouva encore assez d'assurance – un exercice et une prouesse où elle apprit à exceller – pour le suivre.

Ce ne fut pas la seule fois qu'il tenta de saper son entrain. Six mois plus tard, en mai 1991, au cours d'un voyage en Tchécoslovaquie, le couple royal résidait au palais du président Václav Havel à Prague où les époux avaient non seulement des chambres séparées mais situées à des étages différents. La princesse était allée changer de tenue pour un rendez-vous officiel prévu l'après-midi. Une nouvelle fois, elle descendit les marches en bas desquelles le prince l'attendait. Elle portait une veste et un corsage blanc cassé à boutons noirs, avec une pochette noire dans la poche de poitrine et des chaussures noir et blanc assorties. Sans qu'elle ait cherché à savoir, cette fois, si sa mise trouvait grâce aux yeux du prince, la réflexion tomba, accompagnée d'un sourire légèrement railleur :

— On dirait que tu viens de rejoindre la mafia.

Ce n'était peut-être qu'une plaisanterie, mais elle ne fit rire personne. Le plus triste, c'est qu'elle était vraiment ravissante. Mais c'étaient les autres qui le lui disaient.

Ce n'est que lorsqu'elle échappait quelques minutes au protocole qu'elle redevenait la princesse pleine d'allant et chaleureuse que je connaissais. Comme la fois où elle nous entraîna, Helena Roache et moi, en passant par les fenêtres, dans le jardin de l'ambassade avant de se rendre à la garden-party de l'empereur du Japon.

— Allez, vous deux, venez, on va faire une photo.

Au cours de toutes mes années passées auprès de la reine, jamais je n'avais été pris en photo à ses côtés, sinon de façon officielle. Et j'étais là à poser près de la future reine d'Angleterre. Au moment où Helena disait « *cheese !* », je fus soudain pris d'un doute :

— Je ne suis pas sûr que ce soit très protocolaire. Pourvu que Son Altesse Royale ne nous voie pas, dis-je.

— Ne vous tracassez pas pour ça. Allez, souriez ! m'ordonna la princesse.

Puis il y eut un déclic.

Cette photo reste un merveilleux souvenir. Je la regarde en ce moment et je me vois, guindé, le petit doigt sur la couture du pantalon, avec la cravate Hermès que la princesse m'avait offerte le mois de juin précédent. (La princesse n'oubliait jamais aucun anniversaire.) Elle porte son manteau trois-quarts passé sur une robe droite toute simple aux couleurs du drapeau national japonais, avec un disque rouge sur son chapeau comme symbole du soleil levant. À mon tour, je pris l'appareil et photographiai Helena et la princesse. Nous récidivâmes sur un balcon en Tchécoslovaquie.

Ce sont des clichés d'amateur, pris à une époque où la princesse était tout sauf heureuse.

J'étais impatient de faire développer ces photos-souvenirs du Japon et de Tchécoslovaquie, et je les exposai avec fierté sur le manteau de la cheminée de notre cottage, à côté d'un portrait de la princesse pris en juillet 1990. Elle m'avait fait signe de la rejoindre dans la salle à manger. Des tirages noir et blanc étaient étalés sur la table. Sa première série de photos pour le magazine *Vogue*, avec le photographe Patrick Demarchelier. Elle était très belle, avec les cheveux en désordre et un pull-over à col roulé noir.

— Aimeriez-vous en avoir une ? demanda-t-elle.

Quand mon choix fut fait, elle prit la photo, s'accouda au buffet et la signa : « Pour Paul et Maria. Affectueusement. Diana. » Elle me la tendit avec un sourire. Un de plus qui cachait mille tourments intérieurs.

Sa générosité n'avait d'égale que celle du prince Charles. Cette même année, pour mon trente-deuxième anniversaire, il me fit cadeau de la première épreuve lithographique de ses aquarelles de Wensleydale. Il la signa au pinceau : « Charles 1990. » Toutes celles qui suivirent furent signées « C. » Nous l'accrochâmes au mur au-dessus de la cheminée où figurait déjà le portrait de sa femme.

Une série de coups de tampon en règle avait secoué la poussière de mon passeport. Après le Japon et la Tchécoslovaquie, le Pakistan en septembre 1991. Ce fut le premier voyage en solitaire de la princesse. Son souhait de parcourir le monde à sa manière avait été exaucé. Elle était seule sur la scène internationale et résolue à tenir brillamment son rôle de personnage royal indépendant, représentant la nation, sans le prince Charles à ses côtés. Le palais de Buckingham et le Foreign Office allaient tout de même la garder dans leur ligne de mire.

La princesse était d'humeur enjouée car elle venait d'obtenir le feu vert de la reine, qui avait donné son accord pour affréter un de ses jets 146 de la British Airways à destination de l'Himalaya. La princesse savait que sa réputation d'habile ambassadrice de Grande-Bretagne était en jeu et le sens de cette tournée décisive ne lui échappait guère. Comme un athlète se préparant en vue d'une compétition majeure, elle s'entraînait à sa fonction et ne visait rien de moins qu'un triomphe. Maintes et maintes fois elle repassa mentalement les étapes du parcours et choisit soigneusement ses toilettes en fonction de ses différentes obligations, une tenue simple mais seyante pour chaque jour. Elle me sollicita un jour à l'office de Highgrove.

— Ce voyage est si important pour moi, Paul, qu'il me faut une équipe hors pair pour m'accompagner.

Je fis partie de cette équipe dirigée par son secrétaire particulier Patrick Jephson, et composée de sa femme de chambre Helena, de son coiffeur Sam McKnight et d'un garde du corps. L'ex-journaliste radio Dickie Arbiter fut engagé comme attaché de presse. C'était un inconditionnel de la princesse, laquelle le tenait en si haute estime qu'elle avait inscrit sa date de naissance sur sa « liste des anniversaires ».

Ce fut un privilège de participer à ce périple historique. Son déroulement harmonieux et son succès dépassèrent toutes les espérances : au village montagnard de Chitral, au col de Khyber, à Lahore, à Rawalpindi et à Islamabad. Comme toujours, elle faisait preuve d'un grand professionnalisme, elle aimait les gens et laissait une forte impression sur son passage, mais nulle part davantage qu'à Chitral, village perdu dans les nuages de l'Himalaya, dont les cinq cents habitants sortirent tous de chez eux pour venir l'acclamer. Les commentaires élogieux de la presse et de la télévision qui couvraient l'événement la comblaient de joie. Quand des rapports officieux pleins de malveillance la dépeignaient aux reporters comme une déséquilibrée, elle se démarquait et leur clouait le bec. En tant qu'épouse, elle était peut-être vulnérable et démunie, mais il n'y avait que la « vieille garde » pour dénigrer ses états d'âme pourtant bien compréhensibles et y voir un signe d'instabilité. En tant que figure royale et ambassadrice de Grande-Bretagne, elle était tout simplement intouchable. À partir de ce moment, elle prit de plus en plus de force et d'envergure, soutenue à chaque étape par son « équipe hors pair ».

À notre retour de ce voyage, elle me fit cadeau d'un livre illustré sur le Pakistan. Elle y avait inscrit une dédicace destinée à me rappeler la profondeur et l'humilité des gens que nous avions rencontrés, notamment dans un centre pour personnes atteintes de surdité.

> À Paul.
> « Beaucoup aiment Dieu... et sillonnent les jungles à sa recherche... Ma préférence va à ceux qui aiment ses créatures : les êtres humains. » Iqbal.
> Affectueusement,
>
> Diana, Pakistan 1991.

Ce vers du poète national pakistanais Mohammed Iqbal l'avait portée lors de ce voyage, et il résumait l'importance qu'elle attachait à l'humanité.

J'ai gardé de ces pérégrinations de merveilleux souvenirs : le fou rire de la princesse quand le charmeur de serpent enfourna la tête d'un cobra dans sa bouche. Son couronnement comme scout d'honneur avec un turban, à Chitral. Je n'oublierai jamais le premier jour où, debout parmi les pierres tombales blanches du cimetière de guerre du Commonwealth à Rawalpindi, j'assistai à l'hommage que la princesse rendit aux héros tombés au champ d'honneur. Pendant qu'elle déposait une gerbe au nom de la reine, je songeais qu'il était peu banal qu'un majordome assiste à cette scène. Je n'étais ni son secrétaire particulier ni son écuyer, dont la présence lui était indispensable. Ma place était à la résidence, où mon rôle consistait plutôt à préparer le déjeuner ou le thé, mais la princesse m'exhortait à faire partie de sa suite. Désormais, je ne portais plus l'uniforme mais des vêtements ordinaires.

Au Pakistan, je commençai à mieux la comprendre. Elle me parla d'un ami de longue date, Adrian Ward-Jackson, que lui avait présenté la princesse Margaret. Il était séropositif. Elle lui confia ses soucis. Il lui parla ouvertement de sa maladie. C'est cette amitié-là qui fut à l'origine de sa prise de conscience des ravages du sida, et de son engagement auprès des malades. Elle en observa d'abord les effets les plus visibles en se rendant dans un service spécialisé puis elle promut l'ouverture d'une aile réservée aux malades du sida au Middlesex Hospital.

— Depuis la tuberculose, on n'a pas vu de maladie qui faisait mourir les enfants avant les parents, disait-elle, bouleversée. Pourtant aucun membre de la famille (les Windsor) n'a encore abordé le sujet.

Elle pensait que trop de gens ne s'y intéressaient qu'un temps, alors qu'il fallait mener campagne sans relâche pour secouer l'opinion. Elle reçut des lettres pleines de haine dans lesquelles on lui demandait de s'expliquer sur son « soutien excessif » vis-à-vis de la communauté gay. Elle n'y voyait qu'un signe de la confusion à laquelle, elle l'espérait, l'éducation et la conscience mettraient un terme.

Il s'en trouva aussi pour suggérer avec cynisme et méchanceté que ses œuvres de bienfaisance n'étaient motivées que par le souci de soigner son image de marque. Ils n'ont jamais compris sa compassion, son désir authentique d'aider autrui, l'importance considérable qu'elle accordait au travail humanitaire. Et quand il s'agissait d'aider des amis en difficulté, il n'y avait pas meilleure alliée. Adrian Ward-Jackson a pu s'en apercevoir jusqu'à son dernier souffle.

Il l'avait priée de l'assister dans ses derniers instants, et elle considérait cela comme un honneur. À la mi-août, quand leur amie commune Angela Serota l'appela pour lui apprendre que le mal s'était aggravé, ni la distance ni ses obligations ne firent obstacle à sa promesse. De Balmoral où elle séjournait et où elle avait raté l'avion, elle regagna Londres en voiture après sept heures de route en pleine nuit, accompagnée de son garde du corps Dave Sharp, pour pouvoir être au chevet d'Adrian avec Angela.

Elle y resta quatre jours durant. Vers la fin, lorsqu'elle lui posait une question, il ne pouvait lui répondre qu'en bougeant le pouce. Selon ses dires, ce fut l'un des moments les plus intenses de sa vie, sans doute celui qui la ramena à une plus grande humilité. Elle était fascinée par la paix qui se dégageait de lui au milieu même de sa souffrance. Angela était allongée dans le lit à côté de lui pendant qu'elles récitaient toutes deux le Notre Père. C'est pendant cet accompagnement qu'elle découvrit son être intérieur, le sens d'un engagement, le face-à-face avec la mort, le périple d'une âme. Si sa « spiritualité » s'était éveillée, c'est bien dans cette chambre d'hôpital où Adrian s'éteignit, peu après minuit, le 23 août 1991. Puis, comme à son habitude, la princesse se rendit à la maternité située dans une aile à l'autre bout de l'hôpital, pendant qu'Angela veillait le corps d'Adrian. La princesse venait d'assister à la fin d'une vie. Elle voulait à présent assister au commencement d'une autre. Après cette nuit, elle parla souvent de la mort et du courage d'Adrian Ward-Jackson. Elle se procura un livre intitulé *Trouver l'espoir après la mort*, présenté comme « un guide pour l'accompagnement émotionnel et spirituel des mourants ».

Les mois qui suivirent le voyage au Pakistan, je fus détaché de Highgrove au palais de Kensington pour remplacer Harold Brown, pendant ses jours de congé.

Je passais donc plusieurs semaines par an à Londres, occupant une petite chambre au dernier étage des appartements 8 et 9, au fond du Couloir de la Nursery royale. Les repas, généralement pour une personne, étaient servis sur une table roulante que j'emportais au salon. La princesse, dans sa robe de chambre en tissu-éponge, était recroquevillée dans le canapé et suivait les feuilletons *Brookside* ou *Coronation Street* à la télévision. Au lieu de me congédier, elle me permettait de rester et nous discutions ensemble. Elle mangeait, je restais debout. Quand elle avait fini son repas constitué invariablement de salade ou de poisson, je sortais de la pièce en poussant le chariot, traversais la salle de réception jusqu'à l'office du premier étage. Elle m'y suivait et nous poursuivions notre conversation pendant que je lavais la vaisselle et qu'elle l'essuyait. Comme à Highgrove. Mais j'avais davantage accès à son monde et nos relations prirent une tournure plus décontractée. Toutes les barrières étaient tombées et le personnage public avait disparu. Dans son peignoir de bain, elle ne se cachait plus sous le fard. Je servais deux personnes totalement différentes : la figure médiatique qui faisait fantasmer, et la petite fille désemparée que personne ne connaissait. Je savais où finissait le fantasme et où commençait la réalité : derrière les murs du palais de Kensington.

J'avais ouï dire par des membres du personnel qu'elle était difficile à servir, qu'elle avait des réactions imprévisibles mais en tête à tête, nul n'était plus abordable ni plus ouvert qu'elle. Je ne me disais qu'une chose : Harold Brown avait un job et une patronne fantastiques. Et je me mis à attendre avec impatience ses jours de congé.

La vie de famille à la campagne avec Maria et les enfants me comblait. Alexander et Nick s'étaient bien adaptés et n'aimaient rien tant que de passer les week-ends avec leurs meilleurs amis qui n'étaient autres que les princes William et Harry. Ces enfants royaux que leur mère appelait « mes garçons » ou encore « mes petits gars » en nous racontant avec attendrissement une anecdote à leur propos, et quand William faisait ses premiers pas « mon petit homme ». En privé et dans leur correspondance, le prince et la princesse de Galles appelaient William par son petit nom « Wombat ». Harry restait tout simplement Harry.

William et Harry, Alexander et Nick grandirent ensemble. Deux fratries issues de milieux totalement différents, qu'on voyait partout à Highgrove, et plus tard au palais de Kensington. La princesse nous donnait les vêtements et les chaussures de ses enfants. Le week-end, on ne faisait plus de distinction entre les uns et les autres.

Les souvenirs d'enfance des quatre garçons tourneront autour de ces heures claires et de ces jours heureux que nous avons pris en photo, et dont nous gardons les traces dans nos albums de famille. Dès que nous fûmes installés sur la propriété, les jeunes princes furent tout le temps dans nos jambes, à venir chercher des sodas, des biscuits au chocolat, à jouer dans notre jardin, à sillonner le domaine à vélo, criant et riant dans la salle de jeux, creusant dans notre tas de sable, construisant des bonshommes de neige en hiver, s'éclaboussant dans la piscine en été. Leurs ébats nous attendrissaient tout autant que ceux de nos propres enfants.

William était un visage familier dans notre cuisine. Il passait la tête à la porte et avec un gentil sourire demandait :

— Tu n'as pas des gâteaux au chocolat ou des bon-bons, Maria ?

Il savait que nous gardions des friandises dans une boîte en fer et y faisait des razzias tout aussi fréquemment que sa mère.

Le premier souvenir d'Alexander remonte à l'anniversaire de ses trois ans en mai 1988, pour lequel nous avions organisé une petite fête à Close Farm. William, alors âgé de cinq ans, et Harry, trois ans, faisaient partie des six enfants qui attaquèrent le gâteau, un tracteur bleu, œuvre du chef de leurs parents : Mervyn Wycherley. Pendant que le prince Charles jouait au polo à Windsor, la princesse nous avait rejoints. Elle s'émerveilla de voir paraître sur la nappe en papier, entre les taches, le visage souriant de Thomas la Locomotive, ami de tous les bambins, puis Maria, Wendy et elle se relayèrent auprès de notre dernier-né alors âgé d'un mois, pour le bercer. La princesse offrit à Alexander un pull-over militaire vert avec des pièces aux coudes et aux épaules, un fusil-mitrailleur en plastique et un béret bordeaux du régiment de parachutistes. Elle savait que, comme Harry, il adorait jouer au soldat.

Très souvent, les années suivantes, comme les jeunes princes étaient seuls à la campagne sans autres compagnons de jeu, la princesse invitait Alexander et Nick à la nursery, qui occupait tout l'étage supérieur à Highgrove. Les lettres de l'alphabet faisaient le tour de la pièce à mi-hauteur des murs peints en bleu et jaune citron. Quand je montais porter des assiettes de poisson pané et de frites aux deux princes et à mes fistons, je m'arrêtais un instant pour contempler le tableau d'Alexander et Nick en train de dévorer à belles dents leur repas en compagnie du futur roi d'Angleterre.

Si la princesse et la nurse Ruth Wallace emmenaient les princes passer la journée à l'extérieur, Alexander et Nick étaient de la partie. En septembre 1989, après son retour de Balmoral où la princesse avait laissé le prince Charles, ils allèrent tous ensemble visiter le zoo de Bristol. Quelle ne fut pas ma surprise d'être invité à prendre un jour de congé au pied levé, et d'aller faire une promenade en famille, avec la princesse ! Je me sentais tout bizarre sans uniforme, en tenue décontractée, et cela me faisait drôle de voir la princesse se fondre dans la foule comme n'importe quelle mère, avec sa casquette de base-ball bleue sur la tête. Son Altesse Royale, Maria, Ruth et Nick dans sa poussette se promenaient nonchalamment en petit groupe, tandis que le garde du corps et moi gardions l'œil sur les trois autres garçons.

Depuis le jour où la princesse et Maria s'étaient rencontrées au palais de Buckingham, le mariage et la maternité les avaient rapprochées. Les expériences partagées au fil des années et leurs enfants, inséparables compagnons de jeu, avaient créé entre elles une amitié durable. Lorsque nous emménageâmes au cottage en 1990, elles étaient comme des voisines. La princesse était à la fois la patronne et l'amie de la famille.

Alexander et Nick la saluaient toujours ainsi : « Bonjour, princesse ! », et je trouvais curieux de les entendre si peu respectueux du protocole, alors que papa et maman persistaient à l'appeler « Votre Altesse Royale ». Je suis persuadé que, quand ils étaient petits, nos enfants pensaient qu'elle se prénommait « princesse ».

Cela contribuait à créer un mélange de formalisme et de spontanéité où prédominait l'affection. Quand la princesse entrait dans notre cuisine, Maria allumait le feu sous la bouilloire et demandait :

— Vous prendrez bien une tasse de café, Votre Altesse Royale ?

Alors Nick lui sautait sur les genoux, l'entourait de ses bras et l'interrogeait :

— Où t'as été, princesse ?

Cela donnait lieu à quelques coups classiques du genre de celui-ci, resté dans les annales : Nick, alors âgé de trois ans, s'échappa du cottage et traversa le pré jusqu'à la maison. J'attendais sur le seuil le départ du prince dont la Bentley stationnait dans l'allée. Quand Nick montra le bout de son nez, il passa devant moi en m'ignorant, et sauta sur la marche au moment précis où le prince faisait son apparition, portant une cravate noire pour se rendre à un rendez-vous officiel à Londres.

Nick le passa en revue de la tête aux pieds et déclara :

— T'es tout beau, prince Charles. Où tu vas ?

Le père, dans ce cas, implore le ciel de le faire disparaître dans un trou de souris. Loin d'avoir pressenti l'horreur dans laquelle il plongeait son papa, Nick ne demanda pas son reste. Il bouscula un peu le prince au passage, en se glissant à l'intérieur pour retrouver William et Harry. Le prince Charles ne put réprimer un sourire.

Les quatre garçons sillonnaient Highgrove, cette grande bâtisse et ses hectares de terres comme leur terrain de jeu. Je construisis une piscine de balles dans l'un des hangars, et l'on s'interrogeait souvent pour savoir qui, des fils ou de la mère, s'y amusait le plus. Elle se glissait furtivement derrière William, Harry, Alexander et Nick pour les pousser dans les balles multicolores et les rejoignait. La princesse de Galles glissait sur le dos et disparaissait à tous les coups sous les boules multicolores. Alors les garçons lui tombaient dessus pour la couvrir de chatouilles.

En son absence, il m'incombait d'occuper ses enfants. Nous inventâmes un jeu qui consistait à « trouver autant d'œufs que possible », version alternative de la chasse aux œufs de Pâques que la reine organisait dans les jardins de Frogmore, sur les terres du château de Windsor, pour les enfants royaux. La reine descendait au jardin avec un panier rempli d'œufs au chocolat, et allait les cacher en différents coins et recoins des murs, des arbres ou parmi les jonquilles et les primevères. Cela finissait toujours par une course entre ses corgis et les enfants, et c'était à qui les trouverait le premier. Ma propre version du jeu les amusait des heures durant. Je cachais une couvée d'œufs entre des balles de foin et des tas de paille dans la grange, en face des écuries. Il faut convenir que c'était moitié moins drôle que de trouver des œufs en chocolat, mais l'excitation du jeu poussait tout de même le gagnant, souvent William, à entreprendre cette quête frénétique.

William avait un cochon d'Inde et Harry un lapin gris avec de grandes oreilles tombantes. Ils vivaient dans un clapier, au fond de la cour des écuries où Paddy Whiteland s'occupait des deux poneys des princes, Smokey et Trigger. Marion Cox, une palefrenière, leur apprenait à monter. Il y avait aussi les deux terriers de leur père, des vaches noires Angus Aberdeen, les poneys de polo du prince Charles et les hulottes qui nichaient dans la grange. Des carpes nageaient dans un bassin du jardin et l'aquarium tropical de William et Harry se trouvait dans un coin de la cuisine. Le hamster suivait les jeunes princes dans leurs périples entre le palais de Kensington et Highgrove. William et Harry venaient à la cuisine pour aider à hacher menu des pommes, des carottes et de la laitue, destinées au cochon d'Inde, au lapin et au hamster, et ils nettoyaient toujours le clapier eux-mêmes.

Partager les jeux de deux princes comportait, pour mes enfants, de nombreux bons côtés, mais ce qui valait vraiment le coup, le nec plus ultra, c'était leur Aston Martin décapotable à moteur électrique, version miniature de celle du père et cadeau du constructeur. La très britannique décapotable deux places était, comme me le disaient souvent mes fils, le plus beau de tous les jouets, avec son intérieur crème, son tableau de bord en bois de rose, ses phares opérationnels, son magnétophone à cassettes et son volant gainé de cuir. La plupart des enfants passent chercher leurs amis à la maison pour aller jouer. Nous nous habituâmes donc à voir William arriver au volant, Harry à ses côtés, pour prendre Alexander et Nick au cottage et faire un tour sur la propriété. C'étaient d'éternelles discussions entre William et Harry pour savoir qui conduirait. Mais William, en tant qu'aîné, arrivait toujours à ses fins. Il adorait les voitures et les courses automobiles et se considérait à dix ans comme un conducteur chevronné ! Enfin, jusqu'au jour où il tenta, en roulant au pas, de passer par un portail étroit qui donnait, après la serre, sur notre porte de derrière. Il avait éraflé tout du long la rutilante carrosserie contre un pilier en pierre. Maria se trouvait dans la cuisine quand William entra en coup de vent, en proie à la panique.

— Maria, Maria, il vient d'y avoir un terrible accident !

— Mon Dieu ! s'exclama-t-elle, surtout quand il ajouta :

— Papa va en faire une maladie. Il me faut un pot de peinture verte !

Maria sortit pour inspecter le véhicule et expliqua à William qu'un coup de peinture ne suffirait pas à le tirer d'affaire. La pierre avait creusé la tôle, donnant lieu à une profonde éraflure tout du long. William, horrifié, envisageait d'aller garer la voiture, le côté accidenté tout contre le mur, pour que son père n'y voie que du feu. Mais Paddy et moi avons insisté pour qu'il avoue sa faute. Le prince Charles ne trouva pas du tout drôle que son fils se soit montré « si bête », mais on envoya la voiture à réparer chez Aston Martin et elle revint comme neuve. William dut se contenter de conduire la tondeuse, juché sur le siège à côté de Paddy, avant de reprendre le volant de son bolide. Ses parents l'autorisèrent à continuer à le conduire, car ils savaient pertinemment que c'était sans danger dans l'enceinte de la propriété. D'ailleurs, William et Harry, Alexander et Nick avaient goûté des sensations autrement fortes avec la vitesse, quand ils étaient allés faire du karting à Londres avec la princesse, lancés à plus de 60 kilomètres/heure sur un circuit fermé. Ils avaient tellement adoré cela qu'on fit construire une piste de fortune dans un coin retranché de Highgrove, et qu'on loua des karts pour s'amuser l'été.

William et Harry étaient des enfants pleins d'assurance qui s'exprimaient facilement et abordaient les adultes de leur entourage sans timidité. Ils ne vivaient séparés que lorsqu'ils étaient rentrés chacun dans sa chambre. Ils allaient partout et faisaient tout ensemble, même si William dominait naturellement en tant qu'aîné. Ils fréquentaient l'école privée de Wetherby dans le quartier de Notting Hill à Londres, et rentraient chez eux impatients de montrer à leur mère les œuvres qu'ils avaient réalisées dans la classe de travaux manuels. À Highgrove comme au palais de Kensington, la princesse, désireuse de montrer qu'elle était fière des travaux de ses deux garçons, affichait en vrac sur les murs de sa garde-robe et de sa salle de bains des dessins de papillons, et des fleurs composées à partir de boîtes d'œufs en carton, de papier crépon et de coquilles.

La passion de Harry pour les soldats se manifestait dans ses « œuvres d'art » : il dessinait toujours des batailles rangées autour de châteaux, des avions de combat qui lâchaient des bombes en plein ciel, et ne lésinait pas sur le rouge pour accentuer le côté sanglant de la scène. Il prenait manifestement les ballons à eau pour des bombes, le jardin que son père aimait tant pour un champ de bataille quand on y allumait un barbecue l'été. Harry et William unirent leurs forces avec mon frère Graham, venu passer le week-end chez nous en famille, et le malicieux trio se mit à bombarder d'eau la princesse en la pourchassant à travers le jardin, sans qu'elle parvienne à échapper au tir groupé de ses fils. La princesse organisait régulièrement des barbecues pour le personnel. Souvent en l'absence du prince, pour que tout le monde, y compris la princesse, puisse se laisser aller. Mervyn Wycherley préparait des tonnes de nourriture pour les femmes de chambre, les gardes du corps, les nurses et le majordome. C'était notre soirée de congé, comme disait la princesse. Arrivée au dessert, elle se rendait à la cuisine et revenait sur la terrasse avec un plateau en argent chargé d'esquimaux et de cônes glacés. Puis elle aidait à ranger et à empiler les assiettes sales.

Alors venait le clou de la soirée qui la mettait aux anges : pousser tout le monde dans la piscine. Les gloussements de rire et les piaillements provoqués par les éclaboussures donnaient le signal d'un débordement festif que je baptisai la « soupe populaire ». Comme l'épisode des ballons d'eau en atteste, la princesse n'avait pas peur de se mouiller, et ne résistait pas au plaisir de sauter à pieds joints dans le grand bain.

Ainsi s'exprimait son côté rebelle qui défiait la conduite impeccable qu'on serait en droit d'attendre d'une future reine. En barbotant tout habillée dans la piscine, elle se mettait au même niveau que ses domestiques. Elle adorait voir les visages choqués de ceux qui la regardaient sauter dans le bassin, dans ses jeans ou short, en sweat-shirt ou en T-shirt.

Mais rien n'égalera jamais l'expression horrifiée qu'on put lire sur le visage de l'ambassadeur de Grande-Bretagne au Caire, lors du deuxième voyage à l'étranger de la princesse, en mai 1992, et auquel je pris part.

Nous étions sur le pont d'un bateau et voguions vers le temple de Philae, situé sur une petite île près du barrage d'Assouan, quand la princesse à ma droite, regardant les eaux du Nil, se tourna vers moi et lança :

— Allez, Paul, on fait une photo-souvenir.

Elle remonta ses lunettes sur son front :

— Mais n'approchez pas trop près... ajouta-t-elle du coin des lèvres à Helena qui allait prendre la pose à côté d'elle. Il a fait chaud aujourd'hui !

Elle avait transpiré sous sa robe manteau couleur taupe. C'était une remarque espiègle, faite pour choquer le bourgeois et amuser la galerie. Et l'on prit la photo.

Quelques secondes plus tard, je sursautai à nouveau.

— Je veux que vous organisiez une fête d'anniversaire pour Sam, ce soir à notre retour à l'ambassade.

Le Nil n'était pas l'endroit rêvé pour organiser au pied levé une fête pour son coiffeur Sam McKnight, mais j'avais appris que rien n'était impossible quand la princesse demandait quelque chose. Comme la troupe débarquait pour une halte à l'hôtel sur les bords du fleuve, je m'esquivai, réquisitionnai un téléphone et fomentai une surprise au bord d'une piscine.

Ce soir-là, dans les jardins luxuriants de l'ambassade au Caire, Sam descendit les marches de la terrasse sous des « joyeux anniversaire » entonnés par un chœur de onze serviteurs orchestré par la princesse, une bouteille de champagne à la main. Même l'austère ex-officier naval Patrick Jephson se laissa aller à faire des pitreries, coiffé d'un fez à la Tommy Cooper, semblable à ceux ornés de pyramides que la princesse m'avait chargé d'acheter pour William et Harry en souvenirs. Comme de bien entendu, la liesse générale mena à des débordements. Nous finîmes donc tous dans la piscine dans nos plus beaux atours. La princesse sautait comme un cabri dans l'eau, feignant de se noyer, puis sa chevelure blonde plongea dans les profondeurs. Patrick Jephson ouvrait des yeux comme des soucoupes : responsable de l'agenda officiel, il n'était pas habitué à ce genre de spectacle. Pas plus que l'ambassadeur de Grande-Bretagne qui fronça les sourcils, quand il eut vent du bain collectif.

Il dut juger que ces extravagances étaient inopportunes et imprudentes, surtout deux jours après que des paparazzi se furent glissés sur un toit voisin pour photographier la princesse dans son maillot de bain noir. Heureusement, les téléobjectifs ne s'étaient pas braqués sur la « soupe populaire » de cette fiesta nocturne, et les gros titres des journaux relatèrent un autre voyage triomphal. Des photos parurent qui montraient la princesse parmi les colonnades géantes du temple de Karnak à Louxor et dans la Vallée des Rois, s'extasiant devant les pyramides et le sphinx.

Les manchettes des journaux britanniques confirmèrent le fait qu'elle était devenue un atout majeur sur le front diplomatique. Quels qu'aient été ses chevaux de bataille à l'époque, elle était pratiquement irréprochable comme ambassadrice itinérante, ce qu'elle avait toujours rêvé d'être. Les hommes en gris de l'establishment pouvaient bien accumuler les campagnes diffamatoires, celles-ci ne parvenaient pas à faire vaciller sa confiance et l'estime dans laquelle on la tenait universellement.

L'Égypte fut un tournant dans ma relation avec la princesse. Elle m'avait emmené avec elle en voyage, avait requis davantage mes services au palais de Kensington, et confié son secret : l'existence de son « ami très cher ». Au cours de l'année que la reine appela publiquement son « *annus horribilis* », la princesse m'amena à franchir plus d'une fois la frontière qui séparait sa vie professionnelle de sa vie privée. Eu égard à sa présence continuelle dans notre foyer, à l'amitié qui la liait à ma femme, à la tendresse qu'elle témoignait à mes fils, la ligne de démarcation ne semblait pas aussi problématique à franchir qu'elle aurait dû l'être.

La princesse était assise dans sa chambre à l'ambassade devant le miroir de sa coiffeuse et arrangeait ses cheveux du bout des doigts. Je venais de lui apporter un verre de jus de carotte.

— Comment vous êtes-vous débrouillé pour vous en procurer au Caire ?

— C'est Mervyn Wycherley, répondis-je.

Elle adorait le jus de carotte et de céleri. Je m'apprêtais à sortir de la pièce quand elle pivota sur son siège capitonné :

— Asseyez-vous, asseyez-vous donc.

Puis elle se retourna vers le miroir et je me posai tout au bord du lit fait au carré.

— La prochaine fois que vous viendrez à Londres, je veux que vous rencontriez quelqu'un. Lucia est l'une des femmes les plus belles et les plus élégantes que j'aie jamais connues, dit-elle.

Lucia Flecha de Lima, la femme de l'ambassadeur du Brésil en Grande-Bretagne, avait tissé des liens maternels avec la princesse. Son mari, l'ambassadeur Paulo Torso, futur ambassadeur à Washington et à Rome, aimait ma Patronne comme un père. La princesse utilisait régulièrement leur ambassade de Mount Street à Londres pour retrouver un homme. Qui n'était pas James Hewitt. Dans cette chambre du Caire, la princesse me parla de lui et de leurs entrevues.

Une fois de plus, elle m'avait fait ses confidences. Bien plus, elle désirait que je rencontre cette femme, pilier de cette famille de substitution qu'elle s'était constituée et dont elle avait trié sur le volet les membres. Tout le monde pouvait travailler pour la princesse. Tout le monde croyait bien la connaître, car elle avait l'art et la manière de donner une impression de familiarité. Mais elle savait quelles étaient les limites à ne pas dépasser pour un domestique et, dans quelques cas critiques, elle sut à quel moment se passer des services de certains. L'accès à son cercle d'intimes se faisait sur invitation seulement. Pas même Maria, son amie de longue date, n'y était admise. La rencontre avec Lucia et quelques autres intimes de la princesse allait avoir lieu plus tard, mais l'invitation à entrer dans leur cercle fut lancée ce matin-là au Caire.

Avant de partir pour le Moyen-Orient, la princesse s'était prise d'engouement pour les robes de Catherine Walker conçues exprès pour le voyage. À l'ambassade, Mervyn Wycherley, Helena Roache et moi-même composâmes le petit comité qu'elle sondait au sujet de ses tenues. En sortant de sa chambre, elle venait nous demander :

— De quoi ai-je l'air ? Qu'est-ce que vous en pensez ?

Nous aurions pu tous rester béats d'admiration et lui dire que même vêtue d'un sac-poubelle, elle serait restée la plus belle, mais nous lui formulions un avis favorable plus modéré. Elle partait, assurée d'être divine, sachant que lors de ses tournées solitaires, le prince Charles n'était pas là pour la contrarier avec ses remarques acerbes. Pendant ce voyage, elle se montra plus amicale et ouverte que jamais, même si une certaine tristesse perçait derrière le masque.

La porte de sa chambre, qu'elle laissait normalement entrouverte, était fermée à clé. Elle en sortait le matin, les yeux rougis. Elle disait qu'elle avait besoin d'être seule pour ouvrir les vannes et libérer ses émotions. Je n'aurais jamais questionné la reine ou ses semblables. À la princesse, je ne pouvais m'empêcher de demander :

— Vous allez bien, Votre Altesse Royale ? Y a-t-il quelque chose que je puisse faire ?

Elle souriait.

— On a tous besoin de pleurer de temps en temps, Paul.

Puis elle rajustait son chemisier, reprenait contenance, respirait un bon coup, et l'infatigable princesse de Galles s'éloignait à grands pas.

Son stoïcisme et sa vaillance étaient remarquables, vu les épreuves qu'elle traversait. Elle était sous la pression de circonstances pénibles. Son père, le comte

Spencer, était mort en mars à l'hôpital alors qu'elle skiait en Autriche. Ce même mois, on annonça la séparation du duc et de la duchesse d'York. Puis la princesse Anne entama une procédure de divorce contre Mark Phillips. Tous les regards étaient braqués sur le prince et la princesse de Galles, après le désastreux voyage du couple en Inde, dont on n'a retenu qu'une image : la princesse esseulée devant le Taj Mahal.

De retour à Highgrove, je dis à Maria que j'étais inquiet pour la princesse, qu'elle se confiait à moi, qu'elle voulait me présenter à son amie Lucia. Maria voyait que j'étais obnubilé par le désir de veiller sur elle. Je savais que le prince Charles se portait comme un charme. Mais j'ignorais si la princesse était heureuse au palais de Kensington.

— Laisse tomber, me dit Maria ce soir-là au lit. Tu es majordome ici, pas là-bas. Garde tes distances.

VII

Entre deux feux

Au début de l'été 1992, alors que les jardins étaient en fleurs, une tempête souffla sur Highgrove. Les politesses quotidiennes ne suffisaient plus à calmer le trouble des esprits. À l'extérieur, une presse déchaînée guettait la fin du mariage du prince et de la princesse. À l'intérieur, une sourde appréhension régnait et nous étions loin de partager l'impatience des médias. Quelque chose n'allait pas, c'était évident. Mais, ce qui planait sous les hauts plafonds, c'était l'incertitude des lendemains.

Le prince Charles avait changé. Il traversait une période de mélancolie et semblait soudain assez vulnérable. Un soir, j'avais dressé la table de jeu pour son dîner solitaire. Quand il s'assit face à la télévision du salon, je restai debout derrière lui pour décharger mon plateau. La télévision n'était pas allumée. On n'entendait que le choc des couverts heurtant l'assiette et le bruit de la campagne par les fenêtres grandes ouvertes.

Le prince leva la tête vers moi :

— Paul, vous êtes heureux ici ?

— Oui, beaucoup, Votre Altesse, répondis-je en disposant le plat principal sur son assiette.

— Et Maria aussi est heureuse, ici ? insista-t-il.

J'étais assez perplexe quant à l'origine de ses questions.

— Oui, nous sommes très heureux ici tous les deux, Votre Altesse Royale.

— Très bien, je suis content de l'entendre, dit-il, et ce fut tout.

Il attaqua le plat principal. Je retournai à l'office en me demandant ce qui le préoccupait à ce point. Maria me dit que c'était sans doute à cause de nos rapports de plus en plus étroits avec la princesse.

— Mets-toi à la place du prince. Sa femme bavarde à l'office. Tu voles de plus en plus souvent au secours d'Harold à Kensington Palace en te faisant remplacer à Highgrove. Tu accompagnes la princesse lors de ses déplacements en solo. Tu sors avec la princesse en compagnie de nos fils et des jeunes princes. Et, depuis que nous avons emménagé dans le cottage en 1990, la princesse vient constamment nous rendre visite.

Le devoir m'avait mis dans la position la plus inconfortable qui soit et le prince cherchait à savoir dans quel camp je me situais : en d'autres termes, si je souhaitais réellement rester à Highgrove.

Bien sûr, il avait remarqué le temps que la princesse passait au cottage. « Je suppose qu'elle est encore chez vous, Paul, n'est-ce pas ? » demandait-il quand il ne trouvait pas son épouse dans la maison principale. La princesse allait se promener dans les jardins, cueillait un bouquet de fleurs, des pois de senteur ou du muguet, et arrivait au cottage par la porte de derrière. « Maria, vous êtes là ? » criait-elle, mais l'absence de réponse ne l'arrêtait pas. Elle entrait, poussait le bouton de la bouilloire, prenait deux chopes en haut du placard et commençait à faire du café. Les deux femmes aimaient le café noir, sans sucre. William et Harry, Alexander et Nick jouaient dehors dans la propriété. La princesse se hissait sur le comptoir carrelé de la cuisine et, retirant ses chaussures, balançait les jambes. Elle n'arrêtait pas de vider son cœur à Maria, parlait de sa vie de couple et des chagrins qui la rongeaient. Maria ne se trouvait pas gênée par ce rapprochement puisqu'elle n'avait plus de rapport professionnel direct avec la princesse de Galles. Elle était la femme du majordome, l'amie de la Patronne et elle se plaisait à Highgrove.

— Vous ne savez pas la chance que vous avez, Maria, dit un jour la princesse. C'était cela, mon rêve : un foyer heureux et une famille aimante.

Et ses yeux se remplirent de larmes.

Elle apprit à bien connaître notre famille. Ma mère, mon père et la mère de Maria la connaissaient depuis l'époque des Royal Mews. Mon frère Graham et sa femme Jayne, Peter, le frère de Maria, et sa femme Sue, nous rendaient également de fréquentes visites au cottage, et la princesse s'arrogea facilement une place dans la famille. On ne faisait pas de manières en sa présence, et, que nous soyons assis au jardin autour de la table en bois ou à bavarder à la cuisine, la princesse était des nôtres. Quand elle savait qu'un membre de la famille nous rendait visite, il était invité à l'un des barbecues de l'été. Je n'oublierai jamais la première fois où Graham a rencontré la princesse à Highgrove. Il s'était rasé quatre fois ce jour-là tellement il était nerveux. Puis il fit sa connaissance, et nota qu'elle était d'un naturel stupéfiant.

Betty, la mère de Maria, occupait une place particulière dans le cœur de la princesse. Elle l'adorait. Une fois, à une fête de Noël organisée à Kensington Palace à l'intention du personnel et des fournisseurs, la Patronne invita ma belle-mère à se joindre aux invités. La famille de Galles se tenait près de la porte pour accueillir les visiteurs, qui serraient la main de William, Harry, puis du prince et de la princesse. Quand la dame aux cheveux blancs et portant d'assez grosses lunettes s'approcha timidement de la princesse, celle-ci bouscula le protocole, lui fit un grand sourire, la serra dans ses bras et l'embrassa sur la joue.

Le prince parut interloqué. Quand la vieille dame lui eut serré la main, il se tourna vers sa femme et dit :

— Qui était-ce ?

— Oh, mais c'est Betty. (Le prince n'était pas plus avancé.) La mère de Maria, précisa la princesse.

En une autre occasion, elle appela Betty, sachant que celle-ci vivait seule au nord du pays de Galles.

— Bonjour, Betty... C'est Diana. Que faites-vous ?

— Je suis assise sur le lit et je vous parle, répondit simplement Betty.

Un jour de cette année-là, la princesse réalisa un des rêves de Betty, catholique fervente.

— Betty, j'aimerais que vous m'accompagniez pour rencontrer mère Teresa, lui annonça-t-elle au téléphone.

Betty faillit tomber de sa chaise.

— Je ne peux pas aller en Inde !

De nouveau, la princesse éclata de rire.

— Non, Betty, cela ne sera pas nécessaire parce que mère Teresa va passer vingt-quatre heures à Londres. Si personne ne peut vous conduire, j'enverrai une voiture vous chercher, ajouta-t-elle.

En fin de compte, un parent l'emmena à Highgrove, où elle retrouva la princesse et elles partirent toutes les deux pour Londres, puis se rendirent dans une mission qui hébergeait vingt-deux religieuses.

Mère Teresa était dehors pour accueillir la princesse. Celle-ci se tourna vers Betty.

— Puis-je vous présenter mon amie Betty ? déclara la princesse.

La presse prit Betty pour une dame d'honneur.

Mère Teresa l'embrassa et elles allèrent toutes les trois seules dans une pièce où elles prirent place autour d'une petite table en bois. Elles parlèrent des sans-abri et des miséreux de Grande-Bretagne, des malades et des agonisants de Somalie, de la nécessité de réciter son chapelet le plus souvent possible. Mère Teresa tenait quelque chose dans sa main. Quand elle l'ouvrit, on put voir dans sa paume deux médailles de la Vierge et un chapelet.

— Qu'est-ce que vous aimeriez ? demanda-t-elle à Betty.

Celle-ci prit les médailles et la princesse le chapelet. Elle ne savait pas dire son chapelet, mais Betty s'engagea à le lui enseigner. Ce jour-là, en fait, ce fut la princesse qui prit exemple sur Betty. Quand elles entrèrent dans la chapelle où les novices attendaient, Betty se tourna vers elle :

— Faites comme moi, lança-t-elle.

Se laissant guider, la princesse plongea un doigt dans le bénitier et se signa, puis retira ses chaussures. Toutes les trois s'agenouillèrent avec les religieuses et prièrent. Betty affirme qu'elle a ressenti un grand élan spirituel dans les semaines qui suivirent et s'est réveillée chaque matin en pensant qu'elle avait rêvé.

En février 1992, après son voyage en Inde avec le prince de Galles, la princesse offrit à Betty un présent très particulier : la guirlande que mère Teresa lui avait mise autour du cou devant la presse mondiale. Betty la conserve précieusement. Elle occupe chez elle la place d'honneur avec une photographie où elle figure à côté de la princesse et de sœur Teresa, une religieuse d'un couvent de Galway qui est venue passer un week-end à Highgrove avec Betty. Sœur Teresa a dit que la princesse était une « femme seule, très seule », mais ce jour-là encore, elle parvint à poser pour une photo qui respire le bonheur.

Le prince Charles habitait Highgrove à plein temps et avait effectivement renoncé à Kensington Palace, même si la princesse ne venait le rejoindre que de temps à autre pour le week-end. Le prince avait commencé à changer le décor inspiré de Dudley Poplak. Il engagea

Robert Kime, un architecte d'intérieur ami de Camilla Parker Bowles, et la maison passa du vert pastel et du jaune tendre à des rouges et des bruns plus riches. C'était sombre, obscur. De grands meubles en bois de rose et en acajou arrivèrent : une horloge, un nouveau pare-feu en cuivre avec un siège tapissé pour entourer le foyer en ardoise dans la cheminée du salon, le manteau surmonté d'un trumeau doré. Une natte en jonc remplaça le tapis vert et de nouveaux rideaux furent accrochés aux fenêtres. Dans l'entrée, une immense tapisserie de William Morris pendait d'un rail en cuivre. Dans le salon, le portrait de lord Byron, qui était accroché au-dessus de la cheminée, fut remplacé par une huile du château de Windsor. Petit à petit, un mois après l'autre, le prince s'appropriait cet intérieur.

Quand la princesse vint un week-end, elle remarqua un buffet en bois foncé dans la salle à manger et tiqua. Je lui annonçai qu'il était prévu que deux statues de marbre dans les alcôves encadrent la cheminée. Elle fit la grimace. Le prince chargea même son valet Michael Fawcett de rapporter à Sandringham les peintures d'Albert Edward, prince de Galles, datant de 1870, qui décoraient son dressing à Kensington Palace.

De son côté, la princesse décida de revoir seule la décoration de Kensington Palace. Elle retira de la chambre principale le lit à baldaquin en acajou, datant de l'époque victorienne, pour le reléguer dans la Collection royale, à Windsor.

Le jour de mes trente-quatre ans, le 6 juin 1992, sir Robert Fellowes, le secrétaire particulier de la reine, téléphona au *Sunday Times* pour s'informer de la teneur des extraits du livre de Morton que le journal comptait publier. Mais la véritable tempête couvait à Highgrove depuis la veille. En effet, le prince Charles et son secrétaire particulier Richard Aylard avaient entrepris leur propre enquête.

Ce matin-là, la princesse se trouvait à Kensington, d'abord avec son coach personnel, Carolan Brown, puis avec son esthéticienne et amie Eileen Malone pour son nettoyage de peau de 10 heures.

Tandis que la princesse se détendait sous les mains expertes qui se livraient à leur rituel quotidien, les partisans du prince Charles se mettaient à transpirer devant un fax expédié de Broadlands, domicile de lord et lady Romsey. La machine avait craché deux feuilles sous mon bureau dans l'office. Je vis d'abord le mot « Broadlands ». Et je pensai sur-le-champ : les Romsey. Et aussitôt : ennuis en vue. Il s'agissait de la transcription d'une interview télévisée d'Andrew Neil, à l'époque rédacteur en chef du *Sunday Times*. À l'en croire, la princesse avait donné son accord tacite pour le livre et le prince Charles pouvait légitimement s'estimer trahi. De Broadlands à Highgrove, de Richard Aylard au prince de Galles, la hache de guerre était brandie contre la princesse alors même qu'elle était occupée à se faire une beauté au palais. Plus que jamais, je me sentais déchiré : servir le prince à Highgrove tout en songeant à la princesse à Kensington. Mais un événement allait mettre fin une fois pour toutes à ce dilemme.

C'était la fin d'une journée chaude, particulièrement épuisante. Le déjeuner avait été servi au soleil, sur la terrasse. Le soir, le prince Charles avait dîné seul à la table de jeu dans le salon, de bonne heure afin de pouvoir de nouveau disparaître pour effectuer les trente-cinq kilomètres qui le séparaient de Middlewich House et de Mme Parker Bowles. Le téléphone avait sonné toute la journée. Au coucher du soleil, Gerald Ward, un des propriétaires terriens de l'endroit, avait laissé un message pour le prince absent, comme beaucoup d'autres – y compris son attaché de presse, Dickie Arbiter. Avec la vaisselle encore à faire à l'office, j'entendis le téléphone sonner de nouveau.

— Bonjour, Paul, comment ça va ? demanda la princesse. (Elle rit quand je lui répondis que je n'avais pas arrêté de courir toute la journée.) Je ne pense pas que mon petit mari soit dans les parages, n'est-ce pas ? demanda-t-elle.

Elle ne l'appelait jamais Son Altesse Royale, comme l'exigeait le protocole, quand elle parlait aux membres du personnel.

J'aurais préféré qu'elle ne pose pas la question. C'était la première fois qu'elle appelait Highgrove pendant qu'il s'absentait « pour raisons privées ». Que devais-je répondre ? Je ne pouvais pas mentir à la princesse.

— Alors, il est là ? demanda-t-elle à nouveau, d'une voix impatiente cette fois.

Pris au dépourvu, je fus honnête en restant dans le vague.

— Je suis désolé, Votre Altesse Royale, il n'est pas là. Il est sorti.

Sorti ? Il était 8 heures passées. Zut, je n'aurais pas dû dire ça.

— Ah bon ? Où est-il allé ? insista-t-elle.

— Je n'en sais rien, Votre Altesse Royale.

— Bien sûr que si, Paul. (Elle me tenait !) Vous savez tout ce qui se passe chez vous. Alors, où est-il allé ?

Me connaissant, la princesse savait que l'honnêteté était mon point fort autant que mon point faible. Piégé entre mon devoir et mon dévouement envers les deux camps, mon premier réflexe fut de l'implorer, autant pour son propre bien que pour le mien.

— De grâce, Votre Altesse, ne me demandez rien. Le mieux serait que vous posiez la question directement à Son Altesse Royale, pas à moi, dis-je.

Elle changea donc de sujet, mais continua à me cuisiner.

— Qui a téléphoné ce soir ? s'enquit-elle.

Je répondis sans me méfier que Dickie Arbiter et Gerald Ward avaient laissé des messages. Cela paraissait anodin à côté du reste, mais cessa de l'être quand la princesse se servit de ce renseignement pour prouver qu'elle savait exactement qui appelait en son absence, donnant ainsi l'impression au prince Charles qu'elle avait l'œil à tout. Je lui avais fourni des munitions bien malgré moi.

— Je vous en prie, Votre Altesse, ne dites rien. Je pourrais m'attirer de terribles ennuis.

Elle m'engagea à ne pas m'inquiéter, mais je devinai, à la façon précipitée dont elle raccrocha le combiné, que tout avait été dûment consigné. En plein désaccord conjugal, cela ne passerait pas inaperçu. La princesse était trop en colère pour ça. Ce soir-là, en allant me coucher, j'étais malade d'inquiétude.

Maria ne me fut d'aucune consolation. Au contraire : elle me gronda pour n'avoir pas su me taire.

— Tu aurais dû réfléchir, mon chéri. Tu aurais dû réfléchir.

Le lendemain matin, je me rendis à la maison principale empli d'appréhension. La matinée se passa normalement et me procura le vain espoir que, peut-être, la princesse n'avait rien dit. Jusqu'à ce que le valet du prince, Michael Fawcett, entre à l'office alors que je préparais les assiettes et les couverts pour le déjeuner. Il avait le regard noir.

— Il veut vous voir et il n'est pas content, m'annonça-t-il sans ménagement.

Pour une fois, le disque rouge n'était pas tombé dans la boîte. On avait envoyé un messager. C'était une injonction, pas une visite de politesse. De l'office, j'entendis le bruit sourd des pas du prince descendre l'escalier, traverser le parquet ciré de l'entrée. J'entendis la porte de la bibliothèque s'ouvrir et claquer. J'attendis quelques secondes, le cœur battant. Je sortis de l'office, tournai à gauche, franchis les portes et frappai à la porte de la bibliothèque avec un terrible pressentiment. Si la princesse m'avait dénoncé, je perdrais mon emploi. Je ne pensais qu'à cela.

Le prince Charles se tenait près de sa table ronde.

— Fermez la porte derrière vous, lança-t-il d'un ton sec.

Je m'exécutai.

— Votre Altesse Royale ? m'enquis-je.

Il était indigné.

— Pouvez-vous me dire pourquoi, mais pourquoi, Son Altesse Royale est constamment informée de qui vient ou téléphone à Highgrove en son absence ?

— J'ignore de quoi vous parlez, Votre Altesse.

— Avez-vous parlé à Son Altesse dernièrement, Paul ? demanda-t-il d'une voix tremblante de colère.

Je reconnus que nous avions eu une conversation la veille au soir.

— Quand vous étiez sorti, ajoutai-je.

— Et que lui avez-vous dit, exactement ? gronda-t-il, hors de lui.

— Que vous étiez sorti, Votre Altesse, bredouillai-je, résigné.

Son visage devint cramoisi.

— Pourquoi ? vociféra-t-il.

— Parce que vous étiez sorti, Votre Altesse.

De cramoisi, il vira carrément au pourpre.

— Et vous lui avez indiqué les personnes qui ont appelé ici hier soir ?

— Eh bien, j'ai précisé que M. Ward avait appelé, mais que vous étiez sorti, ce qui confirmait que je disais la vérité.

Le prince était médusé. Ma stupidité s'étalait à présent sous nos yeux à tous les deux. Il ne pouvait en croire ses oreilles.

— Pourquoi diable ne pouviez-vous répondre simplement que vous n'arriviez pas à me trouver ?

Quelque chose me poussa alors à me défendre. Je n'étais pas Michael Fawcett, ni Richard Aylard. Ni dans le camp qui couvrait délibérément tous ses faits et gestes.

— Me demandez-vous de mentir, Votre Altesse ?

Et là, devant l'audace de la question émanant d'un serviteur, il explosa.

— Oui ! Oui ! Parfaitement !

Ses hurlements se répercutaient sur les murs et les aquarelles. Tout à coup, il attrapa un livre dans la pile sur la table et l'envoya dans ma direction. Je vois encore les pages ouvertes voltiger dans ma direction. Il me manqua, mais je ne crois pas qu'il espérait me toucher. C'était un projectile lancé au hasard. Le prince Charles était réputé pour ce genre de geste quand il était hors de lui. Lorsque le livre tomba par terre, il fulminait encore.

— Oui ! Je suis le prince de Galles, hurla-t-il en tapant du pied pour souligner son autorité. Et je serai roi ! Alors, OUI, OUI !

Je n'osais pas demander s'il y avait autre chose. Je m'éclipsai promptement. J'étais sonné. Ses colères étaient légendaires, mais jusque-là, je n'avais jamais eu l'infortune d'en être témoin. De retour à l'office, je m'assis la tête entre les mains, maudissant ma propre stupidité.

Des minutes passèrent, puis la sonnette retentit. Le disque rouge chuta dans la boîte sous le mot BIBLIOTHÈQUE. Scène deux.

J'ouvris la porte de la bibliothèque et entrai, mal à l'aise. La colère s'était calmée et le prince était assis à sa table. J'aurais dû être le plus embarrassé, mais c'était lui, semblait-il, qui ne savait où regarder. Il avait la mine contrite.

— Paul, je suis absolument navré. Je ne voulais vraiment pas faire ça. Je vous présente mes excuses.

Par terre, le projectile littéraire qu'il avait lancé dans ma direction gisait à l'envers, pages ouvertes.

— Si vous ne pouvez laisser libre cours à vos sentiments avec moi, Votre Altesse, avec qui pouvez-vous le faire ? demandai-je en me penchant pour ramasser le malheureux ouvrage et le remettre sur la pile.

Il se rassit, triste et solitaire, comme si la fureur l'avait vidé de toutes ses forces. Il hocha la tête et me fit signe de me retirer. J'avais essayé de faire comme si tout allait bien mais je savais qu'il n'en était rien. Nous avions eu tort l'un et l'autre, mais, dès cet instant, les choses ne seraient plus jamais comme avant.

Le sentiment d'être écartelé entre deux camps n'était plus seulement un dilemme psychologique. J'étais pris entre deux feux. Le prince et la princesse réclamaient chacun une loyauté sans partage de la part de leur personnel, l'exclusivité du dévouement de chacun. Dans mon esprit, je savais déjà où mon allégeance et mon instinct me conduiraient. Mais je ne pouvais en parler à Maria. Elle adorait la vie à la campagne.

Le livre *Diana, sa vraie histoire* parut le 16 juin 1992. La princesse se rendit à Royal Ascot et elle arpenta la scène en affichant une extrême assurance. Elle savait que tous les regards seraient braqués sur elle, mais en véritable professionnelle de la scène publique, elle n'en laissa rien paraître. Cependant, derrière la façade, tout en elle s'effondra quand elle pénétra dans la loge royale. C'est là qu'elle fut frappée par l'énormité des ravages provoqués par le livre. Elle sentit un mouvement de rejet de la part du reste de la famille royale, me raconta-t-elle, un véritable ostracisme, et les conversations lui parurent guindées, froides et embarrassées. En regardant autour d'elle, elle remarqua la présence d'Andrew et de Camilla Parker Bowles qui, hilares, continuaient à jouer la comédie du bonheur conjugal. Plus tard elle aperçut la princesse Anne qui posait pour une photo avec son vieil ami Andrew Parker Bowles. Elle trouva blessant de voir sa belle-sœur s'afficher avec le mari de la maîtresse de son frère. Comme si elle approuvait la situation qui était à l'origine du malheur qui frappait la princesse.

Quelque temps plus tard, la princesse Anne allait lui mettre du baume au cœur. En fait, elle prit la princesse à part pour lui prodiguer des paroles de réconfort.

En 1992, la princesse Anne était éprise du commandant Tim Lawrence à la suite de son divorce avec le capitaine Mark Phillips, et un nouveau mariage royal s'annonçait. On a dit que la princesse avait « snobé » la princesse Anne en n'assistant pas à son mariage, mais il n'en est rien. La princesse Anne avait elle-même accompagné son invitation d'une clause dérogatoire. Elle se sentait fautive d'être amoureuse au moment où le prince et la princesse de Galles traversaient une grave crise conjugale. « Beaucoup d'entre nous dans la famille prient pour vous », déclara-t-elle à sa belle-sœur. Elle comprenait que celle-ci n'ait pas envie d'assister à la cérémonie, qui serait trop douloureuse, et sa compassion alla droit au cœur de la jeune femme. Ainsi, Diana avait reçu à l'avance le soutien de la princesse.

Après le rendez-vous d'Ascot, une rencontre au sommet fut improvisée à la va-vite au château de Windsor, au cours de laquelle la reine et le duc d'Édimbourg s'entretinrent avec le prince et la princesse de Galles. L'atmosphère était tendue, mais les points de vue échangés furent francs et honnêtes.

— Maman était au désespoir en m'écoutant, me conta la princesse. Je crois qu'elle a vieilli à cet instant parce que je n'ai fait, semble-t-il, que lui transmettre ma souffrance.

À Windsor, le prince Philippe ne mâcha pas ses mots pour dire que tout le monde était bouleversé par le parti pris du livre d'Andrew Morton. Il déclara à la princesse que tout le monde soupçonnait qu'elle était impliquée. La princesse qui, à l'époque, s'en tenait à des démentis, soutint qu'elle n'avait pas aidé l'auteur. Je pense, quant à moi, qu'elle était décontenancée par l'ampleur de ce qu'elle avait déclenché.

— La publication de ce livre a été une période insupportable, dit-elle. Seuls mes amis ont été là pour me conseiller.

Mais, au fond, en dépit de la colère et de l'accablement qu'elle éprouvait du fait de sa situation conjugale, en dépit aussi du chagrin causé par la disparition de son père, elle savait qu'elle s'était montrée irréfléchie, impulsive et avait manqué de jugeote en apportant son concours à Morton. Avec son assentiment, ses amis avaient cru bon de la dépeindre comme une victime, isolée et tourmentée. Ce faisant, elle avait gâché toute chance de réconciliation, et le mince espoir de voir le prince Charles s'amender s'était évanoui.

Elle eut tout loisir, dans les années qui suivirent, de mesurer les torts que lui causa cette publication et pourtant, curieusement, un nouveau mouvement d'amertume la poussa à accorder, trois ans plus tard, une regrettable interview pour l'émission *Panorama* sur la BBC. En ces deux occasions, elle avait voulu faire éclater la vérité ; en réalité, il s'agissait surtout d'appels au secours. Or personne n'allait l'aider, et surtout pas le premier visé, le prince Charles. Pourtant, elle l'aimait encore. Dans son esprit, qui avait tendance à n'appréhender qu'un seul côté de l'histoire, elle avait été délaissée au profit de Camilla Parker Bowles.

Même quand elle se savait en tort, la princesse avançait avec détermination, sans que sa colère et son sentiment d'injustice ne connaissent de répit. Elle déclara à la reine et au prince Philippe qu'elle avait essayé de faire preuve de courtoisie envers son mari mais qu'elle s'était heurtée à un mur et que, malheureusement, elle avait l'impression que la séparation était la seule solution. Une séparation à l'essai, pas un divorce. Elle souhaitait sa liberté, pas la rupture des liens conjugaux.

La reine et le prince Philippe n'approuvaient pas l'idée d'une séparation. Le prince et la princesse devaient apprendre à faire des compromis, dirent-ils, à être moins égoïstes et à s'efforcer de surmonter leurs difficultés pour le bien de la monarchie, de leurs enfants, du pays et de son peuple. Lors de la rencontre de Windsor, en présence du prince Charles, la princesse exprima clairement son inimitié à l'égard de Camilla Parker Bowles. Pouvoir exprimer ouvertement sa colère devant ses beaux-parents fut pour elle un énorme soulagement : « Tout éclatait enfin au grand jour. Dans le livre et dans la famille. »

En fait, le livre eut un effet positif : il stoppa, pour un temps au moins, sa boulimie.

— Cet épisode a représenté le plus grand défi de ma vie, dit-elle.

Pour la reine, la discussion avait été franche et elle proposa un autre rendez-vous le lendemain afin de la poursuivre. Mais la princesse n'accepta pas l'invitation. En fait, elle refusait de passer la semaine à Windsor, rompant avec la tradition, et n'assista aux courses d'Ascot que deux jours sur les quatre que dure cette manifestation.

Le duc d'Édimbourg lui adressa une lettre pour exprimer combien il était déçu que la princesse ne se soit pas rendue à leur deuxième rencontre, quand lui et la reine prenaient le temps d'être à l'écoute des problèmes du couple.

De son côté, blessée et furieuse, la princesse, pour qui la présence de Camilla Parker Bowles à Ascot était insupportable, s'était retirée à Kensington Palace.

Quelle que soit la façon dont on a interprété leur intervention, il n'y a aucun doute que la reine et le prince Philippe désiraient profondément sauver le mariage princier. Dès lors, ils firent tout leur possible pour éviter une séparation publique. Il fut décidé qu'une situation délicate et instable exigeait l'avis d'un sage et, curieusement, ce rôle fut dévolu au prince Philippe, dont l'absence légendaire de tact ne laissait rien augurer de bon.

Néanmoins, il s'interposa comme médiateur. On ne saurait exagérer la portée du rôle de conseiller que la reine et lui adoptèrent. Jusque-là, en tant que parents, ils ne s'étaient jamais mêlés du mariage de leurs enfants, convaincus que la sagesse est fruit de l'expérience. Mais en cette circonstance, ils avaient manifestement décidé qu'ils ne pouvaient rester les bras croisés pendant que le mariage du prince et de la princesse de Galles allait à vau-l'eau. Comme sa femme, le prince Philippe s'efforça de rester impartial et de comprendre la position de la princesse. Mais comme tous les médiateurs, son rôle exigeait qu'il parle franchement et énonce quelques vérités dures à dire. Quand il le fit, la princesse eut du mal à reconnaître sa neutralité.

— Combien de femmes doivent discuter de leurs problèmes de couple avec leur beau-père au lieu de leur mari ? demanda-t-elle avec dépit.

Quand il s'agissait des relations personnelles, en effet, la famille royale ne se comportait pas normalement. Le prince Charles faisait l'autruche. Et surtout, il était clair qu'aucune des deux parties n'acceptait d'être confrontée à un tourbillon d'émotions contradictoires.

Soyons juste, le prince Philippe en fit plus pour sauver le mariage de son fils que celui-ci et, que ce soit pour protéger l'institution ou les individus, il attesta de sa bonne foi. Nul n'était mieux placé que lui pour comprendre ce que cela représentait d'entrer par la voie du mariage dans la famille royale et d'abandonner, au nom du devoir, son mode de vie antérieur. Hélas, le prince Philippe n'était pas du genre à prendre des gants et comme il ne comprenait pas la princesse, il ne savait pas s'y prendre avec elle. Bien qu'il fît un effort pour se montrer impartial, il usait d'une main de fer là où la situation aurait exigé un gant de velours. Il bombarda la princesse de lettres dont la brutalité la fit fulminer. Toutefois, elle n'a jamais déchiré ces lettres. Au contraire, elle les attachait ensemble et les conservait précieusement, et, par souci de préserver la vérité, elle en fit des photocopies qu'elle envoya à des amis qui jouissaient de sa confiance. D'autres, comme Martin Bashir, le journaliste de la télévision, et moi, consultèrent les originaux.

Je les vis en 1993, Bashir en 1995. J'étais assis sur les marches avec la princesse à Kensington Palace. Un an après les avoir reçues, elle restait dubitative quant à leur contenu. Nombre de sottises et de mensonges éhontés ont été écrits là-dessus. Beaucoup plus tard, des articles de presse ont prétendu sans aucune retenue que c'étaient « les lettres les plus fielleuses que Diana ait jamais reçues », et qu'elles étaient brèves, cassantes et écrites sur du papier A5. C'était absurde. Les lettres énonçaient quelques vérités brutales mais elles ne recelaient pas d'animosité. Avec le temps, le prince Philippe finit même par faire preuve de compréhension et de compassion. Les missives n'avaient absolument rien de cassant. Elles étaient longues, certaines tenaient même en quatre pages. Au format A4.

En outre, contrairement aux allégations des mêmes articles de presse, je ne me souviens nullement d'avoir vu le prince Philippe utiliser les mots « prostituée » ou « garce » dans sa correspondance. De même qu'à ma connaissance, il n'a jamais accusé la princesse d'avoir causé du tort à la monarchie.

Manifestement, en écrivant ces lettres, il voulait coucher ses pensées noir sur blanc et demander à la princesse de procéder à un examen de conscience. Il voulait l'inciter à méditer sur son mariage, son attitude et ses motivations. À la lecture de ces lettres, un sentiment s'en dégage : à ses yeux, qui aime bien châtie bien. D'un côté, il louait la princesse pour ses voyages privés et ses bonnes œuvres, puis il disait qu'être la femme du prince Charles « impliquait plus que d'être simplement une héroïne pour le peuple britannique ». Ces réflexions, émanant de l'homme pour qui elle professait un immense respect depuis son mariage, mettaient à mal l'amour-propre et le courage de la princesse, et c'est ce qui la perturbait le plus.

Les choses empirèrent avant de s'arranger. Le prince Philippe décréta que la jalousie avait rongé ce mariage comme un cancer. La princesse prit ce reproche pour elle-même. Il déclara aussi que son comportement irrationnel après la naissance de William avait aggravé les tensions. Mon rôle en tant que majordome n'avait pas été oublié. Je grimaçai de nouveau quand le duc cita en exemple, entre autres, la fois où elle m'avait pressé de questions au téléphone pour savoir où le prince était allé en quittant Highgrove au milieu de la soirée. Son fils était fermement convaincu que la princesse l'espionnait par jalousie, qu'elle écoutait aux portes et questionnait le majordome sur ses faits et gestes.

— Si Charles avait été honnête avec moi dès le début, je n'aurais pas eu besoin de douter de lui, me dit-elle.

Il faut bien avouer que, quand un mari continue de fréquenter son ancienne petite amie, il est difficile pour sa femme de ne pas s'inquiéter.

Tout comme les démarches de la princesse avaient exacerbé la méfiance du prince Charles, la vie privée de celui-ci avait amené la princesse à douter de lui. Le prince Charles et le duc d'Édimbourg ne parurent pas se rendre compte de l'ironie de la situation créée par ce cercle vicieux. Coup sur coup, conseils et reproches s'abattirent sur la princesse, hérissés de piques : elle n'avait pas été une épouse attentive. Même si elle avait été une bonne mère, elle se montrait trop possessive avec William et Harry. Je la voyais avec les garçons et elle n'avait fait que les entourer d'amour et d'affection. Elle voulait être avec eux vingt-quatre heures sur vingt-quatre, sept jours sur sept. Le week-end, elle faisait le nécessaire pour qu'ils rendent visite à leur père à Highgrove. Il n'y a que la famille royale, où c'est la main de la nourrice qui tient le berceau, pour juger « possessives » l'attention et la tendresse qu'elle prodiguait à ses fils.

Mais le plus stupéfiant, aux yeux de la princesse, ce fut quand le prince Philippe aborda la question épineuse de la maîtresse de son mari. Elle aurait dû se montrer reconnaissante, écrivait-il, que son mari ait, d'emblée, rompu ses liens avec Camilla Parker Bowles. Le prince Charles avait le sentiment d'avoir fait « un sacrifice considérable », et que « la princesse n'avait pas su apprécier son geste ». Puis vint le coup de grâce, qui laissa la princesse en larmes : « En toute sincérité, ne vous apparaît-il pas que les relations de Charles avec Camilla n'ont rien à voir avec votre comportement envers lui au sein de votre couple ? »

Autrement dit, il accusait la princesse d'avoir précipité son mari dans les bras d'une femme dont elle avait tout fait pour l'éloigner. Un an plus tard, cette idée la faisait encore bouillir. « Tous les mêmes... ils se tiennent les coudes ! » rageait-elle.

D'un côté, le prince Philippe lui disait qu'il ne voulait pas s'ériger en juge, et de l'autre, il lui attribuait tous les torts.

Durant l'été 1992, je ne vis guère la princesse à High-grove. Le mariage était irrémédiablement brisé. Mais le contact avec le duc d'Édimbourg fut maintenu durant l'automne. Quand une lettre accablait la princesse, une autre arrivait et elle se reprenait à espérer. « J'y suis peut-être allé un peu fort, dans ma dernière lettre... », ainsi commençait une missive du duc restée célèbre. Il finit par accepter avec le temps que le prince Charles partageait autant qu'elle la responsabilité de la rupture et qu'il s'était montré tout aussi rigide et intraitable.

L'attitude du duc évolua, celle de la princesse aussi. Malgré la dureté dont il avait fait preuve à son égard, elle apprit à respecter la bonne foi de son beau-père. Après qu'elle eut contesté certaines de ses réflexions, les lettres du duc devinrent plus chaleureuses, plus affectueuses et plus attentionnées. Surtout, pour la première fois depuis le début de ses ennuis de santé dans le milieu des années 1980, elle avait l'impression qu'un membre de la Maison des Windsor se donnait le mal de l'écouter sans la traiter de dérangée ou d'hystérique. En s'affrontant directement, ces deux êtres avaient renversé des barrières et mis au jour de nombreux problèmes passés sous silence. La princesse se rendit compte des efforts effectués par son beau-père, de la longueur de ses lettres, et elle l'en admira. C'était un changement notoire comparé aux autres membres de la famille royale, qui avaient tôt fait de prendre les problèmes de Diana pour les divagations d'une folle. Si quelqu'un avait pris la peine de réfléchir, il se serait rendu compte que ses sautes d'humeur, ses frénésies alimentaires et ses crises de nerfs tenaient à l'impossibilité de se faire entendre. Elle se sentit terriblement soulagée, presque vengée, quand il déclara sans équivoque qu'il ne partageait pas la conviction, colportée par certains dans le camp du prince Charles, qu'elle était « déséquilibrée » ou « instable ».

Après sa mort, alors qu'elle n'était plus en mesure de se défendre, la mémoire de la princesse a été souillée par certains livres qui insinuaient qu'elle souffrait d'une personnalité *border line*, à la limite de la psychose. Il est évident que si elle avait eu une maladie aussi grave, jamais elle n'aurait pu assumer une telle charge de travail dans des conditions aussi difficiles. Pour qui partageait sa vie, celle d'un être humain ordinaire aux prises avec une existence extraordinaire, elle souffrait tout bonnement d'un désordre alimentaire.

Heureusement, le duc d'Édimbourg n'a jamais souscrit à de pareilles horreurs. Dans une lettre, il reconnaissait que la boulimie peut modifier le comportement du malade et qu'on ne pouvait lui reprocher les « schémas de comportement » que la maladie engendrait. Du même coup, le prince Philippe se désolidarisait des propos perfides qui avaient circulé sous le manteau pendant des années.

Plus que tout, le fait que la reine et le prince Philippe croyaient encore à cette union si les deux conjoints consentaient à des compromis lui rendit espoir. Le duc énuméra même une liste d'intérêts communs, qui pourraient contribuer à rapprocher sa bru de son fils. La princesse ne demandait qu'à y croire. Malgré l'amertume et la colère, elle aimait encore le prince et croyait, naïvement peut-être, qu'un jour ils pourraient faire une nouvelle tentative. En 1992, elle reconnaissait que la séparation était inévitable et pouvait même être une saine mesure. Contrairement à ce que des autobiographes de membres de la famille royale donnent à entendre, elle ne croyait pas que tout était fini, mais que leur mariage pourrait un jour renaître de ses cendres.

Alors qu'il avait parfois fait couler ses larmes, le duc pouvait aussi la faire rire. Elle bondit véritablement de joie dans sa chambre quand il lui révéla le fond de sa pensée concernant Camilla Parker Bowles. La reine et lui s'inquiétaient depuis longtemps de l'attachement de leur fils envers une femme mariée et ils y étaient vivement opposés, disait-il. « Il nous déplaît que vous ayez, l'un ou l'autre, des amants. Pour un homme dans sa position, Charles a fait une sottise en risquant tout avec Camilla, écrivait-il. Il ne nous est jamais venu à l'idée qu'il pourrait vouloir vous quitter pour elle. Je ne puis imaginer que quiconque en pleine possession de ses facultés puisse vous quitter pour Camilla. Une telle perspective n'a jamais effleuré notre esprit. »

Cela confirmait tout ce que la princesse désirait savoir. Et il ne lui échappa pas non plus que le duc d'Édimbourg avait commencé à signer ses lettres : « Bien affectueusement, Papa. »

La correspondance devint une course de montagnes russes où alternaient l'espoir et le désespoir, le rire et les larmes, la méfiance et les concessions. Elle m'informait de ces épreuves car elle avait besoin qu'un témoin impartial lui confirme qu'elle ne se façonnait pas une vision irrationnelle de la famille royale, qu'elle ne tombait pas dans l'erreur d'interprétation parce que cela l'arrangeait.

Certes, la princesse ne prenait pas bien les critiques mais, au bout du compte, elle retira de cette correspondance l'impression d'avoir accompli quelques progrès et d'avoir pu, en partie, s'expliquer. À l'époque de sa mort, elle professait une grande admiration pour son beau-père. Malgré leurs dissensions au départ, elle affirmait qu'elle n'oublierait jamais la sollicitude qu'il avait manifestée à son égard.

Néanmoins, l'intervention du duc déboucha sur une impasse. Le scandale éclata de nouveau dans la presse et la princesse fit de son mieux pour étancher la soif des médias. Elle fit une déclaration à la suite de folles spéculations sur la correspondance du prince Philippe.

— Il est faux de prétendre que Sa Majesté la Reine et Son Altesse Royale le duc d'Édimbourg ne se sont pas montrés bienveillants et d'un grand soutien.

De nouveau, la princesse relevait vaillamment la tête au moment où, pour tout un chacun, le mariage avait atteint un point de non-retour. Néanmoins, le duc d'Édimbourg s'obstina, décidé à tout faire pour que des relations amicales entre le prince et la princesse de Galles se poursuivent, en camouflant leurs différends sous le masque de la camaraderie, au nom de la monarchie et du pays. En fait, c'est bien le prince Philippe qui, au cours d'un entretien privé à Balmoral, persuada gentiment la princesse d'accompagner le prince Charles en Corée alors qu'elle n'avait pas caché qu'elle préférait s'abstenir. Pour le couple, ce fut une catastrophe.

Le 27 novembre, je rédigeai une lettre à mes amis du Kentucky, Shirley et Claude Wright : « Il faudra un énorme scandale ou une déclaration publique pour provoquer un changement notable, et cela n'arrivera probablement pas cette année, à moins que des événements dramatiques ne surviennent dans les semaines à venir. Je serai toujours à Highgrove pour m'occuper de quiconque y demeurera. Je suis persuadé que 1993 sera une année mouvementée, mais mon emploi est stable et je doute que notre mode de vie soit affecté d'une manière ou d'une autre par ces crises. »

En fait, au cours du même mois, les entourages respectifs du prince et de la princesse peaufinaient les termes d'une séparation. À Highgrove, nous ne nous doutions de rien ; la princesse ne m'en avait rien dit.

J'avais commandé le sapin de Noël pour Highgrove. Le prince Charles s'était absenté « pour raisons privées » et la princesse était à Tyne and Wear, dans le nord-est du pays, avec sa secrétaire et amie Maureen Stevens. Le mercredi 9 décembre se leva comme les autres jours. Puis on apprit l'arrivée à 15 heures de Jane, comtesse de Strathclyde, la responsable du personnel du palais. À voir sa mine défaite, nous avons compris qu'elle était porteuse de mauvaises nouvelles. Il semblait injuste qu'une femme pour qui nous nourrissions tant d'affection soit forcée d'assumer une telle tâche. Elle avait l'air nerveuse et, au lieu d'échanger de menus propos et des plaisanteries, elle avait ordre d'appeler Richard Aylard, le secrétaire privé du prince, dès son arrivée. Pendant qu'elle téléphonait, elle me dit de rassembler dans la cuisine le personnel : Wendy, Paddy, Lita et Barbara (les deux femmes de ménage) et Maria.

Jane avait fait en sorte que son arrivée coïncide avec

la déclaration du Premier ministre John Major à la Chambre des communes, qui annonça que le prince et la princesse de Galles avaient décidé de se séparer. Au même instant, Jane sortit de la salle à manger, le visage défait, regrettant déjà le cataclysme qu'elle allait provoquer.

Dans les coulisses, à Buckingham, Kensington et Highgrove, le mot d'ordre général était d'éviter à tout prix le divorce. On aurait sauvé la Constitution britannique même si le reste n'était que ruines.

— Puis-je voir Paul et Maria en premier ? dit-elle, et nous lui emboîtâmes le pas dans la salle à manger du service. Fermez la porte derrière vous, s'il vous plaît.

Je restai debout, tenant la main de Maria serrée dans la mienne.

— Je viens de l'apprendre à cet instant moi-même, dit-elle d'une voix sombre. Je suis venue à Highgrove sans savoir pourquoi on réclamait ma présence. Mais cela vient d'être annoncé par Leurs Altesses Royales. Le prince et la princesse de Galles ont l'intention de vivre séparés...

Même si nous nous y attendions un peu, la triste nouvelle nous brisa le cœur. Cependant, Jane n'avait pas terminé.

— ... et Son Altesse Royale la princesse de Galles désire que vous veniez tous les deux à Londres pour vous occuper d'elle.

Elle me voulait chez elle pour travailler conjointement avec Harold Brown, le majordome en poste à Kensington Palace. Maria éclata en sanglots.

— Je n'y crois pas, se lamenta-t-elle. Je ne peux pas y croire.

Jane et moi restâmes assis en silence.

— Qu'allons-nous dire aux enfants ? Leurs amis sont ici, leur école, notre cottage. Non, non !

Jane s'accroupit devant Maria et la prit dans ses bras.

Les pensées se bousculaient dans mon esprit aussi, mais pour d'autres raisons. La fatalité de la rupture allait de pair, à mon sens, avec la conviction que notre avenir était auprès de la princesse. J'étais persuadé que les choses n'arrivaient pas sans raison. Tout au plus, j'étais déconcerté que la princesse ne nous en ait pas informés plus tôt. C'était le seul élément qui me laissait perplexe.

Maria était encore en larmes quand nous regagnâmes la cuisine. Wendy fut la première à s'en apercevoir.

— Que diable... dit-elle en se précipitant vers Maria.

— Puis-je vous voir maintenant, Wendy ? dit Jane.

Dix minutes plus tard, Wendy ressortit. Elle était licenciée. Il faut reconnaître qu'elle se montra philosophe – et s'inquiéta surtout de notre sort.

— Je suis près de la retraite de toute façon, déclarat-elle.

Longtemps après le départ de Jane, nous restâmes assis autour de la table de la cuisine, passant la majeure partie de l'après-midi devant plusieurs verres de gin tonic à réfléchir à ce qui nous arrivait. Le rôle de Paddy n'avait pas changé et il retourna à ses écuries. Les deux femmes de ménage étaient rentrées chez elles en état de choc.

Wendy proposa une cigarette à Maria.

— Nous ne sommes pas censées fumer à la cuisine, mais je ne vois pas ce que ça changerait maintenant, remarqua-t-elle, et elles vidèrent un paquet entier.

Le retour à Londres. Un autre service. Une autre résidence royale. Nous ne reverrions plus ni la princesse ni William et Harry à Highgrove.

Cette nuit-là, quand elle fut rentrée à Kensington après son voyage dans le Nord-Est, la princesse téléphona au cottage. Elle était bien placée pour savoir à quel point Maria était bouleversée à l'idée de quitter la campagne.

— Ne vous inquiétez pas, Maria, la rassura-t-elle, quand elle se remit à pleurer. Paul et vous serez beaucoup mieux ici auprès de moi. Je sais que vous n'avez aucune envie de revenir à Londres, mais je m'occuperai de vous tous.

Dans les clauses de séparation du couple, la princesse avait inscrit les Burrell parmi les biens qu'elle entendait conserver.

Entre-temps, la princesse recevait elle aussi une bombe amorcée de la main du duc d'Édimbourg. Elle lui parvint sous enveloppe en provenance de Buckingham Palace. Alors que les juristes et les conseillers des deux camps négociaient encore les modalités de la séparation, le prince Philippe avait eu une idée personnelle : que la princesse quitte les appartements 8 et 9 de Kensington Palace qu'elle occupait depuis dix ans afin que le prince Charles puisse disposer d'un pied-à-terre dans la capitale.

En échange, le duc suggérait que sa belle-fille s'installe dans l'appartement 7 voisin, qui convenait mieux pour une mère dont les enfants étaient en internat. Le logement avait autrefois été occupé par les Clayton, de lointains parents de la famille royale. La princesse répliqua qu'il ne saurait convenir à deux princes de sang royal. L'appartement revêtait pourtant une autre importance aux yeux du duc d'Édimbourg. C'était là qu'il avait passé la veille de son mariage avec la reine, le 20 novembre 1947.

Le duc parlait d'un « agencement mitoyen », mais la femme que j'allais bientôt appeler « la Patronne » refusa d'en démordre. La franchise des rapports qu'elle avait établis avec son beau-père lui permit de lui exprimer le fond de sa pensée sans craindre de l'indisposer. Il était hors de question, dit-elle, qu'elle cède la place au prince Charles. Il demeura donc à Highgrove et s'installa dans un nouvel appartement à St. James's Palace. La princesse resta au 8 et au 9, où j'allai prendre mes fonctions auprès d'elle, tandis que Maria occuperait un emploi de bonne à temps partiel.

VIII

Kensington Palace

— Vous avez envie de voir un film ? me demanda la princesse.

C'était un samedi après-midi à Kensington Palace et nous venions de rentrer après quelques emplettes effectuées dans la principale rue du voisinage. Le chef de cuisine avait rejoint ses foyers, non sans avoir laissé une salade au réfrigérateur en guise de dîner. La maison était tranquille. C'était un après-midi de liberté, sans obligations officielles, et la princesse disposait de quelques heures de loisirs.

Elle patientait dans l'entrée de l'office du rez-de-chaussée pendant que je préparais deux tasses de café instantané.

— Choisissez le film. Donnez-moi cinq minutes, dit-elle, et elle grimpa l'escalier en angle qui tournait entre les murs mi-blancs, mi-jaunes.

Nous pouvions parler des films à l'infini, elle et moi, et, tandis que je remuais le café dans les mugs bleu et blanc qu'elle préférait à la porcelaine fine, je passai mentalement sa vidéothèque en revue.

La collection de la princesse ne soutenait pas la comparaison avec le vaste trésor accumulé par William et Harry, mais elle possédait un certain nombre de classiques du romantisme sur grand écran.

Au salon, je m'agenouillai devant les cassettes qui remplissaient deux étagères d'un meuble : *Autant en emporte le vent, La Belle de Moscou, My Fair Lady, Top Hat, Carrousel, South Pacific, Ghost, Le Patient anglais...* Mon regard s'arrêta sur *Brève rencontre.* Un mélo garanti, qu'elle avait regardé plus souvent que je n'avais préparé son café noir ou son jus de carotte.

— Celui-là, dis-je tandis qu'elle entrait dans la pièce, et j'introduisis la cassette dans le magnétoscope.

La princesse et le majordome s'assirent aux deux

bouts de la banquette à trois places rayée rose et crème, adossée au bureau en acajou. En face, de l'autre côté de la pièce, se déployait la cheminée de marbre gris. La lumière du jour entrait à flots derrière nous par les fenêtres à guillotine encadrées de blanc. Une boîte de Kleenex, posée sur le coussin entre nous, tenait lieu de séparation.

— Chaque fois que je le vois, je pleure comme une madeleine, dit-elle en tirant un mouchoir, et le film commença.

Elle s'installa dans une position plus confortable et regarda en reniflant une rencontre fortuite se transformer en histoire d'amour.

Quiconque a assisté à un concert avec la princesse – ou a visionné avec elle *Brève rencontre* – en attestera : les accents du concerto pour piano n° 2 de Rachmaninov lui arrachaient invariablement des torrents de larmes. Quand le train à vapeur s'éloigne dans le lointain, l'émotion est à son comble, la musique grisante remplit la pièce... et des sanglots éclatent à mon côté. La princesse se tourna à demi et vit des larmes briller sur mes joues. Là, quand elle s'aperçut que je tenais, moi aussi, un mouchoir à la main, elle se renversa en arrière et éclata de rire.

— Que nous sommes bêtes ! lâcha-t-elle en hoquetant.

Et nous voilà lancés dans un fou rire. Et quel fou rire ! À ce jour, les accents de Rachmaninov conservent le pouvoir de me plonger dans la mélancolie.

Après le film, comme en d'innombrables autres occasions, elle passait sans relâche le concerto sur son lecteur de CD qu'elle transportait d'une pièce à l'autre. Ou bien, elle s'asseyait devant le piano à queue, près de la fenêtre du salon, en admirant les jardins, et jouait le thème de *Brève rencontre*. Je me faufilai à l'étage et restai, invisible, dans l'embrasure de la porte pour l'observer, perdue dans ses pensées, les yeux clos. Oubliés les objets ou les lettres. Cette vision est ce que j'ai emporté de plus précieux de Kensington Palace.

Mais avant qu'elle se sente assez bien pour partager des moments d'émotion avec moi, j'ai dû gagner mes galons. La confiance est venue avec le temps.

Le camion de déménagement encombré de tous mes biens terrestres se gara devant les Old Barracks, dont l'appartement 2 – au premier étage, avec deux chambres, salle de bains, salon et cuisine – allait devenir notre nouveau foyer. L'arrière de notre maison se trouvait à la périphérie de l'agitation de la capitale, nous protégeant des encombrements de Kensington High Street, et il donnait sur une vaste étendue de pelouse. La façade rectangulaire en briques rouges sur trois étages de Kensington Palace, ou KP comme le surnommait le personnel, se déployait dans le coin sud-ouest des jardins de Kensington, en retrait de la lisière ouest de Hyde Park. Comparé à la campagne du Gloucestershire, c'était une autre planète. Nous étions arrivés par une chaude journée d'avril 1993 et avions atterri dans une oasis environnée d'espaces verts.

Un visage familier nous accueillit. Quand Maria ouvrit la portière de la voiture, la princesse sauta de joie.

— Bienvenue ! Bienvenue ! Soyez les bienvenus ! Vous voilà enfin, dit-elle en serrant Maria dans ses bras tandis qu'Alexander et Nicholas couraient vers elle pour se presser contre ses jambes.

Pendant qu'on déchargeait le camion, la princesse resta dehors au soleil, intriguée par nos meubles et ustensiles de ménage.

— J'adore fourrer mon nez partout, piaillait-elle. Oh, mais c'est formidable, Maria, je ne savais pas que vous aviez ça !... Bon, ajouta-t-elle en joignant les mains. Je vais vous laisser vous installer maintenant.

La princesse traversa la pelouse pour rentrer au palais : elle était sur le point de partir pour passer Pâques chez sa sœur, lady Sarah McCorquodale, dans le Lincolnshire, et il lui restait à emballer les traditionnels œufs qu'elle comptait offrir à ses nièces et neveux.

Nous inspectâmes l'appartement. La moquette était neuve, de même que le carrelage dans la cuisine. Les Old Barracks sont d'anciennes écuries reconverties. Elles servaient jadis à loger les valets d'écurie et les soldats qui gardaient le palais de Kensington, acquis par le roi Guillaume III et la reine Marie à la fin du XVIIe siècle. À l'époque moderne, il fut divisé en résidences dont la Couronne accorde la jouissance à des membres de la Maison royale et du personnel. Nos voisins étaient donc triés sur le volet : Jane, sœur de la princesse, et son mari sir Robert Fellowes, secrétaire privé de la reine ; le général de brigade (devenu chevalier) Miles Hunt-Davies, secrétaire privé du duc d'Édimbourg ; Jimmy Jewell, comptable du duc, et Ronald Allison, attaché de presse de la reine. Harold Brown, mon collègue majordome, n'avait pas d'appartement de fonction. Grâce à des amis très haut placés, l'ancien sous-majordome de Buckingham Palace avait obtenu un appartement à l'intérieur même de Kensington Palace. Il passait pour un domestique qui menait grand train et il avait au numéro 6 ses quartiers d'apparat. Nous travaillions séparément, nous relayant dans la journée pour répondre aux besoins quotidiens de la princesse.

En fait, mon entrée en fonction à Kensington Palace avait eu lieu quatre mois plus tôt. Quand j'avais franchi les portes du palais ce jour-là, la princesse m'avait reçu avec une cordiale poignée de main :

— Maintenant vous travaillez pour moi. Bienvenue dans ma super-équipe !

Pendant que l'appartement était en travaux, je pris l'habitude de travailler en ville pendant la semaine et de rentrer le week-end au cottage de Highgrove, auprès de Maria et des garçons. C'était un trajet éreintant, mais pas plus que celui que la princesse avait effectué durant les deux années précédentes. Bientôt, Maria se sentit mal à l'aise à Highgrove. On lui déclara qu'elle et les garçons n'étaient plus autorisés à se rendre dans la maison principale. On aurait pu croire qu'il y avait la peste au cottage, car nous étions traités comme des parias. Aux yeux de la Maison du prince, nous n'étions plus à notre place. Cependant, on nous avait prévenus. Michael Fawcett, le valet du prince Charles, m'avait bel et bien mis en garde avant la séparation :

— Soyez sûr de faire le bon choix. N'oubliez pas qu'un jour, le prince sera roi.

Mais Maria, qui habitait encore dans le Gloucestershire, connaissait des heures difficiles. Dans les premières semaines de 1993, Lita Davies, femme de ménage de Highgrove, fut contactée par un membre du staff du prince Charles qui lui signifia qu'il vaudrait mieux pour elle de couper les ponts avec Maria. Lita se montra intraitable : ses amitiés ne concernaient qu'elle.

Puis elle reçut une autre mise en garde, plus ferme. On lui intima l'ordre de ne pas s'entretenir avec Maria de ce qui se passait à Highgrove. Le lendemain, Lita remettait sa démission.

Manifestement, les partisans du prince de Galles s'inquiétaient encore des informations qui pouvaient filtrer de Highgrove à Kensington. C'est un signe qui ne trompait pas. Maria en conclut que nous avions fait le bon choix.

Durant notre première semaine en famille auprès d'elle, la princesse se montra excessivement hospitalière et généreuse, comme si elle espérait effacer tous nos regrets d'avoir quitté la campagne. Le lendemain de son retour après son séjour chez sa sœur, elle emmena William et Harry, Alexander et Nick à Thorpe Park, dans le Berkshire. Vêtue d'un blouson de cuir et de jeans noirs, elle leur offrit une journée mémorable, acheta des pistolets à eau à tous les quatre et grimpa avec eux à bord des montagnes russes. Le petit Nick, qui n'avait que cinq ans, refusa de lâcher la main de la princesse. Elle l'appela son « bourreau des cœurs » et, ce jour-là, tandis que les photographes de presse les suivaient partout, elle le porta sur les épaules.

Le lendemain, le *Sun* consacrait toute une page à

cette randonnée sous le titre : « Wills et Harry apprennent la vie du commun avec leurs amis, les fils du majordome. » L'article citait Jim Bennett, le photographe royal, qui apprit à tout le royaume ce que nous savions déjà : « La princesse traite les enfants du majordome comme les siens. Si l'on ignorait qu'il s'agissait de la princesse de Galles, on la prendrait pour une jeune maman en promenade avec ses quatre enfants. »

La même semaine, j'accompagnai la princesse à l'Opéra, à Covent Garden, où l'on donnait une représentation du ballet *Don Quichotte*. Je servais le dîner à l'arrière de la loge royale pour la princesse et quelques amis. Dans l'ombre, j'assistai à mon premier ballet. De retour à Kensington Palace, j'étais à l'office occupé à nettoyer les plats quand la princesse passa la tête par l'entrebâillement de la porte.

— Alors, ça vous a plu ? demanda-t-elle.

C'était le moment d'impressionner la Patronne – qui avait plus que moi l'expérience du monde – et de lui prouver que je n'étais pas un rustre. Je lui dis que j'avais trouvé le spectacle stupéfiant. Puis je lui demandai son avis.

— C'était nul ! déclara-t-elle, avant d'éclater de rire devant mon air ébahi.

Durant les quatre mois précédant notre installation dans les Old Barracks, je couchai dans une simple chambre à la nursery, au dernier étage. Les appartements 8 et 9 occupaient trois étages disposés en L au cœur de Kensington Palace et dominaient l'arrière du bâtiment. Au total, le palais hébergeait une centaine de personnes et quatre Maisons royales indépendantes avec leurs propres secrétaires, écuyers, dames d'honneur, majordomes, chauffeurs, bonnes, habilleuses, chefs et gardes du corps. Les appartements de la princesse se trouvaient à l'abri, dans l'aile nord. On y accédait par une allée qui dépassait les Old Barracks et longeait une rangée de maisonnettes destinées à d'autres membres du personnel, avant qu'une brusque bifurcation à droite ne conduise les visiteurs à la porte du numéro 8, qui donnait sur un bout de gazon. Des fenêtres de style classique ouvraient, à droite, sur le jardin clos de la princesse, où elle aimait lézarder pendant les mois d'été. C'était son sanctuaire au cœur de la capitale. Chaque jour, quand le soleil était au rendez-vous, je sortais une chaise longue, déployais une serviette, et plaçais à l'ombre une bouteille de Volvic bien fraîche.

— C'est si paisible ici, il y règne une tranquillité indescriptible, expliquait-elle.

Elle pouvait y passer des heures à travailler son bronzage, lire ou écouter son walkman.

Son intimité, de même que celle des visiteurs dont elle voulait préserver l'anonymat, était également protégée par un passage secret conduisant à ses appartements. On y accédait par une galerie voûtée surmontée d'une tour blanche et d'une horloge à cadran noir, qui donnait sur la place pavée de Clock Court. C'était un secteur du palais que ne couvraient pas les caméras de surveillance à la demande expresse de la princesse Margaret, qui s'était battue elle aussi pour défendre sa vie privée. Ainsi, les hôtes « particuliers » restaient à l'écart des regards de la police. Ce parcours me devint familier à force de l'emprunter dans le cadre de mes fonctions pour aller accueillir certaines personnes que j'accompagnais à la porte de derrière.

Kensington Palace n'était pas la maison confortable dont la princesse avait rêvé, mais une forteresse dont elle s'habitua à priser la sécurité. À partir de 1992, quand elle s'y installa définitivement, elle s'assura que chaque pièce portât son empreinte. Elle se débarrassa des tapis ornés des plumes du prince de Galles. Mais contrairement à ce que des personnes mal informées ont laissé entendre – et contrairement à ce qu'entreprit le prince Charles –, elle ne chercha pas à effacer tous les souvenirs de l'homme dont elle avait partagé la vie. Comme c'était également le domicile de ses fils, elle trouvait naturel de disséminer dans les pièces des photographies de leur « papa ».

Elle convertit le bureau du prince en un salon destiné à William et Harry, à quelques mètres du sien. Cette pièce connut des heures de franche rigolade. Mes fils y rejoignaient les princes pour faire des parties de jeux vidéo sur la PlayStation. Les quatre garçons s'asseyaient sur la banquette verte face à la télévision, tout à leur plaisir. Le soir, elle dînait parfois avec ses fils dans leur chambre. William aimait regarder *Casualty*, sur la BBC, parce qu'il y avait plein de sang partout, tandis que sa mère et Harry se tordaient sur la banquette en feignant l'horreur. Ou ils regardaient *Blind Date* sur ITV, un programme de téléréalité qui mettait en scène des célibataires.

Bien entendu, il y avait aussi des moments de déprime quand les garçons partaient chez leur père ou retournaient en pension. En leur absence, la princesse leur écrivait sans arrêt. Presque quotidiennement, parfois deux ou trois fois par jour. Une lettre, une carte postale. Chaque courrier exprimait l'impatience de les revoir pour qu'elle puisse les couvrir de baisers et de cadeaux.

— Mes garçons vont me manquer, disait-elle presque chaque fois, tandis qu'elle agitait la main, debout sur le seuil.

La princesse accueillit le début de l'année 1993 comme si celle-ci allait être la meilleure année de sa vie. C'était une femme nouvelle, qui n'avait plus besoin de sauver les apparences. Elle se lança donc dans des voyages en solo au Zimbabwe et au Népal, au cours desquels la baronne Chalker l'accompagna au titre de ministre de la Coopération. Le Premier ministre John Major et le Foreign Office assuraient le financement de ses missions. Même si elle était séparée de l'héritier du trône, la princesse avait tout le poids du gouvernement derrière elle. C'était un ambassadeur itinérant et un atout précieux pour la Grande-Bretagne. Et tant pis pour les vieilles barbes, qui essayaient de la faire passer pour un « franc-tireur ». Elle les avait laissés derrière, ils appartenaient à une époque révolue.

La princesse œuvrait de plus en plus avec le comité international de la Croix-Rouge. Elle espérait réveiller les consciences sur l'épidémie du sida et la misère. Après avoir reçu une formation ad hoc, elle occupa la tribune toute l'année pour parler des sans-abri, de la séropositivité, ainsi que de la situation difficile de ceux qui souffrent, comme elle naguère, de troubles alimentaires. Elle se partageait entre son devoir public et les bonheurs privés : un concert d'Elton John, le ballet de *Roméo et Juliette*, une projection du *Livre de la jungle*, et une représentation de *Grease*.

Sa bonne humeur était contagieuse et, après la morosité qui avait régné à Highgrove, le soleil rayonnait à Kensington Palace. Le quotidien n'avait rien d'étouffant. À la fin du mois, pour regonfler le moral de ses troupes, elle donna « une fête pour sa super-équipe ». Elle joua du piano. On but, on chanta, on dansa.

Comme pour souligner sa liberté nouvellement acquise, la même année, elle décida de se séparer des policiers qui assuraient sa protection, rompant ainsi avec les derniers vestiges du mode de vie qu'elle avait laissé derrière elle. Elle avait l'impression qu'ils étaient tenus de rapporter à leur supérieur le moindre de ses déplacements. Ce supérieur n'était autre que l'inspecteur Colin Trimming, membre de la protection rapprochée du prince de Galles. Aussi, dans un souci d'indépendance, elle s'assit à son bureau et réfléchit. Ce week-end-là, quand je lui apportai son café, elle rédigeait une note pour elle-même. « Amour-propre », griffonna-t-elle. Elle cocha. « Assurance. » Elle cocha. « Bonheur. » Elle cocha. Puis elle écrivit : « Police. » Et elle raya ce mot d'une main ferme.

Je m'habituais à la voix claire de la princesse, un son joyeux qui me parvenait par le large escalier à balustrade blanche et rampe en bois ciré.

— Vous êtes en bas, Paul ? cria-t-elle.

Cet escalier était devenu sa guérite quand elle me demandait. C'est là qu'elle tourbillonnait dans une nouvelle tenue sur laquelle elle attendait un avis, c'est là qu'elle s'asseyait pour parler et passer en revue sa correspondance, ou rédiger ensemble une réponse qu'elle ne savait comment tourner.

C'est souvent là que j'attendais son retour. Elle entrait par les portes noires, traversait un couloir étroit, arrivait à gauche sous l'arcade dans le vestibule, puis passait sous une autre arcade et gagnait l'escalier, qui la conduisait à ses appartements. Souvent, sa voix me parvenait du palier, tandis qu'elle se penchait par-dessus la rampe.

— Vous venez faire les boutiques, Paul ? Donnez-moi cinq minutes.

J'attrapais mon manteau et nous descendions l'allée ensemble, traversions Kensington Church Street, prenions Church Walk, pour déboucher sur le trottoir en face de Marks & Spencer.

— Allons chez W.H. Smith. On va acheter des CD pour les garçons, disait-elle en parlant de ses fils et des miens.

En route vers les albums du hit-parade, elle s'arrêtait près des larges portants de cartes humoristiques, lisait les légendes et éclatait de rire. Je l'entends encore.

— Regardez celle-ci ! Vous avez vu le dessin ?

Partout où nous allions, nous attirions la foule. Évidemment, les passants la reconnaissaient immédiatement : grande, blonde, superbe. Incomparable. Les gens en étaient bouche bée. Puis, alors qu'elle faisait un saut chez le pharmacien ou Marks & Spencer, un petit groupe de badauds se précipitait dans son sillage – à l'instar du joueur de flûte du conte pour enfants. Certains n'en croyaient pas leurs yeux.

— C'est, tu sais... c'est *elle*, chuchotait une dame.

— Mais bien sûr que non, s'exclamait son amie. C'est un sosie.

La princesse chez W.H. Smith ? Qui fait ses courses comme tout le monde ? Impossible, voyons.

Chaque fois que nous faisions des courses, et nous allions toujours chez W.H. Smith, nous rentrions au palais avec quelques magazines sous le bras, *Vogue* ou *Tatler*. Puis elle envoyait les cartes tout juste achetées à William et Harry à Ludgrove, leur pensionnat, accompagnées de quelques CD et vidéos. Un jour, elle lança dans l'escalier l'habituelle invitation à faire les boutiques et nous allâmes au trot chez W.H. Smith. Sans que je le sache, cette visite avait un objectif : me présenter à Richard Kay, du *Daily Mail*, un allié qui jouissait de sa confiance. Nous étions en train de choisir des CD et des cartes lorsque arriva « comme par hasard » Ricardo – le diminutif employé par la princesse. Cette dernière émit les banalités d'usage :

— Quelle surprise de vous voir ici... dit-elle en rougissant.

Dans mon travail, j'avais appris à me méfier des journalistes, mais celui-là était différent. Il n'y a pas que des pommes pourries dans un panier.

— Oh, excusez-moi, répliqua le reporter – dont j'avais maintes fois eu l'occasion de lire les papiers favorables à la princesse –, et il nous tint la porte.

— J'ai confiance en lui, me signala la princesse tandis que nous nous éloignions.

Reçu cinq sur cinq.

Résider à Kensington Palace signifiait s'habituer au mode de vie d'une autre personnalité de la Maison royale. Chaque matin, entre 7 heures et 7 h 30, une habilleuse venait dans la chambre de la princesse pour la « réveiller », même si elle était invariablement debout et alerte dès potron-minet.

Je me tenais dans le couloir entre la salle à manger et la cuisine, où tantôt Mervyn Wycherley, tantôt Darren McGrady préparait le petit déjeuner. La princesse aux pieds nus apparaissait en peignoir blanc à l'extrémité du couloir, dépourvue de maquillage et les cheveux en bataille. Dès que je l'apercevais, j'allais à la cuisine pour préparer un pichet de café noir.

Quand j'apportais la cafetière dans la salle à manger, elle était installée dans un des quatre fauteuils en bambou entourant la table qui était couverte d'une nappe en fil blanc. Elle dégustait un demi-pamplemousse en feuilletant les quotidiens, que je disposais dans l'ordre que prisait la reine, à l'exception du *Sporting Life*. J'entrais donc dans la pièce, à laquelle les murs magenta conféraient une chaleur matinale, et me tenais dans la porte entrouverte jusqu'à ce que la princesse lève les yeux de son journal.

C'était le signal. J'inclinais légèrement la tête.

— Bonjour, Votre Altesse Royale.

Avec le temps, mon insistance à préserver la tradition en utilisant son titre allait l'irriter.

— Paul, je vous en prie, ne faites pas ça. Il n'y a que nous deux dans cette pièce, ce n'est vraiment pas nécessaire, disait-elle.

Mais je tenais à respecter le protocole. Ce fut la seule fois où je passai outre une injonction de la Patronne. Qu'elle m'invite à partager son univers, d'accord. Mais en m'adressant à Son Altesse Royale, je lui témoignais ma déférence et définissais ainsi mon statut. Et il en fut ainsi jusqu'au jour de sa mort.

Je m'approchais de la desserte et plaçais une tranche de pain complet dans le grille-pain. Puis nous parlions des événements de la veille et de la journée qui commençait. Souvent, quand je me retournais, je la voyais tourner une cuiller au manche orné d'une abeille en argent dans un pot de miel blanc, puis elle la portait à sa bouche. Parfois elle demandait si j'avais vu les journaux. C'était toujours facile de répondre, surtout si j'avais repéré un article désobligeant. Si un journal précis manquait à la pile, elle comprenait d'emblée que je la protégeais.

— Oh, vous ne voulez pas voir ça, lui disais-je, sachant très bien que j'avais attisé sa curiosité et qu'elle irait se le procurer.

Le seul journal qu'elle évitait au petit déjeuner, c'était le *Sun*. Mais cela ne l'empêchait pas de jeter un œil sur l'exemplaire du chef Mervyn à la cuisine, quand il était posé au-dessus du téléphone.

Le lundi, le mercredi et le vendredi étaient consacrés au sport, quelquefois au Chelsea Harbour Club, quelquefois au grand salon où Harold et moi avions repoussé les meubles pour que la princesse et son entraîneur, Carolan Brown ou Jenny Rivet, aient de la place. Plus tard, je dus conduire la princesse en voiture à une salle de sport dans Earls Court. Parfois les séances de fitness avaient lieu avant le petit déjeuner. Après la séparation, l'emploi du temps de Kensington Palace s'assouplit en fonction de la présence de William et Harry. Le prince Charles faisait en sorte que les dates des visites soient gravées dans le marbre et il écrivait à la princesse toutes les deux ou trois semaines des listes de dates potentielles, des mois à l'avance. C'est en 1993 qu'il recruta Tiggy Legge-Bourke pour l'aider à s'occuper de William et Harry. Elle était plutôt puéricultrice auxiliaire que bonne d'enfants, mais la princesse enragea quand les médias la décrivirent comme une « mère de substitution ». Dans d'innombrables journaux, on put voir Tiggy – une jeune femme pleine d'entrain qui menait une vie tranquille à Battersea – s'amuser follement avec William et Harry. Avec le temps, elle devint la confidente et l'amie personnelle du prince Charles, et la princesse commença à la considérer comme une menace.

Au quotidien, la princesse disait que sa seule véritable folie était de se faire laver et sécher les cheveux chaque matin de la semaine, d'abord par le coiffeur Richard Dalton, puis par Sam McKnight, et les deux hommes recueillirent tour à tour ses confidences. Toutes les femmes papotent avec leur coiffeur et la princesse n'était guère différente. Il y eut beaucoup de joyeux moments entre la princesse, le coiffeur et le majordome, et elle parlait toujours plus fort pour se faire entendre malgré le bruit du séchoir.

Quand elle apercevait mon reflet derrière elle dans le miroir ovale sur la coiffeuse, elle criait :

— REGARDEZ ÇA !

Il pouvait s'agir d'un courrier aimable de la part d'un photographe de magazine ou d'un article de presse. Personne, hormis son habilleuse, son majordome, son coiffeur et la bonne, ne fut jamais invité dans le saint des saints. Dans ces moments-là, elle était parfaitement naturelle, détendue, totalement à son aise. La princesse, telle que le monde ne l'a jamais vue. À mes yeux, c'était une fille au visage frais dépouillé du masque de la royauté, aussi vulnérable que quiconque. Dès qu'elle franchissait le seuil, impeccable dans un de ses ensembles époustouflants, elle puisait sur son énergie et marchait avec une assurance majestueuse. D'un peignoir blanc à une robe de Catherine Walker ou un tailleur Chanel, j'observais chaque matin cette étonnante métamorphose et cela n'a cessé de me surprendre.

Une pièce en L de la taille d'une petite chambre à coucher était nécessaire pour ranger les centaines de toilettes, corsages, tailleurs, vestes, pantalons et robes de cocktail qui constituaient sa garde-robe : un assortiment multicolore, suspendu au-dessus de centaines de paires de chaussures, le tout dissimulé derrière des rideaux allant du sol au plafond. Même la présentation de la penderie était impeccable. Un tailleur Chanel moucheté bleu et blanc était accroché exactement au-dessus de chaussures en daim bleu assorties. Un ensemble Versace rose au-dessus des chaussures coordonnées. Un ensemble robe-manteau Versace écarlate au-dessus d'une paire de chaussures rouges en satin.

La semaine de la princesse pouvait être remplie de « journées de formation », quand elle avait des obligations officielles outre-Manche ou des réunions avec des associations caritatives dans la capitale. Quand son emploi du temps le permettait, elle déjeunait au palais ou à Launceston Place ou au San Lorenzo, à Knightsbridge, situés à un jet de pierre. Le déjeuner était souvent consacré à la vie mondaine, alors que la princesse préférait dîner en tête à tête avec des membres de son petit cercle d'amis. Lucia Flecha de Lima, Rosa Monckton, Susie Kassem, lady Annabel Goldsmith – épouse de Jimmy –, Julia Samuel, sa dame d'honneur Laura Lonsdale, l'astrologue Debbie Franks et Sarah, duchesse d'York, son alliée la plus fidèle au sein de la Famille. La princesse s'entourait de gens qu'elle estimait. Le dimanche, elle se rendait souvent dans la résidence de la duchesse à Virginia Water, près de Windsor, ou chez lady Annabel Goldsmith, à Richmond, deux lieux pourvus de dispositifs de sécurité suffisants pour l'accueillir avec William et Harry ainsi que d'une piscine.

Si la princesse déjeunait seule au palais, elle s'asseyait volontiers sur un tabouret au comptoir du petit déjeuner et échangeait des plaisanteries avec le chef et moi-même. Le déjeuner se limitait à un plat unique, généralement des crudités, qu'elle accompagnait de Volvic glacée. S'il y a une image qui me reste de ces déjeuners sur le pouce, c'est la princesse, son portable en équilibre entre l'épaule et le cou, parlant du coin de la bouche sans lâcher son couteau et sa fourchette.

Quand elle quittait le palais, je l'accompagnais à sa voiture. Qu'elle prenne place derrière le volant ou non, j'attendais qu'elle soit assise, puis je me penchais, déroulais la ceinture de sécurité et la fixais autour d'elle.

Si elle était sortie, elle rentrait invariablement avant 19 h 30, et je lui préparais une tasse de son thé préféré, parfumé au gingembre. Le dîner se composait d'une truite grillée ou d'un plat de pâtes, ou de pommes de terre en robe des champs avec une cuillerée de caviar, agrémenté d'une vinaigrette. Elle dînait souvent en solitaire, dans son peignoir blanc. J'avais déjà extrait le téléviseur de son abri au pied de la bibliothèque et je l'avais branché. À cette heure-là, le chef était parti, l'habilleuse aussi. Et son secrétaire particulier, Patrick Jephson, n'empiétait jamais sur son intimité en soirée. Dans cette atmosphère sereine, quand la princesse se relaxait après une journée bien remplie, j'appris à mieux la connaître sur le plan personnel. Elle était détendue, sans angoisse, et d'humeur loquace. Il devint évident, comme je faisais rouler dans la pièce le chariot chargé des deux plats du dîner, qu'elle préférait ne pas rester seule lorsque ses enfants étaient en pension.

— Restez un moment, me disait-elle bien souvent.

Je demeurais debout, appuyé contre un fauteuil, et nous parlions de sa journée, de la mienne, de la semaine à venir, de ce qu'untel ou unetelle avait dit. De l'intrigue de *Coronation Street* ou de *Brookside*. Ces échanges nocturnes pouvaient durer quelques minutes ou des heures. Parfois, les informations de 22 heures sur ITN donnaient le signal du coucher. Comme je repartais avec le chariot, elle se levait et me suivait dans l'antichambre qui tenait lieu d'office pour le premier étage. Là, je lavais la vaisselle et la princesse l'essuyait.

— Que pensez-vous que demain nous réserve ? demandait-elle.

Il lui semblait que chaque jour pouvait apporter un autre drame, un nouveau problème ou une difficulté particulière.

— Quoi qu'il arrive, nous ferons front, répondais-je.

Quand l'heure du coucher sonnait, elle disparaissait au fond du couloir en bondissant comme une gamine, comme si elle avait soudain recouvré son énergie et attendait avec impatience le lendemain. Je suivais à quelques pas, éteignais les lumières au passage, sauf une : la lampe du couloir devant sa porte. Enfant, elle avait peur du noir et, adulte, elle préférait dormir dans la pénombre.

En entrant dans sa chambre, elle prononçait chaque fois les mêmes paroles :

— Bonne nuit, Paul.

— Bonne nuit, Votre Altesse Royale.

Un peu avant 23 heures, je quittais le palais, traversais l'obscurité du domaine pour rentrer dans l'appartement numéro 2 des Old Barracks, où ma femme et mes deux garçons dormaient déjà.

Ayant dû laisser Highgrove au prince Charles, la princesse se trouva privée de résidence secondaire, ce qui lui manquait. Pas question pour elle de quitter Kensington, mais dès le début de 1993, elle se mit en quête d'un havre champêtre, où elle pourrait emmener les enfants pendant les vacances ou les week-ends prolongés. En attendant, elle pouvait aller, bien sûr, chez la duchesse d'York ou lady Annabel Goldsmith, mais « c'est abuser de leur gentillesse de toujours dépendre d'elles, disait-elle. Je veux une maison de campagne à moi ».

Brusquement, une solution surgit de là où on l'attendait le moins : son frère, le comte Charles Spencer. Il paraissait curieux qu'il vînt à la rescousse de sa sœur car leurs liens s'étaient distendus. Depuis le mariage princier en 1981, le frère et la sœur s'étaient vus tout au plus une cinquantaine de fois. Toutefois, à la suite d'une requête de la princesse, le comte lui proposa l'usage de la « Garden House » dans un coin du domaine d'Althorp pour un loyer annuel de 12 000 livres.

— La solution rêvée, s'écria-t-elle.

Cela lui assurait une forme d'intimité et il y avait aussi une piscine près de la maison principale. Son frère lui promettait également de mettre à sa disposition une femme de ménage et un jardinier.

Je comprends que tu aies besoin d'une maison de campagne et suis heureux de pouvoir t'être utile dans la mesure où cela ne perturbera pas trop la paix du domaine, écrivait-il à sa sœur le 3 juin 1993. La Garden House semble correspondre parfaitement à tes besoins. Il serait également logique que tu aies la jouissance d'une piscine.

Il proposa même d'installer un nouveau portail de sécurité pour garder les journalistes à distance.

Tout en lisant cette lettre, la princesse s'imaginait déjà réaménageant le petit cottage. Elle était si excitée que, début juin, elle partit pour Althorp à 9 heures du matin avec Dudley Poplak et un panier de pique-nique préparé par le chef, en rêvant de week-ends idylliques avec ses deux enfants dans son nouveau foyer.

Quinze jours plus tard, le rêve se brisait : son frère revint brusquement sur sa proposition.

Je suis au regret de t'annoncer qu'il n'est pas possible que tu t'installes à la Garden House pour le moment. Il y a à cela de nombreuses raisons, qui concernent pour l'essentiel les intrusions de la police et de la presse qui ne manqueraient pas de s'ensuivre. Je recrute actuellement un intendant et j'ai besoin pour lui d'un logement sur nos terres. J'agis dans l'intérêt de ma femme et de mes enfants. Je regrette seulement de ne pouvoir aider ma sœur. En théorie, j'aurais été ravi de le faire et je déplore de ne pas pouvoir... Pourquoi ne louerais-tu pas une fermette (en dehors du parc) ? Ce serait merveilleux.

Sidérée par cette volte-face, la princesse relut la missive plusieurs fois.

— Comment peut-il me faire ça ? fulminait-elle, puis elle fondit en larmes.

Ce qui la déconcertait le plus, c'est que le comte Spencer savait combien l'idée de s'installer à la Garden House la transportait de joie. Quand il appela le palais quelques jours plus tard, elle lui raccrocha au nez.

— Je ne supporte pas d'entendre le son de sa voix, dit-elle.

Presque aussitôt, elle déversa sa rage sur son papier à lettres bordé de rouge pour livrer au comte le fond de sa pensée. Se doutant qu'elle avait trempé sa plume dans le vitriol, le comte n'ouvrit pas l'enveloppe qu'il renvoya à l'expéditrice, accompagnée d'une troisième missive datée du 28 juin.

Sachant l'état dans lequel tu te trouvais l'autre soir quand tu m'as raccroché au nez, je doute que la lecture de ce pli améliore nos relations. C'est pourquoi je te le renvoie intact : c'est le moyen le plus rapide de reconstruire notre amitié.

Cependant, cette amitié était ruinée à jamais. L'ironie veut qu'après sa mort, le comte Spencer ait accepté d'enterrer sa sœur sur le domaine d'Althorp et choisi, pour cela, un îlot. Brusquement, les intrusions extérieures qui semblaient tant le déranger du vivant de la princesse cessèrent d'être un problème. Qui plus est, maintenant, il encourage la presse et des milliers de visiteurs chaque année à franchir ses grilles pour visiter « son musée Diana » et acheter des souvenirs.

La brouille s'aggrava quand la princesse refusa obstinément de répondre aux appels téléphoniques de son frère. Celui-ci dut passer par Patrick Jephson, le secrétaire particulier de la princesse, pour entrer en contact avec elle. Puis, en septembre, il frappa un nouveau coup en demandant à sa sœur de lui restituer le diadème des Spencer, qu'elle avait porté pour son mariage en 1981 et qui lui était très cher. C'était un accessoire essentiel de sa tenue d'apparat et elle l'arborait lors des banquets officiels à Buckingham et des cérémonies d'ouverture de session parlementaire ainsi que lors des réceptions diplomatiques. Quand il écrivit à Patrick Jephson, le comte Spencer expliqua que ce joyau n'était autre qu'un « prêt » : son grand-père, prétendait-il, le lui avait légué dans les années 1970. « Il devrait à présent être restitué à son légitime propriétaire », concluait-il. Or, pendant douze ans, ce diadème n'avait fait l'objet d'aucun contentieux, aussi la princesse eut-elle la nette impression que la demande était directement liée à leur désaccord concernant la Garden House.

Pour le comte Spencer, ce joyau familial revenait de droit à Victoria, sa nouvelle épouse. Pour la princesse, il ne symbolisait pas seulement son statut royal, c'était aussi un souvenir de son mariage. Cependant, elle ne voulait pas que son frère sache à quel point cette requête la blessait. En octobre, le diadème fut remis au comte Spencer et ce fut à moi qu'il incomba de le retirer du coffre où il se trouvait dans un écrin avec ce qu'elle appelait sa « solution de rechange », le diadème en lacs d'amour, perles et diamants que la reine lui avait offert comme cadeau de mariage. Au moins, elle conserverait le diadème des Windsor.

Entre-temps, à Kensington Palace, des changements de personnel intervinrent, qui causèrent un gros remue-ménage dans les Old Barracks. Maria, qui avait un emploi de bonne à temps partiel depuis que nous avions quitté Highgrove, fut promue habilleuse à la suite de la démission d'Helena Roache. Cette nomination posa quelques difficultés sous le toit des Burrell, car Maria passait brusquement d'un poste qui l'occupait de 9 heures à 13 heures à un emploi du temps capricieux, qui l'obligeait parfois à se lever aux aurores ou à travailler le soir. Nous dûmes organiser notre vie pour que j'échange mes heures avec Harold Brown quand elle travaillait en soirée, de façon à être à la maison avec les garçons. Consciente du chamboulement imposé à notre famille, Maria dit qu'elle prenait le poste à l'essai pendant un an et verrait alors avec la princesse si cela leur convenait à toutes les deux. La Patronne se montra conciliante et autorisa même Maria à la réveiller par téléphone à 7 heures au lieu d'entrer personnellement dans la chambre, comme sa charge l'exigeait. Mais les journées étaient de plus en plus longues. Maria n'avait jamais encore passé une soirée loin d'Alexander et de Nick, et ils lui manquaient. Quand elle faisait des courses pour la princesse en fin d'après-midi, elle voyait les garçons jouer sur la pelouse devant les Old Barracks. Le plus souvent, à son retour tard le soir, les garçons dormaient déjà. Mais si Maria travaillait dur, Helen se donnait plus de mal encore.

La princesse reconnaissait les sacrifices consentis et s'efforçait de compenser. Elle donnait à Maria des sacs pleins de chaussures de grands couturiers dont elle ne voulait plus – Chanel, Jimmy Choo, Ferragamo ou Rayne – ainsi que des sacs à main, et des tailleurs de Catherine Walker, Versace et Chanel. Helen recevait elle aussi des tenues dont la princesse ne voulait plus et des cadeaux. C'était pour celle-ci une façon de faire le vide dans sa garde-robe de plus en plus envahissante et de témoigner sa gratitude à ses employées. Lady Sarah McCorquodale, sa sœur, profita elle aussi de cette manne.

La générosité n'est pas une denrée rare dans les Maisons royales. À l'époque où je travaillais pour la reine, je recevais des cadeaux provenant de voyages à l'étranger. À Highgrove, le prince Charles m'avait offert une table sculptée dans un tronc de séquoia, des livres, un coffret en argent avec un couvercle en émail et une paire de grouses en cristal signées Lalique. La seule fois où j'ai emporté des choses appartenant au prince, ce fut avec la princesse lors d'une « descente » organisée à Highgrove. Nous y sommes allés, Harold Brown, Dudley Poplak, la Patronne et moi, au lendemain de la séparation, pour déménager des meubles, lampes, tableaux et objets décoratifs.

— C'est notre seule et unique chance de prendre ce que nous voulons !

Nous avions chargé le camion jusqu'au toit.

Le prince Charles apposait son propre cachet partout dans la maison en se faisant livrer de plus en plus de meubles en bois sombre. La princesse eut une crise de fou rire quand Dudley remarqua :

— On dirait qu'il retourne à l'état fœtal !

Si l'année 1993 avait démarré en flèche pour celle qui venait de décrocher son indépendance, elle s'acheva sur une série de coups durs. D'abord intervint la brouille avec le comte Spencer. Puis, en novembre, le *Sunday Mirror* publia des photographies de la princesse, en justaucorps, s'exerçant au LA Fitness Centre d'Isleworth, à Londres. Le propriétaire Bryce Taylor avait dissimulé un appareil photo dans le plafond. La princesse donna l'ordre à son avocat Anthony Julius du cabinet Mishcon de Reya de poursuivre les coupables, et le journal fut condamné. Après quoi, le 3 décembre, à l'occasion d'un discours qu'elle prononça lors d'un lunch de bienfaisance au profit de la Headway National Head Injuries Association, la princesse annonça qu'elle se retirait de la vie publique.

— J'espère qu'au fond de vos cœurs, vous saurez me comprendre et que vous m'accorderez le temps et l'espace qui m'ont tant fait défaut ces dernières années. Quand j'ai fait mon entrée dans la vie publique, il y a douze ans, je comprenais que les médias s'intéresseraient à ce que je faisais... mais j'ignorais à quel point cette attention deviendrait pesante.

La Maison royale, pour qui cette décision était excessive et mélodramatique, exprima une dose minimale de sympathie. On raya le nom de la princesse du *Court Circular*, le bulletin quotidien de la Cour, ainsi que de la liste des invités à Ascot. La princesse demandait certes à ne plus être sur le devant de la scène, mais on l'en éjectait sans ménagement par la porte de service.

La violation de sa vie privée au LA Fitness, problème qui fut réglé à l'amiable avec les excuses du *Sunday Mirror* en 1995, l'avait bouleversée. Quand elle était démoralisée, elle se retirait dans sa chambre et défendait à quiconque de la déranger. Elle se culpabilisait pour ces photos parce que, en collaborant avec les médias pendant des années, elle avait mis le doigt dans un engrenage infernal. J'en étais réduit à laisser des messages sur des bouts de papier au salon et sur un tabouret en haut de l'escalier. Elle apparaissait pour ses repas, mais c'était des moments sans joie. Pendant que j'étais en bas à l'office, elle ruminait les erreurs dont elle s'estimait responsable et écoutait des messes de requiem à plein volume. Moi, je savais que c'était pour couvrir ses sanglots.

— Je ne me sens vraiment protégée qu'en rentrant dans ma coquille, répétait-elle souvent. Là, personne ne peut me faire de mal.

Toutes ses obligations publiques ayant été annulées, en 1994 la princesse put faire ce qu'elle aimait le plus : déjeuner dehors. Les après-midi de janvier jusqu'au printemps furent remplis de rendez-vous dans ses restaurants préférés : le San Lorenzo, Le Caprice, le Ritz, le Claridge, l'Ivy, le Bibendum ou Launceston Place. Clive James, le présentateur de la télévision australienne, et lord Richard Attenborough, un ami, étaient de fréquents compagnons de tablée, et elle voyait en outre Lucia Flecha de Lima et Rosa Monckton deux fois par semaine. Kensington Palace devint une chambre de décompression de luxe où peu à peu disparaissaient les tensions de sa vie antérieure. Elle jouait au tennis, allait au ballet et au cinéma, passait du temps avec ses amis. Chaleureuse, insouciante, dynamique et de bonne compagnie, la princesse remontait la pente. Elle offrit au personnel une journée entière au parc d'attractions d'Alton Towers parce que William et Harry voulaient monter sur Nemesis, un genre de montagnes russes à vous couper le souffle. C'était une de ces journées où elle voulait vivre « une vie normale, comme tout le monde ». Nous étions treize, y compris Maria, les enfants, la bonne d'enfants Olga Powell, le chauffeur Steve Davis, les jeunes princes et moi-même, sous la houlette de Graham Craker et Chris Tarr, les deux gardes du corps. Une absence remarquée fut celle de mon collègue Harold Brown, qui n'avait décidément plus les faveurs de la Patronne. Comme pour souligner le caractère normal de cette journée – qui ne put l'être jusqu'au bout –, la princesse décida que nous irions dans le Staffordshire par les transports en commun. Vêtue d'une veste de footballeur américain vert et blanc, elle se rendit avec le groupe à la gare de Euston et nous embarquâmes dans un wagon de première. La princesse plaisanta, disant que le service de plateaux à déjeuner était presque aussi bon que celui du train royal. Peut-être était-ce à cause de l'entraînement intensif qu'elle pratiquait, mais je ne m'étais encore jamais rendu compte à quel point elle marchait vite. La suivre dans le parc prit l'allure d'une véritable course de relais. Nick fut le seul à profiter d'un répit parce qu'il passa l'après-midi sur les épaules de la princesse. Elle ne s'arrêta que pour déjeuner, et dévora des hamburgers et des frites comme tout le monde.

Peu importe si ce jour devait être « normal ». La presse avait eu vent de l'expédition et ne nous quittait pas d'une semelle.

— Allez, maman, viens faire un tour, pria Harry en tirant sa mère par la manche.

Elle regarda en l'air le métal contorsionné du Nemesis.

— Non, dit-elle, je vais être malade.

Et elle resta sur le plancher des vaches avec Maria. L'itinéraire tranquille des River Rapids était plus dans ses cordes. Un autre petit qui n'arrêtait pas de la tirer par le bras, c'était Nick. Tout ce qu'il voulait, c'était faire un tour sur le manège en forme de service à thé.

— Des tasses géantes, je veux monter dans les tasses géantes, Princesse ! la supplia-t-il.

C'est pourquoi la princesse, les jeunes princes et nos enfants parurent dans les journaux du lendemain en train de tourbillonner dans les tasses géantes. Malheureusement, Nick était trop petit à l'époque pour avoir conservé le souvenir de cette joyeuse équipée.

Cependant, la publication de ce reportage prouva que la presse refusait de lui accorder « le temps et l'espace » qu'elle avait sollicités au mois de décembre précédent.

En 1994, la princesse entreprit de « se trouver ». J'ouvris la porte à un nombre invraisemblable de gourous, guérisseurs, astrologues et médiums. Les amis proposaient leurs services, une oreille et une épaule pour pleurer. Elle prenait en considération aussi bien les conseils bien intentionnés de ses intimes que les recommandations lues dans son horoscope ou prodiguées par des voyantes, les messages de l'au-delà et les « énergies » autour d'elle. Elle y réfléchissait longuement pendant ses séances d'acupuncture, de massages ou de gymnastique. Même Dudley Poplak lui envoyait des fioles contenant des gouttes calmantes à base de plantes.

L'odeur de l'encens qui brûlait dans la chambre de la princesse se répandait au premier étage et se mêlait aux produits d'entretien que les bonnes utilisaient le matin. Je m'habituai à la tenue immaculée de l'astrologue Debbie Frank qui arrivait par la grande porte. Le plancher du salon et de la grande salle fut bientôt couvert de cartes du zodiaque tandis que Debbie et la princesse s'asseyaient sur le tapis pour définir le mouvement des planètes et déterminer leur incidence sur le Cancer royal. La Patronne avait l'impression que les natifs du Cancer, comme leur symbole le crabe, avaient une carapace dure et l'intérieur tendre, qu'ils voulaient d'instinct se réfugier dans l'ombre. Elle trouvait là l'explication à sa fascination pour l'eau et son rêve de vivre un jour dans une maison en bord de mer.

— Cette maison est pleine de Gémeaux, dit-elle à Debbie. William est Gémeaux, Paul est Gémeaux... et ce n'est pas facile !

Debbie se proposa d'exercer ses talents sur moi mais je refusai poliment.

— Il faut vraiment qu'on vous trace votre carte du ciel, implora la princesse. C'est absolument fascinant.

Un jour, une acupunctrice que venait de voir la princesse téléphona au palais. Si les acupuncteurs sont censés vous calmer, cet appel eut plutôt l'effet inverse. En fait, cette dame était complètement affolée.

— Il me manque une aiguille. J'ai dû la laisser sur la tête de la princesse !

Je montai à l'étage et j'entrai dans le salon où la Patronne était à son bureau en train d'écrire. C'est tout juste si je ne m'attendais pas à voir une antenne émerger de son crâne. Je gloussai et la princesse leva les yeux.

— Je viens de recevoir un appel, dis-je. Apparemment vous avez une aiguille enfoncée dans le cuir chevelu.

La princesse se tâta le chef, puis éclata de rire.

— Rassurez cette pauvre femme et dites-lui que je vais bien. Je me sens beaucoup mieux depuis que je l'ai vue !

La princesse ne manquait pas de voir le côté comique des divers soins et traitements auxquels elle avait recours. Certains étaient plus bizarres et masochistes que d'autres. Deux fois par semaine, il m'incombait de la conduire – et non pas au chauffeur du fait du caractère privé de la mission – dans une clinique du nord de Londres pour un lavement.

En revanche, elle se rendait sans escorte chez Susie Orbach, la psychothérapeute spécialisée dans les troubles alimentaires qui a grandement aidé la princesse à maîtriser sa boulimie. Le Dr Mary Loveday, une petite bonne femme à la voix douce, s'occupait de l'équilibre chimique du corps et lui prescrivait des suppléments vitaminés qu'elle prenait trois fois par jour.

L'aspect spirituel de la vie, « l'autre côté », comme elle l'appelait, prenait de plus en plus d'importance à ses yeux. La médium Rita Rogers, installée près de ma ville natale de Chesterfield, lui servait de « guide » et Simone Simmons, une guérisseuse, lui téléphonait sans arrêt. Certains soirs, la princesse s'entretenait avec elle cinq heures durant. C'était à Simone qu'on devait les effluves d'encens.

À mon avis, chacune à sa manière, ces thérapies alternatives procuraient à la Patronne un soulagement. Seulement, un passe-temps intéressant peut se transformer en une véritable drogue. Ce qui me perturbait également, c'était la façon dont les paparazzis la pistaient partout. Un jour, alors qu'elle quittait la maison de Susie Orbach à Londres, la princesse, qui portait des lunettes noires, fut cernée par des photographes travaillant pour des agences et des magazines étrangers. « Regardez-vous, vous êtes une épave ! » ou « Vous êtes une traînée, Diana ! » criaient-ils. Poussée à bout, la princesse éclata en sanglots et se précipita vers sa voiture. Les journaux du lendemain titrèrent : « Diana pleure. » Sous-entendu : elle pleure sur les décombres de son mariage.

Parfois, des images mémorables échappaient à la presse. Il en fut ainsi de la fête surprise donnée pour les quarante ans de Maria. Elle eut lieu le 1er février 1994 au Café Rouge, à quelques pas du palais. Le thème en était les « célébrités ». Maria et moi étions déguisés en Antoine et Cléopâtre. Wendy Berry, l'ancienne gouvernante de Highgrove, était Cruella Denfer, mon beau-frère Peter Cosgrove en Al Capone et mon frère Graham et sa femme Jayne en Napoléon et Joséphine. Quand la princesse passa la porte pour se joindre à nous, mon autre frère, Anthony, déguisé en général Custer, serra la main de la Patronne et lui demanda sans ambages :

— En quoi vous êtes déguisée ?

— En princesse, bien sûr, dit la princesse vêtue de son tailleur-pantalon noir et d'un gilet brodé d'or.

Ce samedi après-midi, tandis que les collègues et amis préparaient les costumes, la princesse était allée secrètement voir mère Teresa, mais elle avait hâte de nous rejoindre parce que bon nombre des convives étaient des membres de son personnel de Kensington ou Highgrove. Même l'Intendant du palais à la retraite Cyril Dickman, son vieil ami de Buckingham Palace, était des nôtres. La princesse voulait « faire quelque chose de normal pour changer », pour la citer. Mais quand on est Diana, princesse de Galles, dépourvue de gardes du corps, que l'on traverse un lieu public pour se rendre dans un salon privé, on n'est normal aux yeux de personne. Peut-être à cause de mon costume de centurion romain assumai-je spontanément le rôle de protecteur et je fis en sorte de retrouver la princesse avec un petit groupe d'invités costumés à 20 heures, dans l'allée du palais, à la hauteur de la barrière de police. Surgie de l'obscurité, la princesse ne pouvait en croire ses yeux.

— Mais regardez-vous !

Elle était hilare, pliée en deux. Elle vint se mêler à nous et le spectacle fut complet. La princesse de Galles était entourée d'Antoine, des Trois Mousquetaires, ainsi que de Batman et Robin.

Nos amis et notre famille, venus spécialement des Galles du Nord, faillirent perdre leurs fausses moustaches et leurs perruques à l'apparition de la princesse. Un membre important de la famille royale à un bal costumé dans un lieu public, pensez donc ! Les courtisans vieux jeu en auraient avalé leur parapluie, mais je n'ai jamais vu la princesse s'amuser autant à une soirée. Elle but de l'eau, installée dans un fauteuil, pouffant devant les clowneries des uns et des autres, avant de se lancer dans une conga endiablée qui conduisit tout le monde au premier étage.

Puis la princesse occupa la scène à côté de la cabine rouge du DJ. Elle avait accepté de remettre les prix pour le meilleur déguisement. Mon frère Graham crut rêver quand elle lui décerna le premier prix, un lecteur de CD, pour son costume de Napoléon.

Au bout de deux heures, elle décida de partir et, tandis qu'elle ne cessait de me répéter combien elle s'était amusée, je la raccompagnai au palais. La princesse de Galles traversa donc Kensington, escortée par un centurion romain.

La présence de la princesse à l'anniversaire de Maria nous procura d'autant plus de joie qu'elle n'aimait guère fêter le sien. Elle craignait que ses amis et relations ne se sentent obligés de lui faire des cadeaux coûteux. Elle aimait gâter ses proches, dont la date de naissance figurait sur un calendrier. Mais recevoir des présents la gênait.

— Il est beaucoup plus facile de donner que de recevoir, répétait-elle souvent. Donner n'engage à rien.

Chaque 1er juillet, sachant combien elle adorait les cartes de vœux humoristiques, j'en glissais une sur son bureau, signée par la famille Burrell au complet. En fait, les membres du personnel se livraient à une compétition joyeuse pour voir qui trouverait la plus drôle, la plus effrontée. Elle les ouvrait après le petit déjeuner et les exposait toutes sur la table ronde du salon. Puis les fleurs commençaient à arriver. Vingt-quatre grandes roses jaunes de chez Edward Goodyear, le fleuriste de Mayfair, envoyées par un mystérieux admirateur dont le monde n'a rien su. Des roses rouges de la part de quelques amis. Ensuite venaient les blanches, disposées dans des vases ; des tulipes expédiées par sir Elton John et encore des roses de la part de Gianni Versace. Anna Harvey, rédactrice en chef du *Vogue* londonien, dépêchait un chemisier ou une robe dans du papier cadeau.

Catherine Walker et Jo Malone ne se privaient pas de lui faire porter des pièces qui lui plaisaient. À la guérite de l'entrée, des inconnus déposaient cartes, cadeaux et bouquets. À la fin de la journée, les appartements 8 et 9 ressemblaient à une boutique de fleuriste et toutes les surfaces disponibles étaient couvertes de cartes.

Si la princesse redoutait le 1er juillet, son majordome n'en menait pas large non plus. Je courais dans l'escalier du matin au soir. Une livraison de Selfridges, de chez Harrods, de Fortnum & Mason, de Harvey Nichols. Et puis, chaque année sans exception jusqu'à la mort de la princesse, un bouquet de la part du prince Charles, qui commençait chacune de ses lettres et de ses cartes par ces mots : « Très chère Diana. »

Pour le reste de la journée, entre la fin de l'après-midi et le moment où elle allait se coucher, elle écrivait lettre sur lettre pour remercier cousins, amis, relations et organisations. Je n'ai jamais vu quiconque écrire autant et répondre si promptement. La princesse n'a jamais oublié la stricte discipline que lui avait enseignée son père dans son enfance.

Au salon, elle sortait du tiroir central de son bureau en acajou son papier à lettres bordé de rouge et surmonté d'un D orné d'un parchemin sous une couronne. Elle s'asseyait, le dos à la fenêtre, et se mettait à l'œuvre : on écrit, on plie, on ferme l'enveloppe, on la scelle. Et on recommence. Pendant des heures d'affilée, elle restait assise et trempait son stylo à plume noir dans un encrier Quink bleu foncé pour exprimer ses remerciements de son écriture si reconnaissable. Puis, après avoir souligné sa signature, elle retournait la lettre et la pressait légèrement sur le buvard rose, lequel, à la fin de la soirée, était complètement noirci. Elle pliait la feuille en deux, la glissait dans une enveloppe crème doublée de papier de soie rouge, écrivait l'adresse et la posait sur la pile.

— Je dois écrire des lettres de remerciement, disait-elle. Si les gens se donnent le mal d'envoyer un cadeau, le moins que je puisse faire est de leur témoigner ma gratitude.

Au bout de six mois loin des circuits officiels, la princesse revint avec précaution sous les feux des projecteurs. La Croix-Rouge, par l'intermédiaire de Mike Whitlam, son directeur général, qui devint un solide allié, réussit à la convaincre de faire partie d'une commission consultative de la Croix-Rouge internationale. En mai 1994, elle se rendit donc à Genève. Son secrétaire particulier, Patrick Jephson, affirma que le regard de la princesse exprimait son ennui, que c'était la raison pour laquelle elle s'était désengagée peu après. Mais la vraie raison de son départ, c'est qu'elle n'aspirait pas à pontifier dans un conseil d'administration quelconque. Ce n'était pas le moteur de sa démarche à elle. Ce qu'elle désirait, c'était être au milieu des gens.

La princesse regagna donc Londres et assista à l'inauguration d'un monument érigé à la mémoire des forces canadiennes à Green Park. Puis à la veille du cinquantième anniversaire du débarquement, elle se rendit à une cérémonie religieuse à Portsmouth avant de rejoindre d'autres membres de la famille royale sur le *Britannia*. La princesse retrouvait le rythme d'antan, mais elle n'oublia jamais les causes pour lesquelles elle avait milité. Elle fut présente lors du lancement de la collecte en faveur des maladies mentales, assista à un gala de charité consacré à la recherche contre le sida, se trouva à Versailles lors d'un dîner d'une association française pour l'enfance, où elle fut ovationnée par un millier d'invités.

Même si elle avait sans cesse besoin d'être rassurée, elle conservait sa force intérieure et comptait dessus pour reprendre confiance en elle. Elle en eut besoin, le 29 juin 1994, lorsqu'un documentaire très attendu sur le prince Charles, réalisé – avec l'accord de l'intéressé – par Jonathan Dimbleby, fut diffusé avant la parution d'un livre tout aussi dérangeant. Intitulé *Le Prince de Galles*, il s'agissait d'une riposte, frappée du sceau royal, à l'ouvrage d'Andrew Morton. Aussi, alors que, malgré ses démentis, la princesse avait eu à affronter le courroux princier pour sa collaboration avec Morton, le bureau du prince Charles avait donné le feu vert à ses amis pour parler en son nom, sous le prétexte du vingt-cinquième anniversaire de son investiture comme prince de Galles.

Plus tard, Jonathan Dimbleby assura que le prince avait refusé de tenir des propos blessants au sujet de la princesse. Cependant le prince Charles avoua à la télévision ses relations adultères avec Camilla Parker Bowles. Comme la diffusion de ce documentaire avait été amplement commentée, la princesse s'inquiéta du contenu de l'émission. Elle trouva refuge et conseil auprès de Lucia Flecha de Lima, Annabel Goldsmith, Susie Kassem et la duchesse d'York, qui vinrent au palais pour la soutenir. Le jour de la diffusion, un autre soutien lui parvint, un soutien essentiel émanant de St James' Palace. Cet après-midi-là, la duchesse de Kent – un modèle éblouissant de chaleur et de bonté – rendit visite à la princesse et l'encouragea à rester forte.

— Comment vais-je pouvoir sortir et regarder le monde en face ? demanda la princesse.

Si seulement les cyniques qui osent la dépeindre comme une manipulatrice des médias avaient pu l'entendre !

Ce soir-là, tandis que toute l'Angleterre avait les yeux rivés sur son poste de télévision, la princesse se rendit à un dîner prévu de longue date à la Serpentine Gallery de Hyde Park. Elle était la marraine de la galerie, une amie de lord Palumbo, le président, et l'invitée de lord Gowrie, le nouveau président du Arts Council of England, commission qui accorde les subventions à la création artistique. Pendant ses préparatifs, sa nervosité n'avait fait que croître, l'esprit en partie occupé par ce documentaire et en partie par le choix de sa tenue. À l'entrée de la galerie, une batterie de caméras de télévision étaient sur le pied de guerre.

Prête une heure à l'avance, elle arpentait le palier du premier étage. À l'office, mes oreilles suivaient les craquements des parquets. Ils cessèrent brusquement.

— Paul, vous êtes là ?

Je montai la première volée de marches et levai la tête vers le palier où se tenait la princesse, mains sur les hanches, vêtue d'une robe de cocktail bleu nuit, retenue par une ceinture à la taille, avec des poignets en satin blanc et un étroit col blanc qui lui enserrait le cou.

— Alors, vous aimez ? me demanda-t-elle.

Ma réaction ne fut pas particulièrement spontanée ni enthousiaste.

— Pas vraiment, hein ?

Les mains quittèrent ses hanches.

Malgré la présence de ses habilleuses aguerries, un avis masculin la rassurait, tout comme au Pakistan ou en Tchécoslovaquie quand elle consultait Marvyn Wycherley ou moi sur une tenue. Un jour, pendant un essayage chez le couturier Jacques Azagury, la princesse se trouvait avec lui au salon tandis que son essayeuse, Solange, épinglait l'ourlet d'une robe rouge assortie d'une écharpe de mousseline.

— N'est-ce pas magnifique, Paul ? Jacques n'est-il pas génial ?

Il était pratiquement impossible de ne pas réagir favorablement quand la princesse était sur son trente et un. Mais je l'avais avertie.

— Si vous voulez une réponse franche, demandez-moi. Je vous la donnerai. Si vous n'en voulez pas, ne me demandez pas.

Pour la réception à la galerie Serpentine, j'estimai qu'elle n'avait d'autre choix que de se montrer à la hauteur.

— C'est le soir ou jamais où vous devez faire un effet considérable. Cette robe ne convient pas. Désolé.

— Mais je n'ai rien d'autre à me mettre, se lamenta-t-elle.

Je grimpai le reste des marches et, avec la princesse,

examinai sa garde-robe. Nous fîmes glisser les cintres des robes du soir les uns après les autres.

— Et que diriez-vous de celle-ci ? demandai-je en montrant une robe noire étincelante.

Elle fit la grimace.

— Déjà vu.

Puis, parmi les robes noires, je trouvai un modèle cocktail court dessiné par Christina Stambolian. Cette tenue plaisait à la princesse mais lui allait-elle encore ? Jouissant d'une ligne impeccable, la Patronne craignait que ses exercices de musculation ne lui aient élargi les épaules.

— Il n'y a qu'une façon d'en juger.

Elle quitta la pièce, le cintre à la main. Elle réapparut en crêpe noir, épaules dégagées. Elle était époustouflante.

— Ça, c'est super, dis-je.

— Vous ne trouvez pas ça exagéré ? demanda-t-elle, un doigt planté dans son décolleté.

— C'est parfait.

Puis nous allâmes au coffre près de sa chambre. Elle sortit un tour de cou en perles avec un large saphir ovale serti de deux rangées de diamants. Un cadeau de fiançailles qu'elle tenait de la reine mère.

Comme l'heure du départ approchait, elle arpentait encore le palier.

— Pourquoi suis-je aussi nerveuse ? demanda-t-elle, agacée.

Il fallait la rassurer.

— Vous êtes fantastique. Ils vont être épatés.

— Si vous le dites.

Incroyable, mais elle en doutait.

— Et rappelez-vous, ajoutais-je, quand vous arriverez, marchez à grands pas, bien droite, tendez une poignée de main ferme et répétez-vous : « Je suis la princesse de Galles. »

Elle respira à fond.

— Allez, Paul, on y va.

Je suivis la traîne de mousseline au bas des marches et dans l'entrée jusqu'à la porte. Quand je refermai la portière arrière de la voiture, elle rayonnait. Je lui adressai un signe de la main.

Je regardai les bulletins télévisés dans la soirée montrant son arrivée par cette douce nuit d'été. Elle sortait à grands pas de la voiture, s'approchait dans le même élan de lord Palumbo, lui serrait la main et souriait comme si le monde lui appartenait.

Cela devint une des plus célèbres images de la princesse et fit la une de toute la presse le lendemain. « Voyez ça ! » titrait le *Daily Mirror*. Et Charles ? « Pas fait pour régner. »

Quand la princesse rentra au palais, elle savait déjà que le prince avait avoué son infidélité. Elle resta silencieuse. Rien à manger. Rien à boire. Elle alla directement dans sa chambre et j'éteignis toutes les lumières. Sauf une.

IX

La Patronne

Nul n'aurait pu prétendre que le service au palais de Kensington était facile. Pas plus que dans la vie, rien ne fut jamais simple pour le personnel attaché aux appartements 8 et 9. Ainsi qu'il en va dans la plupart des relations – familiales, conjugales, amicales ou professionnelles – le bonheur s'accompagne parfois de son contraire. La vie auprès de la Patronne ressemblait à un circuit de montagnes russes. Ceux qui n'avaient pas l'estomac bien accroché l'auraient décrite comme une expérience terrifiante. Les hauts étaient grisants, mais les bas étaient épouvantables, et pour beaucoup les wagonnets du circuit allaient trop vite, basculaient trop souvent à la renverse et paraissaient incontrôlable. Pourtant, la princesse était bel et bien aux commandes et décidait, avec l'intransigeance capricieuse qui faisait partie de son caractère, qui était de la balade, et qui restait à la traîne. Avec elle, la clé de la longévité, c'était la résistance sur le plan émotionnel ; vous n'aviez pas à juger ni à poser de questions, juste à accepter la personne merveilleuse, complexe, imparfaite mais pleine de tendresse qu'elle était.

Le soutien et la loyauté indéfectibles ne souffrent aucun compromis, en particulier lorsqu'ils sont un préalable. L'allure s'avéra trop soutenue pour certains, et ils désertèrent le navire bien trop tôt, d'aucuns avant même d'y être poussés. D'autres, avec un dévouement extrême, tentèrent de s'accrocher, jusqu'à ce qu'un malentendu brouille les cartes ; leur départ fut déchirant. Certaines amitiés ne résistèrent pas à un mouvement d'humeur basé sur un quiproquo ou de fausses informations. Évoluer auprès de la princesse comportait toujours un risque : le déchirement de connaître, d'aimer puis de perdre l'amitié grisante d'un être hors norme.

Je connais ce déchirement-là : Maria en a fait l'expérience entre la fin 1994 et 1995. Mon épouse s'était engagée à assumer le poste d'habilleuse pendant un an, mais les heures ont commencé à s'accumuler, le travail est devenu de plus en plus prenant, au point que l'idée de passer une année supplémentaire sans pratiquement voir Alexander et Nick lui parut au-dessus de ses forces. Les garçons étaient habitués à ce que leur papa ne compte pas ses heures de travail, mais pas leur maman. « Ça s'arrangera, n'abandonne pas », l'implorais-je régulièrement, en m'efforçant de repousser l'inévitable. Je savais que la princesse considérerait une démission comme un abandon, elle qui avait fait maintes fois l'expérience de ces rejets qui semblaient la poursuivre. Elle s'était sentie rejetée par sa famille, qui n'aspirait qu'à avoir un garçon, rejetée dans son mariage avec le prince Charles, rejetée par son frère, le comte Spencer, dans sa quête d'un soutien. Le plus triste dans tout cela, c'est qu'elle-même pouvait se montrer tout aussi cruelle. Dans le cas de Maria, je me retrouvais – une fois de plus – pris entre deux feux, tiraillé entre les deux femmes auxquelles je tenais le plus.

Lorsque mon épouse se rendit à Kensington pour annoncer à la princesse qu'elle démissionnait à contre-cœur parce qu'elle voulait passer plus de temps avec sa famille, j'eus la lâcheté de ne pas me montrer et je me couvris les oreilles dans l'espoir que le vacarme s'apaiserait de lui-même. Plus tard ce soir-là, en décembre 1994, c'est une Maria effondrée qui me rapporta la conversation qu'elle avait eue avec la princesse.

— Quoi ? Après tout ce que j'ai fait pour vous ? s'était écriée celle-ci, furieuse. Je me suis mise en quatre pour vous satisfaire, j'ai été on ne peut plus souple, et voilà comment vous me payez de retour !

Maria avait tenté de placer un mot, d'expliquer qu'il avait été convenu qu'elle travaillerait un an et qu'elle avait honoré son contrat, mais que ses enfants passaient en premier.

— Elle a réduit en miettes mes arguments, et j'ai fondu en larmes, m'expliqua Maria ce soir-là.

Le lendemain, la dispute était encore dans l'air à en juger par le nuage noir qui planait au-dessus de la table du petit déjeuner.

— Bonjour, Votre Altesse Royale, dis-je en tenant une cafetière à la main.

Pour toute réponse ce matin-là, j'eus droit à un :

— Paul, pouvez-vous essayer de raisonner votre femme ?

Pour une fois, j'espérai qu'un gros titre dans la presse me permettrait de détourner l'attention de la princesse, mais il n'y avait rien. Timidement, lamentablement, je répliquai que Maria avait pris sa décision, m'efforçai d'expliquer les raisons familiales qui l'avaient amenée à s'en aller et lui assurai qu'il lui en coûtait, mais qu'elle l'avait fait afin que je me donne à deux cents pour cent dans mon travail. La princesse se montra intraitable. Durant les quatre semaines de préavis que fit encore Maria, elle ne lui adressa plus une fois la parole. Le personnel du palais baptisa cette période la « conjuration du silence ».

En 1995, d'autres employés tombèrent en disgrâce, et nous vîmes ainsi avec regret et tristesse le chef Mervyn Wycherley quitter Kensington après une conjuration du silence de neuf mois. Une autre victime fut mon double au poste de majordome, Harold Brown, qui endura à son tour ces représailles. Il fut transféré, heureusement pour lui, au service de la princesse Margaret, et conserva par conséquent ses quartiers dans l'appartement 6. Son départ fit de moi l'unique majordome attaché au service de la Patronne.

Pourtant, même moi, je n'étais pas à l'abri des critiques de la princesse. Ma période la plus noire à son service fut lorsqu'elle commença, à peu près à l'époque de son divorce, à resserrer les cordons de la bourse. Elle devait alors veiller aux dépenses de la maison, et je crois qu'elle vit pour la première fois la note de téléphone de Kensington. Elle se procura la facture détaillée et tous les membres du personnel furent invités à inscrire leur nom à côté des appels personnels qu'ils avaient passés. Les miens totalisaient une somme d'environ trois cents livres. Je signai un chèque du même montant, croyant être quitte avec cette question. Mais je me trompais.

La Patronne ne digérait pas le montant de la facture. Alors que je lui remettais le chèque, elle voulut savoir ce qui expliquait mon usage aussi immodéré du téléphone. Je commis l'erreur de lui répondre franchement.

— Étant donné le nombre d'heures que je passe ici, je ne vois pas quel mal il y a à appeler ma famille. Je travaille presque seize heures par jour, Votre Altesse Royale.

Cela fut pris, à tort, pour une récrimination. Au cours des deux semaines qui suivirent, elle m'ignora, ce qui me mit au supplice... Je me sentis hors circuit, privé de son amitié, isolé. À tel point que je dus me résoudre à lui laisser des messages sous forme de Post-it collés partout dans les appartements. Elle y répondait à son tour sous forme de mémos.

L'absurdité de la situation apparut dans toute sa splendeur lorsqu'un message important se perdit, et qu'elle me demanda une explication :

— Pourquoi ne pas m'en avoir fait part, Paul, au lieu de l'écrire ?

— Votre Altesse Royale ! m'exclamai-je au comble de l'exaspération. Comment aurais-je pu ? Vous ne daignez plus m'adresser la parole !

Elle sembla en convenir, l'air contrit ; aussi poursuivis-je :

— Je ne puis travailler correctement dans ces conditions. Je vous en prie, permettez-moi de vous assister de telle sorte que je puisse être efficace.

La glace était brisée, et ce fut tout. Ce retour en grâce me procura une immense satisfaction. Dès lors, bien sûr, je n'utilisai plus qu'avec circonspection le téléphone de Kensington.

« Le retour en grâce », titrait en gros le *Daily Mirror* pour parler du dégel des relations entre Kensington et Buckingham, alors que la princesse était invitée à passer Noël 1994 avec le reste de la famille royale à Sandringham. La presse crut à tort que cette invitation était le fait de la secrétaire particulière de Sa Majesté et du beau-frère de la princesse, sir Robert Fellowes, mais la vérité était bien moins formelle. Dans une lettre manuscrite, la reine expliquait qu'elle-même et le duc d'Édimbourg apprécieraient que la princesse ainsi que les princes Charles, William et Harry viennent célébrer Noël en leur compagnie.

Mes yeux s'habituaient à déchiffrer d'importantes correspondances : de la reine, du duc d'Édimbourg, du Premier ministre John Major, d'Elton John et de bien d'autres personnes, y compris de la famille de la princesse. J'étais son témoin attitré pour d'innombrables sujets, jusqu'aux documents testamentaires ou de divorce qu'elle ne souhaitait pas porter à la connaissance de son secrétaire particulier, Patrick Jephson. Je n'étais pas le seul proche à être informé de ses échanges de courrier. Pour ses discours ou la rédaction de ses lettres, elle prenait également conseil auprès de son ami journaliste Richard Kay. Mes « séances de correspondance » avaient lieu dans les escaliers ou dans le salon. Les lettres officielles rédigées par Patrick Jephson lui parvenaient dans une chemise pour approbation. Elle criait mon nom depuis le haut de l'escalier, nous nous retrouvions à mi-hauteur et nous nous asseyions, elle sur une marche, moi sur une autre. « Que pensez-vous de ceci ? » me demandait-elle, ou bien elle s'écriait : « Jetez donc un coup d'œil là-dessus ! » Il lui arrivait aussi de laisser une lettre sur mon bureau à l'office, avec un petit mot joint demandant : « Que vous inspire cela ? »

C'est ainsi qu'elle me montra les lettres du duc d'Édimbourg et de son frère, le comte Spencer. À une époque, elle m'écrivit des lettres personnelles, qui lui donnaient l'occasion de coucher sur le papier certaines pensées ou vérités, notamment philosophiques, qu'elle tenait à me confier. La princesse en vint ainsi à partager avec moi son courrier le plus confidentiel, et à me laisser écouter ses appels les plus privés. Je sais ainsi que, jusqu'à sa mort, la reine et la princesse demeurèrent en contact et dans les meilleurs termes. Et je connais aussi l'histoire, les traumatismes et les cauchemars que vivait Diana.

L'invitation de la reine pour Noël était l'occasion pour la princesse d'offrir un présent à tous les membres de la famille royale. Au cours des semaines qui précédèrent les fêtes, elle m'envoya à Kensington, Knightsbridge et Mayfair dénicher des cadeaux pour sa famille, ses amis et le personnel. Sa générosité était sans bornes et, avec son approbation, je dépensais plusieurs milliers de livres. En me fondant sur mes années de service auprès de la reine, je choisissais pour elle des articles utiles : un cardigan en cachemire, un foulard Hermès ou un plaid ; pour le duc d'Édimbourg, un étui à cartouches, une canne-siège ou une flasque. Je passais des heures à emballer les cadeaux, puis laissais la princesse écrire un petit mot pour chacun. Elle adorait les pré-paratifs de Noël, même si elle trouvait, disait-elle, la journée elle-même « un peu triste ».

Aurais-je oublié le sapin deux semaines avant le grand jour qu'elle aurait été assurément la première à s'en plaindre. Chaque année, je commandais au domaine royal de Windsor un arbre d'essence norvé-gienne d'environ cinq mètres de haut, qui prenait place dans l'escalier, entre la première et la deuxième volée de marches. Il était décoré d'une dizaine de guirlandes électriques blanches, coiffé d'une étoile argentée et orné de breloques en verre et en cristal. Un sapin plus petit prenait place à l'étage des enfants. William et Harry avaient la responsabilité de sa décoration, et utilisaient pour cela des objets qu'ils avaient eux-mêmes fabriqués à l'école.

Loin du palais, Noël était chez nous une période magique, et notre arbre familial, décoré en rouge, vert et or, se dressait fièrement dans un coin du salon. Je me déguisais en père Noël, et, selon un numéro parfai-tement rodé, distribuais aux garçons leurs cadeaux. Méconnaissable derrière ma barbe blanche, engoncé dans ma tunique rouge et mes bottes en caoutchouc noires, ils ne se doutaient pas que c'était moi (jusqu'au jour, du moins, où ils repérèrent les bottes en caout-chouc dans l'abri de jardin !). Nick, alors âgé de six ans, voulait être le centre d'intérêt, et il passait son temps à faire la roue dans sa chambre en criant : « Regarde-moi ! Regarde-moi ! » Ces quelques heures magiques nous procuraient à Maria et à moi infiniment de bon-heur.

Mais cette année-là, la princesse devait rentrer à Ken-sington, seule, le jour de Noël, ayant laissé ses garçons à leur père. Lorsqu'elle arriva, je l'attendais à la porte : l'idée qu'elle pouvait revenir dans une maison vide m'af-fligeait.

— Vous ne pouvez pas rester ici toute seule pour Noël, dis-je. Venez passer quelques heures avec nous.

— Non, Paul. Je ne voudrais pas gâcher la fête. C'est un jour que l'on passe en famille. Je serai très bien ici.

La princesse fit alors ce qu'elle faisait toujours l'après-midi de Noël : elle s'installa à son bureau, sortit son stylo plume et sa petite bouteille de Quink et se mit à écrire des lettres de remerciement pour les cadeaux qu'elle avait reçus. Mais d'abord, avant que je ne parte, elle me présenta ses vœux sous la forme d'un petit mot manuscrit : « À Paul. En vous souhaitant un très joyeux Noël. Bien affectueusement. Diana. » Puis elle commença sa première lettre en adressant l'enveloppe à : Sa Majesté la Reine, Maison de Sandringham, Norfolk.

Je rentrai chez moi, presque à regret.

— S'il vous faut quoi que ce soit, dis-je, n'hésitez pas à m'appeler.

Le carnet d'adresses de la princesse était rempli de noms venant de tous les horizons. Chaque fois qu'elle rencontrait quelqu'un pour la première fois, elle avait ce don de lui donner l'impression qu'ils étaient amis depuis toujours. Des articles commencèrent à paraître dans les journaux, qui évoquaient le « cercle enchanté » de la princesse. Il suffisait qu'elle soit vue avec quelqu'un pour que les journalistes concluent à une amitié de longue date. La Patronne avait beaucoup d'amis, mais le cercle des intimes était très réduit. La figure emblématique en était Lucia Flecha de Lima, qui faisait tout à la fois office de meilleure amie, de mère et de conseillère. Le mari de Lucia, Paulo, un diplomate brésilien, avait été muté de Londres à Washington, mais les deux femmes n'auraient laissé aucun fuseau horaire compromettre leur amitié. Lucia réglait son réveil sur 3 heures du matin pour pouvoir parler à la princesse au moment où celle-ci commençait sa journée. Lorsque la princesse avait besoin d'un conseil ou d'être réconfortée, elle appelait Lucia. Je me souviens d'avoir faxé outre-Atlantique un flot sans fin de messages en tout genre. Être ami de la princesse signifiait se rendre disponible vingt-quatre heures sur vingt-quatre, et Lucia acceptait cette contrainte de bon gré.

— Sans elle, je ne m'en serais pas sortie. Elle est merveilleuse. Elle est comme une mère pour moi, me répétait souvent la princesse.

En août 1994, la Patronne s'envola pour Washington. En mai 1995, Lucia se rendit à Londres. À la Noël 1996, la princesse séjourna chez Lucia. L'amitié entre ces deux femmes jetait un pont entre les deux rives de l'Atlantique, et se renforça avec le temps.

À Londres, la « famille » de la princesse comprenait Rosa Monkton, Susie Kassem, lady Annabel Goldsmith, Richard Kay et Mary Loveday. Ces gens-là, comme moi-même, savaient *tout*, en contrepartie d'une amitié consistant notamment à s'abstenir de porter un jugement. Ils la comprenaient mieux que quiconque et l'aimaient pour ce qu'elle était.

La duchesse d'York, c'était l'anti-déprime garantie pour la princesse. Pleine d'énergie, la duchesse était une survivante, comme la Patronne, et les deux femmes s'appelaient constamment pour se redonner du courage. Elles s'asseyaient dans le salon et bavardaient, l'air sérieux ou au contraire en riant, à comparer les coups bas que leur avait infligés la Maison royale. Par le biais de la princesse, j'en vins à établir une relation de confiance avec la duchesse, et une amitié naquit. Même lorsqu'elle savait que la Patronne était absente, le téléphone sonnait à l'office, et dans l'écouteur retentissait un joyeux :

— Bonjour, Paul, c'est la duchesse !

Certaines réactions la déconcertaient autant que la princesse :

— Pourquoi soutient-on constamment des choses aussi méchantes à mon sujet ? Je ne comprends pas ce qu'on attend de moi.

Comme la princesse, elle croyait au karma. Leur devise à toutes les deux aurait pu être : « Ce qui vient s'en va. »

Je l'écoutais comme j'écoutais la princesse, et sa situation me chagrinait beaucoup. Je lui dis un jour :

— Souvenez-vous de ce que dit la Patronne : tuez les gens par votre gentillesse, et ne les laissez pas vous abattre.

Chaque fois que je regarde une photographie encadrée que la duchesse m'a envoyée à la fin de l'année 1994, et sur laquelle elle apparaît avec ses deux petites filles, Beatrice et Eugénie, je me rappelle avec beaucoup de tendresse ces conversations au téléphone ou à Kensington. Au dos de la photo, elle a écrit : « Chers Paul et Maria, merci infiniment pour votre soutien et votre gentillesse. Les mots sont trop faibles, mais merci. Avec toute ma sympathie – Sarah. »

En dehors de son cercle d'intimes, la princesse mesurait exactement ce qu'elle pouvait dire et à qui. Chaque individu apportait un talent particulier ou une expérience personnelle, et elle ne manquait pas de consulter les uns ou les autres, individuellement le plus souvent, sur tel ou tel point. Certes, les amitiés de la princesse étaient compartimentées comme l'intérieur d'une boîte de chocolats, et je savais généralement quel chocolat elle déballait, pourquoi elle le déballait et ce qu'il représentait pour elle. Harold Brown parti, mes fonctions s'étendirent progressivement à partir de 1995, et de majordome, je devins tout à la fois l'assistant de la princesse, son messager, son chauffeur, son garçon de courses et son confident. Elle faisait appel à moi lorsqu'elle ne voulait pas divulguer notamment certaines amitiés, certains messages ou certaines missions d'ordre privé. Sa voix me parvenait parfois depuis le premier étage jusqu'à l'office :

— Paul, restez à côté du fax et ne vous en éloignez pas tant que vous n'avez pas tout reçu.

1995 fut l'année où la princesse me chargea de sa correspondance, des courriers professionnels aux plus personnels et secrets. C'est à cette époque qu'elle commença à dissimuler des informations à Patrick Jephson. Elle avait eu vent d'une rumeur prétendant que Jephson recherchait un autre emploi. Elle voulut en avoir le cœur net et lui fit part de ses doutes, mais la réponse qu'il lui fit ne parvint pas à la convaincre de sa loyauté. Si bien qu'elle instaura entre eux une distance que rien ne put combler par la suite.

— Comment peut-il espérer que j'évoque avec lui et en détail des questions aussi délicates que mon mariage ou mon avenir, alors que je ne sais même pas s'il sera encore là à l'avenir justement ? se justifiait-elle.

Un fax réservé au seul usage de la princesse fut installé dans son salon, posé sur le tapis sous son bureau. Il m'arrivait souvent d'entrer dans le salon à sa recherche et de ne voir personne.

— Votre Altesse Royale ? appelais-je alors en me tournant vers la salle de réception.

— Je suis là, derrière le canapé, répondait une voix venue de nulle part.

La princesse était à quatre pattes sous le bureau, s'efforçant vainement de faire marcher l'appareil. La technique, comme la cuisine, n'était pas un de ses points forts.

— Je suis nulle ! Nulle ! s'exclamait-elle dans un élan de découragement.

Au bout de quelques semaines de mauvaises manipulations et d'autant de frustrations, le récalcitrant instrument fut délaissé sous le bureau. La princesse se mit à utiliser mon propre fax à l'office. Elle me tendait des documents confidentiels à envoyer et attendait que les réponses arrivent. Elle préférait souvent ce procédé à la poste, sachant que ses messages seraient réceptionnés sur-le-champ.

Un jour, elle n'eut confiance ni dans le fax ni dans la poste. Elle me tendit une lettre et dit :

— Paul, j'aimerais que cette lettre soit remise en main propre à son destinataire.

Je regardai l'enveloppe cachetée. Le nom m'était familier, ainsi que l'adresse... outre-Atlantique !

Voyant ma surprise, elle ajouta :

— Je sais que c'est loin, mais c'est *important*.

– Considérez que c'est fait, lui assurai-je.

Elle partit alors en visite à l'étranger, et je pris l'avion à mon tour. Je remis la lettre à son destinataire, qui y répondit par une autre lettre. Lorsque la princesse revint à Kensington, j'étais à mon poste pour l'accueillir.

— Mission accomplie, lui dis-je.

En janvier 1995, la presse n'en finissait pas de gloser sur la liaison du prince Charles avec Camilla Parker Bowles. Et les spéculations reprirent de plus belle lorsque, le 11 janvier, on annonça le divorce de celle-ci avec le général de brigade Andrew Parker Bowles après une séparation de deux ans. Mais l'attention de la princesse se portait ailleurs, en particulier sur la relation que le prince de Galles entretenait avec son assistante Tiggy Legge-Bourke. Même les médias commençaient à braquer leurs feux dans cette direction, ce qui ne faisait que renforcer les craintes de la princesse.

« Le baiser », titra en première page le *Daily Mirror*, montrant le prince Charles skiant avec des amis, parmi lesquels Tiggy Legge-Bourke. Dans une série de photographies, on voyait le prince, la tête couverte d'un bonnet à pompon rouge, enlacer cette dernière et l'embrasser « dans un élan d'affection ». Son secrétaire particulier Richard Aylard expliqua aux journalistes : « Le fait qu'il l'embrasse sur la joue n'a rien d'extraordinaire, c'est même parfaitement naturel. »

Ce ne fut pas l'avis de la princesse, qui trouvait que l'assistante avait été recrutée depuis trop peu de temps pour justifier autant de familiarité. En fait, elle alla jusqu'à occulter Camilla Parker Bowles qui ne lui semblait plus d'actualité et à redoubler de méfiance vis-à-vis de Tiggy Legge-Bourke, trop proche à son gré du prince Charles, de William et de Harry. En somme, la Patronne considérait qu'elle était toujours mariée avec l'héritier du trône et que deux femmes empiétaient dangereusement sur son territoire.

Ne me demandez pas pourquoi, mais, le 6 juin 1995, je décidai d'envoyer un cadeau à maman à Grassmoor. Je voulais lui témoigner ma gratitude à l'occasion de mon trente-septième anniversaire. Je m'arrangeai pour que lui soit livrée une jardinière en pierre remplie de plantes fleuries accompagnée d'une carte.

Lorsqu'elle ouvrit la porte au livreur, elle portait son éternelle blouse.

— Je crois que vous vous êtes trompé d'adresse, jeune homme. Ce n'est pas mon anniversaire, expliqua-t-elle, ainsi que devait plus tard me le raconter mon père.

Puis elle lut la carte et en fut bouleversée. Maman n'avait pas l'habitude de recevoir des fleurs. Lorsque je l'entendis exprimer sa joie au téléphone, je me promis de répéter cette attention chaque année. Deux semaines plus tard, elle s'envolait avec papa pour des vacances au Canada.

Lorsque le téléphone sonna à 2 heures du matin le 15 juin, j'imaginai aussitôt que c'était la princesse. Elle était alors en voyage en Russie. Elle seule pouvait téléphoner à une heure aussi indue. Maria se leva pour répondre. Quelques instants plus tard, je l'entendis sangloter.

— Comment vais-je pouvoir lui annoncer cela ? Comment vais-je pouvoir lui annoncer cela ? se lamentait-elle.

La princesse ! Qu'était-il arrivé ? Je me levai d'un bond et courus jusqu'au salon où Maria était toujours en ligne.

C'était mon frère Graham. Maman avait eu une crise cardiaque en pleine rue à Ottawa, au Canada. Elle était morte sur le coup. Elle avait cinquante-neuf ans.

Le lendemain matin, la princesse téléphona pour s'assurer que tout allait bien à Kensington. Elle devait rentrer deux jours plus tard pour profiter du week-end avec William et Harry. Dès que j'entendis sa voix, je fondis en larmes.

— Paul, mais que se passe-t-il ? me demanda-t-elle.

Anéanti, je lui expliquai la tragédie, comment le cœur de maman avait lâché subitement. J'ajoutai aussi que papa était totalement perdu, là-bas au Canada, qu'il se démenait pour organiser le rapatriement du corps de maman.

— Ne vous inquiétez pas, Paul. Je me charge de tout.

Un appel du bureau de la princesse de Galles au Canada régla tous les détails administratifs du rapatriement. Malgré son emploi du temps chargé en Russie, la princesse s'occupa de tout comme elle l'avait promis. Elle prit même la peine d'appeler papa dans sa chambre d'hôtel à Ottawa. Elle passa trente minutes au téléphone à tenter de le réconforter. Tous les frais furent pris en charge.

— À votre retour, venez à Londres avec vos fils. J'aimerais vous rencontrer, dit-elle à papa.

Dès son retour au palais ce samedi-là, je rejoignis la princesse dans le salon. Je m'assis sur le canapé, pleurai, puis m'excusai, et elle vint s'asseoir à côté de moi et m'enlaça pour me réconforter. Je savais quelle bonté, quelle force, quelle compassion elle avait pu témoigner à certains, et voilà qu'à mon tour elle me gratifiait de cette affection, de cette humanité qui avait touché tant de cœurs au fil des années.

Elle me parla du sens de la vie, de la mort, de ses croyances spirituelles, des derniers moments qu'elle avait partagés dans une chambre d'hôpital avec son ami Adrian Ward-Jackson.

— Paul, l'esprit demeure après la mort, m'assurat-elle. Votre mère est toujours avec nous. Croyez à cela. Vous êtes fort. Vous devez l'être.

Le lendemain, papa et mes frères Graham et Anthony vinrent au palais. Ce fut un triste week-end...

Nous rencontrâmes la princesse dans la grande allée. Elle portait un sweat-shirt, un cycliste violet et des baskets. Elle embrassa papa et mes frères. Puis, prenant papa par le bras, elle ordonna :

— Marchons un peu.

Et c'est ce que nous fîmes tous les cinq par ce bel

après-midi quasi estival. La promenade dura quarante-cinq minutes, et nous mena des jardins du palais de Kensington jusqu'à Hyde Park.

Sans couvre-chef ni lunettes, la princesse était reconnaissable. Lorsqu'un passant voulut prendre une photographie, elle l'en dissuada par un geste amical de la main.

Malgré son chagrin, papa s'inquiétait que la princesse s'expose ainsi.

— Vous ne devriez pas agir ainsi. On vous reconnaît. Nous devrions retourner au palais, lui dit-il.

— Graham, je ne crois pas risquer grand-chose avec vos trois gaillards de fils autour de moi.

Je crois me souvenir que ce fut la seule fois où papa esquissa un sourire ce week-end-là.

Nous retournâmes avec la princesse jusqu'à l'orangerie.

— Si je puis faire quoi que ce soit, Graham, dites-le à Paul.

Et elle embrassa ma famille une dernière fois

La veille des funérailles de maman, son cercueil reposa devant l'autel de l'église d'Hasland, où elle avait été baptisée, où elle s'était mariée et où grand-mère et grand-père Kirk étaient enterrés. Je posai une main sur le bois verni, inclinai la tête, fermai les yeux et me rappelai les paroles de la princesse : « Votre mère est toujours avec nous. »

Lorsque amis et parents se dispersèrent après l'enterrement, je restai près de la tombe avec Graham. C'est alors qu'il me révéla le secret de maman : sa décision de brûler l'offre d'emploi de la Cunard.

Nous retournâmes au 47, Chapel Road. Le sac à main de maman était posé sur une chaise près du feu.

J'y trouvai un poudrier armorié à l'emblème du yacht royal *Britannia*, souvenir de mes années au service de la reine, et un bâton de rouge à lèvres. Le seul autre objet était son vieux porte-monnaie rouge qui, c'était tellement typique, ne contenait pas un penny. Il y avait enfin une carte pliée. Il s'agissait du message que je lui avais envoyé pour mon anniversaire : « *Maman, ce petit rien du tout pour avoir tant souffert en me mettant au monde il y a trente-sept ans. Avec tout mon amour, ton fils aîné. Paul.* »

Malheureusement pour la princesse, sa propre famille, les Spencer, n'était pas soudée. Sa sœur, lady Sarah McCorquodale, venait toutefois régulièrement lui rendre visite. Sa mère, Frances Shand Kydd, vivait en recluse sur l'île écossaise de Seil. En fait, la princesse voyait davantage sa belle-mère, Raine Spencer, avec qui elle déjeunait au moins une fois par mois.

Malgré le flot continu de visiteurs à Kensington, rien ne venait combler le silence des fins d'après-midi, ces moments où la princesse se sentait parfois seule. Maintenant que William et Harry étaient à l'école, le vide se faisait souvent sentir. « Je déteste le silence dans cette maison », se plaignait-elle, tournant les pages de *Vogue* ou *Harpers & Queen* le samedi matin. Elle écoutait de la musique pour combler un peu le vide, mais la présence physique de ses enfants lui manquait, et elle soupirait :

— Paul, appelez vos garçons.

Les enfants courant partout dans l'appartement, poussant des cris, leurs rires devant la PlayStation de Harry prise d'assaut, tout cela l'aidait à chasser l'ennui et la solitude. La vitalité juvénile d'Alexander et de Nick égayait la princesse.

— Avez-vous faim ? leur demandait-elle, adossée à la porte du salon.

Et elle allait trouver Darren McGrady aux cuisines et le priait de préparer deux steaks frites pour deux gosses affamés.

Ces visites n'étaient pas du goût de Maria :

— Elle t'accapare entièrement, et voilà qu'il lui faut maintenant mes garçons, se plaignit-elle un soir.

Un matin, Nick, avec l'innocence des enfants, lui demanda :

— Maman, pourquoi est-ce que tu ne travailles plus pour la princesse ? Pourquoi tu ne l'aimes pas ?

— Paul, je ne sais pas quel est le problème, mais il faut que cela cesse, me dit Maria. Pourquoi Nick m'a-t-il posé cette question ?

Je me sentais tiraillé. Pourtant, Alexander et Nick réussirent à rapprocher les deux femmes de ma vie, et devinrent ainsi, entre les deux maisons, les gardiens de la paix royale.

Nick, assis, jouait avec la princesse, et elle lui demanda des nouvelles de sa mère.

— Elle voudrait être aussi avec vous, princesse, répondit-il.

Ce soir-là, le téléphone sonna. Maria répondit. C'était la princesse. Contrairement aux autres fois, elle ne demanda pas immédiatement à me parler. Elle se mit à bavarder avec Maria, et toutes deux firent comme si rien ne s'était passé. Maria connut son retour en grâce, ce qui ne fut pas le cas de grand monde.

Les liens avaient besoin d'être resserrés entre Kensington et les médias. Aussi, la princesse, qui entendait se venger de l'aveu public d'adultère fait par son mari, se lança dans une offensive de charme. Elle convia des rédacteurs en chef et des journalistes de la presse écrite à des déjeuners privés au palais. Elle aimait recevoir dans son environnement quotidien, et elle permit ainsi aux journalistes de mieux la connaître. Elle profitait de l'occasion pour les sonder sur ce qu'ils savaient, demandait pourquoi ils avaient adopté telle ou telle position dans certains articles. Donnant donnant.

— S'ils ont vent de ces déjeuners à Buckingham, ça va être une vraie panique chez les attachés de presse ! s'exclamait-elle en riant.

Le gratin journalistique frappa donc à la porte de l'appartement 8. Les voir s'avancer avec une appréhension évidente sur le territoire de la Patronne était un spectacle fascinant. L'image de la princesse, jour après jour, les avait aidés à vendre leurs titres dans les kiosques. C'était son tour maintenant de les examiner à la loupe. Comme nous avons ri, la princesse et moi, en disséquant chacun des invités après leur départ !

— C'est si drôle de voir tous ces gens puissants et de les intimider ! s'étonna-t-elle.

Avant d'ajouter :

— Et si agréable !

Un par un, on les vit défiler à Kensington : Charles Moore, du *Daily Telegraph*, Piers Morgan, du *Daily Mirror*, et Stuart Higgins, du *Sun* ; la journaliste Lynda Lee-Potter, du *Daily Mail*, et même la correspondante royale de la BBC, Jennie Bond. Nous étions convenus avec la princesse que je m'attarderais autour de la salle à manger. Nous avions nos signaux secrets, éprouvés depuis des années. Un regard furtif de ses yeux bleus par-dessous un sourcil arqué suffisait pour que je commence à servir ou que j'enchaîne avec le plat suivant. Un malheureux invité, célèbre personnalité du monde de la télévision et journaliste de la presse écrite, se vit servir le plus rapide déjeuner des annales de Kensington. Il fut reçu, nourri et raccompagné en quarante minutes, pour ne plus jamais revenir.

— J'ai cru littéralement mourir d'ennui, Paul. Il était *si* barbant ! gémit-elle d'un air dépité.

Les rédacteurs en chef et les journalistes raffolaient de la princesse. Elle se montrait d'une parfaite diplomatie. Lorsque Stuart Higgins du *Sun* l'interrogea sur Camilla Parker Bowles, elle répondit :

— Eh bien, je me sens navrée pour elle.

Il s'était attendu à un flot de bile, et il manqua en tomber de sa chaise. Puis la Patronne ajouta :

— Cette femme a presque tout perdu dans la vie et gagné quoi, au juste ?

Quand Piers Morgan du *Daily Mirror* risqua un :

— Croyez-vous que Charles deviendra roi ?

Elle répondit :

— En tout cas, il le croit, mais je pense qu'il préférerait aller vivre en Provence ou en Toscane.

William se joignit à ce déjeuner agréable et détendu

avec le rédacteur en chef du *Daily Mirror*. Il prit place à table à côté de sa mère et écouta attentivement. Ses traits enfantins ne laissaient pas soupçonner sa maturité.

Piers Morgan se tourna vers lui.

— Que pensez-vous de la presse ? l'interrogea-t-il.

William regarda sa mère qui, d'un petit hochement de tête, l'autorisa à répondre.

— Les journalistes, ça va. Je commence à les reconnaître, comme ça je peux les éviter si j'en ai envie. Ce ne sont pas les journalistes britanniques qui m'agacent, ce sont les photographes du reste de l'Europe. Ils se postent le long de la rivière à Eton, ils me regardent ramer et ils attendent que je flanche !

Jennie Bond de la BBC fut la seule journaliste à qui la princesse voulut témoigner sa générosité. La conversation fut détendue au point que la correspondante royale à la mise impeccable et la femme la mieux habillée du monde finirent par parler chiffons. Jennie Bond s'étant laissée aller à commenter l'éclat stupéfiant des bas de la princesse, je dus ce soir-là faire un paquet-cadeau contenant six paires de bas neufs, et les faire porter à l'intéressée avec un mot.

Cependant, l'opération séduction médiatique de la princesse se retourna contre elle. Elle avait été photographiée à l'intérieur d'une voiture s'entretenant avec Richard Kay, journaliste du *Daily Mail*. L'hystérie qui s'ensuivit fut à la hauteur de l'hypocrisie générale. La princesse dut essuyer une fois de plus les reproches de la Maison royale et des amis malintentionnés du prince Charles. Elle tentait simplement de prendre en main la gestion de son image, et d'éviter les malentendus, en choisissant pour cela un allié en qui elle avait toute confiance. Elle ne faisait rien de plus que ce qu'ont fait les consultants en communication du Premier ministre Tony Blair, ou l'ancien bras droit du prince Charles, Mark Bolland, qui, en recherchant les faveurs des médias après la mort de la princesse, menait en réalité une stratégie conçue pour « vendre » Camilla Parker

Bowles au public. Ce que ne digérèrent pas les attachés de presse de Buckingham ou St. James, ce fut que la princesse eût un coup d'avance sur eux – et gagnât la partie.

Lorsque la voiture dépassa le rond-point de Sheperd's Bush et se dirigea vers Bayswater Road, au nord du palais de Kensington, mon passager au regard inquiet s'allongea prestement au pied de la banquette arrière, avant de rabattre sur lui le grand plaid écossais vert. Pour ma part, je restai concentré sur la route. Ce n'était pas la première fois que je devais faire franchir à un visiteur secret le contrôle de police, mais ce passager-là semblait apprécier particulièrement le côté clandestin de toute l'opération.

Je mis mon clignotant, tournai à droite et passai devant les ambassades étrangères qui s'alignaient face au palais. Pour n'importe quel regard extérieur, j'étais seul au volant, roulant comme d'habitude vers mon lieu de travail.

— Où sommes-nous maintenant ? Est-ce qu'on a déjà dépassé le poste de police ? s'enquit mon passager d'une voix étouffée par le plaid.

— Non. Restez caché. Je vous avertirai, répondis-je d'un ton agacé, soucieux de me conformer aux instructions de la princesse de le « faire entrer sans qu'on le voie ».

Au poste de contrôle, je ralentis. Le garde en uniforme reconnut ma voiture et me fit signe de continuer.

— Personne ne vous arrête pour vous contrôler, je n'en reviens pas, commenta la voix assourdie sous le plaid.

Je franchis l'arche de la tour de l'horloge, traversai Clock Court et me garai sous le porche dérobé de l'appartement 9.

— Je n'arrive pas à croire que ça ait été aussi facile ! s'exclama mon passager en se débarrassant enfin du plaid.

Martin Bashir défroissa sa veste, ramassa sa mallette et me suivit à l'intérieur de l'appartement jusqu'au salon des enfants où l'attendait la princesse. Nous étions au milieu de l'été 1995, et le projet d'un entretien télévisé pour la chaîne BBC1 était lancé.

Je dois être honnête, je n'avais aucune idée de l'existence de ce projet. Personne d'ailleurs ne semblait être dans la confidence en dehors de Bashir et de la princesse. Mais introduire le journaliste de télévision à l'intérieur du palais devint une routine bien réglée. Je ne posais pas de questions. Nous parlions peu. J'utilisais ma Vauxhall Astra bleue ou la BMW bleu nuit de la princesse.

— La beauté d'une BMW, c'est qu'elle se fond totalement dans la circulation de Londres, disait-elle toujours.

Bashir arrivé à bon port, j'attendais ensuite que la princesse me rappelle pour le reconduire.

— Paul, vous êtes là ? s'écriait-elle.

— Oui. M. Bashir est-il prêt ?

La princesse souriait alors :

— Monsieur Bashir, votre chauffeur vous attend.

Bashir était un homme intelligent : il devinait les doutes et les faiblesses de la princesse, et il sut la convaincre d'accorder une interview à la télévision. La princesse se laissa charmer par sa voix rassurante, et surtout elle *voulut* lui faire confiance. Il joua la carte de la compassion en racontant à la princesse son mariage difficile, son installation dans une petite maison.

— Il n'a pas eu une vie facile, me confia par la suite la princesse. J'ai plaisir à lui parler.

Je crois même qu'elle avait fini par se convaincre qu'elle avait trouvé un nouvel ami. Ce qu'elle ne savait pas, c'est que Bashir me téléphonait régulièrement, toujours en quête d'infos de première main. Ce qu'il ne savait pas, c'est qu'un jour où il téléphona, la princesse se trouvait à mes côtés à l'office, quelque temps après la diffusion de l'interview.

Alors que nous échangions les banalités d'usage, elle articula silencieusement :

— Qui est-ce ?

Couvrant le combiné avec la main, je mimai en réponse :

— Bashir.

La princesse me demanda de brancher le haut-parleur en me montrant la touche du doigt. Aussitôt la voix et les propos irrévérencieux du journaliste résonnèrent dans l'office. Après cette conversation, la princesse considéra son « ami » sous un jour nouveau.

Avec l'émission *Panorama*, Bashir avait su éveiller l'envie de vengeance chez la princesse : à l'époque, elle voulait rendre la monnaie de sa pièce au prince Charles après son aveu d'adultère. L'émission fut tournée un dimanche, jour de congé de tout le personnel. Pas d'habilleuse, pas de cuisinier, ni de majordome... L'équipe de télévision installa son matériel dans le salon des enfants. Le lendemain, lorsque je demandai pourquoi on avait déplacé les meubles, la princesse feignit l'étonnement.

Enfin, une semaine avant la diffusion, elle m'avoua qu'elle avait tourné cette émission, que c'était encore top secret et qu'elle espérait que le pays la comprendrait mieux après cela.

— Je suis sûr que vous aurez le soutien de nombreuses personnes, dis-je. L'essentiel est que vous soyez satisfaite du résultat.

Le lundi 20 novembre, comme plus de vingt millions de téléspectateurs, je regardai la princesse expliquer qu'elle voulait être « la reine dans le cœur des gens », que le prince Charles n'était pas fait pour le « travail suprême » qui consiste à être roi, que son mariage avait été « un mariage à trois », qu'elle avait adoré James Hewitt, et qu'elle n'entendait pas se laisser réduire au silence. L'interview ne m'apprit rien de nouveau, mais je m'inquiétai pour son image en écoutant Nicholas Soames sur BBC2, l'ami politicien du prince Charles, tenter de la démolir avec le genre d'hypocrisie qu'elle et moi avions appris à attendre et à détester.

Le lendemain, la princesse manifesta un entrain joyeux, stimulée par les témoignages de sympathie rapportés dans presque tous les journaux du matin. Elle avait pris un risque médiatique énorme, mais sa réputation de « survivante » de la Maison royale était intacte aux yeux du peuple britannique. Pourtant, en décidant impulsivement de participer à cette émission, elle n'avait pas envisagé les conséquences que celle-ci aurait sur son mariage. La question du divorce allait se faire plus que jamais pressante. Mais, pour l'heure, la princesse surfait au sommet de la vague médiatique. Elle avait le sentiment de pouvoir l'emporter sur tous ses adversaires, et le suivant sur la liste s'appelait Tiggy Legge-Bourke.

Nous étions le 14 décembre 1995, jour de l'arbre de Noël du personnel attaché au service du prince et de la princesse de Galles, au Lanesborough Hotel. Ce fut le jour où la Patronne décida d'affronter Tiggy Legge-Bourke.

La princesse me demanda de l'accompagner en voiture à la réception, où nous arrivâmes un peu en retard. Lorsque nous entrâmes dans la salle, tous les regards se tournèrent vers elle. Elle rayonnait.

— Restez près de moi et regardez, me souffla-t-elle avec un sourire.

La démarche altière, elle se fraya un chemin au milieu de la centaine d'invités, et se dirigea droit vers Tiggy Legge-Bourke, qui bavardait tranquillement au fond de la salle. Je restai dans le sillage princier.

— Bonjour, Tiggy. Comment allez-vous ? lui demanda la Patronne en souriant.

Mais avant que Tiggy ait eu le temps de répondre, la princesse composa sur son visage un air de compassion ironique et ajouta :

— J'ai été *désolée* d'apprendre pour le bébé.

Tiggy se figea littéralement. Les larmes lui montèrent aux yeux et elle quitta la salle, accompagnée par le valet de chambre du prince Charles, Michael Fawcett. Je me retournai vers la princesse. Elle se mêla au reste des invités, visiblement satisfaite d'avoir fait passer son message dans le camp de son mari.

— Vous avez vu son regard, Paul ? Elle a failli s'évanouir ! se réjouit-elle.

Le coup de semonce de Diana se répercuta comme une onde de choc jusqu'à St. James et Buckingham. Le prince Charles était furieux. La reine elle-même eut vent du petit échange, et en fut horrifiée. La pique envoyée par la princesse continua de produire des secousses secondaires durant les jours qui suivirent, cependant que Tiggy Legge-Bourke donnait comme consigne à ses avocats de démentir l'accusation. Un communiqué précisait qu'une « série d'allégations calomnieuses circulent (...) qui portent injustement atteinte à la moralité de notre cliente. Ces accusations sont sans le moindre fondement ».

Le petit mot de la princesse eut l'effet escompté : il précipita une enquête, menée on ne peut plus discrètement par le secrétaire particulier de la reine, sir Robert Fellowes. Il téléphona personnellement à la princesse, quatre jours après la fameuse réception, pour savoir à quoi au juste elle avait fait allusion durant sa conversation avec Tiggy Legge-Bourke. La princesse rapporta ainsi au bras droit de Sa Majesté que Tiggy avait une liaison avec le prince Charles, et qu'elle avait subi un avortement. Elle fournit même une date précise.

— Voilà, au moins maintenant c'est officiel, me dit-elle lorsqu'elle eut raccroché. Robert m'a promis de mener une enquête.

Sir Robert Fellowes découvrit que Tiggy Legge-Bourke – qui fut « longuement interrogée » – était allée consulter son gynécologue, une fois durant l'été, et une autre durant l'automne 1995, pour ce qui était décrit comme « des problèmes féminins ». Elle s'était rendue à deux reprises à l'hôpital au cours de l'automne de la même année.

Néanmoins, sir Robert conclut que l'accusation de la princesse était fausse, et il le lui fit savoir dans un courrier officiel qu'il fit porter à Kensington.

La princesse ouvrit la lettre avec un coupe-papier en argent et secoua la tête d'un air désapprobateur :

— Typique ! s'exclama-t-elle. Paul, jetez un coup d'œil là-dessus.

Il était écrit :

> *Vos allégations concernant Tiggy Legge-Bourke sont totalement infondées. Sa relation avec le prince de Galles n'a jamais été qu'une relation professionnelle.*
>
> *À la date du présumé avortement, elle se trouvait à Highgrove avec William et Harry. Il est dans votre plus grand intérêt de retirer vos accusations. En l'occurrence, vous vous êtes vraiment trompée.*

Avec le recul, à la lumière des faits, je dois dire, objectivement, qu'il paraît évident que la princesse ne pouvait pas avoir raison.

À la fin de 1995, la princesse reçut une autre lettre, cette fois de son secrétaire particulier. Patrick Jephson avait décidé de quitter Kensington. Encore un membre du personnel qui tirait sa révérence. Entre lui et la princesse, tous les ponts avaient été coupés. C'était triste : Jephson avait toujours fait son travail à la perfection, mais il avait, de surcroît, été très proche de la princesse. Je me souviens qu'elle m'avait envoyé un jour chez Asprey & Gerrard, les bijoutiers de la Couronne, lui acheter des boutons de manchette en or gravés à ses initiales. La princesse lui permettait de quitter le bureau plus tôt le vendredi afin qu'il puisse passer du temps avec sa famille. Mais en 1995, la correspondance qui lui était normalement adressée fut détournée vers mon fax. Il n'y a pas d'avenir pour qui n'est plus au courant de ce qui se passe dans une Maison royale. L'interview de *Panorama* et l'incident avec Tiggy Legge-Bourke avaient été la goutte qui fait déborder le vase. Sa lettre de démission laconique, qui arriva un beau matin à Kensington, reflétait son amertume : il expliqua à la princesse qu'elle l'avait privé de tout moyen de communication avec elle, et lui avait donné le sentiment que sa présence n'était plus souhaitée.

— Les rats quittent toujours le navire, Paul, commenta-t-elle d'un air songeur. On dirait que vous allez devoir cumuler les fonctions de majordome, de dame d'honneur et de secrétaire particulier. Vous êtes à la barre, maintenant !

La tâche herculéenne consistant à gérer les relations publiques de la princesse, Dieu merci, ne m'incomba pas. Elle échut à une nouvelle recrue, Jane Atkinson, qui fut notamment chargée d'amortir les retombées de l'incident Tiggy Legge-Bourke. Cette dernière réclama des excuses, en vain. Pour l'heure, la Patronne avait d'autres soucis : un courrier remis en main propre par un messager en uniforme juste avant Noël avait fait l'effet d'une bombe. La reine et le prince Charles exigeaient le divorce.

C'était un mot dont elle avait souvent menacé le prince Charles au cours des dernières années de leur mariage. Elle l'avait crié pour attirer son attention, pour le blesser, comme un enfant qui fait un caprice menace de s'enfuir, tout en sachant qu'il n'en fera rien. Pour avoir appris à la connaître, je savais que la princesse se sentait incomprise, qu'elle avait traversé des moments difficiles, et aussi qu'elle avait le sentiment que ce qu'elle appelait sa « torture personnelle » l'avait aidée à devenir plus forte. Mais chaque fois qu'elle parlait à cœur ouvert, une évidence s'imposait : l'amour qu'elle continuait de porter au prince Charles, quelles que soient les épreuves qu'elle avait pu endurer. Elle avait trouvé la liberté et le soulagement dans la séparation, mais elle était catégorique sur un point : « Le divorce n'est pas une solution. »

Pourtant, le 18 décembre 1995, elle reçut une longue lettre de la reine qui faisait pour la première fois officiellement mention d'un divorce. Le coup fut terrible. C'était la première fois que la princesse entendait un membre de la maison des Windsor prononcer le mot de « divorce ».

La reine avait écouté les aveux télévisés du prince Charles, puis ceux de sa belle-fille : la désintégration du mariage entre le prince et la princesse de Galles s'était jouée en public, et, en tant qu'autorité suprême, elle avait souhaité intervenir. J'avais porté cette lettre à la princesse dans son salon. Quelques minutes plus tard, un appel familier résonna dans l'escalier :

— Paul, venez ici.

Elle était assise sur le canapé et paraissait au bord des larmes. D'un air résigné, elle me désigna le bureau derrière elle.

— Regardez ce que je viens de recevoir, soupira-t-elle.

Sur le bureau, je trouvai la lettre à l'en-tête du château de Windsor. Je reconnus l'écriture de la reine. Elle commençait, comme toujours, par : « Très chère Diana » et se terminait par : « Affectueusement, maman. » Cette lettre, toutefois, était différente de toutes celles que j'avais lues et, en tant qu'ancien valet de pied de la reine, j'éprouvais un certain malaise en la lisant.

Je regardais la princesse qui me tournait le dos, toujours assise sur le canapé, et je ressentis le besoin de lui faire part de mon embarras.

— Je ne suis pas certain de devoir lire ce courrier, avouai-je. Il est précisé que cette lettre est « strictement confidentielle ».

— Oh, Paul, lisez, voilà tout. Qu'est-ce que je vais faire ? Qu'est-ce que tout le monde va penser ? souffla-t-elle.

Pendant que je lisais, elle se leva avec agitation et commença à faire les cent pas.

— Le Premier ministre et l'archevêque de Canterbury ! Mon divorce a été discuté avec eux, avant d'être évoqué avec moi. C'est mon mariage, et ça ne regarde personne d'autre ! hurla-t-elle.

Puis, se souvenant d'une autre partie de la lettre, elle ajouta :

— Dans l'intérêt du pays, c'est ça ? Et mon intérêt à moi ? Et l'intérêt de mes enfants ?

Elle avait le sentiment que son divorce, tout comme son mariage, était traité comme une simple affaire administrative. Le ton de la lettre de la reine était choisi, dénué d'acrimonie, et même empreint de sympathie. Mais on devinait derrière ce ton l'inquiétude d'une belle-mère blessée par le comportement des deux parties, et qui soulignait le fait qu'un divorce ne pouvait perturber davantage William et Harry qui avaient déjà bien souffert au cours des années précédentes.

La princesse ne voulut rien savoir. Elle téléphona immédiatement à la reine au palais de Buckingham. Poliment, elle demanda ce qui justifiait qu'il faille précipiter une décision aussi importante. La reine tenta de la rassurer en lui affirmant qu'elle disposerait du temps nécessaire pour se décider.

Mais la Patronne ne fut pas rassurée. Elle s'assit à son bureau et écrivit presque aussitôt une réponse à la reine, expliquant qu'elle avait besoin de temps. Mais ce temps de la réflexion ne lui serait pas accordé. Le lendemain, une deuxième lettre lui porta le coup de grâce : elle était du prince Charles lui-même, qui demandait le divorce.

Une fois de plus, elle m'invita à la lire. Le prince Charles expliquait que rien ne pouvait plus sauver leur mariage, et que cela était « à la fois une tragédie personnelle et nationale ». Le divorce était inévitable et devait être entériné au plus tôt, ajoutait-il. La princesse soupçonna que l'arrivée successive de ces deux lettres constituait une sorte de feu nourri tiré en concertation par Buckingham et St. James, et destiné à la faire céder sous la pression.

Elle posa les deux lettres sur son bureau, la rouge du château de Windsor et la bleue de Highgrove, côte à côte.

— Qu'est-ce que vous voyez ? me demanda-t-elle.

Je cherchai, mais rien ne me frappa.

— Regardez.

D'un doigt, elle souligna une phrase utilisée dans la lettre de la reine. Puis le même doigt pointa une phrase dans la lettre du prince. Les deux phrases étaient identiques, mot pour mot. Il y était question de la « situation triste et compliquée » du mariage royal.

— Ces lettres ont été rédigées par la même personne, affirma la princesse avec l'excitation de qui vient de faire une découverte extraordinaire. Ils doivent penser que je suis stupide !

Elle s'assit et, d'une plume au moins aussi rapide qu'était intense sa colère, elle écrivit une réponse sans équivoque à son mari : « Votre requête m'a laissée sans voix. Je ne consens pas à un divorce immédiat. »

Ce fut une semaine riche en événements et en émotions. D'abord le démenti pur et simple de ses accusations concernant Tiggy Legge-Bourke, et puis les lettres de la reine et du prince Charles. Et tout cela en pleine période de fêtes de fin d'année. Je doute d'ailleurs d'avoir jamais vu la princesse donner autant l'impression d'avoir le cœur brisé que cette semaine-là.

La communication entre le prince et la princesse n'avait jamais été aussi difficile. Cette dernière suggéra une rencontre en tête à tête, mais le prince voulut qu'un témoin y assiste. Elle refusa, et 1995 s'acheva dans une impasse.

À cette époque, je devins une béquille sur laquelle la princesse s'appuyait. Elle était déprimée : son monde était en train de s'écrouler Elle se pelotonnait sur le canapé, enfouissait son visage dans ses mains et sanglotait. En tant que majordome, qu'étais-je censé faire ? Rester là à la regarder ?

En l'absence de William – il était une grande source de réconfort pour sa mère –, je prenais soin qu'il y ait toujours une boîte de Kleenex à portée de main. Je veillais à être présent le plus possible. Je m'assurais qu'elle ne se morfonde pas dans sa solitude. Ce que je voyais, ce n'était pas la princesse de Galles en train de pleurer, mais une femme blessée, vulnérable, en mal de réconfort. La reine ne se serait jamais laissée aller à manifester de telles émotions devant moi, et aucun valet de pied n'aurait eu la témérité de passer un bras autour de ses épaules. Mais j'avais une relation beaucoup plus chaleureuse avec la princesse. Lorsqu'elle était blessée, elle avait l'air d'une petite fille. Je m'asseyais à côté d'elle, glissais un bras autour de ses épaules et m'efforçais de la convaincre que tout irait bien, qu'elle était une survivante, que le peuple était derrière elle. Cela pouvait durer des heures et, comme lorsque nous regardions *Brève rencontre*, nous finissions toujours par rire.

Je restais avec elle jusqu'à ce qu'elle soit de nouveau d'aplomb. Mais même lorsque je rentrais chez moi, je ne cessais de m'inquiéter. Parfois, elle se réveillait à 2 ou 3 heures du matin et ressentait le besoin de parler. J'écoutais, et revenais prendre mon service pour le petit déjeuner.

Ce Noël-là, la princesse m'écrivit une lettre, en date du 27 décembre 1995, qui m'émeut aujourd'hui encore. Durant mon procès en 2002, je lus et relus cette lettre. En cette période, qui fut la plus difficile de ma vie, ce fut au tour de la princesse, avec ses propres mots, de me réconforter :

Il y a longtemps que je vous dois une lettre pour vous remercier de tout ce que vous avez fait pour moi, en particulier depuis le mois d'août.

Votre présence, lorsque les larmes et la frustration ont été là, s'est avérée inestimable, et je veux que vous sachiez à quel point j'apprécie votre soutien. 1996 sera une heureuse année et j'ai hâte d'y être... merci.

Avec toute mon affection,

Diana.

X
Le divorce

Se retrouvant en tête à tête avec la reine au palais de Buckingham, la princesse comprit qu'elle n'aurait peut-être jamais une meilleure occasion de poser la question qui la minait depuis que le prince Charles avait publiquement reconnu sa liaison avec Camilla Parker Bowles.

— Cette révélation signifie-t-elle que Charles va se remarier ?

— Je crois que c'est fort peu probable, répondit la reine.

Cette conversation, qui rassura quelque peu la princesse quant à son avenir, se déroula dans le salon de Sa Majesté le 15 février 1996 dans la matinée. Le prince Charles espérait que cela les sortirait de l'impasse concernant ce divorce que tout le monde, hormis la princesse, semblait appeler de ses vœux. La veille, la princesse avait envoyé à son mari une carte de Saint-Valentin signée : « Avec mon amour, Diana. » Cupidon s'était depuis longtemps détourné d'eux, jugeant leur cause perdue, mais la princesse se montra provocatrice jusqu'au bout. Elle n'avait jamais cessé d'aimer le prince Charles. Elle avait le sentiment qu'on lui forçait la main, et n'aurait jamais cru en arriver là.

Pour la première fois depuis qu'elle avait reçu les demandes de divorce, elle parla ouvertement et franchement à sa belle-mère. Elle ne voulait bercer personne d'illusions.

— J'aime toujours Charles. Rien de ce qui est arrivé n'est de ma faute, se justifia-t-elle.

Elle précisa d'emblée ses positions durant cette discussion pragmatique mais amicale. Pragmatique, elle ne pouvait que l'être, étant donné que l'adjoint du secrétaire particulier de la reine, Robin Janvrin, était là pour prendre des notes, la reine souhaitant conserver une trace des propos tenus, en prévision de leur éventuelle interprétation par la princesse dans les médias. De retour à Kensington, la princesse me demanda de prendre des notes pour se protéger de la même manière.

Elle fit part à la reine de sa profonde affliction face à l'échec de son mariage, et la reine lui prêta apparemment une oreille bienveillante, rappelant qu'elle avait essayé, ainsi que le duc d'Édimbourg, d'arranger les choses durant toutes ces années.

La princesse voulait bien la croire. Elle nourrissait pourtant le sentiment que d'autres n'étaient que trop heureux de la voir se casser le nez, jaloux du retentissement public de son travail. Elle savait pouvoir parler en toute sincérité à la reine. Elle l'avait fait maintes fois. Si Sa Majesté fournissait rarement des réponses ou des solutions, elle écoutait avec beaucoup d'attention, même lorsque la situation avait tout pour la contrarier. Durant des années, j'ai pourtant entendu journalistes « informés » et des « experts » de la Couronne prétendre que la princesse et la reine se crachaient mutuellement leur venin au visage ou, comme le suggéra un jour le *Daily Mail*, que « Diana a refusé avec mépris l'amitié de la reine (...) et les deux femmes sont maintenant ennemies ».

Ce ne fut jamais le cas. Jusqu'à la mort de la princesse en 1997, les deux femmes ont échangé d'innombrables lettres. Ces deux icônes royales, issues de deux générations différentes, firent des efforts pour se comprendre. Le terrain sur lequel elles se rejoignaient était le bien-être de William et Harry. Lors de cette rencontre, la reine rassura la princesse en lui affirmant qu'elle n'avait rien à craindre en ce qui concernait la garde des deux jeunes princes.

— Quoi qu'il puisse se produire, rien ne changera le fait que vous êtes la mère de William et Harry, lui assura-t-elle. Je regrette seulement que ces enfants se soient trouvés sur le champ de bataille d'un mariage qui s'est révélé un échec.

À la fin de cet entretien, la princesse finit par accepter le divorce, mais elle voulut témoigner de ses blessures. Elle expliqua :

— Maman, recevoir votre lettre et celle de Charles avant Noël, et presque le même jour, a été très dur pour moi. C'était la première fois que Charles parlait de divorce, et les lettres qui ont suivi n'ont rien arrangé.

La reine en convint, tout en n'omettant pas de rappeler :

— Toutefois, ce que j'ai écrit avant Noël reste mon point de vue. La situation actuelle n'est bénéfique à personne, ni au pays, ni à la famille, ni aux enfants.

Et la souveraine insista, avec force diplomatie, pour que la procédure de divorce soit lancée rapidement.

Enfin, il fut question de l'avenir et du titre de la princesse, un point épineux qui fit l'objet de mille spéculations dans les médias au cours des jours qui suivirent. La princesse fit savoir qu'elle n'avait pas offert de renoncer au titre de « S.A.R. », parce qu'il représentait beaucoup pour elle. Pourtant, le palais de Buckingham diffusa le communiqué suivant : « La décision d'abandonner le titre est une décision de la princesse et d'elle seule. »

Il est vrai que c'est la princesse qui aborda la première cette question. Elle dit à la reine :

— J'ai travaillé dur pour vous durant seize années, maman, et je ne veux pas qu'on m'enlève tout ce qui fait ma vie. Je veux protéger ma position dans la vie publique.

Elle ajouta :

— Je m'inquiète pour mon avenir, et c'est vous, maman, qui avez toutes les réponses.

La reine dit qu'elle comprenait, mais expliqua :

— J'aimerais consulter Charles avant de prendre une quelconque décision. Cette question du titre doit être discutée avec lui. Personnellement, je trouve que « Diana, princesse de Galles », serait plus approprié.

La question du titre d'Altesse Royale resta donc en suspens. Ce qui est certain, c'est que l'idée du titre par lequel la princesse sera connue plus tard est une idée de la reine.

On discuta de bien d'autres sujets ce jour-là. La princesse se vit refuser un bureau au palais de Buckingham, et elle expliqua à la reine les raisons du départ de Patrick Jephson. Puis elle fit part de ses inquiétudes concernant la sécurité de William. Elle était inquiète que son fils aîné et le prince Charles voyagent parfois dans le même avion : si une catastrophe devait arriver, ils en seraient tous les deux victimes.

La reine répondit :

— C'est un problème qui ne se pose qu'en période de vacances, et l'avion royal est sûr. Il n'y a pas lieu de s'inquiéter.

À la fin de la rencontre, la reine tint à répéter à la princesse qu'elle serait toujours là pour elle.

— Cette situation, dit-elle, est très difficile pour moi sur un plan personnel, mais elle nécessite d'être clarifiée pour le bien de tous.

Son sens du devoir et des intérêts du pays plaçait une fois de plus la reine dans une position de médiatrice entre son fils et sa belle-fille, position qui n'avait rien d'enviable. La princesse le comprit et assura :

— Je désire conclure un accord à l'amiable, maman. Je ne veux pas créer de difficultés.

Je ne pouvais pas imaginer la vie sans la princesse.

« Le rocher de Diana » : certains trouveront l'expression fidèle, d'autres ridicule ; c'est en tout cas ainsi que la princesse parlait de moi à ses amis, bien qu'elle n'ait jamais utilisé cette expression devant moi. À Kensington, elle me disait : « Paul, vous êtes mon troisième œil », ou « Vous êtes à la barre de mon navire ». Ou encore, lorsqu'elle était avec son amie Susie Kassem, j'étais « Magic Merlin ». Il est également vrai qu'elle me lançait souvent : « Oh, vous êtes tellement casse-pieds ! » lorsque je faisais une suggestion qui l'irritait, que j'arrangeais avec un soin maniaque les fleurs dans le salon, ou simplement quand je me trouvais en travers de son chemin.

Mais je savais également être là quand elle avait besoin de compagnie ou de parler. C'était le même instinct qui me soufflait à quel moment elle voulait du café ou du jus de carotte. L'art d'être un bon serviteur, c'est savoir en permanence anticiper le prochain mouvement, et fournir à son maître ou à sa maîtresse ce qu'ils veulent avant même qu'ils le sachent eux-mêmes. Ou encore, comme le dit la gouvernante dans le film *Gosford Park* : « Le parfait serviteur n'a pas de vie. » Maria en aurait probablement convenu.

Quand la princesse était abattue, quand la vie devenait trop accablante pour elle, je le sentais. Dans ces moments-là, je lui faisais simplement savoir que j'étais là, en apparaissant dans le salon alors qu'elle était assise sur le canapé, en attendant dans le couloir qui menait à son dressing, ou encore en me tenant à côté du buffet de la salle à manger pendant qu'elle prenait son repas. Elle m'appelait parfois sa « machine à laver émotionnelle ».

— Je peux rentrer à la maison, tout vous raconter et me sentir mieux, disait-elle.

Elle qui visitait des sans-abri, des malades, des pauvres et des mourants, soulageait leur peine, leur détresse et leurs souffrances, rentrait à Kensington épuisée mais satisfaite d'avoir pu témoigner son amour et son affection à ceux qui en ont vraiment besoin. Il lui arrivait dans ces périodes-là d'être en « surchauffe émotionnelle ». Elle arrivait à Kensington et se précipitait à l'étage en s'écriant :

— Donnez-moi cinq minutes. Il faut que je vous parle – il *faut* que je vous parle.

Je mettais la bouilloire à chauffer et nous préparais deux tasses de café. Et puis, durant plus d'une heure souvent, nous nous asseyions et nous bavardions, ou plutôt j'écoutais la princesse me raconter les tristes scènes dont elle avait été le témoin, et la joie qu'elle avait éprouvée en voyant tel enfant malade ouvrir des yeux grands comme des soucoupes en la reconnaissant. Les larmes lui venaient parfois au souvenir de certaines expériences traumatisantes dans des hôpitaux, des hospices ou des centres médicaux. C'était comme si me parler était pour elle une sorte de catharsis.

Dans nos conversations, la princesse avait parfois du mal à décrire une expérience vécue ou à exprimer ses sentiments, alors qu'un stylo à la main, les mots lui venaient naturellement. Graphomane impénitente, c'est assise à son bureau qu'elle semblait le plus à l'aise. S'il est une leçon qu'elle m'a apprise et qui reste gravée dans ma mémoire, c'est celle-ci : il faut toujours écrire des mots de remerciement aux personnes qui vous ont offert un cadeau, leur temps, leur hospitalité, leurs conseils ou leur amitié. Pour sa part, la princesse me dit que je lui avais appris à noter ses pensées à l'issue de nos conversations :

— Laissez-vous aller à écrire ce qui vous passe par l'esprit. Cela peut être une excellente thérapie, lui avais-je dit.

En plus d'être un moyen de conserver une trace de la vérité. Je connaissais l'importance de tout écrire, parce que la reine tenait un journal, qui lui était l'occasion de livrer sa vision unique de l'histoire.

Un matin, je trouvai à l'office une enveloppe posée sur le sous-main en cuir de mon bureau. À l'intérieur se trouvait une feuille sur laquelle la princesse avait noté ses pensées. Elle revenait sur la conversation que nous venions d'avoir, sur les conseils donnés, et les opinions ou les décisions qu'elle refusait de changer. Ces lettres devinrent en quelque sorte les addenda officiels de nos conversations.

Parfois aussi, elle jugeait que « la vérité doit être conservée », et elle l'écrivait et me remettait la lettre. Je devins ainsi le dépositaire et le gardien des vérités royales, indépendamment des secrets intimes qui jamais ne furent écrits et demeurent inviolables dans ma mémoire. Chaque lettre commençait invariablement par : « Alors que je suis assise ici aujourd'hui... » Ces notes sont une part capitale de son héritage moral et sont cruciales pour conserver intacte sa mémoire et balayer les contre-vérités colportées depuis sa mort.

Le 28 février 1996, Kensington diffusa le communiqué suivant : « La princesse de Galles a accepté la demande de divorce du prince Charles. La princesse conservera son titre et sera connue sous le nom de Diana, princesse de Galles. »

L'annonce faisait suite à une rencontre entre le prince Charles et la princesse. Mais c'est une lettre du prince, reçue plus tôt cette semaine-là, qui convainquit finalement la princesse de hisser le drapeau blanc. Rien ne le ferait changer d'avis, et il était fatigué d'argumenter pour savoir qui avait fait quoi et qui était à blâmer. « Allons de l'avant, ne regardons plus en arrière et cessons de nous quereller », suggéra-t-il vivement, et la princesse accepta. Les avocats purent alors faire leur travail et écrire le mot « fin » du conte de fées.

Une fois sa décision prise, la Patronne parut plus solide. Après des mois et des années passés à refuser l'idée même du divorce, elle avait réussi à rassembler de nouvelles ressources émotionnelles.

— Je suis déterminée, Paul, me dit-elle. J'ai une conscience aiguë du devoir public. J'ai l'esprit clair, je suis motivée et je veux continuer sans que personne ne se mette en travers de mon chemin.

En mai, pendant que les avocats convenaient des arrangements du divorce, le prince et la princesse de Galles firent bonne figure en assistant à la journée annuelle des parents d'élèves à Eton. La princesse tenait à être présente pour William, son fils aîné, tout en redoutant l'occasion parce qu'elle savait que les amis de son mari, les Knatchbull et les Romsey, seraient également là, ayant eux aussi des enfants à l'école. Elle avait demandé de pouvoir arriver avec son mari, mais on le lui refusa.

— Je me suis fait snober par tout le monde, y compris Charles, me confia-t-elle plus tard.

Lors du concert qui suivit le cocktail d'accueil, elle voulut s'asseoir près du prince Charles, mais une place lui avait été réservée à côté du doyen, tandis que le prince se trouvait à l'autre bout de la rangée en compagnie de la femme de ce dernier. La princesse, déjà passablement irritée, n'entendit pas qu'il en soit ainsi. Elle se leva, traversa la rangée et s'adressa à la femme du doyen :

— Pardonnez-moi, cela vous ennuierait-il que nous échangions nos places afin que je puisse m'asseoir à côté de mon mari ?

La femme du doyen pouvait difficilement refuser. La princesse réussit ainsi son petit coup de force sans que nul ne remarque rien, hormis le prince lui-même. Et elle n'en avait pas fini. L'humiliation, se promit-elle, ne serait pas pour elle. Elle y veillerait dès qu'ils sortiraient de l'école, devant laquelle les équipes de télévision de la BBC et d'ITN attendaient.

Ainsi, lorsque le prince et la princesse de Galles apparurent, tels des parents comblés, à la sortie d'Eton et qu'ils se séparèrent, la princesse se précipita vers la voiture de son mari, posa une main sur son épaule, l'embrassa sur la joue et murmura :

— Au revoir, chéri.

L'image ouvrit tous les journaux télévisés ce soir-là, et le lendemain la presse titra : « Un baiser est un baiser. »

— Maintenant, Camilla sait ce que c'est que d'être de l'autre côté, se réjouit la princesse au petit déjeuner.

Le 30 mai 1996, le divorce du duc et de la duchesse d'York fut prononcé irrévocablement. La duchesse, privée de son statut officiel de S.A.R., devint Sarah, duchesse d'York. De passage à Kensington, elle rit en lisant les gros titres dans la presse ce matin-là.

— Nous leur montrerons qui nous sommes ! s'exclama-t-elle.

Le rire des deux femmes, dans ce qui était une

période plutôt sombre pour chacune, résonnait comme un hommage à tous ceux qui refusent d'abdiquer et de se soumettre devant la « Firme ».

À l'instar de la princesse, la duchesse avait le sentiment de goûter une liberté nouvelle. Elle avait, selon sa propre expression, « erré sans compas » et dû faire face à une presse vindicative et des ennemis pratiquant des coups bas à l'intérieur de la Maison royale. Mais elle avait survécu.

— En fin de compte, ce sera nous les gagnantes, n'est-ce pas, Paul ?

— Gardez seulement votre sourire et la tête haute, répondis-je.

Cet été-là, la princesse et la duchesse partirent en vacances ensemble avec leurs enfants dans le sud de la France. Le fait de partager leurs expériences, leurs combats et leurs blessures les avait rapprochées comme jamais, et elles étaient maintenant davantage sœurs qu'ex-belles-sœurs. En outre, elles avaient chacune un nouvel homme dans leur vie et paraissaient de nouveau heureuses.

Une partie du plan de survie de la princesse consistait à se construire un nouvel avenir. Elle gardait toujours un point d'ancrage à Londres pour William et Harry, mais elle commença à chercher une maison de vacances à l'étranger d'où elle pourrait organiser une campagne humanitaire à grande échelle.

— Est-ce que vous aimez l'Australie, Paul ? me demanda-t-elle par une journée exceptionnellement chaude du mois de juin 1996.

Le souvenir de mes voyages à l'autre bout du monde aux côtés de la reine me revint aussitôt.

— J'ai visité tous les États d'Australie, mais je dirais que mon préféré est la Nouvelle-Galles du Sud, répondis-je.

Elle était assise sur le canapé et feuilletait différents catalogues et magazines de décoration envoyés par son amie herboriste Eileen Whittaker, qui était aussi une amie de la duchesse d'York.

— Avez-vous jamais songé à aller vivre là-bas ? m'interrogea-t-elle encore.

Je savais que la princesse prenait plaisir à provoquer. Toutefois, rien de ce qu'elle avait pu dire ou faire par le passé ne m'avait véritablement choqué. Jusqu'à cette fois. Je la regardai avec effarement.

— Je suis sérieuse ! affirma-t-elle.

— Eh bien, c'est un peu loin de chez moi à mon goût, risquai-je.

— Je sais, je sais, soupira-t-elle en refermant son catalogue.

Et elle changea de sujet.

Contraint d'assumer seul les fonctions de majordome, sans dame d'honneur à plein temps ni secrétaire particulier, le travail m'accaparait entièrement et me tenait de plus en plus éloigné de mon foyer. Je quittais la maison à 8 heures le matin et ne rentrais pas avant 11 heures du soir, éreinté et irritable. Alexander et Nick ne me voyaient que le dimanche ou lorsque la princesse les invitait à venir jouer au palais. Ma vie de famille souffrait de cette situation. Depuis que la princesse avait annoncé en février qu'elle acceptait le divorce, j'avais vécu, mangé et dormi à ses côtés, partageant tout avec elle, des traumatismes aux rendez-vous avec les avocats.

— Pendant que tu assistes à la destruction d'une famille, la tienne finit par oublier qui tu es, m'avertit Maria. S'il y a trois personnes dans le mariage du prince et de la princesse de Galles, il y en a trois dans le nôtre aussi : toi, moi et la princesse. J'en ai assez, Paul.

Chaque mardi soir depuis février, lord Mishcon se présentait au palais de Kensington. C'était un petit homme aimable et discret qui, selon la princesse, était un avocat hors pair. C'était de surcroît quelqu'un d'extrêmement charmant. Je le revois durant ces rudes mois d'hiver se présenter à la porte, entrer quand je l'y invitais et ôter son chapeau. Lorsqu'il serrait la main de la princesse, il aimait à répéter :

— Pardonnez à un vieil homme d'avoir les mains froides, madame. Je vous assure que mon cœur est chaud.

Avant qu'il eût terminé de fixer les derniers points de détail juridiques avec le bureau du prince Charles, il arracha plus d'une fois un sourire à la princesse.

À la fin du mois de juin, tout fut réglé. L'accord de divorce stipulait que la princesse recevrait une somme forfaitaire de 17 millions de livres. En contrepartie, le prince de Galles exigeait la restitution de deux aquarelles d'un lointain parent allemand, de deux chaises de la fin du XVIIIe siècle et de toute l'argenterie George III, que nous utilisions quotidiennement.

Le 1er juillet, pour le trente-cinquième anniversaire de la princesse, ce fut un flot ininterrompu de fleurs, de cadeaux et de cartes en tout genre. Un amoureux éperdu envoya deux bouquets de roses rouges à longue tige, trente-cinq au total. Deux jours plus tôt cependant, le samedi, nous avions eu une surprise de taille.

On sonna à la porte. Nous n'attendions aucun visiteur, et j'allai ouvrir en me demandant qui cela pouvait bien être. S'il y avait quelqu'un que je ne m'attendais pas à voir, c'était l'héritier au trône. Le prince Charles, rendre une visite impromptue à la princesse !

— Bonjour, Paul, puis-je entrer ? demanda-t-il.

Il devait prendre un hélicoptère près des écuries derrière le palais, mais il était en avance, et il avait décidé de rencontrer son ex-femme.

— Votre Altesse Royale, je crois que vous connaissez le chemin.

Il eut un sourire et il monta l'escalier. J'avais hâte de voir la réaction de la Patronne. Je lui emboîtai le pas.

— Diana, vous êtes là ? lança-t-il en gravissant les marches.

C'est une princesse stupéfaite qui l'accueillit sur le palier du premier étage, et ils s'embrassèrent sur les deux joues. Elle me jeta un regard par-dessus l'épaule du prince et écarquilla les yeux avec une moue faussement horrifiée. Puis elle ne put résister, avec son humour habituel, à briser la glace par un bon mot :

— J'imagine que vous êtes venu récupérer vos meubles, Charles !

Et ils rirent tous les deux comme cela n'était plus arrivé depuis longtemps. Si seulement ils avaient su faire cela plus souvent en public, ne pus-je m'empêcher de penser. C'était une scène étrange, un peu triste aussi, bien que placée sous le signe de la cordialité et de la détente. La princesse avait l'air réjouie et enthousiaste. Je descendis préparer au prince une tasse de thé, exactement comme il l'aimait : Earl Grey, fort, avec un nuage de lait.

À la mi-juillet, Buckingham annonça officiellement qu'un jugement provisoire de divorce avait été établi. Il ne laissait qu'une question en suspens : celle du statut officiel de S.A.R. de la princesse. La princesse téléphona à son beau-frère, le secrétaire particulier de la reine, sir Robert Fellowes, et demanda à être autorisée à conserver le titre de S.A.R., mais sa requête ne fut pas satisfaite. La princesse n'était pas particulièrement à cheval sur ces questions protocolaires, mais ce titre était important à ses yeux parce qu'elle l'associait à son mariage et parce qu'elle avait travaillé inlassablement durant des années pour le mériter. Il lui semblait par conséquent qu'il était mesquin de vouloir l'en priver maintenant. Lorsque, en dernier lieu, la décision finale fut prise en coulisses, la princesse en fut anéantie.

Dans sa détresse, elle se tourna vers William. Elle me raconta qu'un soir, alors qu'elle se lamentait de la perte de son titre, il l'avait prise dans ses bras et avait dit : « Ne t'inquiète pas, maman, je te le redonnerai un jour, quand je serai roi. » Ce qui l'avait fait pleurer encore plus.

Après avoir séché ses larmes, la princesse se mit en devoir d'écrire plus d'une centaine de lettres dactylographiées à des œuvres de bienfaisance et des organisations auxquelles elle était affiliée pour leur expliquer que, ne jouissant plus du titre de S.A.R. et n'étant plus membre de la famille royale, elle ne pouvait demeurer plus longtemps leur bienfaitrice, du moins à ce titre. Elle rompit ainsi avec la Croix-Rouge notamment, préférant se concentrer sur un petit nombre d'organisations comme Centerpoint ou le Great Ormond Street Hospital.

Entre-temps, elle transféra son bureau du palais de St. James à l'appartement 7 de Kensington, la reine lui ayant refusé un bureau à Buckingham parce qu'elle pensait qu'il était préférable que la princesse reste indépendante. L'appartement 7 devint donc connu comme le bureau de Diana, princesse de Galles, sous l'administration de Michael Gibbins.

L'une des complications liées à la perte du titre de S.A.R. était que, sur le plan du strict protocole, la princesse devrait faire la révérence aux autres membres de la famille. L'ancienne future reine d'Angleterre devait maintenant faire face à l'humiliation de s'incliner devant le duc et la duchesse de Gloucester et la princesse Alexandra. Elle reçut cependant un témoignage de soutien inattendu d'un autre membre de la famille royale, sa voisine de l'appartement 10, S.A.R. la princesse Michael de Kent, qui lui écrivit une lettre chaleureuse qui la toucha.

— Paul, lisez ça, me dit-elle. C'est si gentil, oui, si gentil.

J'ai été horrifiée d'apprendre par la presse que maintenant que votre titre vous a été enlevé, on s'attend à ce que vous vous incliniez en public devant moi... Je vous assure que cela me causerait le plus grand embarras, et vous conjure de n'en rien faire. J'ai toujours admiré votre courage et votre force. Si seulement Charles vous avait aimée dès le début, tout ceci ne serait jamais arrivé. Vous pourrez toujours compter sur mon soutien.

La lettre de la princesse Michael de Kent agit comme un stimulant. Quant à moi, tout ce que je pouvais faire, comme le reste de ses amis, c'était assurer à la princesse qu'elle valait bien davantage que n'importe quelles initiales. Je lui dis :

— Vous n'avez pas besoin d'un titre. Où que vous alliez dans le monde, on vous connaît sous le nom de « Lady Di », et nul ne peut vous l'enlever. Qui plus est, à mes yeux, vous serez toujours Son Altesse Royale.

Et j'allais le lui prouver jusqu'aux derniers instants de sa vie. Chaque matin, lorsque je servais le petit déjeuner, je posais la cafetière sur la table et saluais :

— Bonjour, Votre Altesse Royale.

S'il est vrai qu'à quelque chose malheur est bon, la perte de son titre de S.A.R. permit à la princesse de trouver sa propre voie et de se concentrer sur ses projets humanitaires. D'autres cependant, dans le monde des cosmétiques ou du septième art, avaient des propositions fort différentes à lui faire.

Un soir de juillet, le téléphone sonna. C'était l'acteur Kevin Costner. L'appel arriva sur la ligne directe à l'office. Je le mis en attente et composai le numéro de poste de la princesse.

— C'est Kevin Costner, il aimerait vous parler, lui dis-je.

Elle laissa échapper un petit cri d'excitation.

— Passez-le-moi, Paul, et montez.

Je la rejoignis dans le salon. Elle était assise à son bureau et écoutait l'acteur très attentivement.

— Mais je ne sais pas chanter ! s'esclaffa-t-elle. Que devrais-je faire au juste ?... Je n'en sais rien, mais oui, d'accord, envoyez-moi le script, je vous promets de le regarder.

Lorsqu'elle mit fin à la conversation, elle s'exclama :

— Il veut que je tienne le premier rôle dans son prochain film, *Bodyguard II* !

Je me souvenais du premier *Bodyguard*, avec Whitney Houston. Dans la suite, la Patronne devait incarner une princesse à qui Kevin Costner sauvait la vie. Il lui promit qu'un grand soin serait apporté au film. Il s'occuperait de tout.

— C'est à peine croyable ! dit la princesse. Il est charmant, mais je n'arrive pas à croire qu'il soit sérieux.

Sérieux, M. Costner l'était autant qu'il est possible de l'être. Néanmoins, et bien que son ego en fût flatté et que l'acteur réussît à la charmer, elle rejeta sa proposition.

— C'est tout simplement impossible, conclut-elle.

Lorsque le scénario de *Bodyguard II* arriva sur son bureau, je ne suis pas sûr qu'elle ait trouvé le temps de le lire.

L'offre suivante fut examinée plus sérieusement. Elle émanait du géant cosmétique Revlon. Ils avaient approché la princesse avec une proposition de plusieurs millions de dollars destinés à faire d'eux les parrains d'une œuvre de bienfaisance.

— Cindy Crawford continuera à être « le visage ». Ils me veulent pour « l'esprit et le style », m'expliqua la princesse.

Depuis la mi-février, nous nous préparions tous pour le 28 août 1996, jour où le divorce serait irrévocablement prononcé, et où le prince et la princesse de Galles redeviendraient célibataires. Lorsque ce matin arriva, l'atmosphère générale fut un mélange de tristesse et d'excitation. Pendant que j'attendais que la princesse descende pour le petit déjeuner, je pris soudain conscience que, tandis que la princesse mettait un terme à son mariage, j'en terminais pour ma part avec vingt années de service au sein de la maison royale. Une nouvelle vie commençait, et de nouveaux défis.

Lorsque la princesse apparut, elle était pleine d'énergie, résolue à faire de son indépendance une réussite. Elle attaqua son pamplemousse et le pot de miel, et parla des tournées prévues : Washington en septembre, l'Australie en novembre. Elle songeait toujours à aller s'installer en Australie.

Plus tard, elle fit les cent pas dans le salon en se préparant pour cette journée où elle allait devoir affronter les médias du monde entier. Le téléphone sonna. C'était sir Robert Fellowes qui appelait, en qualité de beau-frère plutôt que de secrétaire particulier de la reine.

— J'appelle simplement pour vous souhaiter bonne chance durant cette journée qui s'annonce difficile. C'est une fin tragique pour une merveilleuse histoire, lui dit-il.

Mais la princesse, ce matin-là, n'était pas d'humeur à s'apitoyer.

— Oh non, répliqua-t-elle en me regardant. C'est le début d'un nouveau chapitre. Et souvenez-vous, Robert, j'aime toujours mon mari. Ça ne changera jamais.

Elle était si élégante ce jour-là en bleu pastel. Elle ramassa son sac à main, inspira profondément, descendit l'escalier et franchit la porte d'un pas résolu, portant toujours au doigt sa bague de fiançailles et son alliance.

— Je les enlèverai, mais pas maintenant, dit-elle, se souvenant peut-être de l'expérience traumatisante d'avoir vu ses parents ôter leurs bagues au moment de leur divorce lorsqu'elle était enfant.

Elle rentra tard ce jour-là, avec l'envie de parler. Nous prîmes un café dans le salon, et elle me dit :

— Je suis riche maintenant, et je pense que vous méritez une augmentation de salaire.

Je passai ainsi de 22 000 livres à 30 000 livres, et le reste du personnel – le chef Darren McGrady, la secrétaire Caroline McMillan, l'administrateur Michael Gibbins et l'assistante Victoria Mendham – fut également récompensé. La Patronne nous remerciait d'être restés à ses côtés au cours des derniers mois, pourtant éprouvants.

Elle paraissait calme lorsque je la quittai. Nous avions parlé de son amour pour le prince Charles, de son désir que le public anglais comprenne qu'elle n'avait jamais souhaité ce divorce, de ses regrets à l'idée que son mariage aurait pu être différent. Elle s'était même lancée sur le terrain philosophique. La philosophie l'aidait à faire son « ménage mental », comme elle disait, elle l'aidait à balayer ses angoisses et ses doutes. La princesse trouvait de la force et du réconfort dans les paroles des autres.

« Souciez-vous davantage de votre caractère que de votre réputation, parce que votre caractère est ce que vous êtes vraiment, tandis que votre réputation n'est que ce que les autres pensent que vous êtes. »

« Le moi doit connaître le calme pour pouvoir se connaître. »

« La réussite est le fruit du bon jugement. Le bon jugement est le fruit de l'expérience. L'expérience est le fruit du mauvais jugement. »

« Que les problèmes soient une occasion de transformer vos vies. »

« C'est dans l'épreuve que nous trouvons le courage et la sagesse. »

« Apprenez à vous adapter aux exigences d'une époque aussi créative. »

« Du bon rapport avec soi vient le bon rapport avec les autres et le divin. »

Ou bien elle citait Benjamin Franklin : « Ce qui blesse instruit. »

On a écrit tellement d'âneries sur la princesse et son divorce. Ses soi-disant amis et conseillers ont menti en affirmant qu'elle voulait divorcer du prince Charles depuis 1990. On a même prétendu qu'elle haïssait son mari, ce qui n'a jamais été le cas. « Charles et moi, disait-elle, sommes amis et nous restons courtois l'un envers l'autre. Je crois qu'il se rend compte de ce qu'il a perdu avec moi. Je n'ai aucune haine envers lui. Toutes mes souffrances ont fait de moi la personne que je suis. » Quant à ce qu'elle pensait de Camilla Parker Bowles, elle témoignait certes du ressentiment à son égard, mais nullement de la haine. « Nourrir de la rancœur, disait-elle, c'est s'efforcer de changer ce qui est. De cette impossibilité naît le ressentiment. »

La princesse passa de nombreux moments à essayer de comprendre les raisons de l'échec de son mariage. Ce fut un de nos grands sujets de discussion. Mais plus encore que cela, elle passa des heures à s'analyser et à tenter de comprendre qui elle était. Ainsi, se persuadait-elle, elle deviendrait quelqu'un de meilleur. Comme il était facile et pratique pour ses détracteurs d'y aller d'un « Diana a encore perdu les pédales » ! La vérité est que la princesse souffrait d'un manque de confiance en soi, qui l'avait rongée, elle autant que son mariage. Ainsi qu'elle l'expliqua : « Beaucoup d'amour-propre ne protège pas, mais permet au moins de douter de soi sans en être anéanti. »

Elle avait la conviction que ce déficit d'amour-propre remontait à son enfance, époque à laquelle elle s'était forgé une première image d'elle-même, piètre image en vérité, dont elle ne s'était pas débarrassée en se mariant avec le prince Charles. En lui, en l'intérêt et la reconnaissance qu'il lui témoignait, elle avait trouvé de quoi flatter son ego. Mais lorsque cet intérêt ou cette reconnaissance venaient à manquer, elle se sentait rejetée, son estime de soi était « sapée dans ses fondements », comme elle le dit elle-même. D'où des manifestations de colère, dont elle oubliait toutefois qu'il s'agissait d'une émotion naturelle. Elle alla même jusqu'à engager un boxeur qui venait à Kensington avec son sac de sable, afin qu'elle puisse se défouler. Diana, princesse de Galles, avait assurément du punch.

Nous parlâmes de tout cela le soir de son divorce. Après notre discussion, j'allai dans la cuisine. Quand je revins à l'office, je trouvai un petit mot sur mon bureau disant « merci », posé sur une autre feuille de format A4, sur laquelle elle avait noté ses pensées du jour. Ce soir-là, elle écrivit :

Nous sommes le 28 août 1996, et quinze années de mariage viennent d'être effacées d'un trait de plume. Je n'ai jamais voulu ce divorce. J'ai au contraire toujours rêvé d'un mariage heureux auprès d'un Charles aimant et attentionné. Bien que cela ne fût pas le cas, nous avons deux merveilleux garçons que leurs parents aiment profondément. Une partie de moi aimera toujours Charles, et j'espère à l'avenir le rendre fier de mon travail.

Ces quinze années ont été très difficiles. J'ai dû faire face à la jalousie et à la haine des amis et de la famille de Charles. Ils se sont mépris à mon sujet, et m'ont fait tant de mal et causé tant de chagrin.

J'espère devenir la meilleure amie de Charles, parce que je suis celle qui comprend le mieux qui il est.

XI
Une question de confiance

« Hourra, vous êtes rentré ! »

L'enveloppe avait été glissée sous la porte au milieu du courrier et était adressée à « Paul ». Je reconnus immédiatement l'écriture de la princesse et son papier à lettres crème à bord rouge, en posant nos valises. Nous revenions de deux semaines de vacances dans le Kentucky, qui m'avaient permis de souffler un peu avec Maria et les enfants.

Je compris en lisant la lettre qu'il s'était passé bien des événements durant notre absence :

Ces deux dernières semaines ont été particulièrement mouvementées, j'ai hâte de tout vous raconter ! C'est merveilleux de savoir que vous êtes de retour. À lundi. Bien affectueusement, Diana.

Je revins travailler avec un bronzage qui écœura la princesse. Deux fois par semaine au moins, elle faisait une séance d'UVA, étendue dans son solarium grand comme un vaisseau spatial, dans lequel elle se sentait

comme « un sandwich dans un grille-pain à ultravio-
let ».

— Allez chauffer l'appareil, Paul, je descends dans
une demi-heure, disait-elle.

L'avantage d'être son « réchauffeur » officiel, c'est
que je profitais d'un quart d'heure de bronzage avant
de céder la place à la princesse.

Lorsque William et Harry revinrent de leurs vacances
d'été à Balmoral, la princesse trouva William incroya-
blement grandi. Dos à dos avec sa mère, il la dépassait
légèrement.

— C'est le gène des Spencer, commenta-t-elle. On est
petit chez les Windsor.

À quatorze ans, William était conscient de sa haute
taille.

— À Balmoral, dit-il, j'ai eu l'impression que grand-
mère et tante Margot avaient rétréci. Et je suis plus
grand que papa maintenant, se vanta-t-il.

Le petit Harry considérait avec attention son frère,
puis sa mère. La princesse croisa son regard et dit :

— Oh, Harry, toi aussi tu as le gène des Spencer. Tu
seras aussi grand que ton frère un jour.

Un jour, William sera roi, le roi William V. Durant
l'été 2003, accordant une interview à l'occasion de son
vingt et unième anniversaire, il expliqua à quel point il
désirait porter la couronne et prenait son rôle au
sérieux. Le connaissant, je trouvai la déclaration très
réconfortante, et j'imaginai que cela devait être également une agréable surprise pour sa mère, qui n'ignorait
pas à quel point cet écolier timide et introverti avait
redouté de monter sur le trône. « William ne veut pas
être roi, et cela me préoccupe », s'était-elle inquiétée un
soir où nous bavardions dans le salon. « Il déteste que
chacun de ses mouvements soit épié. »

La princesse ne comprenait que trop bien son fils,
timide et réservé comme elle. À l'époque, Harry, plus
ouvert et sociable, plus pragmatique aussi, semblait
presque plus apte à assumer la dure charge de monarque. « Harry ne verrait aucun problème à être roi, disait

la princesse. BRH, le Bon Roi Harry, voilà comment nous l'appellerons. Ça sonne bien ! »

Dès lors, chaque fois qu'il rentrait pour le week-end, Harry devenait BRH. Nous n'utilisions plus que ce surnom affectueux pour le désigner, bien qu'il n'en ait jamais rien su. « Où est BRH ? » me demandait la princesse lorsqu'elle le cherchait dans la maison.

Bien sûr, chaque fois que les garçons étaient à Kensington, le personnel s'adressait à eux en obéissant aux strictes instructions de la princesse. Nous n'avions pas à nous incliner devant les jeunes princes, malgré leur titre de « S.A.R. ». Nous ne les appelions pas non plus « Votre Altesse Royale ». Ils étaient, tout simplement, William et Harry, selon la volonté de la princesse.

Adolescent, c'est tout ce que demandait William : la normalité. Il voulait être ordinaire et décontracté, même s'il était destiné à une vie de privilèges et de devoir. Sa mère avait été propulsée sans préparation au rang de future reine d'Angleterre, de sorte qu'elle comprenait ses craintes. C'est pourquoi elle le préparait, le « coachait » et, lors de leurs longues discussions, s'étendait à l'envi sur son droit d'aînesse. William pouvait en outre compter sur la sagesse et le soutien du prince Charles et de la reine. À Eton, il lui arrivait souvent de franchir le pont qui enjambe la Tamise jusqu'à Windsor, et de cheminer jusqu'au « château de grand-mère » pour prendre le thé avec Sa Majesté, qui lui prodiguait conseils et encouragements pour ses futurs devoirs envers son pays et son peuple.

La princesse s'était toujours passée autant que possible des nurses pour s'occuper de William, qu'elle voulait être seule à influencer. Je servais à Kensington lorsqu'elle l'encouragea, à l'âge de dix ans, à prononcer son premier discours. C'était à la Noël 1992. Serviteurs et livreurs étaient réunis pour le cocktail annuel du personnel. Un peu plus tôt, j'avais vu William s'asseoir au bureau de la princesse et rédiger les quelques mots qu'il s'apprêtait à nous dire. Puis vint le moment pour lui de se hisser sur une petite estrade et de s'adresser à la centaine de personnes présentes pour l'occasion. Chacun fit silence.

— Mesdames et messieurs..., commença-t-il.

Les yeux de sa mère étaient fixés sur lui.

— ... je sais à quel point vous êtes tous occupés (la salle éclata de rire à cette remarque ironique, étant donné la somme de travail qu'exigeait Kensington), aussi j'aimerais remercier chacun d'entre vous d'être venu.

Il conclut en faisant référence aux responsables de la sécurité présents au cocktail :

— Je dois vous prévenir qu'il y a suffisamment de policiers ici pour vous soumettre à un alcootest au moins deux fois chacun ! Joyeux Noël et bonne année à tous.

Un tonnerre d'applaudissements retentit, en même temps qu'il descendait de l'estrade et allait serrer sa mère dans ses bras, tandis que son père lui ébouriffait les cheveux.

Harry, pour sa part, se caractérisait par sa gentillesse. Un jour où il jouait avec Alexander sur sa PlayStation, mon fils expliqua qu'il économisait pour pouvoir s'acheter sa propre console. Harry, qui appréciait à sa juste valeur le fait d'obtenir à peu près tout ce qu'il voulait, se sentit désolé pour lui. Il alla dans sa chambre et revint avec un billet de cinq livres.

— Tiens, Alexander, dit-il. Ajoute ça à tes économies.

William se joignait à la princesse lors des déjeuners à Kensington, au cours desquels elle l'encourageait à prendre part aux conversations des adultes : Elton John, avec qui il discutait entre autres de la question du sida ; Piers Morgan du *Daily Mirror*, afin de commencer à entretenir de bonnes relations avec les médias ; ou encore Sarah, la duchesse d'York, qui évoquait avec lui les tracas et les pressions de la charge royale.

Un jour, William reçut la permission spéciale de quitter Eton pour l'après-midi : sa mère lui avait réservé une surprise. Pendant qu'il attendait à l'étage, une longue limousine noire s'arrêta devant la porte du palais. On vit en descendre les top models Naomi Campbell, Christie Turlington et Claudia Schiffer, qui se trouvaient à Londres pour l'ouverture de leur Fashion Café. William, qui avait leurs posters accrochés à son mur, rêvait de les rencontrer, si bien que la princesse les avait invitées à Kensington, quelques mois seulement après qu'elle eut déjà organisé une rencontre avec Cindy Crawford.

William, atrocement complexé par son appareil dentaire, s'assit avec embarras sur le canapé du salon, pendant que Campbell, Schiffer et Turlington se penchaient autour de lui, posant pour les photos que prenait la princesse.

— Maman, arrête ! rougit William.

Les top models s'efforcèrent de le mettre à l'aise en se lançant dans une conversation polie, et la princesse fut ravie de voir que son fils s'en sortait très bien. S'il sait adopter la bonne attitude aujourd'hui en présence de jolies femmes, c'est en grande partie à sa mère qu'il le doit.

Lorsque Claudia Schiffer lui demanda s'il se plaisait à Eton, il répondit :

— Je ne peux pas dire que j'aime beaucoup leur purée de pommes de terre, mais notre professeur de maths, Mlle Porter, est très séduisante.

La réponse amusa beaucoup Claudia Schiffer

Lorsque les jeunes femmes furent reparties, la princesse demanda à William son impression.

— J'ai vraiment préféré Cindy Crawford, commenta-t-il.

Comme William, la princesse aspirait à la normalité. La femme la plus photographiée du monde rêvait souvent d'anonymat. Elle adorait pouvoir faire « ce que font tous les gens ». Rien ne la ravissait autant que de se promener incognito dans un zoo ou un parc. Parfois, elle sortait à 7 heures du matin pour aller courir ou faire du rollerblade en toute liberté, dans les jardins déserts du palais de Kensington.

Lorsqu'elle se sentait d'humeur particulièrement audacieuse, elle optait pour un déguisement, et il m'échut bientôt la tâche supplémentaire de l'aider à s'accoutrer. Un jour, elle m'envoya lui acheter chez Selfridges une perruque brune aux cheveux raides tombant sur les épaules. Puis je dus passer chez un opticien de Kensington High Street pour me procurer une paire de lunettes sans correction à grosse monture ronde. À mon retour, la princesse n'y tenait plus : il fallait qu'elle essaie immédiatement son camouflage.

Lorsqu'elle redescendit à l'office, elle était quelqu'un d'autre. Elle essayait de garder l'air sérieux, mais j'en fus complètement ahuri.

— Cette fois, personne ne risque de vous reconnaître ! C'est incroyable ! lui assurai-je.

La princesse éclata de rire, et des larmes de joie lui vinrent aux yeux.

Ce soir-là, ainsi accoutrée, Diana, princesse de Galles, fit la queue avec des amis devant le club de jazz londonien de Ronnie Scott. Le lendemain, au petit déjeuner, elle me raconta son escapade :

— Le club était totalement bondé, et la fumée piquait les yeux. Dehors, nous avions fait une queue interminable, bien trop longue à mon goût. Alors, je me suis mise à bavarder avec un homme à côté de nous, qui n'avait pas la moindre idée de qui j'étais. C'était tellement drôle. Je pouvais enfin être moi-même dans un lieu public !

Mais tandis qu'elle s'émerveillait de la liberté que procure le déguisement, je trouvai pour ma part un peu triste le paradoxe qui voulait qu'elle devienne une personne différente avant de pouvoir être elle-même.

— Venez, je veux vous montrer quelque chose, m'annonça la princesse à la fin du mois de septembre 1996.

Je la suivis jusqu'à l'atelier de l'habilleuse, puis jusqu'à son dressing, dont les portes blanches s'alignaient sur toute la longueur du mur. Elle les ouvrit, découvrant des dizaines de robes du soir suspendues à des cintres et classées du blanc au noir en passant par toutes les couleurs de l'arc-en-ciel.

— Regardez toutes ces robes ! Combien de robes de bal y a-t-il dans ce dressing ?

Elle se mit à les compter une à une avec le doigt. Il y en avait soixante-deux pour cette seule pièce, alors qu'un autre dressing se trouvait encore au premier étage.

— Chacune de ces robes représente un souvenir particulier, dit-elle, mais il est temps aujourd'hui de s'en séparer.

Ce fut mon deuxième choc de l'été. Après sa suggestion d'aller vivre en Australie, voilà que la princesse voulait vendre sa garde-robe. L'idée d'une vente aux enchères au bénéfice d'une œuvre était née au cours d'une conversation qu'elle avait eue avec William d'abord, puis avec Elton John. L'accord de divorce lui avait laissé des millions. Vendre ses robes permettrait à d'autres d'en profiter, en particulier les œuvres de lutte contre le sida qui avaient besoin d'argent pour financer la recherche.

La princesse décrochait un cintre, levait la robe bien haut, bras tendu, et s'exclamait : « Ah, ma robe *Autant en emporte le vent* ! », ou bien expliquait : « Celle-ci, je l'ai portée à la Maison-Blanche, un soir où j'ai dansé avec John Travolta alors que je n'avais d'yeux que pour un autre homme ! »

Au total, soixante-dix-neuf robes de soirée furent adjugées chez Christie's pour une somme d'environ 3 258 750 dollars, reversée à des œuvres de lutte contre le sida et le cancer.

Le placard du rez-de-chaussée demeura intact. S'y trouvait la robe de mariée que la princesse avait portée en 1981.

— Celle-là, je ne peux pas la vendre, me dit-elle, se souvenant que sa mère Frances Shand Kydd l'avait payée en guinées. Je veux en faire don au Victoria and Albert Museum.

Elle exprima ce vœu un an avant sa mort. Je ne suis pas le seul à qui elle en fit part, puisqu'elle avait également évoqué ce projet avec Charles Moore du *Daily Telegraph* lors d'un déjeuner. Aujourd'hui, la robe est exposée au Diana Museum d'Althorp, sa ville natale.

Certaines robes ne finirent ni aux enchères ni au musée. Le personnel féminin de Kensington en récupéra quelques-unes qui ne plaisaient pas à la princesse ; d'autres, griffées Chanel, Versace ou Armani, furent cédées à des boutiques de vêtements d'occasion de Knightsbridge ou Chelsea. Ces transactions furent faites sur les instructions de la princesse, qui récupérait ainsi un peu d'argent liquide, éminemment exotique pour les membres de la famille royale, habitués aux cartes de crédit. Les espèces permettaient à la princesse d'emmener incognito William et Harry au cinéma ou chez McDonald's. Paradoxalement, les jeunes princes étaient fascinés par l'argent, et par le fait que le visage de la reine ornait chaque billet. Un billet de cinq livres devint ainsi un « mamie bleu » ; un billet de dix livres était un « mamie marron », et un billet de cinquante un « mamie rose ». Lorsque la princesse leur tendait de l'argent, c'était amusant de voir les garçons faire des bonds sur place en serrant le billet, invariablement un « mamie rose ».

En tout, vingt robes furent vendues à des boutiques d'occasion, qui rapportèrent au total à la princesse environ onze mille livres. Elle les conserva dans une enveloppe au fond d'un tiroir de son bureau. Un jour d'avril 1997, elle décida de remettre l'argent à son comptable Michael Gibbins, qui resta bouche bée en ouvrant l'enveloppe. Même lui ignorait les sources de financement les plus privées de la princesse.

Le problème lorsqu'on est une princesse divorcée, et l'une des plus belles femmes de la planète, est que les hommes du monde entier savent que vous êtes à nouveau célibataire. À la fin de l'été 1996, de nombreux hommes en vue, fortunés pour certains, firent connaître leurs intentions à la princesse. Elle en fut flattée, bien sûr, mais elle nourrissait des sentiments pour un autre, ce qu'ignoraient bien sûr ses prétendants, puisqu'elle tenait secret ce bonheur récent. De sorte qu'ils ne se laissèrent pas décourager par ses refus polis. Je filtrais les appels incessants des plus amoureux, des plus persévérants ou des plus malheureux en ménage. Il m'incomba de deviner à qui la princesse voulait ou ne voulait pas parler, à qui il fallait faire comprendre gentiment de renoncer, et à qui il fallait carrément dire : « Non ! »

Un jour, cinquante superbes roses rouges arrivèrent à Kensington, accompagnées d'un message un peu trop familier. La princesse me demanda mon avis, puis discuta du problème avec Katherine Graham, la patronne du *Washington Post,* qui allait prochainement fêter ses quatre-vingts ans et conservait toujours la même élégance. La princesse admirait sa force – « Elle a choisi d'entrer dans un monde d'hommes et s'est hissée jusqu'au sommet » –, et Mlle Graham devint l'une de ses meilleures amies et alliées en Amérique, avec Anna Wintour, la rédactrice en chef de *Vogue,* Barbara Walters, la reine des entretiens télévisés aux États-Unis, et les photographes new-yorkais Patrick Demarchelier et Mario Testino.

La princesse adorait Manhattan, faire du shopping sur la Cinquième Avenue, déjeuner au Four Seasons et séjourner au Carlyle Hotel. Elle se rendait fréquemment en Amérique, passant beaucoup de temps à Washington, où elle résidait à l'ambassade du Brésil avec sa meilleure amie, Lucia Flecha de Lima. Ce fut Lucia qui présenta la princesse à Lana Marks, femme de psychiatre, qui allait devenir son amie au cours de la dernière année de sa vie. Lana avait en commun avec la princesse un grand sens de l'humour, allié à une passion pour la mode et le ballet. Le jour où elle vint à Londres, je dus faire entrer secrètement la princesse au Lanesborough Hotel pour un déjeuner discret. Elle se coucha sur la banquette arrière de ma Vauxhall Astra lorsque nous franchîmes les portes de l'hôtel.

Un acteur oscarisé d'Hollywood, plein d'aplomb et de caractère en apparence, s'avéra soudain trop timide pour oser téléphoner au palais et proposer un rendez-vous à la princesse. Il demanda à un ami d'écrire une lettre en son nom. Lorsque la princesse refusa poliment son invitation, il réitéra sa demande un mois plus tard. La princesse accepta finalement d'aller prendre un verre avec lui, mais choisit ensuite de ne plus jamais le revoir.

Il ne fut pas le seul à manifester son admiration. Sur la ligne de départ s'alignèrent une légende du sport, un grand musicien, un romancier, un avocat, un entrepreneur, un milliardaire à la tête d'un véritable empire, et un politicien extrêmement célèbre.

La princesse se plut à m'attribuer le rôle d'« organisateur de la course », décidant après force concertation et réflexion qui faisait un outsider valable, et qui fermait définitivement la marche. J'organisais maintenant chaque facette de sa vie, mais je m'efforçais de le faire avec distance et humour. Je me moquais gentiment d'elle. Elle se moquait gentiment de moi. De la même manière qu'elle avait compartimenté ses amitiés, elle attribua un couloir de départ et un numéro à chacun de ses soupirants. L'occupant du couloir n° 1 ne bougea pas de la première place, loin devant les autres. Chaque jour, je la tenais informée des appels reçus.

— Le couloir n° 5 a téléphoné, il veut que vous le rappeliez. Le couloir n° 8 veut vous parler, dois-je le décourager encore ?

Sur son bureau, la princesse conservait une liste de ses soupirants. J'en avais moi-même un double à l'office, au fond de mon bureau.

Parfois, les concurrents étaient si nombreux que la princesse n'arrivait pas à y croire. Elle disait en plaisantant que cela commençait à « emboutteiller » dans la course. Un jour, je lui écrivis : « La piste commence à être sérieusement encombrée. Après renseignements, j'ai été informé que les couloirs 8 et 9 ont été déclarés non partants. Le premier a échoué au test antidopage ; le second à l'examen médical. »

La princesse me répondit sur le même ton : « En raison du surencombrement manifeste de la piste, les juges réclament une réévaluation du nombre des concurrents, et sollicitent le précieux concours de M. Paul Burrell sur ce problème délicat ! ! »

Ainsi que je l'ai déjà dit, être l'ami de la princesse signifiait être disponible vingt-quatre heures sur vingt-quatre. Être son ami *et* son majordome exigeait encore davantage. Un soir de septembre 1996, je rentrai tard chez moi, une fois de plus, et je me détendis devant un verre de vin en compagnie de Maria. Un peu après minuit, le téléphone sonna. C'était la princesse. Elle était en larmes, venant d'essuyer un petit revers dans sa vie personnelle. Alors que je la réconfortais, j'entendais Maria manifester son énervement. La princesse me demanda d'aller porter un message à la personne avec qui elle venait d'avoir une altercation au téléphone.

Comment aurais-je pu refuser ? Même à cette heure tardive, même épuisé comme je l'étais, je devais – je voulais – lui rendre ce service. Lorsque je raccrochai, je dus expliquer à Maria que la princesse avait besoin de moi pour une course.

— Pardi ! et j'en ai assez. Tu es pathétique ! sifflat-elle.

— Tu dois comprendre qu'elle a besoin de moi. Personne d'autre ne peut l'aider à cette heure, fis-je valoir.

— Paul, tu la maternes. Elle n'a qu'à claquer des doigts et tu accours. J'en ai assez. J'en ai assez de toi, et j'en ai assez d'elle !

Maria quitta la pièce avec fracas pour aller se coucher, pendant que j'enfilais mes chaussures et remettais ma veste, avant de sortir dans la nuit.

Ma mission accomplie, je me couchai au petit jour. Ce matin-là, j'allai travailler comme d'habitude à 8 heures. Mais ma fatigue fut récompensée lorsque j'arrivai à l'office et trouvai sur mon bureau un mot de la Patronne disant :

Cher Paul. Peu de gens s'aventureraient dehors à une heure aussi tardive pour consoler une âme en peine... mais peu de gens possèdent vos qualités et surtout votre gentillesse... Je suis profondément touchée par votre geste d'hier soir, et je tiens beaucoup à ce que vous le sachiez. Les temps sont parfois difficiles dans cette maison, mais une chose est sûre, c'est que sans vous à la barre de ce navire, nous serions tous en perdition, et n'aurions pas le cœur à rire ! Alors, merci infiniment d'être venu à mon secours une fois de plus. Bien affectueusement, Diana.

J'avais quitté mon foyer en ayant presque hâte de découvrir si elle m'avait ou non laissé un mot. Les mots faisaient partie du quotidien à Kensington : instructions, requêtes, messages ou remerciements, la princesse prenait toujours le temps de coucher sur le papier ce qu'elle aurait pu me dire en face ou au téléphone.

Un jour, l'un de ses soupirants ayant réussi à la persuader d'accepter une invitation à dîner qu'au fond elle ne souhaitait pas, je la taquinai en lui conseillant de rester sur ses gardes.

— Ne vous inquiétez pas, Paul, je saurai me débrouiller, sourit-elle.

Lorsqu'elle partit, je passai la soirée à m'inquiéter pour elle. Je lui avais dit de m'appeler depuis son portable, qu'elle gardait toujours dans son sac à main, s'il y avait le moindre problème. Elle devait rentrer à 11 heures ; aussi décidai-je de lui laisser un mot espiègle sur son oreiller, dans lequel je m'amusais à deviner les faits et gestes du soupirant. La princesse concluait souvent que j'avais la fâcheuse habitude d'avoir toujours raison sur ce point.

À son retour, elle répondit à mon petit questionnaire et le laissa sur un tabouret en haut de l'escalier afin d'être certaine que ce serait la première chose que je trouverais le lendemain matin en arrivant pour le petit déjeuner. Mes questions étaient écrites en noir ; la princesse y avait répondu en vert.

V.A.R...
Je vois... un dîner aux chandelles pour 2 ? Exact !
Je vois... des roses sur la table ? Exact !
Je le vois... se lécher les lèvres et s'extasier toute la soirée ! J'étais sourde.
ET il a insisté pour que vous buviez un verre de champagne ? 2 verres.
ALORS J'AVAIS RAISON !

Tout cela nous fit beaucoup rire au petit déjeuner, Après l'avoir servie, je tirai une chaise, m'assis à ses côtés et lui demandai :

— Allons, dites-m'en plus.

Ce furent exactement les mêmes mots qu'utilisa un journaliste britannique qui avait réussi à se procurer le numéro de téléphone direct de Kensington. Il m'appela pour s'enquérir de la véracité d'une rumeur selon laquelle l'acteur américain Mel Gibson m'avait offert une place de majordome. En 1996, la presse commença à analyser de plus près la relation qui existait entre la princesse et moi. Il y eut d'abord, le 14 janvier, la une des *News of the World,* qui titrait : « LADY DI N'A CONFIANCE QU'EN SON MAJORDOME », suivie d'une pleine page dans le *Daily Mail,* demandant : « EST-CE LE SEUL HOMME EN QUI DIANA A VRAIMENT CONFIANCE ? » Le quotidien expliquait que je montais la garde à côté du fax de la princesse. Mais cet appel inattendu concernant Mel Gibson m'embarrassa...

La vérité, c'est qu'une agence américaine avait en effet suggéré que je pourrais travailler pour Mel Gibson, mais je n'avais pas l'intention d'expliquer cela au journaliste. Durant dix minutes, il me pressa de questions, mais je répondis, en m'en tenant à cela :

— Je suis heureux de travailler avec la princesse.

J'étais hors de moi, et paniqué : je n'avais rien dit à la Patronne concernant la proposition de Mel Gibson, tout simplement parce que je ne l'avais jamais envisagée sérieusement. Maintenant, la presse risquait de me causer des ennuis. J'allai immédiatement trouver la princesse pour lui parler de cet appel.

Elle se mit en colère.

— Ça ne va pas se passer comme ça ! Je ne vais pas les laisser appeler ici quand ça leur chante !

Furieuse, elle descendit à l'office et demanda à Caroline McMillan de rappeler le journaliste, de lui passer un savon pour n'avoir pas respecté le protocole, et de lui conseiller de ne plus chercher à contacter le personnel de Kensington. La princesse fit notifier au journaliste que son majordome n'allait nulle part. Je redoutai la presse du lendemain matin et, avec la princesse, je découvris le gros titre embarrassant qui s'étalait sur deux pages : « JE SUIS L'HOMME DE DIANA. » L'article expliquait que j'avais rembarré Mel Gibson pour rester fidèle à la princesse. Cette situation potentiellement négative s'était bien terminée, et la princesse passa le reste de la journée à me taquiner sur le fait que j'étais son « homme ».

Je pensais que les tentatives de me débaucher s'arrêteraient là, jusqu'au jour où la reine du talk-show américain Oprah Winfrey vint déjeuner à Kensington. La princesse était vraiment nerveuse à l'idée de la rencontrer parce que « c'est une telle personnalité ! ». Il ne lui vint pas à l'esprit qu'Oprah pouvait partager cette appréhension.

Je conduisis Oprah dans le salon et lui proposai une tasse de thé. Elle accepta un verre d'eau. Puis je retournai voir la princesse.

— Comment est-elle ? s'enquit-elle dans un murmure.

— Elle comprend tout, elle ne rate pas un détail. Elle est extrêmement futée et elle arbore des boucles d'oreilles en diamants *énormes* !

La princesse parut impressionnée.

Elle fit son entrée, pleine d'assurance.

— Désolée de vous avoir fait attendre, désolée, désolée, dit-elle en s'avançant vers la star de la télévision américaine.

Je servis le déjeuner, et ne tardai pas à participer à la conversation lorsque celle-ci dévia sur l'Amérique.

— Nous adorons l'Amérique. N'est-ce pas, Paul ? fit la princesse. Paul y va en vacances chaque année.

— Avez-vous jamais songé à vivre aux États-Unis ? enchaîna Oprah.

— Mes garçons adoreraient y séjourner, répondit avec diplomatie la princesse, en taisant le fait qu'elle envisageait plutôt de s'installer en Australie.

Intervenant dans la discussion, je renchéris alors :

— Je pourrais faire mes bagages et aller vivre en Amérique demain.

Je regardai la princesse et lui adressai un clin d'œil de connivence.

Oprah saisit la balle au bond et proposa :

— Un majordome me serait d'une grande utilité. Pourquoi vous ne viendriez pas à Chicago pour vous occuper de moi ?

La princesse se redressa soudain sur sa chaise.

— Écoutez, Oprah, protesta-t-elle en riant, Paul est mon majordome et j'entends bien qu'il le reste.

Jusqu'au café, je devins le sujet d'une lutte amicale, Oprah n'arrêtant pas de me relancer pour m'embarrasser.

Après le déjeuner, la princesse et moi raccompagnâmes Oprah à sa voiture devant l'entrée. Juste avant de partir, elle abaissa sa vitre, se pencha et lança :

— C'est votre dernière chance, Paul.

La Patronne se tenait à côté de moi sur le perron. Elle me prit possessivement le bras et cria en réponse :

— Hé, il est à moi, et il reste avec moi !

Ainsi le déjeuner avec Oprah Winfrey se termina-t-il dans les rires, tandis que nous lui disions au revoir de la main.

— Venez, Paul, allons faire une balade en voiture, me dit-elle un soir après dîner.

Nous prîmes la BMW. La princesse emprunta les petites rues de Bayswater et Queensway, en direction de Paddington Green, près de la gare. Droite. Gauche. Droite. Gauche. Petite rue après petite rue. Elle connaissait tous les raccourcis.

— Je pourrais conduire un taxi dans Londres, dit-elle en souriant, son visage camouflé sous la visière de sa casquette de base-ball.

Nous arrivâmes à un coin de rue. La princesse s'arrêta mais ne coupa pas le moteur. Puis elle abaissa la vitre électrique de mon côté. Deux filles outrageusement maquillées et en minijupe discutaient. Lorsqu'elles aperçurent notre BMW, elles s'approchèrent en faisant claquer leurs hauts talons sur le trottoir.

La plus corpulente ne me quitta pas des yeux pendant que je m'agitais nerveusement sur mon siège. Elle posa les deux mains sur le toit de la voiture, et se pencha vers nous.

— Bonjour, princesse Di. Comment allez-vous ? demanda-t-elle.

Interloqué, je tournai la tête vers la princesse.

— Je vais bien, [nom]. Beaucoup de travail ? interrogea-t-elle.

L'autre fille, plus mince, se pencha à son tour pour se joindre à la conversation.

— Non, c'est calme, mais on tient le pavé. Faut bien bosser, princesse, ajouta-t-elle.

Dieu du ciel, compris-je, la princesse les connaît.

— Et lui, c'est qui ? demanda la première en me désignant de la tête.

— C'est Paul.

Elle me présenta. Nous nous serrâmes poliment la main.

La Patronne fouilla dans sa poche et en sortit deux billets froissés de 50 livres.

— Écoutez, les filles, prenez votre soirée. Rentrez chez vous voir vos gosses, dit-elle en leur glissant les billets dans la main.

Puis elle leur demanda des nouvelles de leurs enfants.

L'un d'entre eux avait eu la grippe. Est-ce qu'il allait mieux ?

Après une brève conversation, la plus corpulente donna une tape sur le toit, et les deux filles retournèrent à leur carré de trottoir, attirées par les phares d'une autre voiture arrêtée un peu plus loin.

— C'est complètement fou, m'exclamai-je d'une voix paniquée. Vous ne pouvez pas vous permettre d'être ici, Votre Altesse Royale.

J'imaginais déjà les gros titres dans la presse : « DI ET SON MAJORDOME SURPRIS À DRAGUER AU VOLANT. »

— Oh, Paul, détendez-vous, dit la princesse en roulant à nouveau. Ces filles ont besoin d'aide. Tout ce que je fais, c'est les aider.

La naïveté de son propos n'avait d'égale que sa bonté d'âme. Si elle avait dû faire face à une avalanche, je crois qu'elle aurait essayé de l'arrêter. Elle voulait aider tout le monde. Les malades, les pauvres, les sans-abri, les affamés, les malades du sida, les infirmes, les prostituées, les drogués, les alcooliques. Si cela n'avait tenu qu'à elle, elle aurait consacré tout son temps à ses missions de charité.

Nous revînmes dans le quartier de Paddington plusieurs fois au cours de l'été et de l'hiver 1996. En novembre, nous nous arrêtâmes au même coin de rue. La prostituée qui avait deux enfants à la maison travaillait pour les nourrir, mais n'avait pas les moyens de s'offrir un manteau pour les nuits froides.

Ce soir-là, la princesse lui donna 100 livres en lui ordonnant d'un ton presque maternel :

— Demain à la première heure, achetez-vous un manteau. Je veux vous voir avec la prochaine fois que je reviendrai dans le coin.

Quelques semaines plus tard, nous revîmes la femme, vêtue cette fois d'un épais manteau noir dans lequel elle semblait avoir un peu plus chaud.

Je pris l'habitude de me retrouver dans cette BMW, parfois derrière le volant, souvent après minuit. Il y avait une raison pratique à cette heure tardive : les rues de Londres étaient plus calmes, mais surtout les photographes, eussent-ils été aux aguets, n'auraient pu prendre de bonnes photographies dans l'obscurité.

Garé dans une ruelle au coin du Royal Brompton Hospital de Chelsea, j'attendais parfois une heure, écoutant la radio. Je déposais la princesse, qui descendait les bras chargés de magazines, de vidéos et de CD destinés aux patients en attente d'une transplantation ou bien souffrant de mucoviscidose. Ces visites à l'hôpital n'étaient pas nouvelles, même si les cyniques n'y voyaient qu'une forme de publicité. La princesse se souciait réellement de cet hôpital et de ses malades. Elle ne faisait rien de plus que ce qu'elle avait fait avant la mort d'Adrian Ward-Jackson en 1991, ou durant ma propre hospitalisation à Swindon en 1992. Elle savait que pour certaines personnes, sa présence pouvait être un meilleur stimulant que les médicaments, et c'était tout ce qui importait.

En novembre 1996, après un séjour à Sydney, en Australie, au cours duquel elle aida à collecter un million de dollars pour la Victor Chang Cancer Foundation, elle revint à Kensington en ayant dit adieu à ses rêves d'antipodes. L'Australie et son peuple tombèrent amoureux de la princesse, mais le coup de foudre ne fut pas réciproque. Elle trouva Sydney « primitive » comparée à Londres, New York ou Washington, et dit qu'elle se sentirait isolée là-bas. Elle tourna alors ses regards vers une nouvelle terre d'accueil potentielle : l'Afrique du Sud.

En décembre 1996, elle passa ce qui serait son dernier Noël dans les Caraïbes. La presse était convaincue qu'elle allait passer les fêtes avec son compagnon en Australie, et j'eus pour mission d'entretenir cette illusion en réservant deux places sur un vol pour Sydney, sachant que les journalistes vérifieraient la liste des passagers. Tandis que les médias faisaient le pied de grue à Heathrow, la princesse s'envolait pour les Antilles et un luxueux hôtel situé sur l'île minuscule de Barbuda, près d'Antigua, accompagnée par son assistante Victoria Mendham.

Le jour de Noël, le téléphone n'arrêta pas de sonner chez moi. Maria insista pour que je ne réponde pas. Nous savions tous les deux que c'était la princesse et, pour une fois, j'obéis à ma femme et consacrai tout mon temps à ma famille.

Jusqu'à son retour pour le Nouvel An, la princesse téléphona chaque jour pour bavarder. Elle avait hâte de rentrer. Contrairement à Harry, en Suisse chez les Kloster avec le prince Charles, qui passait d'extraordinaires vacances à skier, William avait choisi de rester à Londres. Âgé de quatorze ans, il détestait que les médias braquent leurs projecteurs sur lui.

Je n'eus pas le choix de ma prochaine destination : l'Angola. J'allais m'y rendre aux côtés de la princesse, qui devait y faire une nouvelle fois œuvre philanthropique, et défendre les causes humanitaires si chères à son cœur.

XII

Côte à côte

Je suis la princesse quand elle passe de la lumière aveuglante du soleil africain à la pénombre d'un hôpital de village. J'emploie le terme « hôpital » parce que c'est ainsi que l'appellent les habitants. Mais en réalité c'est une simple pièce, meublée de six lits métalliques. Les murs ont été plâtrés jadis, mais jamais peints. Oubliant les journalistes qui se bousculent dans notre dos, nous nous approchons du lit d'une petite fille, un fin drap blanc remonté jusqu'à son cou.

Une infirmière descend le drap pour nous exposer un spectacle absolument atroce. Ses entrailles s'échappent de son ventre. En allant chercher de l'eau pour sa famille, elle a marché sur une mine. Il y en a dix millions dans le sol desséché de l'Angola.

Impossible de relier les deux tableaux : ce joli visage sur l'oreiller, les entrailles sanguinolentes à la hauteur de la taille. D'instinct, on a envie de reculer, mais la princesse se force à regarder la fillette dans les yeux. Elle pose la main sur celle de l'enfant et se mord la lèvre pour ne pas pleurer. Puis elle remonte le drap et se tourne vers la presse. « S'il vous plaît, cela suffit », implore-t-elle. Les lumières des caméras s'éteignent.

C'était le 15 janvier 1997. Ce jour est resté gravé dans les mémoires à cause de cette fameuse image de la princesse qui traverse un champ de mines laborieusement déblayé par le Halo Trust. Chemisier blanc et pantalon crème, gilet pare-balles kaki et casque à visière transparente. Au vu du reportage, les cyniques en Angleterre prétendirent que la princesse s'ingérait sur la scène politique et la traitèrent de « franc-tireur ». Mais en se lançant dans la campagne contre les mines antipersonnel, elle mobilisa l'attention du monde sur les victimes oubliées, les civils tués ou mutilés pour un faux pas dans un champ piégé de dispositifs mortels. Aussi profondément enterrés que le traité sur les mines qui avait vu se dérober la Grande-Bretagne, les États-Unis et le Canada.

Les cyniques l'ont accusée de créer une nouvelle occasion pour attirer l'attention sur elle. Mais ils n'ont pas vu la petite fille de l'hôpital ; la princesse a refusé qu'elle soit filmée. Ceux qui refusent de croire en la sincérité de son action devraient lire l'article paru dans le *Sunday Times*. La journaliste Christina Lamb s'était attardée auprès de la fillette.

Endurcie par son expérience dans les zones de guerre, la journaliste tente d'expliquer à la petite fille qui est venu à son chevet.

— C'est une princesse, lui dit Mme Lamb.

— Alors c'est un ange ? demande la petite qui succombe, l'après-midi même, à ses blessures.

Devant l'hôpital, la princesse apporte sa propre réponse.

— Je suis humanitaire dans l'âme. Je l'ai toujours été, je le serai toujours, affirme-t-elle pour couper court aux accusations.

Je n'avais pas accompagné la princesse en voyage officiel depuis son séjour en Égypte en 1992, mais elle avait réclamé ma présence en Angola entre le 12 et le 17 janvier. La demande était inattendue.

— Il n'y aura que vous, moi et les gens de la Croix-Rouge, précisa-t-elle.

De même que deux policiers chargés de la protection rapprochée, imposés par le gouvernement pour un voyage à l'étranger. Je me demandai de quelle utilité je serais.

— Vous viendrez partout avec moi, et vous serez mon assistant, ma dame d'honneur, mon secrétaire et mon habilleuse, plaisanta-t-elle.

Je la réveillai donc chaque matin, repassai ses vêtements et ne la quittai pas d'une semelle lors de ce déplacement en Angola. La diversité de mes talents amena de nouveau la presse à s'interroger sur « ce majordome qui suivait la princesse comme son ombre » et je sentis que, parmi les autres membres du personnel, mon rôle en indisposait plus d'un.

Depuis qu'elle avait renoncé à en être la marraine, la princesse avait instauré d'autres liens avec la Croix-Rouge. Elle avait discuté avec Mike Whitlam, son directeur général d'alors, des campagnes contre les mines antipersonnel. Il lui avait envoyé de la documentation et des bandes vidéo, et cela la motiva encore plus. En Angola, qui devint le symbole de la croisade menée par la princesse contre les mines antipersonnel, les mines avaient causé un nombre effarant de morts et de mutilés.

Muni de l'itinéraire du voyage, j'étais allé acheter les vêtements confortables dont la princesse aurait besoin. Premier arrêt : Ralph Lauren, sur Bond Street, pour des chemisiers et des pantalons corsaire. (À cette occasion, elle m'offrit de nouvelles chemises.) Puis Armani pour les jeans, et Todd's pour les mocassins. Je glissai également dans les valises les robes et les jupes nécessaires pour la visite à l'ambassade et le dîner avec Ana Paula dos Santos, la première dame d'Angola. Je passai chez Boots pour la trousse de toilette essentielle, y compris les vitamines.

Bill Deedes, un journaliste chevronné du *Daily Telegraph*, devait rejoindre la presse en Angola, mais la princesse insista pour qu'il voyage avec nous à partir de Luanda ; il avait eu une grande influence sur son engagement, militant lui-même contre les mines depuis 1990. Il déjeunait régulièrement à Kensington où nous aimions plaisanter de la difficulté des mots croisés du *Daily Telegraph*. « Mon majordome continue de trouver vos mots croisés très injustes », disait la princesse à chaque fois qu'elle recevait Bill, préférant souligner mes points faibles plutôt que les siens.

Tandis que nous roulions vers l'ambassade britannique, ballottés sur des routes défoncées, la princesse secouait la tête d'un air navré. Presque tous les gens que nous croisions avaient perdu une jambe. Des bâtiments, maisons, magasins, bureaux, il ne restait que la façade, criblée d'impacts d'obus de mortier. On aurait pu être sur un plateau de cinéma.

Ce voyage en Angola était une des conséquences directes du déplacement de la princesse à Calcutta. En 1992, elle avait rendu visite à mère Teresa, qui se consacrait aux nécessiteux, aux malades et aux mourants. Cette rencontre lui avait redonné du tonus à une époque où elle pleurait sur l'effondrement de son mariage. « C'est à Calcutta que j'ai trouvé un sens à ma vie », me disait-elle.

Avant de partir pour l'Angola, la princesse me montra une photocopie des notes qu'elle avait prises au cours de ce voyage en Inde, comme si elle voulait me faire comprendre son engagement humanitaire et pourquoi cette cause lui importait. Elle l'avait également donnée à Oonagh Toffolo, son acupunctrice. Elle y expliquait son éveil spirituel à Calcutta, sa motivation pour soulager ceux qui souffrent et son credo pour chaque mission entreprise.

Chaque matin, la princesse était impatiente de rencontrer les victimes des mines. Impatiente, encore une fois, d'agir « autrement ».

— Allez, allez, au travail, pressait-elle, et nous allions visiter les villages d'Huambo et de Kuito, en respectant la promesse qu'elle s'était faite cinq ans plus tôt.

En juin de la même année, la princesse devait se rendre à New York pour rencontrer mère Teresa. « Deux anges dans le Bronx », titra alors un quotidien britannique.

L'Angola a représenté le summum de mon service à la royauté, le moment où j'ai surpassé toutes mes espérances personnelles et professionnelles. Ce fut l'époque où, encouragé par la princesse, j'eus suffisamment confiance en moi pour briser les barrières que je m'imposais en tant que majordome, pour devenir son bras droit. Je finis par renoncer aux vestiges de mon uniforme à l'ambassade britannique à Luanda, où j'entrai par la grande porte. Lorsque la princesse m'avait annoncé que je la suivrais partout, elle le pensait vraiment. Et je n'avais pas envisagé que cela signifierait serrer la main d'Ana Paula dos Santos, la première dame du pays, et du ministre des Affaires étrangères.

Au Pakistan, en Tchécoslovaquie et en Égypte en 1992-1993, ma place était celle d'un observateur dans l'ombre. En Angola, je devins un participant, aux côtés de Diana, princesse de Galles. Je ne crois pas que la première dame ait eu connaissance de mon statut de majordome. Pour chacun, y compris le personnel angolais, j'étais son secrétaire particulier. Cela me faisait une impression bizarre, je ne savais plus exactement quel était mon rôle.

Un secrétaire particulier serait censé faire ceci, me disais-je, mais elle n'en a pas. Une dame d'honneur ferait cela, mais elle n'en a pas. Aussi, l'homme qui avait repassé sa robe, porté ses bagages et lavé son linge, fut reçu en audience officielle par la première dame, et prêta une oreille aux discussions sur les mines antipersonnel et la politique de l'Angola.

Au moins, ma formation me fut utile. Ayant l'habitude d'accueillir les responsables du Commonwealth sur le *Britannia*, je connaissais le protocole et savais exactement comment me conduire, en restant un pas derrière la princesse.

Pour combattre mon angoisse, je me souvins de mon premier emploi au château de Windsor en 1976, lorsqu'on avait refusé de me laisser porter les plats de viande ou de légumes. Et me voilà à présent, auprès de la Patronne, la femme qui avait tant œuvré pour ma carrière. J'étais fier. Et, pour être honnête, assez amusé : si la Maison royale avait pu me voir en cet instant, beaucoup auraient fait une mine de six pieds. Il m'était encore plus plaisant d'imaginer ces personnages marmonner que je n'étais pas des leurs, que je ne savais pas « rester à ma place ». Une accusation que je devrais affronter quand je travaillerais pour la Fondation à la mémoire de Diana, princesse de Galles.

Je ne suis même pas sûr que l'ambassadeur de Sa Majesté, Roger Hart, ait compris qui j'étais. Comme nous résidions à l'ambassade, il me voyait souvent en tête à tête avec la princesse. Puis il y eut le dîner, pour lequel la princesse demanda que mon nom figure dans le plan de table. J'étais donc là, discutant poliment avec le représentant de Sa Majesté en Angola, sa femme et la princesse.

Le meilleur moment, qui fit pouffer la princesse, fut à la fin de la soirée, quand elle annonça qu'elle se retirait pour la nuit. Lorsqu'elle se leva et repoussa sa chaise, je fis de même et nous nous retirâmes en même temps, pliés de rire en pensant aux sourcils perplexes autour de la table. Elle détestait jusqu'à la phobie toute forme de cérémonie, les manières compassées, même si l'ambassadeur et sa femme étaient des gens tout à fait charmants.

Il n'y eut qu'un seul dîner officiel. Le reste du temps, nous nous restaurâmes d'un repas froid dans sa chambre. Un soir sur deux, la princesse, enveloppée dans son peignoir qui recouvrait un maillot de bain, traversait avec moi la résidence officielle, coupait par la cuisine et allait dans le jardin piquer une tête dans la piscine. Je m'asseyais sur le rebord carrelé, les pieds dans l'eau, et comptais les longueurs accomplies par la princesse. Crawlant à toute allure, elle enchaînait vingt allers-retours avant de s'arrêter pour reprendre son souffle.

Puis elle se redressait et repoussait en arrière ses cheveux mouillés.

— Comment s'est passée la journée, d'après vous ? demandait-elle en s'appuyant contre le rebord de la piscine.

Nous discutions puis, sous la lune et les étoiles, elle faisait vingt longueurs de plus.

Février 1997 : lord Richard Attenborough s'apprête à sortir son film en février, *Le Temps d'aimer*. Le soir de la première à Londres, la projection sera suivie d'un documentaire de dix minutes afin de récolter des dons pour une campagne de la Croix-Rouge britannique contre les mines antipersonnel. C'est pourquoi une équipe de production accompagnait le Land Cruiser de la princesse en Angola.

En pareille occasion, la princesse acceptait volontiers qu'une équipe de journalistes l'escorte : elle savait qu'un reportage aidait à populariser sa cause. Mais il fallait que la princesse soit « branchée ». Un micro fut donc accroché à son chemisier et relié à un émetteur fixé à la ceinture au dos de son pantalon. Le deuxième jour du voyage, les ingénieurs du son en eurent pour leur argent. Oubliant qu'elle était « branchée », nous nous arrêtâmes pour ce que la princesse appelait « une pause pipi ». Je m'éloignai pour échanger avec elle quelques mots derrière un bâtiment. Elle voulait m'entretenir de questions personnelles. Nous échangeâmes quelques propos légers sur l'équipe du tournage : les tics, leur façon de travailler, les incidents amusants, et elle riait malicieusement. Au même instant, elle réalisa la présence du micro. Elle était horrifiée.

— Vérifiez-le ! cria-t-elle, paniquée.

La petite lumière rouge du transmetteur clignotait. Nos bavardages avaient été retransmis.

Tandis que nous regagnions la voiture, pareils à deux garnements, la princesse serrait les lèvres pour retenir son fou rire. Je ne sais toujours pas si la production a enregistré ce moment qui aurait dû rester « hors antenne ». Nous n'avons jamais osé leur poser la question...

L'Angola fut une expérience épuisante, mais nous en revînmes avec un sentiment de triomphe. Nous avions poussé une question importante sur le devant de la scène mondiale. Le dernier jour, avec sa générosité habituelle, la princesse remercia tous ceux qui avaient fait de ce voyage un succès. Le personnel de l'ambassade de Grande-Bretagne, les chauffeurs, le chef, les femmes de ménage, les employés des bureaux et l'ambassadeur lui-même reçurent des portefeuilles et des blocs mémos en cuir frappés de la lettre D surmontée d'une couronne, ainsi que des photographies signées. Quand je rentrai à Kensington, un cadeau m'attendait. Un buste en marbre d'une Africaine qui avait été offert à la Patronne en Angola.

C'est précisément cette générosité de la princesse qui allait me conduire devant le tribunal. Le monde extérieur, et Scotland Yard en particulier, ne peut imaginer combien d'objets les membres de la famille royale donnaient à leur personnel.

En septembre de l'année précédente, mon fils Alexander avait fait sa rentrée à la London Oratory School. La princesse s'enquit de ses progrès scolaires. Je mentionnai la quantité de devoirs à la maison.

— Alors, il passe des heures enfermé dans sa chambre ? demanda-t-elle.

— Non, il travaille sur la table de la cuisine pendant que Maria prépare le dîner.

La princesse ne pouvait pas croire qu'il n'avait pas de bureau. La table de la cuisine sert aux repas. Un bureau dans un coin tranquille, c'est pour les devoirs.

— J'ai exactement ce qu'il lui faut, déclara-t-elle.

En 1981, à l'occasion du mariage du prince et de la princesse de Galles, la ville d'Aberdeen avait offert un secrétaire qui n'avait encore jamais servi. Il était resté au garde-meuble, et la princesse voyait là l'occasion d'en faire bon usage. Mon frère Graham descendit avec moi dans un entrepôt situé au fond du vestibule du rez-de-chaussée et nous chargeâmes le bureau à l'arrière de ma Vauxhall Astra. C'est l'un des objets qu'on m'accusa par la suite d'avoir volés après la mort de la princesse.

Au cours de la dernière année de sa vie, la princesse se débarrassa de bibelots et de meubles qui lui rappelaient son mariage. Les tapis et les porcelaines ornés des plumes du prince de Galles avaient déjà été jetés. Elle entreprit un grand nettoyage et distribua des objets à valeur plus sentimentale, comme si elle voulait se défaire d'un passé encombrant. Parachevant la vente aux enchères de ses robes en juin 1997, la princesse tournait la page. Ce fut une victoire pour elle d'être capable de « renoncer à son passé ». Au plus fort de sa boulimie, le passé l'avait hantée. Elle avait triomphé. Elle avait survécu. Elle était plus forte. Et elle avait pris une nouvelle direction.

— Dans notre nouvelle vie, nous n'aurons pas besoin de ça, déclarait-elle, debout dans le salon des garçons.

Et elle vidait des cartons bourrés de vêtements, colifichets, objets décoratifs, CD, livres, cassettes, cadeaux divers. Elle m'offrit une pendule Cartier, qui avait été achetée par le prince Charles : elle trouvait le cadran nacré et la base en marbre noir et orange « hideux ».

Un bric-à-brac incroyable était entassé au milieu de

la pièce et la princesse invita les membres du personnel à se servir. Lily Piccio, femme de ménage originaire des Philippines, ne pouvait en croire ses yeux : elle emporta tout ce qu'elle put dans le modeste appartement qu'elle partageait avec sa sœur. Eileen Malone, spécialiste en aromathérapie, reçut une pendulette décorée. « Cela vous fera toujours penser à moi », dit la princesse. Le médium Rita Rogers reçut un magnifique collier Van Cleef and Arpels en or dix-huit carats formé de cœurs entrelacés, d'une valeur de 8 000 livres au moins. Pour ses quatre-vingts ans, Katherine Graham, rédactrice en chef du *Washington Post*, eut un coffret en argent des joailliers Asprey avec à l'intérieur : « Dévouement et admiration, de Diana. » Même Meredith Ethrington-Smith de chez Christie's bénéficia de la bonté de la Patronne. En remerciement pour avoir supervisé la vente aux enchères de ses robes, la princesse, qui connaissait son amour pour les étoiles de mer, fit créer par Garrard, les joailliers de la Couronne, une étoile de mer en or massif constellée de diamants avec, gravé en dessous : « Avec toute l'affection de Diana. »

Les sacs-poubelle remplis de vêtements s'entassaient. Simone Simmons, qui venait presque chaque jour soigner la princesse, en fut une autre bénéficiaire. Un après-midi où Simone était là, la princesse lui demanda de se servir.

— Quoi ? Vous voulez que j'emporte tous ces sacs pleins de vêtements ? s'exclama Simone.

— Non, ces sacs-là sont pour Paul, répondit la princesse.

Et j'emportai des habits, des sacs à main et des chaussures pour Maria pendant que nos fils récupéraient les vêtements de William et Harry.

En mai, la princesse fit un saut de trois jours au Pakistan chez Imran Khan et sa femme Jemima, fille de son amie lady Annabel Goldsmith. La princesse voulait en apprendre plus sur l'islam. Elle m'appelait trois fois par jour, comme d'autres amis, j'imagine. Je me demande franchement ce qu'elle aurait fait sans son portable. Il semblait collé en permanence à son oreille.

Pendant son absence, j'expliquai à une nouvelle recrue les arcanes de Kensington. La princesse avait engagé un adjoint pour me seconder. Craig Weller, vingt-trois ans, avait été formé par l'équipe de Buckingham et son arrivée me facilita la vie.

Quand la princesse rentra du Pakistan, j'appris un grand secret. Elle brûlait d'envie de m'en parler. Elle arrivait à garder un secret cinq minutes au plus.

— Paul ! Paul ! cria-t-elle du palier du premier étage avant de courir à l'office. J'ai une surprise ! J'ai une surprise !

Avant qu'elle ait dévalé la dernière marche dans son tailleur Chanel bleu pâle, ce n'était déjà plus un secret.

— Paul, vous allez recevoir une médaille !

Elle me révéla que j'allais être décoré par la reine de la Royal Victorian Medal. L'ordre personnel de la reine.

— Il était temps, d'ailleurs. C'est censé être un secret, mais bon, vous connaissez tous mes secrets. Je suis si contente pour vous, Paul.

J'étais ahuri : la reine allait me décorer pour son anniversaire, en reconnaissance de mes vingt et un ans de bons et loyaux services envers la famille royale. En substance, elle me récompensait pour toutes ces années passées à promener neuf corgis récalcitrants.

La princesse semblait plus excitée que moi.

— Après la cérémonie, je vous emmène déjeuner chez Mara, au San Lorenzo. Nous allons marquer le coup.

Quand l'annonce officielle eut lieu le 17 juin, la princesse se trouvait à Washington pour les quatre-vingts ans de Katherine Graham, mais elle m'envoya un message de félicitations. « Un million de félicitations pour votre RVM – c'est merveilleux, et les garçons et moi sommes absolument aux anges ! Affectueusement de la part de Diana, William et Harry. »

Le matin de mes trente-neuf ans, le 6 juin, j'entrai à l'office et découvris sur mon bureau une enveloppe sous une boîte enveloppée dans du papier cadeau. À l'intérieur se trouvait une montre-bracelet Longines en or avec un bracelet de cuir noir et un billet : « Un très très bon anniversaire, affectueusement – Diana. »

Le 1er juillet, la princesse fêta ses trente-six ans : Kensington ressemblait à une boutique de fleuriste. Environ cinquante bouquets de fleurs coupées, de fleurs séchées et de plantes occupèrent chaque vase et récipient disponible. Parmi ces bouquets, soixante roses blanches de Gianni Versace et une douzaine d'arums de la part de Giorgio Armani. Le prince de Galles envoya de Highgrove une bougie parfumée. Mohamed al Fayed, propriétaire de Harrods, fit porter un sac à main en cuir. Raine Spencer, la belle-mère de la princesse, fut la première à l'appeler ce matin-là, suivie de Lucia Flecha de Lima, qui se réveilla à 3 heures du matin à Washington – 8 heures à Londres – pour commencer sa journée en lui souhaitant son anniversaire. Voilà le dévouement d'une amie véritable.

Si mon devoir m'imposait de devancer les désirs de la princesse, je devais agir de même avec les jeunes princes. William et Harry savaient qu'à Noël leur mère et moi choisissions leurs cadeaux ; par ailleurs, je m'occupais en secret des présents de leur part pour la princesse. Je savais exactement ce qui lui ferait plaisir. Sa collection de cristaux, réputés optimiser ses « énergies », grossissait sous la houlette de son amie et guérisseuse Simone Simmons. Sur ses conseils, j'allai chez un expert en fossiles et cristaux de Chelsea, et me frayai un chemin au milieu d'un dédale de cristaux multicolores. Sur une étagère se trouvait une pierre d'une quarantaine de centimètres, dont la partie frontale avait été sectionnée pour laisser apparaître le cristal étincelant, violet et pourpre, à l'intérieur. Je sus immédiatement que c'était ce qu'il fallait, même si cela coûtait cinq cents livres. Le week-end précédant l'anniversaire,

William revint d'Eton. Pendant que la princesse était assise en haut au salon, des deux mains je soulevais l'énorme pierre et le visage de William s'éclaira.

— Oh, Paul, c'est génial ! s'écria-t-il.

Quand le cadeau fut emballé, William le porta au premier.

— Vous êtes sûr de pouvoir y arriver, William ? m'inquiétai-je en le voyant vaciller sous le poids.

Quelques minutes plus tard, j'entendis déchirer et froisser le papier, puis un cri de joie. Cher aux yeux de la princesse, ce cristal prit place à côté de la cheminée du salon.

Mon fils Nick, lui aussi, choyait sa collection de cristaux, suivant l'exemple de la princesse, qui l'avait fasciné avec des histoires de cristaux magiques. Il avait emporté sa petite boîte avec de minuscules cristaux posés dans du coton pour les lui montrer. Cela me fit sourire de voir mon petit garçon de neuf ans en grande conversation avec la princesse. Elle s'assit au bord de la banquette pour admirer la boîte de Nick. Mon fils lui expliqua qu'il était important de bien laver les cristaux pour les recharger.

— Il faut les mettre sous une lumière vive, princesse, lui expliqua-t-il.

Alors elle décida de confier une mission au fils du majordome. Elle lui remit quelques-uns de ses cristaux, qu'il emporta pour les laver dans une cuvette d'eau chaude savonneuse. Il les laissa sécher sous sa lampe de chevet. Le lendemain, il se précipita au palais pour annoncer à la princesse que ses cristaux étaient rechargés.

En récompense, elle lui offrit une rose des sables à poser sur sa table de nuit avant de s'endormir.

— J'ai exactement la même près de moi quand je dors, lui dit-elle. Et maintenant, tu en as une, toi aussi.

Puis elle lui fit une promesse.

— Quand nous serons tous rentrés de vacances, je

t'emmènerai à la cristallerie et nous te choisirons un beau gros cristal.

Nick trépignait d'impatience.

Pour son anniversaire, le couturier Jacques Azagury avait créé une robe du soir époustouflante : brodée de perles, décolletée, avec des bretelles et des nœuds de satin noir.

— Vous devez absolument la porter ce soir ! dis-je tandis qu'elle l'essayait au salon.

Je me dirigeai vers un écrin et en sortis quelques saphirs et des diamants.

— Non, Paul, pas ceux-là. Je veux porter mes émeraudes.

Ce soir-là, elle porta la robe de Jacques Azagury pour le dîner de gala du centenaire de la Tate Gallery, avec le bracelet en émeraudes et diamants que le prince lui avait offert pour son mariage, les boucles d'oreilles en émeraudes et diamants dont il lui avait fait cadeau pour ses vingt-deux ans, et le collier de la reine Marie avec des émeraudes et des diamants en cabochon, présent de mariage de la reine.

Après de longues discussions, le prince et la princesse décidèrent que Harry suivrait les traces de son frère à Eton.

— Il aura de l'allure en queue-de-pie, n'est-ce pas, Paul ? demanda la princesse. Un vrai petit pingouin.

Comme Harry désirait étudier à Harrow pour rester avec son meilleur ami, le fils de la famille van Straubenzee, l'idée d'avoir l'air d'un pingouin à Eton ne le fit pas sauter de joie.

William n'eut pas plus de chance. On avait annoncé une manifestation en faveur de la chasse : le jeune prince avait envie d'y participer, mais la princesse ne l'y autorisa pas. Elle ne trouvait pas cela « convenable ». Curieusement, Tiggy Legge-Bourke se trouva dans la foule et sa présence fit la une des journaux le lendemain. William reconnut alors la sagesse de sa mère.

Durant la même période, le palais fut illuminé par des sourires radieux. Une famille charmante vint prendre le thé : la mère, le père et trois bambins. Depuis l'âge de quatre ans, la petite fille, qui en avait sept, souffrait d'une tumeur au cerveau. Elle avait été opérée deux fois, mais la tumeur avait progressé et ses jours étaient comptés. Comme l'enfant avait souhaité prendre le thé chez la princesse, la Patronne lui avait accordé cette faveur. Elle m'envoya chercher des ballons Barbie et des petits jouets. La famille repartit avec des souvenirs immortalisés par un appareil photo jetable.

William et Harry passèrent leurs vacances d'été à Saint-Tropez après que la princesse eut refusé une invitation sur l'île de Phuket en Thaïlande. Le 11 juillet, ils décollèrent tous les trois pour la Côte d'Azur et la villa de Mohamed al Fayed, sa femme Heini et leurs trois plus jeunes enfants. Elle avait décidé d'accepter la proposition de Mohamed al Fayed après un déjeuner en compagnie de sa belle-mère Raine Spencer.

Le propriétaire de Harrods – qui menait grand train sur Park Lane où il avait ses propres majordomes – n'était pas un proche de la princesse. Il avait été un ami de feu le comte Spencer, le père de la princesse. Raine était une habituée de sa résidence du bois de Boulogne, à Paris. On appelait cette propriété la « Villa Windsor », parce qu'elle avait abrité les amours du duc de Windsor et de Wallis Simpson.

Fasciné par la royauté, al Fayed avait acquis cette propriété à la mort de la duchesse en 1986. Onze ans plus tard, il faisait le premier pas en direction d'un autre personnage dont la liberté d'esprit avait causé bien des remous chez les Windsor : Diana, princesse de Galles. Pendant des années, il avait cherché à se lier avec elle. Dès qu'elle faisait des emplettes dans son magasin de Knightsbridge, il surgissait. Chaque année à Noël, il expédiait à Kensington un panier de produits Harrods. Il célébrait de la même manière les anniversaires de la princesse et des jeunes princes. Raine Spencer lui avait raconté les périodes difficiles que la jeune femme avait traversées. Il voulait se rendre utile, lui assurer qu'elle pouvait compter sur lui. Par respect pour son ami, le père de la princesse.

Jusqu'à l'été 1997, la princesse avait toujours poliment refusé ses invitations. Mais l'idée d'une escapade dans la villa surplombant la Méditerranée se révéla irrésistible. William et Harry se réjouissaient de faire du scooter des mers, des courses en hors-bord et de la plongée. Un yacht de 60 mètres, le *Jonikal*, disposant de son propre équipage, les attendait. C'était une réplique du *Britannia*, façon milliardaire égyptien. La princesse ignorait, quand elle embarqua dans l'avion avec ses enfants, qu'il avait été acheté à son intention pour un montant estimé à 15 millions de livres. À peine avait-elle accepté l'invitation que M. al Fayed sortait son carnet de chèques. La princesse ignorait également que son hôte avait prévu une autre distraction pour lui remonter le moral : Dodi, son fils aîné, un producteur de cinéma sur le point de se marier avec Kelly Fisher, un mannequin américain. Mohamed al Fayed avait exigé la présence de son fils à bord.

Quand Dodi al Fayed arriva sur le *Jonikal* le 15 juillet, la presse faisait le siège sur un bateau voisin. Pour ma part, j'étais fort occupé à Kensington, où je surveillais le réaménagement du salon de la princesse. Elle avait demandé à son vieil ami Dudley Poplak de transformer sa pièce préférée, qui était rose et crème, en « quelque chose de plus professionnel et de plus adulte » : crème, or et bleu. Les banquettes avaient été retapissées en crème. Les coussins pêche avaient été remplacés par d'autres bleu et or. La princesse adorait le rose – même le papier destiné aux mémos internes était rose – mais elle voulait changer.

Tandis que les tapissiers, les poseurs de moquette et les installateurs de rideaux s'activaient, la princesse m'appelait. Elle regrettait son initiative : être montée à bord du bateau des journalistes pour leur demander combien de temps ils comptaient rester. Avant de les quitter, elle avait plaisanté : « Je vais faire un scandale avec ma prochaine déclaration ! »

À Kensington, l'intendant Michael Gibbins s'efforçait de minimiser les retombées médiatiques et la princesse lui donna l'ordre de publier ce communiqué. « Diana, princesse de Galles, souhaite faire savoir qu'elle n'a pas accordé d'interview exclusive aux reporters hier. Son but, en discutant avec les journalistes, était simplement de savoir combien de temps ils comptaient rester dans le sud de la France, car la présence oppressante des médias est extrêmement pénible pour les enfants. Il n'a nullement été question de la possibilité de faire une déclaration à l'avenir. »

La princesse m'appelait jusqu'à huit fois par jour du *Jonikal*. Dans un de ses appels express, elle m'annonça qu'elle allait river son clou à la presse grâce à son maillot de bain léopard. « Je vais le porter pendant tout le reste des vacances. Cela va les embêter parce qu'ils auront la même photo tous les jours ! » dit-elle. Pourtant, les journaux publièrent à l'envi des photos d'elle sur la plage, sur le bateau, en scooter des mers, plongeant dans l'eau... toutes en maillot de bain léopard.

Coup de tonnerre dans son ciel sans nuages : son ami Gianni Versace fut abattu devant sa maison de Miami. Dans le dernier numéro de *Vanity Fair*, elle posait en couverture dans une robe du couturier, et elle lui avait commandé toute une garde-robe d'hiver. Sa mort bouleversa la princesse. Je recevais un appel frénétique toutes les heures.

— Trouvez-moi Elton John ! Il doit être quelque part dans le sud de la France. Sa maison à Windsor doit avoir son numéro de téléphone.

Je ne parvins pas à lui dire que le chanteur avait appelé la veille pour laisser ses coordonnées. Le meurtre de Versace mettait fin à neuf mois de silence entre la princesse et Elton John, et provoqua une réconciliation qui n'avait que trop tardé. Elle s'était brouillée avec lui après qu'une photo d'elle et de ses fils, qu'elle lui avait donnée, fut publiée dans un livre de Versace intitulé *Rock et Royalty*. La princesse avait été horrifiée de trouver sa petite famille mêlée à des photographies de mannequins masculins en tenue légère. Elle redoutait la réaction de la reine. Comme Elton avait été l'intermédiaire de la princesse pour l'ouvrage, elle lui avait reproché cette erreur. Le chagrin leur fit tout oublier, et la princesse consola Elton aux funérailles de Gianni Versace le 22 juillet, un bras autour de ses épaules.

Au téléphone, elle me dit que parler de nouveau avec Elton, c'était « comme au bon vieux temps ».

— Il s'est montré si compréhensif. Pour lui, c'est une ironie du sort que nous puissions tirer quelque chose de bon d'une pareille tragédie et nous réconcilier. Il est persuadé que cela aurait plu à Gianni. N'est-ce pas charmant de sa part ?

Un autre coup de fil, moins agréable celui-là. La Patronne paniquait. L'avion privé qui devait la ramener à la maison avec les garçons était cloué au sol en raison d'une défaillance mécanique.

— Je dois absolument rentrer, Paul. J'ai des obligations officielles demain à l'hôpital.

C'était le dimanche 20 juillet. Ils auraient dû décoller à 18 heures, mais, à 20 h 30, elle attendait toujours, pendue au téléphone. Quand ils rentrèrent, il était minuit.

— Comme c'est bon de rentrer à la maison !

— Alors, comment se sont déroulées vos vacances ?

— Magnifique. Nous avons passé un moment formidable, comme une famille normale.

Puis elle alla se coucher. Le lendemain, la vie reprit son cours « normal », avec Meredith Etherington-Smith pour le déjeuner et Mike Whitlam de la Croix-Rouge britannique pour le thé.

Je lus avec stupéfaction les tabloïds où deux noms faisaient tous les titres : Diana et Dodi. Je découvrais avec incrédulité les affirmations des journalistes. Ils décrivaient « la première relation sérieuse depuis le divorce » de la princesse. Quelle affirmation absurde ! Ma patronne connaissait Dodi depuis moins de deux mois et n'avait jamais pris de décision précipitée concernant sa vie amoureuse.

Les proches de la princesse connaissent l'identité du seul homme avec lequel elle a entretenu une relation heureuse, prolongée, sérieuse depuis son divorce. Et ce n'est pas Dodi al Fayed. Cette liaison reposait sur des bases infiniment plus profondes et plus importantes que la brève relation qu'elle avait eue avec l'héritier de Harrods. Il est faux, et donc peu fidèle à la mémoire de la princesse, de prétendre que la princesse considérait Dodi comme « l'Unique ». Certes, elle était captivée par sa compagnie, séduite par son charme, flattée par sa prodigalité. En fait, alors que la tête lui tournait encore d'avoir traversé l'Europe, son cœur était resté à Londres, j'en suis convaincu.

Mohamed al Fayed ajouta à la folie ambiante. « Je suis comme un père pour Diana », aurait-il affirmé. Avec tout le respect qui lui est dû, ce ne fut jamais le cas. Paulo, le mari de Lucia Flecha de Lima, était comme un père pour Diana. Lord Attenborough était comme un père pour Diana. M. al Fayed ne pouvait prétendre, au mieux, qu'à un rôle d'oncle. Il était excessivement gentil, mais n'était pas plus un père pour la princesse que Dodi n'était « l'Unique ».

Pour moi, Dodi n'était pas même Dodi. En effet, la princesse l'appelait « sister », sœur. C'était le nom de code qu'elle lui avait donné. Quand elle me demandait : « Que dirait ma sœur, d'après vous ? » ou « Ma sœur a-t-elle appelé ? » ce n'était pas à lady Sarah McCorquodale ni à lady Jane Fellowes qu'elle faisait allusion, mais à Dodi al Fayed.

Il jouissait de tous les privilèges d'un prince sans en avoir les obligations écrasantes.

— Puis-je vous inviter à dîner ? lui avait-il demandé au cours d'un appel téléphonique à Kensington.

— Bien sûr. Quand ?

— Demain soir.

— Où dînerons-nous ?

— À Paris, répondit-il, et la princesse était aux anges.

Dodi a tout fait pour l'impressionner. Il a retenu un hélicoptère pour lui faire traverser la Manche, et a réservé la Suite impériale du Ritz qui appartenait à sa famille. J'ai rangé tout ce dont elle aurait besoin dans son sac à bandoulière Versace. Elle s'est envolée pour la nuit, laissant la bonne d'enfants Olga Powell et moi nous occuper de William et Harry.

Ce samedi 26 juillet, elle m'appela de la suite.

— Oh, Paul, c'est merveilleux, merveilleux ! criait-elle. Et il vient de m'offrir un cadeau. J'étais impatiente qu'il sorte de la chambre pour pouvoir vous en parler. Il m'a acheté une montre en or sertie de diamants. Je n'ai jamais rien vu d'aussi beau.

C'était une gamine de seize ans et son bonheur était contagieux.

C'est ce jour-là qu'elle a visité la Villa Windsor, où l'on a laissé entendre qu'elle et Dodi envisageaient d'habiter. Pas à en croire la princesse :

— Les pièces sont comme un tombeau. Je ne pourrais pas vivre là ! C'est plein de fantômes, m'assura-t-elle.

Elle me demanda d'acheter un cadre en crocodile noir de chez Asprey pour qu'elle puisse offrir une photographie d'elle à Dodi. Il lui en avait demandé une.

— Ne dédicacez pas la photo. Vous ne savez pas à qui elle sera montrée, la mis-je en garde.

Le cadre fut acheté et la photo insérée. Mais, détail révélateur, elle tint compte de mon avertissement et s'abstint de la personnaliser d'un message ou d'une signature.

Elle revint à Kensington chargée de cadeaux pour Maria et moi. Elle sortit de son sac à bandoulière deux peignoirs couleur pêche, l'emblème du Ritz brodé sur la poitrine.

— Je suis sûre qu'ils conviendront à Maria. mais je ne suis pas sûre que la couleur vous ira, plaisanta-t-elle.

Au cours de cette dernière semaine de juillet, la princesse prit une décision difficile. Elle décida de tirer un trait sur sa relation précédente. De son côté, Dodi annula ses fiançailles avec Kelly Fisher.

William et Harry devaient passer leurs vacances du mois d'août avec le prince Charles, avant d'aller à Balmoral. Seule cette fois, la princesse partit rejoindre Dodi du 31 juillet au 4 août à bord du *Jonikal*, au large de la Corse et de la Sardaigne, puis elle rentra se consacrer à son œuvre humanitaire.

Un planisphère parsemé de punaises rouges est posé sur une chaise dans le coin du salon de Kensington. Avec l'aide de Mike Whitlam, la princesse a localisé la plupart des pays victimes des mines antipersonnel, de la Géorgie à la Corée, de l'Angola au Vietnam. Chaque punaise indique une mission à accomplir.

À la suite du triomphe en Angola, la princesse a prévu de poursuivre sa croisade dans le sud de la Russie, mais le gouvernement britannique a jugé la région trop risquée. Son travail commencera donc en Yougoslavie et en Bosnie du 8 au 16 août, sous l'escorte du Landmine Survivors Network et de Bill Deedes, du *Daily Telegraph*.

Nous sommes hébergés dans une maison sur les collines de Tuzla. La capacité de la princesse et de son majordome à se débrouiller avec l'électronique de pointe est rudement mise à l'épreuve. Qu'on me donne un couteau, une fourchette et un plan de table, et j'en tirerai le maximum. Qu'on me donne un gadget électronique et je suis désarmé. Mais Dodi a équipé la princesse d'un téléphone-satellite pour qu'elle reste en contact avec lui depuis la Bosnie. Devant la maison perchée dans la montagne, la princesse tient un compas pour m'indiquer la direction du satellite, pendant que j'oriente l'engin et me précipite dans les fourrés pour capter le signal.

— Ça marche, maintenant ? dis-je.

La princesse, pliée de rire, arrive à peine à parler. En fin de compte, nous captons le signal et elle réussit à parler avec Dodi.

— Je vais vous donner quelques-unes de mes pilules avant que vous alliez vous coucher après toute cette agitation, dit-elle pendant que nous remballons l'appareil.

— Je risque de ne pas me réveiller !

— Ne vous inquiétez pas, je ferai autant de bruit que d'habitude. Vous vous réveillerez.

Le lendemain, nous voyageons à cinq dans une Land Cruiser et la princesse insiste pour s'asseoir devant. À côté de moi sur la banquette arrière se trouvent les Américains Jerry White et Ken Rutherford, qui ont fondé LSN après avoir été des victimes civiles des mines antipersonnel. Jerry a perdu une jambe, Ken les deux. Ils ont le même sens de l'humour que la princesse. Comme elle prend place à l'avant, ils commencent à se hisser maladroitement à l'arrière et elle se retourne.

— Vous pouvez retirer vos jambes, les gars ! lance-t-elle.

Et cela suffit pour briser la glace.

Tandis que nous roulons vers Sarajevo sur les routes poussiéreuses et défoncées, la princesse grignote des fruits ou boit de l'eau d'Évian dans une bouteille en plastique. La discussion porte sur le fait reconnu qu'une victime de mine antipersonnel garde le souvenir précis de la date et de l'heure auxquelles l'accident est arrivé.

— C'est gravé dans leur mémoire pour toujours, explique la princesse.

Jerry parle de son accident, puis Ken évoque le sien.

— Mon accident à moi, dit la princesse, est arrivé le 29 juillet 1981.

Regards perplexes. Je ne sais pas moi-même ce qu'elle veut dire. Puis ça fait tilt et tout le monde éclate de rire. Brusquement, la princesse repère une femme portant un bouquet de fleurs qui franchit les grilles d'un cimetière.

— Stop ! Arrêtez !

Le véhicule se gare sur le côté.

La princesse saute à terre et passe en courant dans un trou du mur de briques, puis zigzague entre les pierres tombales pour retrouver la femme. Il apparaît qu'elle a perdu son fils de dix-huit ans dans la guerre civile de l'ex-Yougoslavie. Tandis que la mère endeuillée dispose les fleurs sur la tombe, la princesse s'assoit à ses côtés et lui parle. Au bout de quelques minutes, la princesse se relève, les deux femmes s'étreignent et se disent adieu.

Nous descendons à l'Elephant Hotel de Sarajevo. De nouveau, la princesse veut utiliser le téléphone-satellite et je passe la moitié de la soirée accroché à la fenêtre à agiter le récepteur. « Non... oui... non... oui », dit la princesse pour indiquer si oui ou non elle a la ligne.

Dodi a acheté une nouvelle voiture, bien qu'il en ait suffisamment pour remplir un parking. Maintenant il veut une Lamborghini argent. Son père s'exhibe au Fulham Football Club, qu'il a acheté pour environ 7 millions de livres, promettant d'investir 20 millions supplémentaires dans la modernisation du club. Il a fait livrer un téléviseur à écran géant de chez Harrods d'une valeur de 5 000 livres pour William et Harry, et deux ordinateurs portables, comme ceux que la princesse a offerts à mes enfants. Entre Mohamed al Fayed, qui tire gloire de son argent, et son fils, qui collectionne les voitures extravagantes, le doute s'insinue en la princesse.

Nous entrons dans Sarajevo et visitons un bidonville, accompagnés par un prêtre. Là, nous rencontrons une adolescente de quinze ans dans une méchante baraque recouverte de tôle ondulée. Elle est orpheline et a perdu une jambe en fouillant dans une décharge : elle cherchait des restes de nourriture pour son frère et sa sœur. Pour la presse, et la princesse, l'épreuve de cette jeune fille est une torture. Mais tandis que les reporters et les photographes voient là une énième victime des mines antipersonnel, je m'aperçois que le regard de la princesse est attiré vers un réduit isolé par un rideau. Nous nous glissons derrière. Quand nos yeux se sont habitués à l'obscurité, nous discernons la petite sœur de quatre ans, squelettique sur un matelas puant. C'est une handicapée mentale. Elle a souillé son lit et elle est trempée d'urine. Ses yeux sont clos.

Nous ne disons pas un mot. La princesse s'accroupit et la prend dans ses bras. Elle berce le pauvre petit corps et caresse ses bras et ses jambes.

L'enfant ouvre les yeux, qui n'ont pas de pupilles. Elle est aveugle. Je suis conscient d'assister à un moment extraordinaire. Il n'y a pas de photographes pour fixer cet instant. Je suis le seul témoin de ce geste d'humanité, un geste qui incarne la femme que j'ai si bien connue. À présent, je comprends mieux la valeur de ses notes prises à Calcutta en 1992. Elle avait écrit, à propos d'un petit garçon sourd et aveugle : « Je l'ai serré si fort, en espérant qu'il sentait mon amour et ma chaleur. »

Elle a accompli d'innombrables gestes humanitaires durant cette brève mission, mais celui-ci, et la petite fille dans le lit d'hôpital en Angola, jamais je ne l'oublierai.

Pendant le vol vers l'Angleterre, la princesse, Bill Deedes et moi-même sommes assis ensemble dans l'avion. La Patronne décide de porter un toast. Levant un verre, elle dit : « À notre prochain pays. »

Quand nous regagnons Kensington, elle a déjà l'esprit tourné vers sa prochaine mission : le Cambodge et le Vietnam, en octobre 1997.

XIII

Au revoir, Votre Altesse Royale

Au London's Dominion Theatre, la *Belle et la Bête* saluent le public, tandis qu'explose autour de moi un tonnerre d'applaudissements.

C'est le soir du 30 août 1997. J'assiste à la comédie musicale en famille, profitant d'une dernière occasion de me détendre avant le retour de la Patronne. Celle-ci rentre le lendemain de Paris, où ses vacances improvisées avec Dodi s'achèvent dans la Suite impériale du Ritz.

Maria, mon frère Graham, sa femme Jayne et moi, tout en sirotant du café, discutons des meilleurs moments du spectacle que la princesse préfère entre tous.

Je vais me coucher le premier. Je dois reprendre mon service à Kensington Palace à 7 h 30. Je n'ai pas vu la princesse depuis le 15 août, et j'ai hâte de la retrouver. Elle doit en avoir, des choses à raconter ! En tout cas, c'est ce qu'elle m'a dit la dernière fois que nous nous sommes parlé au téléphone. Nous devons aussi planifier les semaines à venir : l'automne s'annonce chargé.

Le téléphone sonne quelques minutes après minuit. C'est Lucia Flecha de Lima, complètement paniquée, qui appelle de Washington. Elle vient de recevoir un coup de fil de Mel French, le chef du protocole du président Clinton : la princesse a eu un accident. CNN diffuse déjà des reportages. Lucia n'a pas le numéro du mobile de la princesse. Moi, je l'ai. Et je sais que la princesse ne sort jamais sans son téléphone. Je compose le numéro et je tombe sur la messagerie. Maria prépare du café. J'essaie encore. Puis de nouveau je compose le numéro, encore et encore.

Cela faisait des années que je répétais à la Patronne la même recommandation : s'il lui arrivait des ennuis, elle n'avait qu'à s'enfermer quelque part et me téléphoner. Je me débrouillerais toujours pour la tirer d'affaire, où qu'elle soit. Cette fois, c'est sûr, elle a des ennuis. Et je suis impuissant.

Je file au palais où je ne trouve que des visages anxieux. Michael Gibbins est là. Jackie Allen aussi. La confirmation officielle nous parvient à minuit et demi : la princesse a bien été victime d'un accident à Paris. Rien de grave, apparemment.

Une heure plus tard, nouvel appel. Dodi est mort. La princesse est blessée. Fracture du bras et du bassin. Elle a besoin de moi. Je décide de partir avec Colin, qui avait servi comme officier dans les services de sécurité de la famille royale. Jackie commence à nous chercher un vol. Mais les bureaux londoniens de la British Airways sont fermés. Il faut passer par les agences de New York.

À 4 heures du matin, nouveau coup de téléphone. C'est Jackie qui décroche. Après la communication, elle me demande de m'asseoir. Elle me prend dans ses bras.

— Paul, dit-elle, il va falloir être fort. Je suis désolée d'avoir à vous apprendre que la princesse est morte.

Le décès avait été déclaré officiellement une heure plus tôt, alors qu'il était 3 heures à Paris et 4 heures en Angleterre. L'intervention chirurgicale n'avait pu la sauver. Je fus comme frappé par une force invisible. Eussé-je voulu crier, aucun son n'aurait jailli de mes lèvres. Le vide, en moi, était absolu. Je n'étais que douleur pure. Jackie et moi, nous nous sommes mis à pleurer. Puis le devoir a repris le dessus. Et l'émotion est passée au second plan.

La princesse a besoin de moi, pensai-je. Plus que jamais.

Je rappelai Maria à la maison :
— Chérie, la princesse est morte. Je pars pour Paris. Quand je raccrochai, elle sanglotait.

Je me précipitai chez moi pour rassembler quelques vêtements. Puis je passai au palais. Et je pénétrai par la porte de service dans les appartements qui auraient dû accueillir la princesse. Le silence était assourdissant. Sa voix, ses rires avaient résonné dans ces pièces. Et maintenant plus rien. Sur son bureau bien rangé, trois pendulettes affichaient la même heure et faisaient entendre leur paisible tic-tac. Les plumes. Les encriers. Le mémo avec la liste des expressions d'usage à employer dans sa correspondance. Elle ne se faisait pas d'illusions sur son orthographe.

Je finis par trouver ce que je cherchais : le chapelet en ivoire que lui avait offert mère Teresa. Il était enroulé sur une statuette de Jésus. Cette statuette était posée à côté de deux autres de la Vierge. Je glissai le chapelet dans ma poche. Dans la chambre, j'allai à la table de toilette où elle avait l'habitude de se préparer. Où elle se faisait coiffer. Une pendule miniature, là encore, la prévenait si elle était en retard. Les flacons de ses parfums préférés : Faubourg 24 d'Hermès, Héritage de Guerlain. La bombe de laque Pantène. Le verre empli de cotons. Les tubes de rouge à lèvres. Je pris un tube de rouge et un poudrier. Je les mis dans un sac en cuir Gladstone marqué d'un D en or et d'une couronne. Un article fabriqué spécialement pour elle l'année précédente. Je tirai tous lès rideaux. Et je mis en lieu sûr tous les bijoux que je trouvai.

Dehors, je rejoignis Colin Tebbutt. Il y avait une dernière chose que je souhaitais faire : placer les appartements sous protection. Le salon, la chambre, le cabinet de toilette. C'était son univers. Impossible de partir à Paris en le laissant sans surveillance. Avec Colin, nous avons fermé toutes les portes avec de l'adhésif épais, et collé sur ces « scellés » des étiquettes avec nos signatures. Je ne voulais pas qu'on puisse venir rôder là.

Nous avons filé vers Heathrow afin d'embarquer sur le premier vol pour Paris. C'était une bénédiction d'avoir Colin avec moi. Il connaît parfaitement les avantages réservés aux VIP par les aéroports. Pendant le vol, je ne prononçais pas un mot. Je croyais entendre la voix de la princesse. Notre dernière conversation. Notre dernière rencontre. Son rire. Son impatience à l'idée de rentrer à la maison, de retrouver William et Harry.

Dans quel état allais-je la trouver ? Comment allais-je faire face ?

Paris ! Elle ne voulait même pas y aller, à Paris.

Pourquoi ? Pourquoi ? Pourquoi ?

Pendant que mon avion survolait la Manche, celui de Lucia Flecha de Lima volait vers Londres.

Londres où Maria réveillait nos deux fils. Alexander, douze ans, avait surpris notre conversation. Assis dans son lit, il resta silencieux. Nick, neuf ans, avait tout entendu aussi. Son petit cœur était brisé : il se cacha la tête dans l'oreiller pour sangloter.

Maria ne put prendre le temps de s'habiller, ce dimanche-là, car le téléphone n'arrêta plus de sonner.

Sir Michael Jay, l'ambassadeur de Grande-Bretagne à Paris, avait les traits couleur de cendre. Il nous accueillit à l'ambassade avec son épouse, Sylvia. Nous avons bu un café. Puis j'ai pris Mme Jay à part.

— Quelque chose m'inquiète. Elle n'aimerait pas qu'on la voie dans des vêtements déchirés.

Mme Jay comprenait mon souci.

— Venez, dit-elle. Nous allons nous en occuper.

Elle me conduisit dans une vaste suite, et ouvrit une armoire Louis XIV.

— Si vous trouvez quelque chose qui convienne, prenez-le, je vous en prie.

— Il faut une toilette noire. Avec une large encolure, si possible. Et la jupe assez longue. Au-dessous du genou.

Mme Jay déplaçait les cintres. Elle tira de l'armoire une robe de soirée noire, de la bonne longueur, avec un châle.

— C'est parfait, remerciai-je.

Nous avons glissé une paire de souliers noirs dans le sac Gladstone. La robe fut pliée dans une housse. Comme nous franchissions l'entrée de la Pitié-Salpêtrière, Mme Jay me serra la main :

— Soyez courageux.

Elle était venue veiller la princesse plus tôt dans la matinée.

Je me rappelle l'atmosphère moite de l'hôpital, les couloirs sans fin. On avait l'impression que l'établissement avait été évacué. Au deuxième étage régnait une intense activité. Les hommes en blanc s'affairaient. Les infirmières se pressaient. Les policiers montaient la garde. On nous poussa vers un petit bureau où le chirurgien vint nous présenter ses condoléances dans un anglais maladroit. Il expliqua qu'il n'avait rien pu faire pour sauver la princesse. Ensuite nous avons de nouveau suivi le couloir qui filait entre des chambres vides. Au fond, deux gendarmes étaient en faction de part et d'autre d'une porte. La princesse est là, pensai-je.

Passé les sentinelles, on nous introduisit dans la deuxième pièce à droite. Nous fûmes présentés à un prêtre catholique, le père Clochard-Bossuet, et à un pasteur anglican, le révérend Martin Draper. C'est le père Clochard-Bossuet qui avait administré les derniers sacrements à la défunte. Il m'expliqua les saintes huiles, et comment il avait oint la princesse. Et je me remémorais l'église des Carmélites de Kensington, où j'avais allumé des cierges et prié avec la princesse.

Vers 11 heures, la surveillante en chef est entrée. C'était une petite femme vêtue de blanc, toute en précision et efficacité professionnelles. Elle s'appelait Béatrice Humbert. Elle nous a dit que nous pourrions voir brièvement la princesse.

— Je ne voudrais pas que cette tragédie tourne au spectacle. J'ai besoin de savoir exactement qui pénètre dans cette chambre.

Comprenant que je tenais à préserver l'intimité de la princesse, elle me répondit qu'elle allait donner des instructions dans ce sens.

Le moment était venu. Je ne sais pas comment je l'ai supporté. Béatrice Humbert tenait ma main serrée dans la sienne. La chambre de la princesse était éclairée par une faible lueur filtrant des stores vénitiens. On avait allumé une applique sur le mur. Un homme et une femme, employés aux pompes funèbres, se tenaient dans un coin de la chambre. Le silence n'était rompu que par le ronronnement d'un grand ventilateur.

Elle était là. Cette femme sur laquelle j'avais veillé si longtemps. Elle gisait dans ce lit poussé contre le mur. Sous un drap de coton blanc remonté jusqu'au cou. Béatrice Humbert et Colin durent me soutenir. Je ne pouvais pas la regarder. Mais j'avais besoin d'être là.

J'avais envie de rouvrir ses grands yeux bleus. Envie de retrouver son sourire. Envie de la voir s'éveiller. Ce dont j'étais témoin est indescriptible. Il est donc inutile d'aller plus avant dans les explications. Je dirai seulement que j'avais envie de la prendre dans mes bras, comme je l'avais fait si souvent, et quelle que soit l'apparence qui était la sienne désormais. À un moment, le souffle du ventilateur lui remua les cils. Comme j'aurais voulu qu'elle ouvre les paupières !

Les seules fleurs présentes dans cette chambre étaient deux douzaines de roses, envoyées par Valéry Giscard d'Estaing et son épouse. Si je ne perdis pas l'esprit ce jour-là, c'est grâce à la force spirituelle que m'avait transmise la Patronne. Elle avait cessé de craindre la mort après avoir accompagné les derniers instants d'Adrian Ward-Jackson en 1991. Je croyais entendre ses paroles :

— Quand une personne meurt, son esprit continue d'aller et venir, et de nous rendre visite, pendant quelque temps.

Cette pensée fut mon seul réconfort. J'avais la certitude que l'esprit de la princesse continuait de flotter au-dessus de son corps brisé, âme en attente de partir pour un nouveau voyage, comme elle l'aurait exprimé elle-même.

Je m'essuyai les yeux, rassemblai mon courage. J'informai Béatrice Humbert que j'avais apporté une toilette noire pour habiller la princesse, ainsi que du rouge à lèvres et un poudrier. Je lui remis le chapelet en ivoire de mère Teresa, en demandant qu'il soit enroulé autour des doigts de la défunte. Et je la remerciai par avance pour cela.

Une ultime tâche m'incombait : aller au Ritz rassembler les effets de la princesse avec Colin. Colin qui oubliait son propre chagrin pour mieux veiller sur le mien. À la réception, je demandai que M. al Fayed soit informé de ma présence. On me répondit que M. al Fayed était dans son bureau à l'étage. On nous fit attendre trois quarts d'heure à la réception. Puis un émissaire de M. al Fayed vint nous annoncer qu'il était trop occupé. Les affaires de la princesse avaient déjà été expédiées en Angleterre, chez lui, à Oxtead.

Nous sommes retournés à l'hôpital, lequel était pris d'assaut par la presse. Colin et moi sommes allés nous recueillir dans le vestibule attenant à la chambre de la princesse. Lorsque le téléphone sonna, je décrochai. Je reconnus aussitôt la voix du prince de Galles. Il appelait de Balmoral.

— Est-ce que ça ira, Paul ? demanda-t-il.

— Oui, Majesté. Je vous remercie.

Quelle phrase idiote ! pensai-je. De ma vie, je ne m'étais jamais senti aussi triste.

— Paul, reprit-il, vous allez rentrer avec nous, dans l'avion de la reine. Nous serons à Paris vers dix-huit heures. Jane et Sarah [les sœurs de la princesse] m'accompagnent.

Ce qu'il ajouta m'émut tant que je ne pus lui répondre :

— William et Harry vous transmettent leur amour. La reine vous présente ses condoléances.

Je demandai à Béatrice Humbert la permission de voir la princesse à nouveau. Cette fois, je savais à quoi m'attendre. Pourtant, la mort s'enveloppait à présent dans un costume de dignité. En effet, la princesse portait la robe noire et les souliers. Ses cheveux avaient été magnifiquement coiffés. Et le chapelet en ivoire de mère Teresa s'enroulait autour de ses doigts.

Le prince Charles arriva dans l'après-midi. Je ne saurais exprimer par des mots le chagrin que nous avons partagé alors. Il s'assit en face de moi, et me toucha le genou en disant :

— Vous êtes sûr que tout ira bien ?

J'ai réussi à hocher la tête pour le rassurer.

Lady Jane Fellowes et lady Sarah McCorquodale coururent immédiatement vers moi. Elles pleuraient. Et ce fut réconfortant, en un sens, de voir réunis dans la même douleur un Windsor, deux Spencer et un major-dome.

Peu après 18 heures, je pénétrai pour la dernière fois dans la chambre de la princesse. Son corps reposait maintenant dans un cercueil. Entre autres bêtises publiées de part et d'autre de l'Atlantique, on a écrit qu'elle avait souhaité être enterrée dans un cercueil équipé d'une vitre afin que l'on puisse admirer son visage. Elle n'avait jamais rien demandé de tel. Son corps fut placé dans un cercueil gris muni en effet d'une ouverture, mais celui-ci fut déposé dans un autre cercueil de chêne ; l'ouverture était destinée à faciliter le passage de la douane.

J'embarquai avec le prince Charles dans l'avion de la reine. Colin était du voyage, ainsi que lady Jane et lady Sarah. Nous rentrions à la maison, avec le cercueil de la princesse.

Par une ironie du sort, on me plaça à côté de Mark Bolland, l'assistant du prince. C'était lui que la princesse avait baptisé « le Ver dans le fruit », lui, le manipulateur avisé qui lancerait une campagne de presse stratégique destinée à faire de Camilla Parker Bowles une compagne acceptable pour le prince Charles. Sur le moment, je me demandai ce qu'il pouvait bien fabriquer à bord de cet avion. En tout cas, je ne lui adressai pas la parole.

Quand on nous servit le thé, je fus révulsé à l'idée que la princesse voyageait dans la cale, réduite à l'état de précieuse marchandise.

L'avion se posa sur la base militaire de Northolt, à l'ouest de Londres. Un vent chaud, agressif, souleva nos cheveux tandis que nous descendions les marches de fer de la passerelle. La lumière du couchant nous enveloppait. Nous avons formé une ligne silencieuse au bord du tarmac, pendant que huit hommes de l'armée de l'air tiraient de la soute de l'appareil le cercueil recouvert du drapeau aux armes de la Couronne.

Le prince Charles prit la route immédiatement : il voulait être auprès de William et Harry. Et c'est ainsi qu'il revint aux deux sœurs et au majordome d'accompagner la princesse aux pompes funèbres.

Notre cortège de trois voitures quitta le terrain d'aviation pour se diriger vers le centre de Londres. De part et d'autre de l'autoroute, les automobilistes se garaient, coupaient le moteur, descendaient de voiture et s'inclinaient à notre passage. Du haut des ponts qui franchissaient les voies, des gens amassés contre les barrières jetaient des fleurs. Je savais ce qu'aurait dit la princesse en voyant cela :

— Ce n'est pas pour moi ! Ce n'est pas possible !

Elle en aurait été gênée, au point de vouloir se cacher.

La première personne que je rencontrai aux pompes funèbres fut le médecin de la princesse, le docteur Peter Wheeler. Il me prit à part, conscient et inquiet de l'épreuve que j'avais affrontée à Paris.

— Si vous avez besoin de quelque chose pour dormir...

Je secouai la tête. Je n'étais pas le seul à devoir me montrer à la hauteur, professionnellement parlant, après la perte d'un être cher, et je n'aurais pas voulu être à sa place, étant donné ce qui l'attendait.

— Je dois assister à l'autopsie, dit-il. Ça ne va pas être facile.

Je savais qu'une autopsie avait déjà été pratiquée à Paris.

— Il en faut une deuxième ? demandai-je.

— Celle de Paris a été réclamée par les autorités françaises, répondit-il. Nous devons en faire une autre, à la requête de notre gouvernement.

Il ajouta un mot au sujet des nécessités de l'enquête. Pourtant, aucune enquête ne fut menée par la police britannique. Et le corps de la princesse reposa toute la nuit dans les locaux des pompes funèbres.

Le lendemain lundi, j'estimai que ma place était au palais de Kensington, et nulle part ailleurs. À 8 heures, j'étais sur place, occupé à ôter les scellés que nous avions apposés sur les portes, Colin et moi. Comme à l'accoutumée, j'étais fidèle au poste. Prêt à veiller sur l'univers de la princesse. Je suis le seul à être resté dans ses appartements ce jour-là, avec Lily, la femme de chambre, incapable de travailler tant elle était effondrée.

Michael Gibbins vint me trouver, chargé d'une mission difficile.

— Paul, dit-il, St. James' Palace m'a demandé de récupérer toutes les clés.

Il ne s'était pas écoulé vingt-quatre heures depuis le retour de la princesse, et déjà ces types sans cœur me réclamaient les clés de son univers. Pis : ils envoyaient l'intendant pour leur sale besogne. Mais il n'était pas question d'accepter une telle requête. Je refusai. Et ils s'en tinrent là.

Plus tard, ce même jour, j'appris le sort qu'ils avaient réservé à l'habilleuse Angela Benjamin, que la Patronne admirait pour sa fraîcheur d'esprit, sa décontraction et son sens de l'humour. Alors qu'elle se présentait à son travail, comme nous tous, des policiers la prièrent de rassembler ses affaires. Ils allèrent jusqu'à la surveiller quand elle alla dans la buanderie sortir ses effets du sèche-linge. Son chagrin ne leur posait aucun problème. À l'heure du déjeuner, on l'avait expédiée dans un train pour le Devon, et elle en était encore à se demander ce qu'elle avait bien pu faire de mal. La réponse est claire : Angela avait le tort d'être un être humain doté de sentiments, et d'avoir mis les pieds dans un monde gouverné par des robots sans cœur, capables de vous bannir sans sourciller ni se soucier de votre loyauté.

Mais je ne connaissais pas encore la mésaventure d'Angela. J'étais dans mon bureau, près de l'office. Je fixai la fenêtre, les yeux perdus dans le jardin. L'agenda était ouvert devant moi. Rendez-vous chez le tailleur pour William et Harry. Puis essayage chez Armani. En haut, il n'y avait d'autre bruit que le téléphone : il sonnait chez la princesse. Plus tard, le mien se mit à sonner aussi. Je passai toute la journée à répondre. On s'adressait à moi comme à la personne la plus proche de la princesse. C'est à moi que tous voulaient exprimer leur chagrin : amis intimes, célébrités, thérapeutes, astrologues, psys, professeurs de gym, coiffeurs, stylistes, membres de la famille royale. La liste était infinie. Tous ceux qui avaient croisé le destin de la princesse appelèrent ce jour-là. Les appels venaient même de sa propre famille : lady Sarah, lady Jane, leur mère Mme Frances Shand Kydd. Chacun donnait libre cours à sa peine. Chacun avait des questions à poser. Tous voulaient savoir ce que la princesse pensait d'eux dans le secret de son cœur. Untel réveillait des souvenirs quelquefois amusants. Tel autre se sentait coupable et voulait être absous. Je me sentais comme un prêtre un jour de confession.

Le deuxième jour, Dieu merci, Michael Gibbins et Jackie Allen décidèrent de prendre les messages pour moi.

Cette semaine fut la plus noire de ma vie. Seule ma conscience professionnelle me permit de tenir le coup. Dès le début, les Spencer tinrent à m'impliquer dans leurs décisions. Ils se fiaient à mon jugement et à mes informations. Ainsi, quand vint l'heure de préparer les funérailles à l'abbaye de Westminster, c'est sur mes conseils qu'ils dressèrent la liste des invités. À partir de l'agenda de la princesse, je leur communiquai les coordonnées de chacun de ses amis. À lady Sarah, qui s'étonnait de trouver dans la liste George Michael, Chris de Burgh, Tom Hanks, Tom Cruise et Steven Spielberg, je fis remarquer :

— Mais ce sont les amis de la princesse !

Sa famille ignorait le nom de ses vrais amis, mais le majordome le savait.

Quand je rentrai chez moi, je trouvai Maria occupée à réconforter Mme Shand Kydd. Fumant cigarette sur cigarette, et descendant de grandes quantités de vin, celle-ci affirma que sa fille n'aurait jamais dû s'empêtrer dans cette histoire avec les al Fayed. Que c'étaient les Spencer, et non les Windsor, qui allaient prendre toutes les dispositions nécessaires. Et que c'était son propre fils, Charles, qui prononcerait au nom de la famille un discours dont on serait fier. On saurait quelle bonne mère elle avait été pour la princesse.

Mais je connaissais les relations que la Patronne entretenait avec sa famille. S'il y avait jamais eu figure maternelle dans la vie de la princesse, c'était Lucia Flecha de Lima. C'est elle qui l'avait soutenue, et de tout cœur, dans les plus dures épreuves. Lucia était la seule personne que j'aurais aimé voir ce jour-là. Elle finit par arriver enfin au palais, accompagnée de sa fille Béatrice.

Quatre nuits durant, la princesse reposa à la chapelle royale de St. James' Palace, cette fois dans un cercueil de chêne anglais à garnitures de plomb. Des visiteurs venus du monde entier commencèrent à affluer, à déposer des fleurs et à allumer des bougies. À cette cérémonie publique s'ajoutaient les veillées qui se déroulaient dans tout le pays.

Lucia et moi avons décidé de prier ensemble à la chapelle. Elle était en noir et moi aussi. La porte s'ouvrit sur la nef, entre deux rangées de bancs de bois. Là-bas, dans la lumière grise et froide, se dressait le cercueil posé sur des tréteaux au pied de l'autel. Je fus frappé par le sentiment de solitude qui émanait de cette scène, et Lucia remarqua un détail choquant : il n'y avait pas de fleurs, et aucun cierge n'était allumé. Quel contraste avec l'extérieur ! Dans le jardin qu'envahissait le public, brûlaient autant de bougies qu'il y a d'étoiles dans le ciel. Ici, auprès de la princesse, rien.

Lucia alla trouver le chapelain de la reine, le révérend Willie Booth.

— S'il vous plaît, lui dit-elle, prenez des fleurs dehors et apportez-les ici.

Le révérend répondit qu'il allait voir si c'était possible. Devant sa réaction qui manquait d'enthousiasme, l'épouse d'ambassadeur qu'elle était passa à l'action.

— Laissez-moi vous dire, reprit Lucia, que si rien n'a changé demain, j'irai moi-même dire aux gens que la princesse n'a pas de fleurs !

À ce moment-là, la reine n'avait pas encore jugé nécessaire de quitter Balmoral pour venir se recueillir dans la capitale, et ce manque d'empressement ne manquait pas de soulever des questions. La famille royale n'avait guère envie que Lucia révèle au monde entier la nudité glaçante de leur chapelle. D'autant que Lucia, pour que sa menace soit suivie d'effet, commanda des bouquets au fleuriste de la princesse, John Carter. Le lendemain, des lilas blancs envoyés par le prince Charles recouvraient le cercueil. Lucia apporta des roses blanches venues du jardin de lord et lady Palumbo. Tous les jours, je parlai à lady Annabel Goldsmith au téléphone. Rosa Monckton vint me rendre visite à Kensington Palace avec son époux. Nous avons pleuré ensemble en évoquant des souvenirs.

Susie Kassem vint également au palais. Elle avait apporté une bougie. Nous sommes montés contempler le portrait de la princesse brossé par Nelson Shanks. Susie a déposé la bougie au pied du tableau, sur le tapis. Et nous avons prié, agenouillés, tandis que nos souvenirs s'entremêlaient en silence.

Je me sentais réconforté par l'énergie qui émanait des intimes de la princesse. Ses amis, les gens qu'elle connaissait le mieux, tous formaient une équipe autour d'elle, et accompagnaient son départ.

Michael Gibbins m'avertit de l'arrivée du prince Charles avec William et Harry. Les princes déambulèrent parmi la foule rassemblée. Ils contemplèrent les fleurs que les gens apportaient pour leur mère. Je les attendais à l'intérieur. Harry entra précipitamment et me prit dans ses bras en répandant ses larmes sur ma chemise. William me donna une poignée de main. Ils affichaient tous les deux un courage incroyable. Ils avaient l'air plus âgés, plus mûrs, dans leurs costumes noirs.

— Nous avons deux ou trois affaires à récupérer, dit William.

Ils montèrent dans leurs chambres.

— Vous tenez le coup, Paul ? me demanda le prince Charles.

Lui-même semblait dépassé par les événements. Certes il s'exprimait d'un ton calme, mais il paraissait ailleurs. Je le vis errer d'une pièce à l'autre, perdu dans ses pensées. Quand il monta l'escalier à son tour, je le suivis sans y être invité. À Highgrove, une telle attitude aurait été sanctionnée comme un manque de respect. Mais ici, il n'était pas chez lui. Il ne pouvait pas me congédier. J'étais sur mon territoire. Je ne laisserais personne échapper à ma vigilance, qu'il s'agisse d'un ami ou du futur roi d'Angleterre. Je le suivis dans le salon. Il se dirigea vers le secrétaire, ouvrit un tiroir et releva la tête. Il vit que je surveillais chacun de ses gestes. Il referma le tiroir.

Il s'ensuivit un silence gênant que la voix de William brisa :

— Vous êtes prêt, papa ?

Nous sommes redescendus ensemble.

— À bientôt, Paul ! Nous reviendrons.

Une housse provenant du service de médecine légale arriva à Kensington. C'étaient les vêtements que portait la princesse au moment de l'accident. Ce fut pour moi un moment déchirant. Heureusement, Lucia était là. Un pantalon blanc. Un haut noir. Taché de sang, déchiré par les urgentistes, mais cela ne comptait pas. C'étaient les affaires de la princesse. Mon chagrin était tel que je ne pouvais les jeter. Je rangeai le sac dans le réfrigérateur du rez-de-chaussée.

Je voulais préserver à tout prix la dignité de la princesse – jusque dans la mort, comme elle l'aurait dit elle-même. Et l'idée d'une veillée funèbre dans la chapelle royale ne me parut pas appropriée. Je fis part de mon sentiment à lady Sarah McCorquodale et à Michael Gibbins.

La maison de la princesse, c'était Kensington. C'était là qu'elle avait vécu l'essentiel de sa vie adulte. Il me semblait normal qu'elle passe sa dernière nuit ici.

Ensuite, elle partirait pour l'abbaye de Westminster. Je plaidai pour cette solution, en suppliant qu'on me laisse veiller sur la princesse une dernière fois. Lady Sarah était d'accord pour que sa sœur rentre à la maison. Et la reine approuva cette requête.

Je demandai à la police de ramasser les fleurs accrochées à la grille. Les amis en avaient envoyé aussi – des lis blancs, des tulipes blanches, des roses blanches. Il y en avait partout : dans les vases, sur les guéridons, sur les tapis. J'avais disposé toutes les bougies que j'avais pu trouver dans la maison.

Le père Tony Parsons arriva. Il appartenait à cette église catholique où nous avions prié ensemble, la princesse et moi. Il apporta deux cierges immenses que je dressai sur des chandeliers en argent. Le père aspergea la pièce d'eau bénite. Il me donna les prières qui convenaient en la circonstance, et un extrait de l'Évangile selon saint Jean. Nous avons prié tous les deux. Puis il m'a laissé.

Je me retrouvai tout seul, vêtu de mon costume noir, à respirer le parfum entêtant des fleurs. La princesse serait là dans quelques minutes. C'était comme l'attendre le soir de son anniversaire. J'entendis s'ouvrir la grille, puis le crissement des pneus du corbillard. Son Altesse Royale : c'est ce qu'elle était pour moi. On la ramenait chez elle. Dans un cercueil drapé de rouge, d'or et de bleu – les couleurs de la Couronne.

Je n'allumai pas les bougies tout de suite. Mme Shand Kydd vint avec ses petits-enfants. Elle se recueillit près du cercueil. Lady Jane et lady Sarah se tenaient auprès d'elle. Mais le comte Spencer était absent.

Lucia était absente. Toute la semaine, elle avait manifesté son désir de se joindre à moi pour la veillée, et de prier à mes côtés. Convaincu que sa place était là, j'avais plaidé sa cause. Lady Sarah avait refusé. Seulement la famille, m'avait-elle répondu. Plus qu'aucune autre personne, Lucia était la famille de la princesse, pensais-je. Et on lui refusait le droit à un ultime adieu.

Maria ne voulait pas que j'aille au palais ce soir-là.

— Chéri, tu fais peur à voir. Tu es exténué. Et demain sera une rude journée. Tu as besoin de dormir.

Elle savait que ses protestations étaient vaines.

— On ne peut pas la laisser seule, répondis-je. Je dois y aller.

À 22 heures, ce vendredi, tous les parents étaient repartis. Je refermai les portes. Je tirai les verrous. J'étais prêt pour ma longue nuit. Cette veillée voulue et soigneusement planifiée. Si Lucia n'était pas auprès de moi, j'avais un compagnon en la personne du révérend Richard Charteris, évêque de Londres. Il priait, assis sur une chaise près de l'entrée. J'éteignis les lampes. J'allumai les cinquante bougies qui firent danser des ombres sur les murs jaunes. Je pris une chaise à mon tour. Ma main gauche s'appuya sur le cercueil. Les prières et l'extrait de l'Évangile étaient posés sur mes genoux. J'avais du chagrin. Je savais que trente millions de personnes priaient pour elle. Mais j'étais l'homme le plus privilégié de la terre, puisque je passais auprès de la princesse sa dernière nuit. Je ne fermai pas l'œil de la nuit : tel était mon devoir. Nous eûmes, elle et moi, une dernière discussion. Je savais qu'elle m'écoutait. Je lui parlai. Je lui fis la lecture. Je priai pour elle jusqu'à 7 heures du matin.

Alors je rentrai chez moi et m'habillai pour les funérailles. Et je retournai au palais. La matinée était belle. Les fleurs exhalaient toujours leur parfum. J'attendis, parmi les bougies éteintes. Puis un bruit me parvint : les roues du canon des Troupes Royales. Entrèrent huit soldats en uniforme écarlate de la Garde Galloise. Ils soulevèrent le cercueil et se mirent en route pour l'abbaye de Westminster – un voyage de presque quatre kilomètres. Il était 9 h 10.

Devant la porte, attendaient six chevaux noirs montés par des hommes en uniforme de cérémonie et casquette à plumet d'or. Derrière eux, l'attelage de canon de la Première Guerre mondiale transportait le cercueil couvert de lis. Suivait le Premier Bataillon de la Garde Galloise, en tunique rouge et peau d'ours. Je vis, de l'autre côté de la rue, Maria, Alexander et Nick pleurer dans la foule.

Deux semaines auparavant, je me tenais exactement au même endroit, et je faisais signe à la princesse qui partait en voyage. À présent, elle partait pour toujours.

XIV

De bien étranges affaires

À l'abbaye de Westminster, le comte Spencer avait pris place dans la chaire sculptée. Il baissa les yeux vers le cercueil. Et, tandis qu'il prononçait l'éloge de sa sœur, les mots qu'il lui avait adressés naguère me revenaient à l'esprit : « Tes problèmes psychologiques... Les dégâts engendrés par tes relations éphémères... J'ai accepté depuis longtemps d'être un élément à la périphérie de ta vie, et cela m'est indifférent désormais... Notre relation est la plus fragile de toutes celles que j'ai eues avec mes sœurs... »

C'est ce que j'entendis, dans l'instant même où il délivrait son chef-d'œuvre oratoire et se faisait le porte-parole d'une famille plongée dans le chagrin, devant un pays en deuil, face à un monde secoué par le choc.

Car mes oreilles n'entendaient pas le discours qu'il prononçait en ce 6 septembre 1997. J'étais assourdi par les propos qu'il avait écrits à la princesse le 4 avril 1996 ; des propos qu'il aurait fallu distribuer à l'assistance avant de la laisser écouter, et applaudir à tout rompre, l'hommage funèbre du comte.

Tandis que sa voix résonnait dans la maison du Seigneur, je baissai la tête. Le comte avait mal choisi son moment pour exprimer haut et fort les plus hautes vertus morales. Car derrière l'éloquence, se dissimulait une hypocrisie dont seuls avaient conscience les vrais proches de la princesse, sa vraie famille : les gens qui, comme moi, la connaissaient. Cette famille composée par elle-même, faite d'amis et de confidents. Cette famille qui savait que les rapports de la princesse avec son frère n'étaient rien d'autre qu'une relation aliénante.

Ce n'est pas un frère que j'ai vu monter en chaire ce jour-là. C'est plutôt un cousin éloigné. Quelqu'un qui avait été proche de la princesse, il y avait bien longtemps, quand ils étaient enfants, mais qui ne l'était plus. Le comte évoquait une personne adulte, en tout point remarquable, qu'il avait aimée, certes, mais qu'il ne connaissait pas. Lui-même admettait qu'il n'avait pas rencontré la princesse plus d'une cinquantaine de fois depuis son mariage avec le prince Charles en 1981. Cette vérité froide et statistique, il l'avait exprimée dans une lettre décousue adressée à la princesse ; cette lettre, la princesse et moi l'avions lue ensemble à Kensington au printemps 1996.

À l'abbaye de Westminster, deux images contradictoires bataillaient dans mon esprit : le comte exprimant publiquement son affection à la princesse, la princesse lisant sa lettre.

En 1997, le comte déclara :

— Au fond, elle était restée pour moi la grande sœur qui me maternait lorsque j'étais bébé.

Mais il avait écrit en 1996 : « Après des années de négligence mutuelle, notre relation s'est fragilisée, plus que celle que j'entretiens avec mes autres sœurs... Peut-être as-tu le temps de comprendre combien nous sommes éloignés... » Il poursuivait ainsi : « Je serai toujours là pour toi... Comme un frère affectionné, même si ce frère, après dix-sept ans d'absence, a perdu le contact... Au point que c'est par les journaux que j'apprends que tu vas venir à Althorp... »

À Westminster :

— Diana était une personne vulnérable. D'où ce désir enfantin qu'elle manifestait de faire du bien aux autres. Elle espérait se délivrer ainsi de ses angoisses profondes. Se délivrer de cette mauvaise image qu'elle avait d'elle-même, dont ses troubles de l'alimentation étaient seulement le symptôme.

Dans la lettre de 1996 : « Je m'inquiète pour toi. Je sais que la manipulation et la tromperie sont les symptômes de la maladie dont tu souffres... Je prie pour que tu trouves le traitement qui te permettra de soigner tes problèmes psychiques... »

La princesse savait qu'elle souffrait de boulimie, mais ce qui la bouleversa, ce fut cette allusion à une maladie mentale. L'expression « problèmes psychiques » l'accabla. Elle appartenait au vocabulaire de ces inquiétants personnages qui régissaient l'entourage du prince Charles.

Devant le cercueil de sa sœur, le comte affirma :

— Le monde percevait cette dimension de sa personnalité. Il la chérissait d'être vulnérable. Tout en l'admirant pour son honnêteté.

Mais il avait écrit en 1996 :

J'ai accepté depuis longtemps d'être un élément à la périphérie de ta vie, et cela m'est indifférent désormais... En fait, je dirai même que ça me facilite les choses, et celles de ma famille, quand je vois les dégâts engendrés par tes relations éphémères...

Du haut de la chaire, il évoqua William et Harry :

— Nous ne les laisserons pas endurer ces angoisses qui te poussaient au désespoir...

Cependant qu'il disait dans la lettre de 1996 :

Désolé, mais j'ai décidé que ton emménagement à Garden House n'est pas possible. Pour beaucoup de raisons. En particulier la police, les médias et toutes les interférences qui ne manqueraient pas de suivre...

Sa lettre avait mis la princesse au désespoir. Surtout qu'il l'avait déjà bouleversée en exigeant qu'elle lui restitue le diadème des Spencer.

Nombre de commentateurs ont interprété le discours de Westminster comme l'expression du chagrin : un frère pleurait la douleur de sa sœur maltraitée par le système. Je ne suis pas d'accord. Si le comte s'est focalisé ainsi sur l'enfance de sa sœur, c'est parce qu'il a vécu éloigné d'elle à l'âge adulte. Il avait beau évoquer l'« irremplaçable Diana », sa « beauté intérieure et extérieure », je ne pouvais m'empêcher de songer à tout le mal qu'il lui avait fait ces dernières années. Quand elle avait réclamé un refuge dans leur domaine ancestral, il avait rejeté sa requête. Et maintenant qu'elle était morte, il l'enterrait sur ses terres. Comment un homme pouvait-il faire preuve d'une pareille hypocrisie dans la maison de Dieu ? Et voilà qu'il affirmait maintenant que c'était aux Spencer de veiller sur William et Harry, au nom du sang qui coulait dans leurs veines...

Je relevai la tête à cet instant du discours. Harry avait la main sur son visage. William regardait droit devant lui. Tous deux n'étaient plus que des pions dans la guerre qui opposait les Spencer aux Windsor. La princesse en aurait frémi d'horreur. Elle respectait tant l'influence que le prince Charles et la reine exerçaient sur ses fils.

Je fixai le cercueil. Les princes y avaient déposé une couronne de roses blanches et une enveloppe marquée *Maman*. Je serrai la main de Maria dans ma main droite, et celle de Nick dans ma main gauche. Nick pleurait toutes les larmes de son corps. À côté de lui, Alexander tentait bravement de contenir sa peine. Juste devant moi, Hillary Clinton. L'année précédente, lors d'une visite à la Maison-Blanche, la princesse avait évoqué l'éventualité de s'installer en Amérique. Hillary avait répondu qu'elle y serait accueillie à bras ouverts. La princesse m'avait rapporté cette conversation. Une fois encore, je refoulai mes larmes.

Le discours du comte Spencer s'acheva sous des applaudissements qui se répandirent dans la nef et jusqu'à l'extérieur. Elton John et George Michael applaudissaient eux aussi. On venait de travestir la vérité, et chacun approuvait. L'humiliation de la reine était complète.

Pour les commentateurs, la mort de la princesse venait de révéler le gouffre qui s'était creusé entre une monarchie anachronique et un peuple moderne. Ce décès avait mis la maison Windsor à genoux.

Chroniqueurs et beaux parleurs de la télévision supputèrent avec délectation que la princesse, observant d'en haut ce triste spectacle, se régalait de voir traîner dans la boue une institution qui l'avait mise à l'écart. Ils oubliaient que la princesse n'éprouvait pas de haine. Et qu'elle souhaitait, plus que quiconque, la survie des Windsor.

Elle ne reprochait pas à la famille royale de l'avoir maltraitée. Si elle avait souffert, c'était à cause du prince Charles. Cependant elle ne lui vouait aucune haine, pas plus qu'à sa famille. En fait, si la princesse avait eu la possibilité de s'exprimer, au cours de cette semaine tourmentée, elle aurait *pris la défense* des Windsor. C'est pourquoi le ton vengeur adopté par le comte Spencer était parfaitement déplacé. Il ne connaissait pas sa sœur. Il ne savait rien de la vérité.

La princesse avait une autre conception du deuil. Elle s'en plaignait quelquefois en ces termes :

— Je ne trouve jamais les mots pour exprimer parfaitement mes sentiments.

D'où cette liste de mots qu'elle gardait sur son secrétaire.

En octobre, l'année qui précéda sa mort, nous nous étions assis dans l'escalier de Kensington pour remédier à ce problème. Une heure durant, nous avions réfléchi à son avenir, à ses craintes, à l'état de la monarchie. Elle cherchait à formuler ses pensées en les couchant par écrit. Et le lendemain – c'était une habitude désormais –, je trouvai une enveloppe sur mon bureau, contenant une lettre rédigée sur son papier à liseré mauve.

Si j'avais eu la possibilité de produire cette lettre aux funérailles de la princesse, le peuple tout entier aurait soutenu la famille royale, à un moment où celle-ci en avait grand besoin. Afin de lever tous les doutes, j'ai choisi de la publier ici. Voici, privé de la moindre animosité, le seul point de vue Spencer qui vaille :

Je voudrais serrer ma belle-mère dans mes bras, lui dire à quel point je comprends ce qu'elle ressent. Je comprends le rejet, les opinions fausses et les mensonges dont elle est victime, et je ressens très fort son malaise et son désarroi. Je veux voir survivre la monarchie, et j'ai conscience des réformes qui seront nécessaires pour assainir le spectacle qu'elle donne d'elle-même, pour la remettre sur la bonne voie. Je comprends que la famille redoute le changement, mais nous devons le faire, pour rassurer le public, et pour lutter contre une indifférence qui ne devrait pas être de mise.

Je veux me battre pour la justice, me battre pour mes enfants et pour la monarchie...

Au sortir de l'abbaye, je fus convié à la cérémonie réservée à la famille qui se tint à Althorp. Tandis que le corbillard progressait dans les rues de Londres sous une pluie de fleurs, je rejoignis les Spencer, le prince Charles, William et Harry à bord du train royal que tiraient deux locomotives baptisées respectivement « Prince William » et « Prince Harry ».

Le voyage s'annonçait étrange et monotone. Je crois bien m'être endormi dès le départ, tant j'étais épuisé après ma veillée funèbre. Je m'éveillai non loin d'Althorp. Des voitures nous conduisirent au domaine. Puis on nous réunit dans un salon, avant de nous conduire vers la grande salle à manger. Je fus frappé par le dallage aux nuances de noir et de blanc ; c'était le même qu'à l'abbaye de Westminster.

Le comte Spencer prit place à une extrémité de la longue table. Je me retrouvai dans une position délicate : entre la mère de la princesse et son ex-mari. D'un côté, Mme Frances Shand Kydd, de l'autre le prince Charles. Et ce dernier ne pouvait se sentir à l'aise chez les Spencer, étant donné la diatribe anti-Windsor qu'il venait d'endurer.

— Vous devriez visiter nos jardins, un de ces jours, me dit-il.

— Ce serait avec grand plaisir, Votre Majesté.

Mais il y avait peu de chances que cela se produise, et nous en étions tous deux conscients.

William et Harry faisaient face à leur père, presque à l'extrémité de la table. Nous en étions au café quand un majordome vint se pencher à l'oreille du comte qui se leva, sortit, puis revint au bout de dix minutes nous annoncer :

— Diana est arrivée à la maison.

Le cercueil n'était plus drapé dans le Royal Standard, mais recouvert par la bannière blanc, rouge, noir et or des Spencer. Jusqu'à mon procès, en 2002, tout le monde a cru que la princesse avait été inhumée dans le drapeau de la Couronne, conformément à son titre et à sa volonté. Mais non : son appartenance à la famille royale venait d'être balayée par le comte, en un geste pitoyable. Certes, la reine avait retiré à la princesse son titre d'Altesse Royale, mais elle l'avait rétablie dans son statut à titre posthume. Par une cruelle ironie, le propre frère de la princesse la bafouait.

Huit soldats du Régiment de la Princesse de Galles transportèrent le corps vers un ponton provisoire aménagé sur le lac, puis jusqu'à l'île où était creusé le tombeau. Il n'y avait pour l'accueillir ni tapis ni fleurs. Impossible d'imaginer endroit plus désolé pour celle qui avait tant détesté la solitude. De son vivant, quand la princesse voulait trouver refuge ici, le comte l'en empêchait. À présent qu'elle n'était plus, il l'accueillait enfin – pour la reléguer dans ce coin reculé. Je savais que je ne remettrais jamais plus les pieds sur cette île.

La cérémonie dura une demi-heure. Ce qui s'est passé alors, ce qui s'est dit, demeure une affaire privée. Je dirai seulement ceci : j'ai jeté une poignée de terre sur la plaque en or gravée de l'inscription *Diana, princesse de Galles, 1961-1997*. Après quoi, j'ai murmuré :

— Au revoir, Votre Majesté.

Je me retrouvai ensuite en compagnie de Mme Frances Shand Kydd dans le petit temple blanc qui surplombe le lac. Elle fumait en réfléchissant à voix haute :

— Au moins, pendant ma grossesse, elle m'a appartenu. Je l'avais pour moi, rien que pour moi.

J'étais en train de dénouer ma cravate. Je défis le bouton de mon col. Et je détachai de mon cou la croix en or qu'elle m'avait confiée pour la veillée.

— Elle m'a protégé, dis-je en lui glissant le bijou dans la paume. Mais elle vous appartient.

Elle fuma une autre cigarette. Puis on nous servit un thé à l'intérieur. Soudain le comte Spencer alluma la télévision. La chaîne diffusait des images des funérailles. Chacun demeura silencieux. C'est alors que la voix du comte emplit la salle. On le voyait en chaire à l'abbaye de Westminster. On entendait de nouveau son discours. Le prince Charles reposa sa tasse et dit à ses fils :

— Le moment est venu de prendre congé.

Et tandis que les propos du comte Spencer retentissaient à la télévision, les Windsor firent poliment leurs adieux à l'assemblée.

Quelques minutes plus tard, je prenais congé à mon tour.

J'ai passé les mois de septembre et d'octobre à errer dans les appartements 8 et 9. Je dormais mal, et quand je dormais, je faisais un cauchemar récurrent : j'étais avec la princesse à Kensington, et la princesse me disait :

— Quand allons-nous informer les gens que je suis toujours vivante ?

Je me réveillais alors, convaincu qu'elle était là, auprès de moi.

D'après Maria, je pleurais dans mon sommeil. Mais je ne pouvais rester chez moi. C'est seulement à Kensington que je me sentais bien. C'était le seul endroit où je me sentais proche de la princesse.

J'y restais des heures, passant d'une pièce à l'autre. Je voyais la princesse partout. Dans le salon, pelotonnée sur le sofa. Au piano, jouant du Rachmaninov. Dans la salle à manger, drapée dans sa robe de chambre à l'heure du petit déjeuner. À son bureau, tête baissée, en train d'écrire son courrier. J'allais m'asseoir sur le sofa récemment retapissé. Je prenais un coussin brodé de son initiale. Regardant la cheminée, j'y apercevais des signes de son humour, comme cet autocollant I LOVE DI fixé incongrûment sur le manteau de marbre gris. Un autre proclamait : ATTENTION, PRINCESSE À BORD ! Derrière la porte était suspendue une paire de ballerines de danse. Dans un coin de la pièce reposait sa cantine d'écolière, dont le couvercle était gravé au nom de « D. Spencer ».

Je l'imaginais se penchant à la balustrade et criant :
— Paul, vous êtes là ?

Je repensais à l'époque où nous rédigions ses lettres, au bruit que faisait sa porte en se refermant, à sa façon de venir en courant me raconter un commérage.

Je m'asseyais dans la chaise longue de sa chambre et je regardais la montagne de peluches entassées sur le canapé : un gorille, un panda, un lapin, une grenouille, un éléphant rose, une panthère noire, un hérisson.

Les tables de chevet accueillaient des photos de William et de Harry. Sur la table ronde, près de la fenêtre, il y en avait cinq autres montrant son mari et leurs deux garçons, et une de Charles seul. Sur d'autres figuraient son père tant aimé, le comte Spencer, Liza Minnelli, ou bien Wayne Sleep dansant au London Palladium, ses sœurs Jane et Sarah, ses amies Lucia et Rosa.

Maria, un jour, vint m'apporter un sandwich.
— Ça ne te fait aucun bien, de rester ici comme ça.
Si. En un sens, ça me faisait du bien.

Une nuit, je me relevai, je sortis de chez moi et marchai vers Kensington. J'avais rêvé de la princesse – toujours le fameux cauchemar –, et j'avais besoin de sentir sa présence. Ceux qui ont perdu un être cher me comprendront. J'allai devant sa penderie. Je sortis ses robes. Je les entassai par terre. Je me couchai sur le sol entre la penderie et les robes. Et je m'endormis pour le reste de la nuit en respirant leur parfum.

À la mi-octobre, je me trouvais dans cette même pièce en compagnie des sœurs et de la mère de la princesse. La famille faisait l'inventaire des vêtements et me demanda d'aller chercher les bagages de la princesse, un ensemble assorti de trois valises en cuir noir. Ces valises s'emplirent bientôt de chemisiers, de jupes, de cardigans en cachemire, de chaussures, de produits de beauté, de bains moussants et de parfums, avant d'être chargées dans le coffre de la voiture. Aucun de ces articles n'avait encore été estimé dans le cadre de la succession, mais la famille s'en souciait apparemment comme d'une guigne.

J'avais fourni de gros efforts pour dresser la liste de tout ce que contenait l'appartement en matière de linge, de bibelots, de bijoux, de vêtements et d'effets personnels. La tâche n'était pas facile, et je m'y étais attelé avec l'aide experte de Meredith Ethrington-Smith, de chez Christie's. C'est elle qui avait établi le catalogue des robes de la princesse pour la grande vente aux enchères qui s'était tenue à New York au début de l'été. Je reçus la visite de David Thomas, le joaillier de la Couronne, qui achevait de répertorier les bijoux de la princesse.

Lady Sarah, en explorant la garde-robe, tomba sur un chemisier de soie dont les manches portaient encore des boutons de manchette en forme de cœur. Elle retira les boutons de manchette et me les glissa dans la main en souriant.

— S'il y a quelque chose dont vous ayez envie, Paul, vous n'avez qu'à demander.

Je serrai les boutons de manchette dans ma paume et répondis :

— Je n'ai besoin de rien. Tous mes souvenirs sont dans mon cœur. Mais je vous remercie.

Lady Sarah avait été la sœur la plus proche de la princesse. Elle était avec sa mère son exécuteur testamentaire. Elles étaient généreuses à ce moment-là et avaient légèrement modifié le testament afin de me faire bénéficier d'une prime de 50 000 livres, « pour

mon dévouement et ma loyauté envers la princesse ».
Lady Sarah continuait de fourrager dans la penderie.
Elle en tira un tailleur noir de chez Versace, et me le
tendit en disant :

— Voilà pour Maria. Ce sera parfait le jour de votre
décoration.

Car le 13 novembre, la reine me décerna la Royal
Victorian Medal. Je n'avais pas remis les pieds à Buckingham depuis que j'avais quitté son service, dix ans
auparavant. J'éprouvai un étrange sentiment en franchissant les portes du palais. À peine descendu de voiture, je montrai à mes fils, au dernier étage, la fenêtre
de la chambre où j'avais vécu. Je ne m'étais jamais senti
si nerveux depuis ce matin où j'avais débuté, en 1976.

Nous avons gagné la véranda de l'entrée, puis la
grande salle de bal. Maria, Nick et Alexander ont rejoint
leurs places. Un orchestre de violons jouait. Nous étions
cent récipiendaires, tous rassemblés dans la Galerie de
la reine – l'endroit où j'avais vu la princesse cajoler ses
demoiselles d'honneur le jour de son mariage en 1981.
Partout les souvenirs me rattrapaient. On nous appela
par groupes de dix. Nous nous avancions alors jusqu'au
seuil où un public de cinq cents personnes se préparait
à assister au plus anglais des spectacles.

La reine tenait à me décorer en signe de gratitude
après vingt et un ans passés au service de la famille
royale. Pourtant, une surprise m'attendait. Le grand
chambellan déclama :

— Décoré de la Royal Victorian Medal pour services
rendus à Diana, princesse de Galles, M. Paul Burrell.

La reine elle-même avait exigé que ma décoration
soit liée à ma loyauté envers la princesse. Je m'inclinai.
La reine me serra la main, et épingla la médaille à mon
revers.

— Vous n'imaginez pas combien je suis heureuse de
vous remettre ceci, dit-elle. Elle a eu une affreuse destinée, et je vous remercie pour tout. Quels sont vos projets, maintenant ?

Apercevant derrière elle un ancien collègue, Christopher Bray, qui était page de la reine, je répondis :

— Christopher aura peut-être besoin de quelqu'un, Votre Majesté.

La souveraine gloussa. Nous avons échangé une nouvelle poignée de main. J'ai reculé de deux pas. Et je me suis retourné pour regagner ma place.

Ce soir-là, nous avons fêté l'événement avec une dizaine d'amis et de parents au restaurant San Lorenzo, comme l'avait décidé la princesse.

Deux semaines plus tard, je reçus une lettre de Gordon Brown, chancelier de l'Échiquier. On m'avait nommé membre de la Fondation à la mémoire de la princesse Diana. Je travaillerai aux côtés de deux amis de la princesse, Rosa Monckton et lord Attenborough. Il s'agissait de parachever les travaux d'une autre institution, indépendante celle-là, le Mémorial Diana. Cette nomination ne me valut pas que des amis. Des bruits coururent, prétextant que je n'étais qu'un majordome et que je n'avais aucune compétence pour exprimer un avis quelconque. Même le *Times* se fendit d'un papier malveillant. On put y lire, sous le titre « LE POUVOIR DU MAJORDOME, Paul Burrell intègre la Fondation Diana », les lignes suivantes :

Personne n'est un héros pour son valet... Et aucune princesse n'est une héroïne pour son majordome... Car valets et majordomes sont les héros des coulisses. Ils comptent parmi les rares privilégiés à connaître les réalités dissimulées derrière le masque et le tape-à-l'œil des cérémonies... Ainsi la nomination de Paul Burrell : voilà un exemple rare de la vie imitant l'art... Pour une fois, le valet devient consultant officiel... Jeeves, le valet impassible du romancier Wodehouse, n'aurait pas manqué d'approuver ce choix. Mais cela ne va pas sans poser des problèmes... Le gouvernement, dans sa grande sagesse, est allé chercher son inspiration du côté

du folklore et de la fiction... Dans le doute, consultez
le majordome. L'initié, c'est lui. Il sait.

La fierté m'avait rendu sourd : je n'avais pas entendu
le bruit des couteaux que l'on aiguisait derrière moi.

Deux semaines avant Noël 1997, William et Harry
revinrent à Kensington. Aidé de la nurse Olga Powell,
j'avais préparé leur appartement pour les accueillir. Ils
sont arrivés de joyeuse humeur, et avaient hâte d'aller
passer les fêtes à Sandringham.

J'ai fait le tour de l'appartement avec eux, collant des
Post-it sur les objets pour indiquer où ils allaient et à
qui ils appartenaient. Ils se préparaient à emménager
avec leur père à York House, leur nouvelle adresse londonienne. Ils passaient d'une chambre à l'autre en
ramassant des livres, des jouets, des photos, des posters,
des cassettes vidéo et des tableaux. William était le plus
méthodique. Il pensa à emporter des bijoux, puis
renonça.

— Rien ne presse, dit-il. On verra avec la nouvelle
année.

J'étais impressionné par sa politesse.

— Je peux prendre ceci ? Est-ce que c'est possible de
garder ça ?

— William, répondais-je, tout ceci vous appartient,
à vous et à Harry. Prenez ce que vous voulez. Vous
n'avez pas besoin de demander.

Il entra dans la chambre où se trouvait la garde-robe
et considéra les créations signées Chanel, Versace, Jacques Azagury et Catherine Walker.

— Qu'allons-nous faire des vêtements de maman ?
demanda-t-il.

— Je ne sais pas si vous en êtes informé, mais les
Spencer désirent créer un musée à Althorp. Ils comptent exposer les tenues – y compris la robe de mariée...

— Pas question, dit William.

— Pourquoi ? intervint Harry

— Parce que je ne veux pas, c'est tout. Ils peuvent

prendre quelques-unes des robes de maman. Ça aussi, nous le réglerons après le nouvel an.

La princesse souhaitait que sa robe de mariée soit envoyée au musée Victoria et Albert, recueillant les collections de costumes nationaux. Son fils aîné refusait que la robe soit exposée à Althorp. Devinez où est la robe de mariée aujourd'hui ? à Althorp.

Les deux frères continuèrent leur tour de l'appartement, et je trouvai émouvante la façon qu'avait William d'aider et de conseiller Harry aussi raisonnablement que l'aurait fait un père. Aucune dispute n'éclata entre eux. Quand ils arrivèrent dans la pièce où ils regardaient autrefois la télévision, William dit :

— Ce téléviseur est beaucoup trop grand pour Highgrove. Mais il conviendra peut-être pour York House ?

Je souris en songeant au prince Charles qui détestait tant voir les enfants scotchés devant la télé. Les princes emportèrent aussi tout leur équipement de jeux électroniques.

Dans la chambre de leur mère, le silence retomba soudain. William contemplait les photos disposées sur la table. Harry se dirigea vers le secrétaire.

Tandis qu'ils exploraient les cassettes et les CD, je pensai que 1997 aurait dû être l'année où la princesse avait ses fils pour Noël. L'accord avait été conclu au cours de l'été avec le prince Charles et la reine. Cette fête, hélas, n'aurait pas lieu. Pourtant j'avais préparé des cadeaux pour chacun d'eux, enfouis dans une grande chaussette de Noël, comme le faisait toujours leur mère.

— Merci beaucoup, exprima William, ému.

Et Harry se jeta dans mes bras.

Je les raccompagnai en disant :

— Si vous avez besoin de quoi que ce soit, appelez-moi.

— Entendu, Paul, dit Harry. Nous viendrons en janvier, après le ski avec papa.

Ils montèrent en voiture. Combien de fois les avais-je raccompagnés sur le seuil avec leur mère ! Et combien de fois avais-je entendu la princesse constater après leur départ :

— La maison va être tranquille, maintenant. Mes enfants vont me manquer.

*
* *

Au cœur de l'univers de la princesse, je scrutais le monde extérieur d'un œil consterné. La Fondation à la mémoire de Diana, princesse de Galles, était dirigée par Anthony Julius, l'avocat qui avait réglé le divorce de la princesse. J'eus le sentiment qu'il voulait tout régenter avec lady Sarah McCorquodale et Michael Gibbins. Trois personnes, qui n'avaient jamais été des intimes de la Patronne, prenaient toutes les décisions. Une association créée en souvenir de la princesse excluait ses amis les plus proches. Après avoir assumé la responsabilité de *la vie tout entière* de la princesse, je me trouvais écarté.

En revanche, Mme France Shand Kydd avait pris l'habitude de me rendre des visites régulières. Assise dans le salon en compagnie d'une bouteille de vin, elle parcourait la correspondance de sa fille en jugeant ce qu'il convenait de conserver ou de détruire. Ainsi fit-elle disparaître plus de cinquante lettres. Je fus témoin de ce saccage. Les Spencer voulaient rétablir leur autorité sur la princesse au détriment des Windsor. Je trouvais cela injuste.

Jamais je ne m'étais senti impuissant à ce point. Le devoir me commandait d'agir. Telle était en tout cas ma conception. Mais à qui parler de mes inquiétudes ? Chez les Spencer, personne ne m'écouterait. William et Harry ? Ils étaient trop jeunes. Le prince de Galles ? Impossible. En fait, il n'existait qu'une seule personne vers laquelle je puisse me tourner : Sa Majesté la Reine. Et je savais pouvoir la rencontrer sans passer par une des pompeuses demandes d'audience.

Je décrochai mon téléphone, et contactai quelqu'un qui était proche de la reine. Quelqu'un de discret, en qui j'avais confiance. La réponse me parvint dès le lendemain. La reine serait ravie de me recevoir le jeudi 19 décembre 1997 à 14 heures.

— Tu connais le chemin, conclut cette personne de confiance.

Une entrée sur le côté du palais, où m'attendait un policier. Les couloirs carrelés du sous-sol. Les magasins. Les caves. Les lingeries. Les réserves de fleurs. Le petit ascenseur. Oui, je connaissais le chemin.

À 13 h 55, je posai le pied sur le tapis rouge conduisant chez la reine. Je patientais dans l'étroit Vestibule des pages où j'étais venu si souvent par le passé. La reine avait fini de déjeuner. Elle prenait son café. À 14 heures précises, un page annonça :

— La reine vous attend... Voici Paul, Votre Majesté.

Je la trouvai dans son salon privé, petite silhouette debout près du bureau. Neuf ou dix corgis s'éparpillaient un peu partout, dont plusieurs que je ne connaissais pas. La souveraine s'avança vers moi. Je m'inclinai.

— Bonjour, Paul, comment allez-vous ?

Elle me tendit la main. Son sourire était plus chaleureux que jamais. Elle était vêtue de bleu, avec trois rangs de perles et une grosse broche en diamants en forme de cœur.

— Un bouquet de fleurs pour vous, Votre Majesté.

— Comme c'est gentil, dit-elle en les prenant. Comme elles sentent bon.

Elle était détendue, amicale. Et elle connaissait déjà la cause de mon tourment.

— Ce sont de bien étranges affaires, dit-elle, engageant la conversation.

Elle tendit les fleurs à un page.

— Je sais, Votre Majesté. Il n'y a personne à qui je puisse me confier. Personne à part vous.

Nous sommes restés debout. On ne s'assoit pas en présence de la reine lors d'une audience privée. La souveraine m'interrogea sur Maria et les enfants. Finalement, j'en vins à l'objet de ma visite. Je lui expliquais comment était gérée la Fondation, les personnes responsables du souvenir de la princesse, les problèmes que cela soulevait à mes yeux. Nous avons évoqué Anthony Julius, lady Sarah, Patrick Jephson, mon avenir, et les sommes investies pour la Fondation – pas moins de 170 000 livres rien que pour octobre. Puis la discussion s'orienta sur Dodi al Fayed, et sur la fascination qu'il exerçait sur la princesse. La reine, semblait-il, partageait le sentiment de tout le pays : cette relation n'était pas un simple amour d'été, mais le début d'une longue histoire.

— Votre Majesté, leur liaison aurait mal fini. La princesse connaissait les problèmes de Dodi : l'argent, la drogue, l'alcool et même les prostituées. Elle n'aurait pas supporté cela longtemps, j'en suis sûr.

Je poursuivis :

— J'ai toujours dit à la princesse : « Soyez responsable de ce qui se passe autour de vous. » Mais il décidait de tout : de l'air conditionné, de leur destination. C'est lui qui a décidé d'aller à Paris. Elle aurait préféré regagner Londres, Votre Majesté. Et elle voulait gagner son indépendance.

La reine m'a écouté avec attention. Comme sur nombre de sujets ce même jour, elle me livra franchement et honnêtement son opinion. Puis elle me confia que Mme Frances Shand Kydd l'avait appelée plusieurs fois.

— M'est-il permis de dire que Votre Majesté a été bonne de lui parler ! plaisantai-je.

Le moment était venu d'exprimer mes inquiétudes concernant Kensington Palace : on y détruisait des documents, d'une valeur historique à mes yeux.

— Majesté, je ne peux pas laisser faire cela. On efface l'histoire. J'ai l'intention de protéger l'univers de la princesse, de garder ses secrets en lieu sûr. J'ai l'intention de protéger les documents qu'elle m'a confiés.

La reine n'émit aucune objection. Le devoir me commandait d'agir, et nous le comprenions tous les deux. Je n'eus même pas besoin de détailler ce qui devait être mis en lieu sûr et où. Elle savait que j'agirais pour le mieux.

Je crois qu'elle comprenait parfaitement ce que je ressentais.

— Je me souviens qu'à la mort de ma grand-mère, me dit-elle, tous les objets de Marlborough House étaient étiquetés. Les vautours étaient passés par là. C'est ce qui arrive lorsqu'on a perdu quelqu'un. Et c'est le plus affreux.

Je lui parlai alors de William et Harry, qui étaient venus rassembler leurs affaires à Kensington Palace.

Jamais je n'avais parlé aussi longuement avec la reine. Ce fut un grand privilège de jouir ainsi de sa compagnie, au cours d'un entretien qui dura, d'après mon souvenir, presque jusqu'à 17 heures. Nous avions dix années à rattraper, comme lorsqu'on retrouve un parent perdu de vue de longue date. Bien sûr, nous avons beaucoup parlé de la princesse. J'avais dit à la reine que le prince Charles était l'homme que la princesse avait réellement aimé ; je savais qu'elle l'avait reconnu elle-même, dans cette même pièce, en 1996.

— J'ai si souvent essayé de lui parler, Paul, me dit-elle. Si vous saviez. Je lui ai souvent écrit.

Je me revis dans l'escalier, en train de lire avec la princesse ces lettres charmantes de Buckingham Palace ou de Windsor.

— Je sais. J'ai vu vos lettres. Mais l'ennui, voyez-vous, Votre Majesté, c'est que vous vous exprimiez en noir et blanc. Tandis que la princesse, elle, parlait en couleurs.

Je voulais signifier par là qu'elles appartenaient à des générations différentes, et employaient donc des langages différents. Pour la première fois de ma vie, j'avais envie de serrer la reine dans mes bras. Mais c'était impossible : ce n'était pas la princesse. Alors j'ai continué de l'écouter, songeant que si les Anglais la connaissaient telle qu'elle était, authentique et chaleureuse, toute cette controverse serait morte dans l'œuf.

J'avais devant moi une belle-mère sincèrement inquiète pour sa belle-fille. La reine avait essayé d'aider la princesse, et la princesse le savait.

— Mon geste, reprit la reine, était à chaque fois mal pris, ou mal compris.

Il était évident que cela l'attristait. L'entrevue touchait à sa fin. C'est alors que la reine prononça une ultime phrase, tout en m'observant par-dessus ses lunettes :

— Faites attention à vous, Paul. Personne d'autre n'a été aussi proche d'un membre de ma famille. Or il existe dans ce pays des forces agissantes dont nous n'avons pas idée.

Elle ajouta :

— Comprenez-vous ?

Elle conclut enfin :

— Eh bien, c'était formidable de parler avec vous, Paul. Tenez-moi au courant, surtout. Maintenant, il faut que je sorte les chiens.

Nous nous sommes serré la main. Je me suis incliné, et j'ai pris congé.

*
* *

Des forces agissantes dont nous n'avons pas idée : j'avais souvent ressenti cette impression, au cours des années écoulées. La reine avait-elle fait allusion à ces barons des médias ? Faisait-elle allusion à ce réseau invisible, et indéfinissable généralement appelé l'« establishment » ? Voulait-elle parler de ses Services secrets, dont elle connaissait le pouvoir, quand bien même elle n'était pas informée de tous leurs agissements, car les Services secrets ont reçu carte blanche pour agir conformément à ce qu'ils considèrent comme l'intérêt de la Couronne ?

En tout cas, quatre ans après l'invitation de Sa Majesté la Reine à me montrer prudent, on m'a arrêté et traîné en justice pour un crime que je n'ai pas commis, sur la base d'un dossier vide. Et l'affaire s'est révélée être une inquisition sur les secrets de la princesse. Qui détenait ces secrets ? Où étaient-ils cachés ? Cela

étant, et pour être honnête, je ne saurais dire exactement à quoi la reine faisait allusion. Je m'en suis toujours voulu de ne pas lui avoir demandé sur le moment
de préciser sa pensée. J'en suis réduit à des spéculations. En décidant de me confier certaines informations, la princesse me conférait un rôle de témoin,
comme quand elle me faisait lire ses lettres – celles
qu'elle écrivait, celles qu'elle recevait –, les papiers de
son divorce ou son testament.

La princesse m'avait fait part de son angoisse d'être
constamment surveillée. Après tout, elle avait épousé le
prince Charles. Que son téléphone soit mis sur écoute,
que l'on s'intéresse à ses activités, il aurait fallu être naïf
pour s'en étonner. C'est normal : les membres du gouvernement et de la famille royale sont surveillés. Les
« forces agissantes » étaient bel et bien à l'œuvre durant
mes années à Highgrove et à Kensington Palace. Certes
discrètement. Mais la princesse détestait par-dessus
tout être espionnée. C'est une des raisons pour lesquelles elle avait renoncé à sa protection policière. En fait,
toute émanation de l'État lui inspirait une profonde
méfiance.

Quand nous partions en voyage, elle redoutait qu'on
n'en profite pour installer des micros dans ses appartements de Kensington. Une fois, nous avons retourné
ensemble tout le salon dans l'espoir de trouver des mouchards. Nous sommes allés jusqu'à dévisser les lames
de parquet. Était-ce de la paranoïa ? Non, c'était de la
prudence. Elle avait en effet reçu des informations de
la part d'un homme qui lui inspirait confiance et amitié,
et qui avait travaillé pour les Services secrets britanniques. Sans compter qu'un membre de la famille royale
l'avait mise en garde en ces termes :

— Il faut vous montrer discrète. Même chez vous.
Sachez-le : « ils » vous écoutent tout le temps.

Cet ami procéda à des vérifications à Kensington
Palace : il ne trouva rien. Mais il est parfaitement possible de surveiller quelqu'un sans truffer sa maison de

mouchards. Il suffisait d'une camionnette garée dans le quartier pour écouter vos conversations.

Au cours des deux dernières années de sa vie, les craintes de la princesse à propos de sa sécurité ne firent que croître. Depuis sa séparation, en 1992, elle avait acquis une certaine stature, et elle se sentait prête à assumer sa mission humanitaire à l'échelle mondiale. Cependant, plus elle gagnait en importance, plus elle était perçue comme une gêneuse, une femme jouant les princesses. De fait, lors du voyage humanitaire en Angola au début 1997, on la qualifia d'« électron libre », qui faisait plus de mal que de bien. L'establishment n'appréciait pas son travail, cela ne fait aucun doute. Dès qu'elle était sous les projecteurs, disait-elle, le prince Charles était relégué dans l'ombre.

— Je suis devenue forte, me confia-t-elle, capable d'agir, de tenir debout sans eux. Et ils n'aiment pas cela.

En octobre 1996, elle m'avoua qu'elle soupçonnait des amis du prince Charles de tenter de la « détruire ». Elle était dans un de ses mauvais jours et avait besoin de parler. Nous avons essayé de faire le tri dans ses pensées, de les coucher sur le papier. Cette méthode, une fois encore, lui tint lieu de thérapie. La princesse était à son bureau. J'avais pris place sur le sofa. Je la voyais écrire avec frénésie.

— Je vais dater cette note. Et je veux que vous la gardiez précieusement, au cas où...

À tort ou à raison, elle craignait pour sa sécurité. Par son geste, elle prenait une assurance sur l'avenir. Quand elle eut fini d'écrire, elle glissa la note dans une enveloppe sur laquelle elle inscrivit « Paul ». Elle ferma l'enveloppe et me la tendit. Le lendemain, chez moi, je lus ce qu'elle avait écrit. Sur le moment, le texte ne m'inspira aucune pensée particulière. Ce n'était ni la première ni la dernière fois qu'elle exprimait ce genre d'angoisse. Mais depuis sa mort, le contenu de cette lettre me hante. Voici en effet ce que la Patronne écrivait, dix mois avant l'accident du pont de l'Alma :

Je suis assise à mon bureau, en ce jour d'octobre, désespérant de trouver quelqu'un qui puisse me prendre dans ses bras et m'aider à rester forte, à garder la tête haute. Je traverse la période la plus dangereuse de ma vie.

Ici, la princesse désigne la personne qui la menace. Et elle poursuit :

Mon mari est en train de préparer un « accident » de voiture dont je serais victime, une panne du système de freinage qui m'occasionnerait de graves blessures à la tête. Ainsi, pour Charles, la voie serait libre : il pourrait se remarier.

Voilà maintenant quinze ans que je suis maltraitée, meurtrie, torturée psychologiquement par le système. Mais je n'éprouve aucun ressentiment. Je ne nourris aucune haine. Je suis lasse des batailles, mais je ne capitulerai jamais. Je suis forte à l'intérieur, et c'est peut-être cela, le problème, pour mes ennemis.

Merci, Charles, de m'avoir précipitée dans un tel enfer. Merci de la leçon que tu m'as donnée en me faisant aussi cruellement souffrir. Personne ne saura jamais tout ce que j'ai fait pour m'en sortir, ni combien j'ai pleuré. L'angoisse m'a presque tuée, mais ma force intérieure ne m'a jamais trahie. Et mes anges gardiens ont bien veillé sur moi. Quelle chance j'ai, de pouvoir m'abriter sous leur aile...

Cette lettre fait partie du fardeau que je traîne depuis la mort de la princesse. Imaginez un instant que vous receviez une telle lettre de la part d'un ami, et que cet ami périsse dans un accident de voiture l'année suivante. Ne seriez-vous pas troublé par cette coïncidence pour le moins étrange ? J'ai espéré trouver une réponse au terme d'une enquête criminelle destinée à expliquer la mort de la princesse Diana. J'ai espéré que la justice britannique mène une instruction pleine et entière sur les événements du 31 août 1997. Mais pour quelque inexplicable raison, aucune enquête ne fut diligentée.

À la fin de l'été 2003, on annonça une enquête sur les circonstances de la mort de Dodi al Fayed. On ne précisa pas si cette enquête s'étendait aussi à la mort de la princesse. Quoi qu'il en soit, le manque d'investigation à ce jour ainsi que les tentatives de Scotland Yard pour détruire ma réputation m'ont poussé à rendre cette lettre publique. Il s'agit peut-être d'un coup d'épée dans l'eau, et sans doute ma décision multipliera-t-elle encore les points d'interrogation. Mais si ces points d'interrogation conduisent à l'ouverture d'une enquête[1], s'ils amènent la justice britannique à procéder à un examen minutieux des faits, ce sera déjà un résultat.

XV

On frappe à la porte

Si la princesse se réjouissait de m'avoir à la barre de son navire lorsqu'elle était en vie, ceux qui furent chargés de sa mémoire auraient préféré me jeter par-dessus bord. Entre 1997 et 2002, peu comprirent la relation privilégiée que j'entretenais avec la Patronne derrière les portes du palais de Kensington.

Lorsqu'un événement n'a personne pour témoigner de son existence, en particulier lorsque les codes de la « normalité » ne sont pas respectés, le malentendu surgit. J'étais un majordome qui faisait son devoir, ni plus ni moins. Mais aux yeux de certaines personnes, j'étais un majordome qui avait la folie des grandeurs.

---

1. Paul Burrell a obtenu satisfaction. La parution du présent ouvrage et la divulgation de l'existence de cette lettre ont provoqué un séisme outre-Manche. Le 6 janvier 2004, le coroner Michael Burgess a annoncé l'ouverture d'une enquête judiciaire, confiée au chef de Scotland Yard et visant à éclaircir les circonstances de la mort de la princesse Diana. *(Note de l'éditeur.)*

Ce désir irrésistible de me remettre à ma place, de me renvoyer à l'uniforme que je n'aurais jamais dû quitter, se manifesta peu après février 1998, avec ma nomination au poste de collecteur de fonds salarié de la Fondation à la mémoire de la princesse de Galles.

Je fus catapulté des salons confinés et secrets de Kensington aux bureaux de la Millbank Tower dans le sud-ouest de Londres. Je m'attelai aussitôt à la tâche. Je récoltai une profusion de chèques, qui allaient de vingt-six millions de dollars offerts par Tower Records, à quelques centaines de livres rassemblées par des jeunes fermiers.

J'organisai des collectes de fonds un peu partout en Grande-Bretagne. J'avais le sentiment de rester fidèle aux souhaits les plus profonds de la princesse, dont j'avais partagé au quotidien les missions humanitaires.

Un soir à Kensington, la princesse et moi discutions dans le salon : elle avait l'impression que ses bonnes intentions étaient mal comprises. Elle en profita pour griffonner quelques notes sur une feuille de papier.

J'ai hérité d'une qualité, à la grande horreur de Charles, que je dois utiliser pour aider ceux qui connaissent la détresse. Je ne laisserai jamais tomber ceux qui croient en moi, et j'apporterai toujours de l'amour là où je le peux dans le monde, aux lépreux et aux malades du sida, aussi bien qu'aux rois, aux reines ou aux présidents.

Le destin m'a montré la voie, et je la suivrai avec fierté, dignité et je déborderai d'amour et de compréhension pour ceux qui sont dans le besoin et auxquels j'ouvrirai grands les bras...

Je connaissais son implication humanitaire. En ayant partagé ses pensées, j'avais très honnêtement le sentiment d'être qualifié pour agir en son nom, et veiller à ce que la Fondation porte son empreinte. L'assistante personnelle de la princesse, Jackie Allen, et les secrétaires Janes Harris et Jo Greenstead, donnèrent leur avis quant à ce qui était fidèle ou non aux volontés de la princesse.

Comme moi, elles furent écartées. J'avais le sentiment d'être considéré comme un gêneur à force de marteler ce qu'aurait souhaité la princesse. Mais la levée de boucliers eut lieu lorsque la presse me qualifia de « voix et visage de la Fondation », à l'époque où sa présidente était lady Sarah McCorquodale.

« Rappelez-vous d'où vous venez, Paul. »

« Écoutez, Paul, cessez de traîner ainsi votre carcasse. Nous avons *tous* du chagrin. »

« J'ai bien peur qu'il ne soit trop sentimental. Les sentimentaux ne prennent jamais les bonnes décisions. »

« Paul, pourquoi ne trouveriez-vous pas un emploi ailleurs ? Prenez du champ. Il commence à courir de méchantes rumeurs à votre sujet. »

De tels commentaires, faits devant moi ou dans mon dos, devenaient courants dans les cercles londoniens. Mais je restais concentré sur ma tâche. Mon devoir avait été de servir la princesse de son vivant, et j'avais également l'intention de servir sa mémoire dans la mort.

Un jour, peu après la création de la Fondation, je laissai le petit carnet d'adresses relié en cuir vert de la princesse sur mon bureau, à la Millbank Tower. Jackie Allen et moi fermions cette pièce à clé tous les soirs. Le lendemain, pourtant, le carnet avait disparu. Il contenait les noms et les numéros de téléphone de tous les amis de la princesse.

Avec Jackie, nous rapportâmes le vol au directeur du bureau, Brian Hutchinson, qui, à son tour, en fit part à lady Sarah McCorquodale. La police ne fut pas avertie. Aucune enquête ne fut menée.

Le Dr Andrew Purkis fut nommé directeur général de la Fondation à la mémoire de la princesse de Galles. Il fit savoir qu'il était désormais « la voix de la Fondation, s'il doit y en avoir une ». Il n'avait jamais *rencontré* la princesse ; je vous laisse donc imaginer ma stupéfaction lorsque j'entendis cet étranger parler d'honorer sa mémoire. Il avait été le secrétaire particulier de l'archevêque de Canterbury au palais de Lambeth. Il était l'Église et l'establishment réunis en un seul homme : tout ce que la princesse avait toujours combattu. Qu'est-ce qu'une œuvre de charité à la mémoire d'une personne exceptionnelle lorsque la personnalité même de celle-ci est trahie ?

Chaque fois que je montais au créneau pour défendre la princesse, j'avais l'impression de hurler derrière une épaisse cloison de verre.

Au début du mois de juillet 1998, les appartements 8 et 9 furent complètement vidés. Plus de tapis. Plus de papier peint. Pas même une ampoule. C'était comme si personne n'avait jamais vécu ici. La Collection Royale avait rassemblé les meubles et les peintures. Les bijoux avaient été rendus au palais de Buckingham. William et Harry avaient récupéré ce qui leur appartenait. Les Spencer emportèrent le reste à Althorp, y compris le portrait de Nelson Shanks dans les escaliers et la robe de mariée. La BMW de la princesse fut détruite.

Mon départ de Kensington était imminent ; à vrai dire, je m'en doutais depuis le mois de décembre précédent, lorsque Maria et moi nous vîmes signifier que, n'étant plus employés par la Maison royale, nous ne pouvions plus bénéficier de notre résidence prêtée par la princesse. Le 24 juillet, nous dîmes adieu à tant de choses : le palais, notre cottage, les écoles des garçons, leurs amis, nos amis, le prêtre de notre paroisse. Tout ce qui faisait notre vie.

Lorsque Mme Frances Shand Kydd apprit notre expulsion, elle nous offrit 120 000 livres pour acheter un appartement à Londres à la condition que l'acte de propriété soit à son nom, et que nous l'hébergions lorsqu'elle se trouverait dans la capitale. C'était une offre extrêmement généreuse, mais nous possédions notre petit cottage à Farndon, et nous décidâmes de nous y installer. Maria et les garçons vivraient au village, pendant que je travaillerais la semaine à Londres pour la Fondation.

Le dernier jour, pendant que Maria et les garçons terminaient les cartons, j'allai une dernière fois au palais. Je traversai les jardins, puis entrai par la porte de service de l'appartement 8. Là, j'errai dans les pièces vides. Ma seule présence – le bruit de mes pas, le grincement des portes et des planchers – semblait résonner. Puis j'emportai toutes ces pensées avec moi dans notre voyage vers le Nord, en route vers une nouvelle vie.

Je vivais, respirais, me couchais avec mon travail à la Fondation. Je parcourais le pays de long en large pour collecter de l'argent en souvenir de la princesse. Je ne ratai pas un événement : un défilé de mode au London Lighthouse, une compétition de golf à Telford, une partie de cricket à Retford, ou même un concours de cornemuse à Glasgow.

En octobre, nous déménageâmes au County Hall de Westminster, où l'on m'octroya un bureau offrant une vue époustouflante sur la Tamise, le Parlement et Big Ben.

Mon horizon personnel, toutefois, n'était pas si réjouissant. Je voulais courir le marathon de New York en novembre. Le Dr Andrew Purkis m'écrivit pour me signifier son opinion :

> *Quand vous irez à New York, si vous y allez (...) vous le ferez dans le cadre d'un voyage privé (...) pour satisfaire une ambition personnelle. Vous ne représenterez pas la Fondation (...) vous ne ferez rien et ne donnerez aucune interview relative au travail de la Fondation.*

Je terminai le marathon en 4 h 40, sans porter aucun drapeau hormis le mien propre.

Plus tard ce mois-là, un bal masqué eut lieu au Grosvenor House Hotel de Park Lane, à Londres. De nombreuses célébrités firent une apparition en l'honneur de la princesse. Bryan Adams fit don d'une guitare signée. Mais après une telle débauche de paillettes et de glamour, je savais ce qu'on allait dire de moi, que j'étais « impressionné par la célébrité ».

Durant la dernière semaine de novembre, je fus invité à rencontrer en tête à tête le Dr Purkis. Son bureau impeccable symbolisait toute l'efficacité du directeur général. Derrière lui se trouvait une photographie de la princesse prise par Mario Testino pour une compilation musicale.

Le Dr Purkis en vint directement au fait. Il me suggéra de chercher un autre emploi.

— Vos perspectives à la Fondation sont plutôt limitées, me dit-il.

— Vous allez me licencier ? Parce que je n'ai pas l'intention de vous remettre ma démission. Vous ne m'avez pas encore jeté avec le linge sale...

— Paul, je n'aime pas ce genre d'amalgame, et je crois sincèrement qu'il est temps pour vous de partir.

— Si vous me poussez vers la sortie, cela retentira sur les activités de la Fondation.

Le Dr Purkis n'écoutait pas.

Quelques jours plus tard, je reçus un appel de lady Sarah McCorquodale.

— Êtes-vous d'accord pour partir, Paul ?

— Non. Pas vraiment, répondis-je.

— Déjeunons ensemble mardi prochain. Nous parlerons de tout cela, proposa-t-elle.

J'acceptai ce qui s'annonçait comme un déjeuner en tête à tête, et me rendis à notre rendez-vous le mardi 8 décembre dans un pub de Southampton Row. En entrant, je repérai lady Sarah assise en compagnie de l'avocat Anthony Julius, ancien président de la Fondation et qui en était resté l'administrateur.

— Je ne me doutais pas que les gros bonnets seraient de la partie, dis-je d'un ton enjoué pour tenter de détendre l'atmosphère.

Visiblement Anthony Julius n'était pas d'humeur à plaisanter. Nous avions au moins une chose en commun : lui et moi avions été les seules personnes à qui la princesse avait fait confiance pour régler le divorce.

Il commença par expliquer que lady Sarah et lui avaient été chargés de dénouer la situation. Il exprima ses inévitables regrets, comme le font ceux qui s'apprêtent à vous mettre un coup de pied aux fesses, et je pensai : comme c'est étrange que la seule personne qui parle soit celle avec qui je n'avais pas rendez-vous. Lady Sarah restait muette comme une carpe.

— Vous avez deux solutions, Paul, me dit-il. La première : vous partez avec hargne, ce que vous regretterez amèrement dans quelques années. L'autre solution est d'accepter la main amicale que nous vous tendons maintenant. Nous mettrons tout en œuvre pour vous trouver un autre emploi.

Il appelait cela « la main amicale ». Mais c'était la froide aristocratie de lady Sarah et l'assurance pontifiante d'Anthony Julius qui m'étranglaient.

Je fis valoir qu'il me restait beaucoup à accomplir.

À cet instant, lady Sarah s'anima enfin :

— Mais *qu'est-ce* que vous voulez ? demanda-t-elle, manifestement irritée. Votre travail est superflu !

Anthony Julius passa à l'attaque :

— Souvenez-vous, Paul, quand l'argent a commencé à arriver au palais de Kensington, lady Sarah, moi-même et Michael Gibbins avons décidé de créer cette Fondation. Si nous n'avions pas été là, vous n'auriez jamais eu ce travail.

— Avec des « si », où irons-nous ? « Si » la princesse n'était pas morte, vous n'auriez pas eu besoin de me confier ce travail, fis-je remarquer.

Lady Sarah tenta une autre approche :

— Maria et les garçons ne préféreraient-ils pas que vous soyez auprès d'eux plutôt qu'à Londres ?

— Quoi que je décide, ma famille est et sera toujours derrière moi.

— Paul, tout ce que nous voulons, c'est vous aider à prendre une décision, renchérit Anthony Julius.

Je lui demandai si notre rencontre était officielle ou officieuse.

— Elle est officielle, à moins que vous ne stipuliez autre chose, répondit-il. Le conseil d'administration sait que nous nous rencontrons, et il attend l'issue de cette conversation.

Lady Sarah tripotait sa salade verte. Je n'avais pas touché à l'assiette de poisson devant moi. Je sentais la colère me gagner et m'efforçais de la contrôler, en vain.

— Je ne peux en entendre davantage, dis-je d'une voix fêlée. Pardonnez-moi d'être grossier, mais je dois quitter cette table.

Je me levai, attrapai mon manteau sur le dossier de la chaise et me dirigeai vers la sortie.

— Nous nous verrons plus tard, Paul ? me poursuivit la voix de lady Sarah.

Je hélai un taxi et m'engouffrai à l'arrière. Je ne pus contenir un grognement de rage.

— Est-ce que ça va, mon vieux ? me demanda le chauffeur en m'observant dans son rétroviseur.

— Oui. Je viens d'apprendre une mauvaise nouvelle, c'est tout. Pouvez-vous me conduire au palais de Kensington, s'il vous plaît ?

C'était le seul endroit où je songeai à aller. Je n'y avais plus accès, mais je pourrais toujours marcher alentour, dans les jardins. Là, je me ressaisis, avant de me diriger vers le Dome Café dans High Street, où je retrouvai le journaliste du *Daily Mail* Richard Kay : quelqu'un qui avait connu la princesse, quelqu'un qui comprenait l'injustice. Pas un mot ne parut dans le *Daily Mail*. Mais le vendredi, le *News of the World* évoqua mon licenciement imminent.

Pour minimiser le scandale, le Dr Purkis rédigea un mémo à l'attention de l'ensemble du personnel : « Cet épisode est une tempête dans un verre d'eau. »

Le vendredi 18 décembre, il me téléphona pour m'expliquer qu'il n'avait « d'autre choix que de me notifier un préavis d'un mois ». J'allai voir le Dr Purkis pour lui exprimer le fond de ma pensée. J'entrai dans son bureau et dis :

— Je suis venu vous dire au revoir.

— Je voudrais vous remercier pour tout, et surtout pour votre travail acharné au cours des dix derniers mois.

— Tout ce que j'ai fait, je l'ai fait pour la princesse, précisai-je.

— Je sais combien sa disparition vous a affecté.

— Non, vous n'en savez rien. Rien du tout. Vous n'avez absolument pas su m'utiliser depuis mon arrivée ici. Cette Fondation ne ressemble en rien à la princesse. Il ne satisfait à aucune de ses exigences ni à aucun de ses souhaits !

Sur les marches du perron, Jackie Allen me serra dans ses bras et nous nous dîmes au revoir. La presse était là.

— Qu'est-ce que vous ressentez, Paul ? interrogea un des journalistes.

— Beaucoup de tristesse.

— Allez-vous poursuivre les œuvres de bienfaisance de la princesse ?

— Je ferai de mon mieux.

Puis je m'engouffrai dans la voiture qui m'attendait. Lady Sarah McCorquodale était enfin débarrassée du majordome indiscret. Mais ce ne serait pas là ma dernière confrontation avec la sœur de la princesse, face à laquelle j'allais me retrouver quatre ans plus tard, dans la salle de tribunal numéro un de la Old Bailey, la cour d'assises de Londres.

Le jour de l'an 1999, Clive Goodman des *News of the World* me téléphona.

— Je viens d'apprendre qu'une paire de boucles d'oreilles ayant appartenu à la princesse a disparu. Avez-vous un commentaire à faire ?

— Puis-je vous demander d'où vous tenez cette information ?

— D'une source fiable, Paul, répondit Clive.

Je fus évidemment inquiet. David Thomas, le bijoutier de la Couronne, lady Sarah McCorquodale et moi avions soigneusement expédié tous les bijoux de la princesse à Althorp.

Je téléphonai à l'attachée de presse de la Fondation, Vanessa Corringham, pour l'informer de la conversation que je venais d'avoir avec Clive Goodman.

Dans une lettre datée du 2 janvier 1999 adressée à mes amis dans le Kentucky, Shirley et Claude Wright, j'écrivis : « On essaie peut-être de nuire à ma réputation, notamment parce que j'ai bonne presse depuis mon licenciement de la Fondation. Quelqu'un voudrait-il salir mon nom, ou bien suis-je paranoïaque ? »

À quarante-deux ans, je me retrouvais sans emploi. Je décidai alors de tirer profit de toutes ces années passées au sein de la maison royale, et publiai un livre sur les bonnes manières, *Entertaining With Style*. L'argent que me rapporta ce livre nous permit de vendre notre propriété de Farndon et de nous installer dans une grande maison. Dans la foulée, je donnais des conférences sur le même sujet, payées jusqu'à 3 000 livres, mais le plus souvent il s'agissait d'œuvres de charité, auquel cas bien sûr je ne demandais pas un sou.

Mes revenus allaient attirer l'attention de Scotland Yard.

Quelqu'un actionna le heurtoir de cuivre de la porte d'entrée. Dehors il faisait encore nuit. Maria préparait le petit déjeuner. Je roulai hors du lit et regardai l'heure au réveil sur la table de chevet : il était à peine 7 heures du matin. Nous étions le jeudi 18 janvier 2001, et le « Bureau d'opérations spéciales » de Scotland Yard – le SO6 – frappait à notre porte.

— Chéri ! cria Maria dans l'escalier. Il y a là des messieurs qui veulent te parler.

J'enfilai ma robe de chambre blanche et descendis. Au pied de l'escalier, je vis Maria, en chemise de nuit bleue, qui paraissait trembler de tout son corps.

— La police, articula-t-elle à voix basse.

Deux individus à la mise élégante me saluèrent : une blonde plantureuse et un grand homme débonnaire à l'épaisse tignasse brune, les inspecteurs Maxine de Brunner et Roger Milburn.

Ce dernier me montra sa plaque de police et déclama :

— Je vous arrête sur présomption de vol d'un boutre en or. Vous pouvez garder le silence, mais pour votre défense, il peut être dans votre intérêt de répondre à nos questions. Tout ce que vous direz pourra être retenu contre vous, expliqua l'inspecteur Milburn.

Ils m'arrêtaient pour le vol d'un boutre (un petit navire à voiles) arabe incrusté de pierres précieuses, long de quarante-cinq centimètres et d'une valeur de 500 000 livres, cadeau de mariage de l'émir du Bahreïn au prince et à la princesse de Galles. On avait tenté de revendre l'objet chez Spink, une boutique d'antiquités de Londres. La police avait « entendu dire » que c'était moi qui avais donné l'ordre de s'en débarrasser, et c'était ce qui les amenait chez moi.

Appuyé sur un bras du canapé, je pouvais sentir l'odeur des saucisses que Maria était en train de faire cuire à la cuisine. Les garçons dormaient toujours à l'étage.

Possédais-je quoi que ce soit dans la maison qui provenait du palais de Kensington ? Savais-je où se trouvait le boutre ?

Puis l'inspecteur Milburn me posa deux questions bizarres. Tout d'abord :

— Avez-vous un manuscrit des mémoires que vous écrivez ?

Je compris à cet instant que Scotland Yard donnait des coups d'épée dans l'eau. Je n'ai commencé à écrire *Confidences royales* qu'en avril 2003, et il est le *résultat* de cette arrestation, du doute jeté sur la nature véritable de ma relation avec la princesse.

— Lady Sarah McCorquodale soutient que vous avez une boîte qui appartenait à la princesse de Galles. Elle aimerait récupérer le contenu de cette boîte, poursuivit l'inspecteur.

Avant d'enchaîner :

— Avez-vous pris cette boîte au palais de Kensington ?

Quoi ? pensai-je. La grande boîte en acajou que la princesse conservait dans le salon et dans laquelle elle rangeait ses papiers et ses documents les plus personnels ? La boîte que lady Sarah et moi avions ouverte à Kensington après sa mort ? La boîte qui, pour ce que j'en savais, se trouvait en sa possession.

Les secrets de la princesse. Voilà ce que cherchait Scotland Yard, ainsi que des « documents relatifs à la vente d'un boutre en or », qu'ils ne trouveraient évidemment pas chez moi.

Maria alla dans la cuisine, suivie par l'inspecteur de Brunner. L'inspecteur Milburn resta avec moi.

— Si vous nous donnez ce que nous voulons, nous débarrassons le plancher. Autrement, nous allons devoir fouiller la maison, me prévint-il.

Trois autres policiers entrèrent à leur tour et se lancèrent dans une fouille minutieuse après que j'eus nié posséder un boutre en or, le contenu d'une boîte ou un manuscrit. Ils fouillèrent partout, n'épargnant aucun placard, aucun tiroir, aucune étagère. Des dizaines de sacs plastique furent remplis de toutes sortes de biens provenant de Kensington : des objets qui avaient une valeur sentimentale, offerts par la princesse, des cadeaux qu'elle nous avait achetés, des robes, des chaussures, des chapeaux et des sacs à main qu'elle avait donnés à Maria, des photographies, des babioles dont elle s'était débarrassée mais que je n'avais pu me résoudre à jeter. Chaque objet fut étiqueté comme autant d'objets volés par Paul Burrell après la mort de Diana, princesse de Galles.

Ma nièce Louise Cosgrove, qui travaillait alors pour moi en qualité de secrétaire, arriva comme d'habitude à 9 heures en plein chaos. Elle appela un cabinet juridique, qui dépêcha aussitôt un avocat, Andrew Shaw.

Son soutien et ensuite son amitié m'aidèrent à survivre à ce jour-là, et durant les dix-huit mois qui suivirent.

J'étais assis à mon bureau. Un inspecteur se tenait à côté de moi, tandis que je fixais d'un air absent, sur le mur à ma gauche, une photographie de la princesse portant sa casquette de base-ball bleue. Tout ce que j'entendais, c'étaient des bruits de pas à l'étage, et le froissement des sacs plastique que redescendaient les inspecteurs. J'avais l'impression d'assister au cambriolage de ma propre maison.

Ils cherchaient un boutre en or, et ils avaient trouvé un trésor qu'aucun majordome n'aurait jamais dû posséder : de la vaisselle, des bibelots, des cadres, des vêtements, des photographies, des peintures, des CD, des sacs à main, des chapeaux, des chaussures et des lettres.

J'entendis l'un d'eux crier dans l'escalier :

— Nous allons avoir besoin de plus de sacs... PLUS DE SACS !

— Il faudrait aussi une camionnette, suggéra un autre.

J'étais consterné.

Dans l'après-midi, je fus arrêté une *deuxième* fois.

— Monsieur Burrell, je vous arrête sur présomption de vol des biens découverts pendant cette perquisition.

La fouille se termina à 20 heures.

Andrew Shaw s'inquiéta tant de mon état psychologique qu'il fit venir un médecin de la police, lequel nota l'état pitoyable dans lequel j'avais sombré, mais jugea que j'étais « apte à être placé en détention ». Je n'arrivais pas à détacher mes pensées des inspecteurs qui fouillaient partout. Il y avait des secrets dans cette maison que personne ne devait connaître. La vie privée de la princesse était compromise par ce véritable hold-up. Des dizaines de ses lettres étaient scannées ; des boîtes scellées que j'avais rapportées à Farndon pour qu'elles y soient en sécurité étaient ouvertes. Des négatifs confidentiels étaient envoyés à développer. La police mettait son nez dans les objets les plus personnels de la princesse, et c'était obscène.

Si les policiers n'entrevoyaient pas les conséquences de leurs actes, pour ma part tout n'était que trop clair : la princesse, le prince Charles, William, Harry... la reine. Je ne les protégeais plus. La police allait veiller à ce que mon arrestation, et les centaines d'objets saisis, reçoive la plus grande couverture médiatique possible.

« LE MAJORDOME DE DI ARRÊTÉ », proclama le lendemain la une du *Daily Mirror*, en publiant une photographie de moi conduit au poste de police de Runcorn.

Dans la pièce nue, qui ressemblait un peu au sous-sol du palais de Buckingham, je vidai mes poches.

— Pourrais-je également avoir votre ceinture, monsieur Burrell, ainsi que vos lacets de chaussures et votre cravate ? me demanda le brigadier. C'est la procédure.

Une petite blonde en uniforme me prit alors le bras et me dit :

— Ne vous inquiétez pas, je m'occupe de vous.

Elle me conduisit le long d'un couloir carrelé jusqu'aux cellules. Le visage de Kate Murphy était le plus chaleureux, le plus doux que j'aie vu de toute la journée, après tant d'heures pénibles avec les inspecteurs de Scotland Yard.

Andrew Shaw marchait derrière moi, le bruit de nos talons résonnant dans le couloir. Autour de nous, les occupants des autres cellules criaient, gémissaient ou donnaient des coups dans les portes. Nous nous arrêtâmes devant une lourde porte en acier. Kate Murphy l'ouvrit et j'entrai dans la cellule, incrédule. C'était une pièce aux murs nus, avec une minuscule fenêtre carrée. Dans un coin se trouvait une cuvette de toilette en acier inoxydable.

— J'ai bien peur de ne pouvoir vous offrir un cinq-étoiles, me dit Kate Murphy en souriant. Vous pouvez vous faire chauffer un plat au micro-ondes. Je recommande le curry.

Lorsque mon avocat fut parti après m'avoir encouragé à être fort, je mangeai mon premier repas de la journée, avec des couverts en plastique.

J'essayai de dormir, mais ce fut difficile. Il n'y avait ni oreiller ni couverture, et le « matelas » était plutôt un de ces tapis de mousse destinés aux gymnastes.

Le lendemain matin, je revis l'inspecteur Roger Milburn. Sur les conseils d'Andrew Shaw, je ne répondis pas à ses questions. Une fois de plus, sa curiosité portait sur le contenu d'une boîte, sur certains papiers d'ordre privé et un manuscrit. Durant cinq heures, je restai assis là à me demander ce qui se passait au juste. À chacune des questions qu'il me posait, je répondais : « Aucun commentaire. »

Tout cela n'était sans doute qu'une erreur. Lorsque la famille royale apprendrait ce qui se passait, elle mettrait fin à toute cette absurdité. Lorsque je fus libéré sous caution en attendant un complément d'enquête, je me persuadai que quelqu'un, quelque part – à Scotland Yard, à Buckingham, à Kensington, à St. James, la reine, le prince Charles, le prince William, quelqu'un... –, dissiperait cet affreux malentendu. Des centaines de serviteurs en Grande-Bretagne possédaient des objets de provenance royale : cadeaux, souvenirs de leur temps passé à servir la Maison royale. Les cadeaux étaient l'un des avantages en nature de ce poste et cela depuis le règne de George V. Toute la famille royale le savait.

Pourtant leur silence était assourdissant.

XVI

Un vrai roman d'espionnage

— Paul, le « fils aîné » souhaite vous rencontrer, annonça la voix à l'autre bout de mon téléphone portable.

C'était le nom de code attribué par le personnel au prince Charles ; le « fils préféré », c'était le prince Andrew, et le « benjamin », le prince Edward.

Dans les semaines et les mois qui suivirent mon inculpation, la discrétion devint une nécessité absolue. Parmi mes amis et les membres de ma famille, vingt lignes téléphoniques furent placées sur écoute, ainsi qu'il fut démontré par la suite. Il était plus prudent, sur une ligne surveillée, de ne pas prononcer de noms et de rester dans le vague.

Le 2 août 2001, après des mois de tourments passés à me demander pourquoi la famille royale avait décidé de me laisser choir, on m'appelait enfin. La voix claire était celle d'un intermédiaire de confiance, en pourparlers avec les conseillers du prince Charles. Apparemment, ces derniers partageaient mon inquiétude quant aux implications d'un procès spectaculaire et potentiellement dangereux.

Je n'avais aucune envie d'être interrogé par Scotland Yard sur des questions concernant la vie privée de la famille royale. J'aspirais seulement à parler au prince Charles, en privé et en toute confidentialité. Lui expliquer l'absurdité de la situation. M'assurer que lui, comme William et Harry, savait que la justice commettait une terrible erreur.

Un simple coup de fil m'avait rendu l'espoir.

— Une rencontre a été autorisée. Il faudra vous rendre en voiture dans le Gloucestershire. Vous recevrez des instructions plus précises une fois arrivé là-bas. Le rendez-vous ne sera pas à la maison de campagne, mais chez quelqu'un d'autre. Le fils aîné vous y rejoindra. Il veut absolument tirer cela au clair, une bonne fois pour toutes.

Après tant de mois à me lamenter sur mon sort, je fus submergé par un sentiment d'euphorie. Dès que le prince Charles aurait entendu ce que j'avais à dire, me disais-je, il saurait que j'étais innocent. Pendant tout un printemps et tout un été, j'avais été prisonnier de ces cauchemars où l'on essaie de crier à l'aide sans qu'aucun son ne sorte de votre bouche. Enfin, l'homme pour qui j'avais travaillé, le père des garçons que j'avais vus grandir, allait faire ce qu'aucun des Windsor n'avait fait depuis janvier. M'écouter.

*
* *

Les Windsor avaient tenté une approche indirecte deux semaines après mon arrestation. Les journalistes qui campaient devant chez moi s'étaient dispersés, et j'étais à la maison lorsque l'intermédiaire de confiance m'avait appelé, après en avoir discuté avec les conseillers du prince Charles. À l'époque, j'essayais encore de comprendre l'énormité de cette histoire.

— D'après ce qui m'a été confié, m'avait-il expliqué, il estime que le personnel de son ex-épouse est persécuté. Vous avez toujours l'affection de ses fils. On a suggéré que vous écriviez une lettre détaillée, qui éclaircirait la raison pour laquelle ces objets se trouvaient en votre possession.

Cette conversation s'était tenue au cours de la première semaine du mois de janvier 2001. Cette date est importante, parce que, au cours de l'enquête menée par sir Michael Peat sur l'entourage du prince Charles, on a volontairement induit que c'est moi qui avais établi tous les contacts avec St. James' Palace, dans le but de jeter les bases d'une future stratégie de défense. D'ailleurs on suggéra que ces tentatives de rapprochement n'avaient commencé qu'en avril 2003.

La vérité, c'est que mon téléphone a sonné. Pas l'inverse. C'est mon intermédiaire qui m'a fait passer le message d'écrire une lettre. Cette requête émanait du secrétaire particulier adjoint du prince, Mark Bolland, un collaborateur astucieux dont la loyauté envers son employeur n'avait d'égale que la mienne envers la princesse. Lui et le secrétaire particulier du prince, sir Stephen Lamport, suivaient attentivement l'enquête de la police, pleinement conscients des conséquences désastreuses d'un procès retentissant en termes de relations publiques. M. Bolland a informé Fiona Shackleton, la conseillère juridique du prince, qu'il était indirectement en rapport avec moi, mais il ne pouvait pas divulguer l'identité de l'intermédiaire.

Le prince Charles voulait à tout prix éviter une action en justice. Je nourrissais le faible espoir qu'il reconnaisse mon innocence. Mais j'étais confronté à un dilemme.

Les contraintes de la procédure légale m'avaient privé de la liberté de m'exprimer en toute franchise. Ma lettre serait citée au tribunal, aussi toute correspondance devait-elle être rédigée avec soin. J'ai donc consulté le cabinet du conseil Andrew Shaw, et ensemble, nous avons élaboré un texte stipulant que mes intentions avaient été honorables et que mon dévouement ne pouvait être mis en doute. Le 5 février, la lettre arriva entre les mains de l'intermédiaire, qui la remit aussitôt personnellement à M. Bolland.

Je pensais à l'époque que cette lettre me délivrerait d'un cauchemar insensé. Le prince Charles comprendrait, assurément, en la lisant.

> *Votre Altesse Royale,*
> *C'est avec une immense gratitude que je me permets de vous livrer les pensées que m'inspire la situation présente... J'ai été libéré sous caution, dans l'attente d'un nouvel interrogatoire le 27 février.*
> *Comme vous le savez, la famille royale s'est montrée extrêmement généreuse avec Maria, mes fils et moi pendant les années passées à son service. Plus précisément, la princesse nous a offert des cadeaux, et elle m'a fait l'honneur de se confier à moi, par oral et par écrit. La police a saisi chez moi des présents et des objets d'une grande valeur sentimentale qui m'avaient été offerts par des membres de la famille royale. Ainsi – ce qui est plus délicat – qu'un certain nombre de documents qui m'avaient été remis. En outre, la police a emporté des objets de « famille » que j'avais d'abord*

placés dans un entrepôt puis, pour plus de sécurité, rangés dans le grenier de mon domicile. À ce jour, on n'a retenu contre moi aucun chef d'inculpation.

Il m'est intolérable d'être accusé en privé comme en public de malhonnêteté. Je ne puis supporter que vous, le prince William et le prince Harry puissiez penser que je vous ai trahis, vous ou la princesse, de quelque manière que ce soit. Je n'ai jamais aspiré qu'à « prendre soin » de ce que je considérais être « mon univers ».

Peut-être une entrevue pourrait-elle contribuer à dissiper tout malentendu, et empêcher que cette triste affaire prenne des proportions incontrôlables.

Je vous prie, Votre Altesse Royale, d'agréer les respectueuses salutations de votre humble et obéissant serviteur.

Paul.

Ma supplique est tombée dans l'oreille d'un sourd, à l'instar de tous mes appels au bon sens au cours des mois suivants.

Mon intermédiaire me contacta pour m'annoncer une nouvelle décourageante.

— Votre lettre n'explique rien. Elle n'est pas assez claire. Je regrette de vous dire qu'elle ne sera pas transmise.

C'était une occasion manquée – car comme mon procès a finalement tourné court, l'accusation a déclaré que je n'avais révélé à personne mon intention d'entreposer chez moi des objets venant de Kensington pour plus de « sécurité ».

Mais ils avaient tort. Je l'avais déclaré à la souveraine au cours de mon entrevue avec elle en 1997. Je l'avais répété à l'héritier du trône dans cette lettre du 5 février 2001. Et en avril, j'allais envoyer une lettre au prince William, deuxième héritier du trône dans l'ordre de la succession. Je n'aurais pu m'adresser en des termes plus clairs à un trio plus puissant. Et pourtant personne ne m'a écouté.

* *

Le 3 avril, sir Stephen Lamport, Fiona Shackleton et sir Robin Janvrin, le secrétaire particulier de la reine, tinrent une réunion à St. James en présence de représentants de la famille Spencer, de Scotland Yard et du ministère public – dont l'un des membres expliqua clairement que si j'étais reconnu coupable, je serais condamné à cinq ans de prison, en ajoutant qu'un abus de confiance constituerait une circonstance aggravante. Une autre précision intéressante fut apportée ce jour-là : comme les objets trouvés chez moi n'appartenaient pas au prince Charles, la décision de continuer les poursuites judiciaires incombait aux exécuteurs testamentaires de la princesse : les Spencer.

Lady Sarah McCorquodale et Mme Frances Shand Kydd avaient occulté la générosité de la princesse. Seul leur importait que Paul Burrell ne possède rien de plus qu'une paire de boutons de manchette et une photo encadrée. La famille de cœur de la princesse, ceux et celles qui étaient plus proches d'elle que sa mère et sa sœur, aurait pu détromper la police car, contrairement aux Spencer, ces amis connaissaient la vérité :

Lucia Flecha de Lima, sa mère de substitution : « La princesse m'a dit qu'elle avait confié de la correspondance privée à Paul. »

Debbie Franks, astrologue de la princesse depuis 1989 : « Diana considérait Paul comme un parent. »

Rosa Monckton, amie qu'elle chérissait comme une sœur : « La princesse faisait souvent des cadeaux... Elle ne pouvait pas se passer de Paul. »

Lady Annabel Goldsmith : « Diana disait que Paul était son roc... Elle lui parlait comme à une copine. »

Susie Kassem : « Paul était la personne en qui elle avait le plus confiance, après William et Harry. »

Lana Marks : « Diana m'a dit qu'elle avait donné des robes et des accessoires à Maria. »

Et ils auraient même pu interroger le cordonnier Eric

Cook : « Les relations entre Paul et Diana étaient davantage celles d'un frère et d'une sœur que celles d'un employé et son employeur. »

Mais Scotland Yard ne poussa pas très loin ses investigations et écouta les Spencer qui, au moment de la mort de la princesse, ignoraient jusqu'au nom de ses meilleurs amis.

Pendant les deux premières semaines d'avril, Mark Bolland fit une autre suggestion à l'intermédiaire : que j'adresse une lettre au prince William. Je lui ai donc envoyé le courrier suivant le 19 avril :

> *J'aurais tant voulu avoir la possibilité de vous parler en tête à tête au cours de ces derniers mois. Il y a tant à expliquer. Des objets qui m'ont été retirés, dont beaucoup que l'on avait confiés à ma garde, doivent vous être restitués. Je suis certain que vous savez que je ne trahirais jamais la confiance que votre mère a placée en moi, et que je reste celui que vous avez toujours connu.*
>
> *Paul.*

Dans cette lettre, je faisais à nouveau valoir mon rôle de « gardien » des biens de la princesse. C'est pourquoi je m'étonnai – et je m'étonne encore – que, lors de mon procès en octobre 2002, le ministère public prétendit que je n'en avais rien dit à personne.

Toutefois, le principal pour moi était de savoir si le prince William l'avait lue.

— La lettre a été remise, m'annonça mon intermédiaire au téléphone. Cette fois, cela a servi à quelque chose.

Le prince Charles prit également connaissance de la teneur de ma missive. Son conseil déclara lors d'une entrevue le 30 avril : « Mark Bolland a fait en sorte que cette lettre soit écrite... Nous savions qu'elle allait arriver, quelqu'un a prévenu le prince Charles de ce fait. »

À ce moment-là, le prince Charles aurait pu répondre de moi, attester de ma bonne foi et de mon rôle de gardien de ce que possédait la princesse. Il décida de n'en rien faire.

Il justifia sa conduite en déclarant qu'il avait bien indiqué qu'il « préférerait que les poursuites judiciaires n'aillent pas plus loin ». Il pensait apparemment qu'il suffisait de demander poliment aux voyous de ficher le camp pendant qu'ils rouaient de coups son ancien majordome.

Aurait-il agi différemment si j'avais été encore à son service ? À la lumière de « crises » postérieures, il y a fort à parier que le prince aurait volé à ma rescousse.

*
* *

Si je n'avais plus d'amis dans les cercles royaux, j'étais également au chômage. Le téléphone s'était soudainement tu alors qu'il n'avait jamais cessé de sonner depuis la publication de *Entertaining With Style*. Qui allait assister aux conférences d'un majordome accusé de la pire des trahisons ? Une seule entreprise me resta fidèle, la Cunard. Dire que c'est la compagnie, dont ma mère avait jeté au feu l'offre d'emploi en 1976, qui m'invitait à animer les voyages transatlantiques du *Queen Elizabeth II*... Quelle ironie !

D'autres employeurs décidèrent de se passer de mes services. Le *Daily Mail* ne voulut plus de ma collaboration à son supplément du week-end. Ensuite Proctor et Gamble avec qui j'avais signé un contrat lucratif pour des spots publicitaires télévisés. On m'envoya au diable avec 20 000 livres sterling, une partie du cachet prévu. Cette somme, ajoutée à nos économies, nous permettrait de tenir jusqu'à la fin de l'année.

Dieu seul sait combien d'argent j'ai jeté par les fenêtres en vidant des bouteilles de merlot ou de chianti durant cette période difficile. Maria avait généreusement renoncé à ses petits plaisirs. Puis elle alla faire des ménages chez une amie. Quant à moi, chaque jour me trouvait plus morose, je restais au lit jusqu'à 11 heures, je m'asseyais à mon bureau sans rien faire d'autre que ruminer mes pensées, avant de me retrouver dans le salon à siffler trois bouteilles de vin pour pouvoir m'endormir.

J'ouvrais l'œil à 4 heures du matin, m'asseyais sur le bord du lit, et écartais les rideaux pour vérifier s'il y avait des véhicules bizarres dans la rue. Combien de fois me suis-je réveillé en nage et tout agité ! Pendant presque deux ans, j'étais persuadé que Scotland Yard allait revenir. Encore aujourd'hui, si le facteur frappe à la porte, je revis la journée du 18 janvier 2001.

Je ne faisais que m'apitoyer sur moi-même. Par bonheur, mon épouse se révéla plus combative. La force de Maria, son soutien et ses sacrifices ne m'ont jamais fait défaut : lorsqu'elle quitta, à son corps défendant, Highgrove pour Kensington, toutes les fois où elle m'a « perdu » au profit de la princesse, les années passées à élever les enfants pendant que j'étais en service ou que je vivais loin de la maison quand je travaillais pour la Fondation Diana. Pendant toutes ces années où la princesse s'appuyait sur moi, je me reposais sur Maria. Même si la princesse m'appelait son roc, le seul roc, durant cette période, c'était Maria. Elle m'a tiré du désespoir, et bien des fois m'a ôté ces bouteilles de vin des mains.

— Ça suffit ! disait-elle. N'oublie pas que tu as deux fils. Il ne faut pas qu'ils te voient sombrer. Tu as des responsabilités vis-à-vis d'eux.

— Mais c'est au-dessus de mes forces ! hurlais-je.

Alors Maria brandissait une des nombreuses photos de la princesse et répliquait :

— Tu as choisi ce chemin-là. Elle te tenait par les couilles de son vivant, et elle continue à te tenir par les couilles !

Quatre ans après la mort de la Patronne, je la faisais encore passer avant ma famille.

*
* *

En octobre 2001, Scotland Yard lança une nouvelle offensive en arrêtant un deuxième « suspect » : mon frère Graham. Comme la dernière fois, les inspecteurs surgirent à l'aube et perquisitionnèrent son domicile de fond en comble. On l'arrêta sur la foi des pièces suivantes : une photo dédicacée de la princesse, deux assiettes portant le monogramme royal, une peinture du navire *Sirius*, et une reproduction encadrée d'un match de polo. J'avais reçu ces peintures des mains du prince Charles, et je les avais données à Graham du temps où j'habitais Highgrove.

Comme moi, Graham tenta en vain d'éclairer les inspecteurs sur les us et coutumes de la Couronne, ainsi que sur la bonté de la Patronne. Il leur raconta la fois où ils avaient fait des batailles de ballons remplis d'eau, et celle où elle l'avait appelé trois fois chez lui pour le réconforter quand il avait des problèmes conjugaux. Il aurait pu aussi bien leur annoncer qu'il venait de la planète Mars.

— Je voudrais bien savoir ce qu'un ancien mineur fabriquait avec une princesse ? railla un des inspecteurs.

Graham ne fut pas poursuivi, mais cette attente, cette suspicion, toute cette épreuve dura dix mois avant que la police finisse par admettre qu'elle ne détenait aucune preuve contre lui.

*
* *

Vers la fin du mois de mai, mon portable sonna.

— Tu ne devineras jamais ce qu'on a reçu au courrier, me dit Maria, tout excitée. Une invitation... Au château de Windsor !

De retour chez moi, je m'emparai du pli posé sur le plan de travail de la cuisine : une enveloppe blanche portant le sceau du bureau du lord-chambellan au palais St. James. À l'intérieur, un bristol bordé d'or, avec les initiales de la reine.

« Le lord-chambellan a reçu l'ordre d'inviter M. ET MME PAUL BURRELL à un office d'action de grâces à la chapelle St George, suivi d'une réception au château de

Windsor, en l'honneur du 80ᵉ anniversaire de **S.A.R.** le duc d'Édimbourg. »

Maria ne se tenait plus de joie, et j'étais ravi pour elle. Le duc n'avait pas oublié son ancienne femme de chambre. L'invitation à la réception du 10 juin était manifestement destinée à Maria, mais on l'avait étendue à moi-même. Cette attention illumina notre journée, notre semaine, notre mois, notre année : notre présence était souhaitée alors même que nous croyions que tout le monde était contre nous. Mes lettres au prince Charles et au prince William étaient restées sans réponse, et cela m'avait peiné. Je m'étais accroché à l'espoir de plus en plus fragile que, s'il y avait une justice, la raison l'emporterait. Car à mes yeux, tout ce que j'avais fait, c'était de prendre soin de quelqu'un de son vivant et après sa mort. Était-ce un crime ? Je ne pensais pas que le dévouement tombait sous le coup de la loi. Et puis le 6 juin – jour de mon quarante-troisième anniversaire –, le général de brigade Hunt-Davis, secrétaire particulier du duc d'Édimbourg, nous appela. Il alla droit au but.

— Après avoir mûrement réfléchi et consulté de nombreuses personnes, je suis arrivé à la conclusion qu'il ne serait pas dans votre intérêt, Paul, de vous joindre aux festivités des quatre-vingts ans de Son Altesse Royale le duc d'Édimbourg.

Mon silence incrédule l'encouragea à poursuivre.

— Comme les médias seront là, il ne serait pas correct de les distraire de cette journée organisée en l'honneur de Son Altesse Royale. Je suis sûr que vous comprendrez que c'est une décision qui n'a pas été prise à la légère, mais au mieux des intérêts de chacun.

Accablé, je raccrochai après avoir marmonné un au revoir maladroit, et restai planté dans le salon, à regarder par la fenêtre et à me répéter cette conversation.

Pas question, pensai-je, la reine et le duc d'Édimbourg m'ont invité. J'irai, n'en déplaise au secrétaire de Son Altesse. Je rappelai Hunt-Davis.

— J'ai réfléchi à notre discussion, et j'ai quand même

l'intention d'assister à la réception de dimanche avec Maria, mais je vous remercie de vous préoccuper...

— Paul, m'interrompit-il, vous n'avez pas compris. Votre invitation a été annulée. Vous n'êtes plus invité.

Ma stupéfaction fit place à la colère.

— Et que se passerait-il si je venais quand même, avec mon carton d'invitation ?

— On ne vous laisserait pas entrer, répondit-il, et ce serait très embarrassant pour vous comme pour la famille royale.

C'est alors qu'il m'offrit un rameau d'olivier des plus surprenants, dans le but, je pense, de me radoucir.

— Mais si Maria veut venir, elle, elle est toujours invitée.

Je raccrochai violemment. Quand je rapportais ces propos à Maria, je ne sais pas qui de nous deux était le plus furieux.

Une blessure de plus à ajouter à notre collection.

Évidemment, cette décision n'avait rien à voir avec Sa Majesté, nous le savions. Les « costumes gris » de son entourage s'étaient prononcés. En particulier, j'ai fini par découvrir qui était derrière le retrait de l'invitation, c'était le gardien de la cassette privée, sir Michael Peat. Pour moi, il ne faisait pas de doute que mon éviction avait été fomentée sans consulter la reine qui avait déclaré en privé, cette semaine-là, qu'elle se réjouissait de nous revoir, Maria et moi. Aux yeux de Sa Majesté, on est innocent tant qu'on n'a pas prouvé votre culpabilité, et elle ne voyait pas d'inconvénient à ce que les Burrell soient conviés à une réception.

J'ai appris plus tard que, quand le prince Charles a eu vent de cet incident, il a été écœuré. Selon lui, mon nom figurait sur la liste des invités depuis au moins quatre semaines sans que personne ne fasse d'objection. Peut-être était-il aussi déconcerté que sa mère, mais je devais cet affront à son entourage.

Le 24 juillet, l'intermédiaire organisa une entrevue entre le secrétaire particulier adjoint du prince, Mark Bolland, et moi. Encore une fois, c'était M. Bolland qui avait pris les devants et demandé que le rendez-vous ait lieu à Londres. Nous avons marché ensemble en direction de Trafalgar Square.

À un moment donné, la sonnerie du téléphone portable de M. Bolland retentit.

— Oui, Votre Altesse... Oui, il est à côté de moi... Oui, c'est entendu...

C'était le prince Charles. Il était au courant de notre rendez-vous.

— Certainement, Votre Altesse... Et bonne chance avec le Premier ministre, Votre Altesse.

Nous étions arrivés devant un pub qui semblait nous tendre les bras. Il n'était pas loin de 15 heures.

— Cela me rappelle le temps où j'avais moi-même ce genre de conversations avec le prince de Galles, dis-je à M. Bolland, qui m'adressa un sourire entendu.

M. Bolland m'informa que William et Harry étaient contrariés de ce qui s'était passé, et que le prince Charles était « résolu à démêler cette situation ».

— Le prince de Galles se fait beaucoup de souci pour vous, ajouta-t-il. Mais il faut que nous sachions pourquoi vous étiez en possession des objets que la police a trouvés chez vous.

Je lui ai expliqué que ces objets avaient été confiés à ma garde, m'appartenaient, ou étaient des cadeaux de la princesse ou du prince.

— Tout cela est train de gâcher ma vie et celle de ma famille, et je ne comprends pas pourquoi j'ai été arrêté. Il faut que j'aie un entretien avec le prince de Galles.

Nous sommes restés dans ce pub trente ou quarante minutes. M. Bolland parla autant que moi. C'est pourquoi je trouve étrange que par la suite il ait décrit ce rendez-vous en ces termes : « Paul Burrell m'a servi un vrai mélo et m'a dit que sa vie était fichue. » En tout cas, si mélo il y eut, M. Bolland s'est montré plutôt accommodant. Il m'a serré la main, en affirmant qu'il recommanderait au prince de Galles de me voir.

Fidèle à sa parole, M. Bolland organisa une rencontre près de Highgrove. Mon intermédiaire m'appela sur mon portable le 2 août 2001 pour m'annoncer :

— Le fils aîné souhaiterait vous voir.

Rendez-vous fut donc pris pour le lendemain.

Il fut convenu de ne mettre ni l'avocate Fiona Shackleton ni Scotland Yard dans la confidence.

Mon frère Graham m'accompagna en voiture. Nous sommes partis à 6 heures du matin le 3 août, munis d'une Thermos de thé et de sandwichs. Il faisait chaud et lourd, mais je devais me montrer à mon avantage dans le plus élégant de mes costumes gris. J'arborais les boutons de manchette gravés d'un D que la princesse m'avait offerts. Je n'avais aucune idée du lieu exact du rendez-vous. Tout ce que je savais, c'est que nous étions censés nous voir après le match de polo que disputait le prince. Nous roulions depuis des heures quand mon portable sonna. Il devait être aux alentours de midi.

— Tout est annulé. Il a eu un accident.

— Ce n'est pas possible !

Le prince Charles était tombé de cheval et avait perdu connaissance. On l'avait conduit à l'hôpital, et je n'avais plus qu'à faire demi-tour.

Je ne pouvais pas m'empêcher de penser qu'elle était bien commode, cette chute de cheval... Avec le temps, mes soupçons se confirmèrent. Car le matin du 3 août, avant le match de polo, l'inspecteur Maxine de Brunner et le commissaire John Yates de Scotland Yard avaient rencontré le prince Charles et William à Highgrove pour leur présenter un compte rendu de l'affaire, version grossièrement erronée des faits, qui amena le prince Charles et son fils à douter de mon innocence.

Le 8 août, la police s'arrangea pour qu'il n'y ait plus de rencontres officieuses entre St. James' Palace et moi.

L'inspecteur Milburn enregistra une déposition de M. Bolland, qui devint témoin à charge.

Scotland Yard avait trompé les princes Charles et William. Ils voulaient porter cette affaire devant les tribunaux, quoi qu'il arrive, et à cause de ces œillères rien ne les détournerait de leur dessein.

*
* *

Le 16 août, je retournai au commissariat pour un interrogatoire, avec mon conseil Andrew Shaw. J'apportai une déclaration que j'avais préparée. En trente-neuf pages divisées en vingt-six longs paragraphes, je détaillais mes rapports avec la princesse, j'expliquais pourquoi certains objets avaient été en ma possession. Il s'agissait de les implorer une dernière fois de faire preuve de bon sens. Derrière la sobriété du jargon juridique, je hurlais, à bout de nerfs, pour que cesse cette mascarade.

— Voici la déclaration que nous voudrions vous soumettre, annonça Andrew Shaw, en la déposant sur la table de la salle d'interrogatoire.

L'inspecteur Milburn quitta la pièce pour la lire. Quand il revint une heure plus tard, ils avaient pris leur décision.

— Monsieur Burrell, nous vous inculpons de trois chefs d'accusation de vol.

Je réprimai un haut-le-cœur.

Vol de 315 objets provenant du domaine de feue Diana, princesse de Galles.

Vol de 6 objets appartenant au prince Charles.

Vol de 21 objets appartenant au prince William.

J'écoutais l'accusation de Milburn sans entendre. Pourquoi la famille royale laisse-t-elle faire ? Qu'est-ce qui m'arrive ? Qu'ai-je fait pour mériter ça ? Telles étaient les pensées qui se bousculaient dans ma tête. Puis l'inspecteur s'assit en face de moi et ses paroles me heurtèrent comme une masse.

— En vingt ans de carrière dans la police, c'est du jamais-vu en matière d'abus de confiance !

Pourtant, il avait lu ma déclaration mentionnant les relations personnelles de la princesse, sans citer de noms, pour illustrer le fait que j'étais proche d'elle et qu'elle me faisait ses confidences.

— Alors, et vos rapports avec la princesse, ils étaient purement professionnels ? persifla l'inspecteur Milburn.

Même la curiosité de nos représentants de l'ordre était malsaine.

Alors qu'on m'emmenait le long d'un couloir et dans une autre pièce, je me tournai vers Andrew Shaw, et lui répétai, en retenant mes larmes :

— Je n'y crois pas. Je n'y crois pas.

Un médecin me demanda d'ouvrir la bouche. Il passa une espèce de bâtonnet sur l'intérieur de ma joue afin de prélever un échantillon d'ADN. Dans une autre pièce, on appliqua mes doigts et mes pouces sur un tampon encreur pour recueillir mes empreintes. Puis on m'ordonna de me mettre debout contre un mur : profil droit, profil gauche, face. Trois flashs qui fixèrent mon désespoir sur pellicule. J'étais à la fois un monstre de foire et un criminel, la star minable d'un peep-show royal, moquée et brocardée par la police.

Le lendemain, le premier acte de la farce orchestrée par Scotland Yard se joua sur les marches du tribunal d'instance, qui devait décider de ma mise en accusation. Tandis qu'une prodigieuse cohue de journalistes et de policiers me poussait à l'intérieur, je gardais la tête baissée. Je ne vis pas le poing qui atterrit sur le côté droit de ma tête. Je ne sentis qu'une douleur cuisante à l'oreille. Un homme s'était précipité pour me frapper.

On ne peut pas s'empêcher de se sentir coupable lorsqu'on s'assied sur le banc des accusés. Rien de tel qu'une arène judiciaire pour faire comprendre l'énormité d'une situation qui, jusque-là, avait semblé horriblement ubuesque. Mon innocence, à laquelle je m'étais accroché pendant si longtemps, avait cédé la place à un sentiment de honte accablant. Voilà l'effet du banc des accusés. Il vous couvre d'opprobre, et vous empêche de lever les yeux pour contempler qui vous dévisage.

Afin que mon humiliation soit complète, le porte-parole de la police décida de rendre publique l'intégralité des charges qui pesaient contre moi. D'ordinaire, on n'en révèle qu'un condensé – mais pas cette fois. On donna à la presse la liste complète et détaillée des 342 objets qui avaient été saisis chez moi : chaque pellicule photo, avec l'exacte quantité de négatifs, chaque CD, avec le nom de l'artiste, chaque vêtement ou accessoire, ainsi que sa couleur ou sa forme : « Item 193 : sac en cuir noir, anses en métal blanc, contenant un ticket de caisse, un briquet en plastique noir et un tube de rouge à lèvres bleu ; item 3 : un moulin à poivre de métal blanc... Item 240 : extraits de l'Évangile de saint Jean (ceux que l'on avait lus pendant la veillée funèbre)... Item 245 : carnet contenant des indications sur les victimes des mines antipersonnel. »

Les Spencer voulaient ma peau.

*
* *

Je quittai le pays le lendemain pour un séjour en Floride prévu de longue date avec onze membres de ma famille. Dans l'aéroport de Manchester, tout le monde lisait les journaux, dont je faisais les titres. « LE ROC DANS LE BOX », hurlait le *Daily Mirror*. « LE MAJORDOME DE DIANA ACCUSÉ D'UN VOL DE 5 MILLIONS DE LIVRES », titrait le *Times*. « SCANDALE AU PROCÈS DIANA : le majordome accusé de vol après le sommet de Highgrove », disait le *Daily Mail*. Quand nous arrivâmes près d'Orlando, les émotions refoulées au cours des dernières quarante-huit heures se libérèrent enfin. J'ai « pleuré comme un môme », selon les paroles de mon frère.

J'échappai aux feux de la rampe en Grande-Bretagne, mais la pression mentale que je ressentais était indescriptible. J'avais l'impression qu'elle ne laissait aucune place aux pensées rationnelles. Impossible de me dorer au soleil, encore moins de me relaxer.

Au milieu du séjour, mon corps, épuisé, me lâcha : la peau de mes pieds pela entièrement, les laissant à vif. Les médecins de l'hôpital imputèrent cette réaction physiologique au stress.

*
* *

Fin 2001, nos finances étaient au plus bas. Le directeur de la banque nous avertit que si aucun revenu ne renflouait notre compte dans les trois prochains mois, il nous faudrait envisager d'hypothéquer la maison. Maria envoya à un bijoutier de Londres sa bague préférée, une aigue-marine, dans l'espoir de récolter un peu d'argent. La situation devenait désespérée, et nous avions des arriérés dans le remboursement de notre crédit immobilier. Sans la générosité de nos amis, je ne sais pas ce que nous aurions fait : les Edward de Wrexham, les Wright du Kentucky, Susie Kassem à Londres et les Ginsberg à New York. Lorsque les messieurs de Scotland Yard s'étonnèrent d'un dépôt substantiel sur nos comptes bancaires, ils allèrent interroger les Ginsberg dans leur appartement de la 5e Avenue.

— C'est un montant un peu excessif, non ?

— Nous sommes riches, inspecteur, et nous aidons un ami dans le besoin. Qu'y a-t-il de si difficile à comprendre ?

Et pan ! sur le bec de la police britannique...

Nous avons pillé les assurances-vie que nous avions souscrites en faveur de Nick et Alexander. Finalement, nous avons réussi à rassembler suffisamment d'argent pour ouvrir un magasin de fleurs dans le village voisin de Holt. Cette « petite boutique au coin de la rue » devint vitale pour moi – pas seulement pour des raisons financières, mais parce qu'elle me procurait un dérivatif. Je suis un homme fier, et mes nombreux clients m'apportèrent un soutien extraordinaire. Pourtant, le soir, après la fermeture, je m'asseyais dans l'arrière-boutique, refusant de regagner mon foyer. Je voulais être fort. Mais je ne l'étais pas. Alors je pleurais tout mon saoul

Un soir, le téléphone sonna. C'était Maria.

— Chéri, quand est-ce que tu vas rentrer ?

J'éclatai en sanglots, encore une fois. Je ne supportais pas qu'elle décèle mes faiblesses. Certaines personnes s'endurcissent dans l'adversité, mais il me semblait que je m'émoussais de jour en jour, et toute cette injustice me laissait dans un état de dépression insoutenable. Mon point de vue est différent aujourd'hui – parce que la justice a triomphé. Mais en plein cœur d'une descente aux enfers, il est impossible de rester objectif. Rien ne comptait plus, hormis la perspective de retrouver la princesse. Je voulais en finir. Je voulais arrêter de pleurer. Je voulais mourir. Je savais exactement où aller : une aire de stationnement à l'écart de l'A41 dans le Cheshire. Un coin tranquille dans la campagne.

J'annonçai à Maria que je devais effectuer une livraison et quittai le magasin sans même dire au revoir à qui que ce soit. Je roulai dix minutes avant de me garer sur l'aire en question. J'étais seul. Le soleil brillait. De rares nuages blancs contrastaient avec un ciel d'azur. Dans le champ voisin, un cheval mordillait les herbes folles. Sur le siège avant, à côté de moi, j'avais posé une bouteille d'eau et un petit flacon de médicaments. Je restai assis là, à regarder le cheval, à penser que c'était une journée magnifique, qu'Alexander et Nick pouvaient compter sur Maria, et que sa famille s'occuperait d'eux. Ils resteraient unis. Je pensais à tout ça. À Maria qui élèverait les enfants. À moi qui allais rejoindre la princesse. Au fait que ma mort mettrait un point final à la procédure judiciaire. Ainsi ce calvaire serait terminé, et la honte de venir à la barre me serait épargnée.

J'avais bu une gorgée d'eau et je regardais le flacon encore fermé, en me demandant si soixante comprimés suffiraient à m'achever. Puis toutes mes émotions refirent surface. La lâcheté – ou autre chose – me fit reprendre mes esprits aussi vite que le vent change de direction. La finalité de la mort m'apparut sous un autre angle. J'allais disparaître comme un homme que la culpabilité avait poussé au suicide. Maria et les garçons porteraient ce stigmate éternellement. Et la princesse était toujours là, avec moi. Je devais défendre son héritage. Je lançai le flacon sur le siège, remis le moteur en marche pour rentrer auprès de Maria.

J'avais à peine passé la porte qu'elle me demanda ce que j'avais bien pu fabriquer.

Calmement, je lui expliquai le raisonnement que mon esprit malade avait suivi.

— Pense à moi et aux enfants, Paul ! hurla-t-elle. Tiens bon ! Qu'est-ce qu'on deviendrait sans toi ?

S'il y eut un moment décisif dans l'enfer que furent 2001 et 2002, ce fut sans doute celui-là. Appelez ça une révélation. Appelez ça comme vous voulez. Maria me força à consulter, et cela m'aida à supporter l'enfer.

Tous les lundis matin, j'allais parler à une charmante jeune femme prénommée Jill. Pour la première fois depuis 1997, je pouvais faire le deuil de la princesse.

— Votre comportement est tout à fait normal, Paul, me répétait-elle.

Voilà toute la « normalité » à laquelle je pouvais prétendre dans l'immédiat, et nous entrâmes dans 2002, en nous demandant ce que la nouvelle année allait nous apporter.

*
* *

Scotland Yard avait réussi sa démarche « machiavélique » pour couper les ponts entre St. James' Palace et moi, mais ne pouvait pas agir sur d'autres filières de communication avec les Windsor. Lorsque le printemps arriva, je correspondais avec un membre éminent de la famille royale, et le soutien discret de cet allié de longue date de la princesse s'avéra pour moi une formidable source d'énergie. Par exemple, je fus regonflé à bloc en lisant ces mots : « Si je le pouvais, j'irais clamer votre innocence sur les toits. »

C'est moi, cette fois, qui avais sollicité ce personnage royal, qui en savait bien plus que Scotland Yard n'en soupçonnerait jamais. Dans mes lettres, je ne demandais rien. « Pourquoi ai-je été abandonné par le prince de Galles et le prince William ? » écrivais-je. « Il y a forcément quelqu'un qui se rend compte que le 14 octobre (le jour de l'ouverture du procès) va provoquer une onde médiatique complètement incontrôlable... Je ne peux que vous demander de prier pour que justice soit faite. »

La réponse à cette lettre promettait bien plus qu'une prière. Mon correspondant me gratifia de paroles chaleureuses, me rappela mes bons et loyaux services et me réitéra sa conviction – partagée par d'autres, disait-il – que j'étais innocent. Puis, dans la même lettre, il me fit une proposition d'une générosité extraordinaire : m'héberger, le temps du procès, dans une résidence utilisée par quelques membres illustres de la famille royale. Il m'offrait un refuge au sein du patrimoine de la Couronne, au moment même où je comparaîtrais dans une action intentée contre moi... par la Couronne.

Je jouissais donc d'un soutien discret au sein de la famille royale, et c'était un immense soulagement. Tout cela me procurait un réconfort opportun lors des heures passées à préparer ma défense avec mon conseiller juridique Andrew Shaw, mon avocat lord Carlile – ancien député – et son jeune associé Ray Herman.

Lorsque j'expliquais en détail l'étroite complicité qui m'unissait à la princesse, les trois hommes de loi écarquillaient les yeux. Je racontais ma vie à ces hommes remarquables, étant dans l'obligation, pour me disculper, d'exposer certains aspects de mon rôle unique dans l'ombre de la princesse.

— Votre liberté est en jeu, Paul, et si nous ne savons pas tout, nous ne pourrons pas vous aider, me disait lord Carlile.

Au fur et à mesure que je racontai mon existence à

Kensington, ils prirent la mesure du degré de confiance instauré entre la princesse et moi.

— Votre histoire tient de la tragédie shakespearienne, lâcha lord Carlile. C'est une bombe à retardement. Je pense que nous pouvons envisager sereinement une issue favorable.

Le membre de la famille royale continuait de me manifester son appui. « Votre Altesse Royale, je ne veux pas vous causer de problèmes », écrivis-je. Pourtant, son offre généreuse et chaleureuse d'hébergement était maintenue. Jusqu'à ce qu'elle parvienne aux oreilles de sir Michael Peat à la fin de l'été 2002. Horrifié, il se fit clairement comprendre : un tel arrangement serait tout à fait inacceptable. Mon allié dans la famille royale dut se rétracter. Une fois de plus, des bonnes intentions étaient anéanties par l'influence des costumes gris – qui, à deux reprises déjà, s'incarnaient en la personne de sir Michael Peat. Cela me parut donc logique qu'il soit chargé par la famille royale de mener l'enquête sur les circonstances qui avaient conduit à l'issue heureuse de mon procès. Je refusai de coopérer à cette enquête, ainsi que sir Peat le stipula dans son rapport : « Je ne connais pas le point de vue de M. Burrell, s'il en a un, sur le sujet. Il a refusé d'être interrogé dans le cadre de cette enquête. » Et il se demande pourquoi !

Je n'aurais pas pu citer deux meilleurs témoins à décharge que les deux femmes remarquables que j'avais servies. L'une était morte depuis cinq ans, et l'autre était juridiquement intouchable. Car – et c'est une des nombreuses ironies de mon histoire – la reine incarne la Loi, et la justice est rendue en son nom : elle est la seule personne du pays qui ne peut être appelée à témoigner.

Pour ma défense, je comptais m'appuyer sur la parole des intimes de la princesse. Célèbres ou anonymes, ils étaient tous prêts à venir à la barre pour me disculper.

Mais à St. James, on se préoccupait de savoir si le prince Charles et le prince William allaient être cités comme témoins par la défense. D'ailleurs, l'accusation était si inquiète à la perspective de me voir requérir la présence de l'héritier du trône ou celle de son fils, que le ministère public envisagea la possibilité d'entendre leur témoignage à huis clos.

Dans le courant de février 2002, le commissaire John Yates de Scotland Yard avait rassuré les juristes de St. James' Palace en affirmant « que l'accusation éviterait qu'ils soient cités et... que l'accusation préférerait mettre un terme au procès pour éviter cela ».

Pourtant, le prince Charles savait combien de temps la princesse avait passé chez moi à Highgrove, que j'avais souvent été pris au milieu de leurs déboires conjugaux, qu'elle m'emmenait partout avec elle, au point qu'il s'en était ému. Ce qu'il ne savait pas, c'est que la princesse s'était servie de moi comme témoin objectif de son histoire – leur séparation, les lettres que le duc d'Édimbourg lui avait envoyées, le divorce – et tout cela risquait d'être mis au jour pour illustrer les liens qui nous unissaient.

Quant à William, il savait mieux que quiconque à quel point j'étais proche de sa mère.

Pour toutes ces raisons, St. James' Palace redoutait que lord Carlile appelle à la barre Son Altesse Royale le prince de Galles. Jamais depuis 1891 un membre de la famille royale n'avait été cité comme témoin dans un tribunal. Cent onze ans plus tard, l'histoire allait peut-être se répéter.

XVII

Affaire Regina contre Burrell

Une question revient sans cesse à mon sujet : « Ce Paul Burrell, quelles sont ses motivations profondes ? » D'aucuns, sans doute, considèrent mon sens du devoir comme une monomanie malsaine et obséquieuse. D'autres, comme moi, y voient le corollaire au dévouement témoigné envers une amie très chère, une des femmes les plus fascinantes de notre époque. Mais je savais que durant le procès, les médias et le grand public n'auraient d'yeux et d'oreilles que pour la complexité de ma relation avec la princesse.

Le paradoxe de ma vie, et j'en suis conscient, est que je fis preuve d'un altruisme exacerbé comme majordome, et d'un égoïsme flagrant comme mari et père. Tout ce que je peux dire pour ma défense, c'est qu'il est rare de rencontrer des êtres capables de marquer votre âme de façon aussi indélébile. La princesse était exceptionnelle. Elle m'a octroyé le privilège d'abord d'entrer dans son univers, ensuite de m'offrir son amitié. On ne renonce pas à un tel cadeau, on s'y accroche, on le chérit, et on le conserve précieusement.

Je n'ai jamais été très partisan de l'introspection ni du jargon psy. Selon les points de vue, mon attachement à la princesse à la vie et à la mort semblera sain ou malsain. Mais cette loyauté inébranlable peut être mal interprétée ou mal comprise quand on vit en dehors de l'enceinte des palais ou des châteaux. Lorsqu'un membre de la famille royale s'en remet constamment à un assistant, comme cela arrive souvent, cet employé devient accro à l'idée qu'il est indispensable. Plus la relation est solide, plus on en a besoin.

Personne n'est irremplaçable, et il est vrai que la princesse n'hésitait pas à se séparer de certains membres du personnel. Mais ainsi qu'elle l'avait confié aux amis qui en témoigneraient au procès, elle estimait qu'elle ne pouvait pas se passer de moi. C'est elle qui le disait, pas moi. En toute honnêteté, je n'aurais pas pu imaginer la vie sans travailler pour elle, quelles que soient les difficultés. J'étais aussi digne de sa confiance que John Brown avait su gagner celle de la reine Victoria, Margaret « Bobo » MacDonald celle de la reine, Michael Fawcett celle du prince Charles. Je ne suis pas unique ni exceptionnel dans ce domaine. Toutefois, si Scotland Yard ne comprenait pas que l'on puisse être à l'aise avec des membres de la famille royale, que ceux-ci offrent des cadeaux à leurs domestiques, ou comptent particulièrement sur quelques-uns d'entre eux, un jury parviendrait-il à le comprendre ? Est-ce que le récit de la vie passée auprès de Diana, princesse de Galles, semblerait trop extravagant à des citoyens ordinaires ? C'était là ma plus grande angoisse : que mon système de défense paraisse moins crédible qu'une scène tirée d'*Alice au pays des merveilles*.

Désireux d'assimiler ma façon de raisonner, mes avocats m'envoyèrent m'allonger cinq heures durant sur le divan d'un psychiatre. Encore aujourd'hui, on se pose des questions sur mon état d'esprit. Le rapport de l'expert qui m'a examiné m'évitera une séance d'introspection supplémentaire, et fournira au lecteur un point de vue impartial :

Paul m'a parlé plusieurs fois en termes affectueux de son épouse, et du soutien sans faille qu'elle lui prodigue. En ce qui concerne ses rapports avec la princesse Diana, il m'a dit qu'il éprouvait « bien plus de respect » pour elle, qu'elle lui « faisait plus confiance qu'à aucun autre homme ». Il arguait que ses rapports avec sa femme se situaient « dans un autre compartiment ».

Les relations professionnelles entre M. Burrell et la princesse ont atteint un stade considérable d'intimité. Apparemment, elle se reposait beaucoup sur lui... Ses fonctions consistaient à gérer une grande partie de sa vie quotidienne ainsi qu'à lui tenir compagnie... Les traits marquants de leur relation étaient les suivants : elle semblait lui témoigner une confiance immense ; il la consolait si nécessaire ; lorsqu'elle était en vacances, elle lui téléphonait tous les jours ; elle évoquait avec lui ses problèmes personnels, lui montrait sa correspondance privée, et s'en remettait parfois à lui pour organiser des rendez-vous avec ses soupirants... M. Burrell tirait une fierté immense de cette amitié, et semble avoir été tout dévoué à son service, au point de passer moins de temps avec sa femme et ses fils.

Pour ma part, j'estime que la mort de la princesse Diana en août 1997 a eu des effets terribles sur M. Burrell... Il a vu son corps contusionné à plusieurs reprises... L'impact de ces événements s'est aggravé quand il a reçu un sac contenant des vêtements et les effets personnels que la princesse transportait quand elle est morte. M. Burrell a développé toute une série de symptômes psychologiques. Il a d'abord été incapable de réagir et a fonctionné de manière quasi automatique. Il avait des cauchemars récurrents... des crises de larmes incontrôlables, et se sentait déprimé. Il manifestait tous les symptômes d'une réaction dépressive prolongée. Il n'est pas déraisonnable de suggérer que son état émotionnel était tel qu'il a « enseveli » des souvenirs et des objets relatifs à la princesse.

Je pense que M. Burrell ne montre pas... de signes de maladie mentale, ni de désordre de la personnalité. Son intelligence est normale.

Je fus déclaré apte à comparaître au procès qui devait s'ouvrir le lundi 14 octobre 2002.

*
* *

« Laissez tomber les théâtres du West End, le plus grand show de la capitale se joue à l'Old Bailey ! » clamait un journal.

Le grand cirque royal – l'affaire *Regina contre Burrell* – allait commencer sous le principal chapiteau judiciaire de Londres – la cour d'assises, mieux connue en Angleterre sous le nom d'Old Bailey. Même la presse y assisterait par un système de billets, et une cinquantaine de passes de couleur jaune furent distribués aux médias. Devant le tribunal, une multitude de curieux faisaient la queue pour entrer dans la galerie réservée au public qui surplombe la salle d'audience, et les files d'attente s'étiraient tout le long du bâtiment. Le monde entier avait l'œil rivé à la serrure de Kensington Palace, séance de voyeurisme offerte gracieusement par Scotland Yard et le ministère public. Désormais, une intimité jusque-là préservée allait être mise à nu. Ma vie et celle de la princesse seraient examinées sous toutes les coutures, soumises aux spéculations, au doute, et au ridicule. Bien que j'aie écrit ce livre, je continue de taire des secrets, de noirs secrets. À la fin, tout le monde – éditorialistes, plumitifs de journaux à scandale, procureurs ou ex-employés de la Couronne – s'accorda pour me faire passer pour une sorte de révisionniste de l'histoire du royaume. Dès le début, mon univers, ma vie, mon compte rendu des événements – et par conséquent certaines vérités que la princesse m'avait confiées – seraient traînées dans la boue.

Je passai la nuit précédant le premier jour du procès dans un hôtel bon marché près de la gare d'Euston. Une escouade de parents et d'amis étaient venus à Londres pour nous témoigner leur soutien, à Maria et à moi. En arrivant, nous vîmes une immense affiche publicitaire de la BBC suspendue le long de la façade de l'hôtel. Un portrait géant de la princesse, plus belle que nature, nous toisait en souriant. Décidément, même quand je ne la cherchais pas, il n'y avait pas moyen d'échapper à la Patronne.

Un ami journaliste nous rejoignit au bar ce soir-là, et il me fallut plusieurs pintes de Guinness pour calmer les tremblements que provoquait la seule perspective de comparaître sur le banc des accusés.

Andrew Shaw nous envoya une Mercedes avec chauffeur pour nous conduire au palais de justice, suivie par un minibus rempli de supporters tout aussi inquiets, mais fidèles. À l'arrière de la voiture, aucune parole ne fut échangée. Maria et moi nous tenions fermement par la main. Andrew et son collaborateur Ray Herman étaient assis à l'avant, perdus dans leurs pensées. Dans ce silence, comme nous approchions de notre destination, je commençai à me sentir mal. J'avais la bouche sèche, et je sentais mon cœur palpiter.

Nous empruntâmes l'itinéraire que j'avais pris naguère avec la reine pour assister à une messe d'action de grâces en l'honneur des quatre-vingts ans de sa mère, mais cette fois, plutôt que de nous rendre jusqu'à la cathédrale, nous avons tourné à gauche, et j'aperçus une foule amassée au loin, vision étrange qui se matérialisa en quelques secondes. C'étaient des journalistes. Par dizaines. Des équipes de télévision traversaient la rue en courant, caméra à l'épaule. Deux groupes distincts de photographes s'entassaient les uns sur les autres, accroupis, assis, ou juchés sur des petits escabeaux en métal. Il y avait des reporters de la radio ou de la presse écrite, et des badauds, retenus par des barrières, canalisés par la police. Maria me serra la main plus fort. Lorsque la Mercedes se rangea le long du trottoir, j'avisai sur ma gauche un échafaudage de fortune, destiné à la caméra de la BBC qui filmait l'entrée principale du tribunal. Maria et moi nous mîmes à trembler, presque à l'unisson.

— Finissons-en, dis-je.

— Bonne chance à tous, lança Andrew, qui sortit pour nous ouvrir la portière.

Je pris une profonde inspiration, avalai ma salive et attendis quelques secondes.

Et nous nous sommes retrouvés sur le trottoir. La première chose qui me frappa fut le bruit des obturateurs des appareils photo. Un volettement rapide, comme si nous avions dérangé des milliers d'oiseaux. Puis le crépitement des flashs. Je me tenais à côté de Maria, et lui passai le bras autour de la taille. Elle ne me lâcha pas la main. Deux policiers nous ouvrirent la porte. C'était horrible de penser que Maria endurait ce calvaire, mais elle avait insisté pour être à mes côtés.

— Tu es mon mari. Je resterai à côté de toi, quoi qu'il arrive, dit-elle en se tournant vers moi.

— Paul ! Comment allez-vous ?

On me tendit une main amicale. C'était James Whitaker, du *Daily Mirror*.

— J'ai connu des jours meilleurs, monsieur Whitaker, mais je vous remercie.

Je l'ai toujours appelé M. Whitaker, même si la princesse le surnommait affectueusement « La Tomate rouge ». J'aperçus dans un couloir Nicholas Witchell, correspondant de la BBC, un autre gentleman, rebaptisé pour sa part « Poil de Carotte ». Mais le visage que je cherchais n'était pas là. Jennie Bond, de la BBC, dont la princesse était fan, couvrait le voyage de la reine au Canada. « Regardez la chaîne qu'elle porte à la cheville ! » disait la princesse, fascinée.

Pour ce qui était de se tenir au courant des détails concernant les journalistes, la princesse se posait là. Elle savait tout sur eux, ceux qu'elle détestait, ceux qu'elle aimait, ceux qui trouvaient la pression de la famille royale un peu trop forte. Et soudainement, voilà que ceux et celles qui avaient suivi la Patronne autour du monde avaient les yeux rivés sur son majordome.

Tandis que toutes les pendules du palais de justice s'approchaient de 10 heures, je suivis les robes noires de mon avocat lord Carlile et de son collaborateur Ray Herman, qui me précédaient, leur perruque à la main. Après avoir traversé l'aile contemporaine de l'Old Bailey, nous nous sommes retrouvés au deuxième étage dans la partie victorienne, dont le cadre m'évoquait le Muséum d'histoire naturelle. De grandes fresques me rappelaient les tableaux du Titien que la princesse avait fait accrocher à Kensington. Au-dessus de nous, la lumière du jour entrait à flots à travers les vitres de l'immense dôme. Je me tordis le cou pour lire la devise gravée dans la pierre incurvée : « La loi des sages est la fontaine de la vie. » Amassés près de la porte vitrée de la salle d'audience numéro 1, les journalistes, dont certains venaient des États-Unis et d'Australie, trépignaient.

— Ne vous en faites pas, me dit lord Carlile comme nous approchions de la porte. Cette journée sera consacrée aux diverses formalités et à la prestation de serment des jurés. Cela prend un certain temps avant que le procès commence pour de bon.

J'entrai dans la salle d'audience : avec ses panneaux de chêne et ses sièges recouverts de cuir vert, elle singeait la Chambre des communes. Le grand box carré aux parois de verre m'était dévolu pendant deux semaines. Maria alla s'installer avec mon père sur les sièges réservés à la famille. Je m'avançai vers le banc des accusés, celui des assassins, des violeurs et des voleurs à main armée.

Une femme préposée à la sécurité me demanda poliment de ne pas m'asseoir.

— Veuillez descendre avec moi, monsieur Burrell, me dit-elle.

C'était le protocole, apparemment. Les accusés ne doivent pas être vus dans le box avant que le juge n'ait fait son entrée dans la salle d'audience.

Derrière moi, quelques marches menaient à une cellule carrelée de blanc. Dès que je ne fus plus en vue, ma gardienne en pull-over bleu m'arrêta.

— C'est bon, vous pouvez rester là, me dit-elle.

Nous nous sommes assis sur la dernière marche. On aurait dit qu'elle voulait m'épargner la perspective de pénétrer dans la cellule. Elle s'aperçut que mes mains tremblaient.

— Ça va aller, me dit-elle. J'ai assisté à plein de procès. J'ai demandé à assister à celui-là parce que c'était vous... et j'ai comme un pressentiment.

Elle s'appelait Michelle, et jamais je n'oublierai sa sensibilité ni sa gentillesse à mon égard.

Au-dessus de nous, le bavardage dans la salle bondée fut interrompu par trois coups frappés avec force. Mme le juge Anne Rafferty était entrée. Michelle me fit signe. Je montai les marches et m'assis. Tous les regards convergèrent vers le box des accusés. Au-dessus de moi, sur ma droite, le public se pencha pour me dévisager. Derrière, les journalistes occupaient trois rangées de bancs en amphithéâtre. Dans le coin gauche, d'autres reporters tâchaient de trouver une place sur les bancs de la presse déjà remplis. À gauche, face aux sièges réservés aux avocats, des bancs de chêne vides attendaient que douze jurés viennent s'y installer.

Je dus me lever pour entendre la lecture de l'acte d'accusation, qui reprenait les trois chefs d'inculpation retenus contre moi. J'avais les jambes molles, et je m'efforçais de me tenir droit. J'avais l'impression d'être au bord de l'évanouissement. Une vraie loque.

Je répétai par trois fois que je plaidais « non coupable » puis je regardai vers la droite, pour voir Maria retenir ses larmes, appuyée sur l'épaule de mon père, tandis que les jurés prêtaient serment.

Il y avait eu un changement dans les mois précédents. De 342 objets qu'on m'accusait d'avoir dérobés, on était passé à 310, mais ce n'était pas une raison pour être optimiste. Il suffisait que le jury conclût qu'un seul objet s'était retrouvé de façon malhonnête en ma possession pour que je sois déclaré coupable.

J'étais résolu à me comporter avec dignité quoi qu'il arrive. Andrew Shaw m'avait éclairé sur les attitudes à proscrire ou à adopter sous les projecteurs.

— Ne dévisagez pas les jurés, ne vous agitez pas, ne nous passez pas trop de notes, et ne vous laissez pas déstabiliser.

Ce que personne ne pouvait voir sous le rebord du box, c'est que je faisais continuellement rouler deux petits cristaux de quartz entre mes doigts. Je les avais empruntés à la collection de Nick, en me souvenant que la princesse se disait sensible à certaines énergies. J'étais sincèrement persuadé, tout au long de ces épreuves harassantes, que la princesse et ma mère étaient avec moi.

Sous ma chemise, je portais une chaîne à laquelle était accrochée la bague de fiançailles de ma mère. Dans la poche droite de mon pantalon, je ne cessai de toucher la médaille de mère Teresa, que la princesse m'avait offerte après sa visite à la mission de Londres avec la mère de Maria.

J'avais du mal à écouter attentivement M. Boyce décrire la disposition de ma maison, et les objets qui y avaient été saisis.

— Des décisions froides et calculées... Que faisaient ces objets chez lui ?... Les explications changeantes de M. Burrell ne sont pas cohérentes... Pensez à la valeur potentielle d'un seul CD autographié...

J'avais envie de hurler. Je possédais des objets d'une valeur potentielle bien plus importante qu'un album de Michael Jackson ou de Tina Turner sur lequel la princesse avait écrit son nom – elle le faisait toujours, c'est une habitude qu'elle avait gardée de l'enfance. Il suffisait que quelqu'un dise aimer un disque pour qu'elle le lui offre aussitôt. En outre, M. Boyce faisait erreur. Jamais, au grand jamais, je n'avais vendu un objet qui avait appartenu à la Patronne, donc l'enjeu que représentait sa valeur potentielle n'était pas pertinent. Son origine, le fait qu'il lui avait appartenu, voilà ce qui constituait sa valeur à mes yeux.

C'était bien plus intéressant d'observer la juge. Hypnotisé, je la regardais prendre de nombreuses notes et se servir d'une bouteille d'encre pour remplir son stylo, avant d'en essuyer la plume avec son buvard.

Je me demandais si elle utilisait de l'encre Quink bleu-noir...

Elle me fascinait, dans sa robe écarlate et sa perruque blanche. L'image même de l'élégance. *Bien trop belle pour un magistrat*, pensais-je.

Tous les matins et tous les après-midi, elle faisait son entrée avec une prestance quasi souveraine. Et si son sourire était chaleureux, son regard glacé intimait le silence si la presse s'agitait ou bavardait avant qu'elle ait levé la séance.

Je portai mon attention sur les armoiries royales gravées dans le panneau de bois au-dessus de Mme la juge Rafferty, et sur la devise royale : « Honni soit qui mal y pense. » Quelle ironie de lire ces mots que je connaissais si bien depuis le banc des accusés !

Maria étant témoin de la défense, elle n'était pas autorisée à rester dans la salle d'audience. Nous décidâmes qu'elle rentrerait tenir le magasin de fleurs pour avoir l'esprit occupé.

Je trouverais refuge chez nos amis Kevin et Sharon Hart – les premières personnes auxquelles nous nous soyons liés à notre retour à Londres après notre départ de Highgrove. En regagnant chaque soir leur maison de Hampton, près de Richmond, j'échappais à la folie du procès et à la publicité. Kevin et Tom McMahon, le mari de ma nièce Louise, se relayaient pour m'accompagner au tribunal. Durant ces deux semaines, c'est grâce à de solides amitiés comme celles-ci que j'ai tenu le coup.

Le premier soir du procès, nous nous sommes abstenus d'écouter les infos de la BBC et d'ITN. La télévision resta silencieuse tandis que je dînais en compagnie de cette adorable famille.

« Arborant une autre superbe cravate – encore un modèle à 65 livres de chez Hermès... » écrivit James Whitaker le deuxième jour, et, plus tard : « Assis en face de lui à la cantine, je l'ai regardé déguster une solide portion de moussaka... Il copie le style vestimentaire du prince Charles... et sa poignée de main est ferme. »

Steve Dennis, le reporter du *Daily Mirror*, me fit part du sentiment qui régnait dans la salle de presse :

— Vous souriez trop, vous avez l'air bien trop décontracté, et on le remarque.

Décontracté ! De toute ma vie, je n'avais été dans un tel état de nerfs, mais il n'était pas bien vu de faire bonne figure. Au moins chez les Hart, nous pouvions nous détendre avec une bouteille de merlot...

La première semaine, je reçus une lettre qui me fit chaud au cœur. Elle émanait du couvent des Sœurs de l'Assomption de Galway, en Irlande. Sœur Teresa, que la princesse avait rencontrée en compagnie de ma belle-mère Betty, m'assurait que les religieuses priaient pour moi tous les jours. « Ne sous-estimez jamais la force de la prière, et nous prions pour vous », disait la lettre. Tant de personnes semblaient m'encourager. Je recevais des sacs postaux entiers de courrier analogue. Mes amis savent à quel point je leur en suis reconnaissant, mais je me dois de mentionner en particulier Richard Madeley et Judy Finnigan. Car Richard a aussi connu le goût amer de l'injustice quand on l'a scandaleusement accusé de vol à l'étalage dans un supermarché, à l'époque où il présentait une émission matinale à la télévision.

Dans les mois et les semaines qui précédèrent le procès, il m'a écrit de nombreuses lettres d'encouragement. Même lorsqu'il était débordé de travail, il trouvait le temps de me griffonner des petits mots amicaux. Ces marques d'affection m'ont été d'un immense secours. « Vous aurez l'impression d'être dans l'œil d'un cyclone, et d'être dépassé par les événements. J'ai vécu cela. Laissez le procès se dérouler et faites comme nous : veillez à ce que votre famille reste unie, et soyez fort. »

Cela me réconfortait de savoir que certaines personnes étaient de mon côté, parce que William Boyce, dans son réquisitoire d'ouverture, avait dépeint un tableau très noir des faits. On m'avait vu me faufiler à KP à 3 heures du matin. Les Spencer avaient dit à la police que je n'étais pas censé détenir chez moi des objets appartenant à la famille royale. Je n'avais soufflé mot à personne de mes intentions.

Et pourtant si. Je l'avais fait. Dans une lettre au prince William datée d'avril 2001.

Je donnais libre cours à ma colère et à ma frustration dans une petite salle de conférences du premier étage. C'était notre « chambre forte », où nous entreposions les pièces à conviction et les documents.

— Nous allons descendre pour discuter des événements de la journée, répétait lord Carlile tous les soirs.

Dans la salle d'audience, j'observais avec une fascination grandissante mon avocat qui maniait un savant dosage d'éloquence charmeuse, de connaissances juridiques pointues avec un grand sens du détail. Mais c'est dans cette pièce, au premier, entouré de piles de livres et de dossiers, qu'il se mettait à vivre, et qu'il me permettait de ne pas devenir fou.

Andrew, qui avait effectué toutes les recherches préalables sur l'affaire, s'asseyait à la table et donnait son opinion. Debout derrière lui se tenait sa collaboratrice Shona, qui passait sa journée à prendre des notes au fond de la salle d'audience. Et moi, tassé dans un coin, je m'efforçais de décrypter leur jargon.

Je ne comptais plus les fois où lord Carlile s'était exclamé « C'est absolument ridicule ! » en étudiant la façon dont l'accusation était menée, et les pièces à conviction qui à nos yeux n'en étaient pas. Mais à peine étions-nous absorbés dans une question précise, que son humour détendait l'atmosphère.

Il m'arrivait de les laisser travailler pour déambuler dans les couloirs, et, quand je déchiffrais les noms des accusés affichés sur les portes des autres salles d'audience, je me demandais si, là aussi, on faisait passer des innocents pour des coupables.

*
* *

Le deuxième jour, le procès tourna à la farce lorsque quelqu'un remarqua un policier en civil qui, entré dans la salle d'audience en montrant sa carte de fonctionnaire, s'était installé au milieu de l'assistance. Il avait accroché le regard d'un membre féminin du jury, et ils s'étaient fait signe. Lorsque cet incident fut rapporté à lord Carlile, on demanda au jury de se retirer, Mme la juge Rafferty ordonna une enquête et la séance fut levée pour la journée. Le lendemain, on apprit qu'une fois de plus, les cracks de Scotland Yard s'étaient mis en fâcheuse posture.

William Boyce dut expliquer que c'était à sa propre épouse que l'inspecteur en civil avait fait signe ! C'était leur anniversaire de mariage, et il était venu la chercher pour l'emmener déjeuner au restaurant. Mais il s'avéra que ce policier avait travaillé dans le groupe de protection de la famille royale entre 1986 et 1989, et dans la Section diplomatique, notamment affecté à la sécurité des ambassades étrangères. Ambassades qui se trouvaient à proximité de Kensington. En outre, au début des années 1990, il avait eu pour collègue Maxine de Brunner, l'inspectrice en charge de l'enquête sur mon affaire. L'inspecteur amoureux et sa consœur avaient également fait partie d'un groupe d'étude de la Police Métropolitaine de Londres. Au moment du procès, l'homme faisait partie de l'équivalent britannique des Renseignements généraux, la Special Branch.

J'étais abasourdi.

— Mais l'inspecteur de Brunner affirme qu'elle ne lui a pas adressé la parole depuis cinq ans. Elle serait incapable de le reconnaître ! expliqua William Boyce.

Après une journée de délibérations, la juge Rafferty demanda la révocation du jury. Le procès *Regina contre Burrell* devait recommencer avec un nouveau jury composé de cinq femmes et sept hommes.

*

* *

Alors même que l'intimité de la princesse s'étalait dans la salle d'audience, j'étais déterminé à faire tout mon possible pour préserver ses secrets. Secrets que je ne voulais à aucun prix dévoiler au tribunal. Secrets qui ne figurent pas dans ce livre. La déclaration de trente-neuf pages que j'avais remise à la police lors de ma mise en accusation n'était qu'un document explicatif, destiné uniquement au juge, aux avocats et au jury. Elle contenait des paragraphes délicats de nature extrêmement personnelle, concernant ses problèmes médicaux et sa vie amoureuse, qui mettaient en lumière mon rôle et le caractère unique de notre relation. Pas question qu'ils soient livrés à la presse.

William Boyce avait commencé par laisser les jurés en prendre connaissance en privé.

— La défense souhaite que ces paragraphes ne soient pas lus publiquement, et le ministère public accepte d'accéder à ce souhait, avait-il déclaré.

« CENSURE ! ON BAFOUE LA JUSTICE ! » s'indigna le *Daily Mirror*.

Les médias et les accusés sortaient du tribunal par la même porte. Un jour, une journaliste se tourna vers moi et me lança :

— Je n'ai jamais vu une affaire entourée de tant de mystère ! Il va être impossible de prévoir tous les rebondissements !

*
* *

L'inspecteur Robert Milburn se tenait à la barre des témoins, et lord Carlile le pressait d'expliquer ce qu'ils étaient venus chercher lors de leur perquisition à mon domicile.

— De la documentation sur un voilier miniature en or qui avait été volé, répondit le policier.

Mais mon avocat le poussa dans ses derniers retranchements, curieux de connaître le contenu d'un coffret que la police avait saisi, le fameux coffret d'acajou portant l'initiale D sur le couvercle, dans lequel la princesse conservait ses documents les plus sensibles. Le coffret que j'étais censé avoir pris à Kensington Palace.

— Que saviez-vous du contenu supposé de ce coffret ?

Stylos levés, les journalistes semblèrent retenir leur respiration comme un seul homme. Le policier hésita.

— De grands pans de cette affaire sont très délicats, répondit-il avant de s'adresser à la juge : Puis-je donner ma réponse par écrit ?

La juge acquiesça.

Les journalistes exhalèrent un soupir de frustration, et les stylos se remirent à courir sur le papier.

Le procès fut ajourné pour le premier week-end, ce qui entraîna les unes suivantes dans les journaux du lendemain : « LES SECRETS DE DIANA et : « QUE CONTIENT LE COFFRET ? »

Dès lundi, le soufflé retomba. Le pot aux roses fut divulgué avec l'assentiment de la juge. Scotland Yard recherchait une chevalière offerte à la princesse par le commandant James Hewitt, une lettre de démission de son secrétaire particulier Patrick Jephson, des lettres du prince Philippe à la princesse, et une cassette audio, dont on parlerait après le procès comme de la « cassette du viol ». C'était un enregistrement datant de 1996 de l'entretien informel qu'avait eu la princesse avec George Smith, ancien domestique de Kensington. Il affirmait qu'en 1989, après une soirée de beuverie, il avait été violé par un homme du cénacle du prince Charles. L'affaire avait atteint un point critique parce que George, qui avait travaillé à Highgrove, à St. James et à Kensington, souffrait de cauchemars, s'était mis à boire, et voyait son mariage partir à la dérive. Il mettait tout cela sur le compte de ce drame, dont il n'avait jamais rien dit.

La princesse avait de l'affection pour George, et quand il se confia à elle, elle fut horrifiée. Armée d'un dictaphone, elle alla lui rendre visite à la clinique où il était soigné pour dépression. Elle voulait garder une trace de toutes ses déclarations. (Depuis, George Smith a décidé de parler à visage découvert.) La Patronne avait enregistré cette cassette pour protéger les intérêts d'un homme qu'elle appréciait, et elle était bien décidée à agir. À ses yeux, il était une victime, et le coupable, toujours en liberté, travaillait pour son mari. Elle avait rangé la cassette, sans l'étiqueter, dans le coffret où elle savait que son contenu explosif était en sécurité. Mais résolue à s'assurer que des poursuites judiciaires seraient lancées, elle appela le prince Charles, lui rapporta les faits, et le supplia de renvoyer le violeur.

Cela se passait dans le salon de Kensington. J'étais à ses côtés, en tant que témoin neutre, et j'écoutais chacune de ses paroles. L'apathie de son mari devant une situation qu'elle jugeait criminelle la faisait presque trembler d'exaspération.

— Charles, tu entends ? Cet homme est un monstre !

Je n'entendais qu'une partie de la conversation, mais il était évident que le prince n'avait guère de temps à consacrer à ce qu'il considérait comme de l'hystérie vaine de la part de son épouse. Il lui conseilla de ne pas ajouter foi à « ces ragots de domestiques ».

— Il faut le renvoyer. Il faut faire quelque chose.

Ses suppliques tombèrent dans l'oreille d'un sourd.

La princesse connaissait le domestique en question. Elle se mit à le haïr.

— Je sais ce que ce monstre a fait à George, et je ne lui pardonnerai jamais, dit-elle, outrée, après ses vains efforts pour que justice soit faite.

En octobre 1996, George Smith reçut la visite de Fiona Shackleton, avocate du prince. Il en résulta que le violeur ne fut pas renvoyé, et que le stress et la dépression de George furent attribués au syndrome de la guerre du Golfe. Il ne reprit jamais son travail, et accepta une indemnité de licenciement d'environ 40 000 livres.

La princesse fit en sorte que la cassette ne voie jamais la lumière du jour. Mais le mystère quant au lieu où elle se trouvait et la menace que son contenu représentait apparurent pendant l'enquête policière me concernant. Lady Sarah McCorquodale avait demandé à Scotland Yard de « vérifier » le contenu du coffret. La princesse m'avait montré la cassette, mais elle ne me l'avait jamais donnée. Après sa mort, lady Sarah et moi avons vu la cassette sans étiquette dans le coffret, conservée sous clé. Seuls lady Sarah et moi-même savions où était rangée la clé. Mais par la suite, la serrure fut forcée et brisée, selon les dires de la police.

Au tribunal, l'inspecteur Millburn déclara :

— Je cherchais le contenu de ce coffret.

Je compris soudain les véritables motifs de la perquisition à mon domicile.

L'inspecteur Maxine de Brunner s'avança à la barre, et toutes les personnes présentes dans la salle d'audience se transportèrent par esprit à Highgrove, le 3 août 2001, quand le commissaire John Yates et elle allèrent rendre compte de leur enquête sur ma personne aux princes Charles et William – avant ma mise en accusation.

Selon ses notes, elle informa les princes que la police tenait un dossier solide parce qu'elle « était en mesure de prouver que le train de vie et les finances de M. Burrell avaient radicalement changé après la mort de Diana, princesse de Galles », et que « de très nombreux objets avaient été vendus à l'étranger à plusieurs marchands ». Son rapport expliquait également que « de plus, une source indépendante a montré à la police des photos de plusieurs domestiques, lors d'une soirée, portant, en guise de déguisement, des vêtements ayant appartenu à Diana, princesse de Galles... ».

Rien de tout cela n'était vrai, et Mme de Brunner admit à la barre qu'ils ne détenaient pas la moindre preuve pour accréditer ces allégations. Dieu seul sait ce que mon ancien employeur et le jeune homme que j'ai vu grandir ont pu penser de moi.

Un rapport censé faire « toute la lumière » avait été truffé de mensonges, parce qu'on supposait que mes finances s'étaient améliorées grâce à la vente d'objets royaux. Mais si mes finances s'étaient améliorées, je le devais au succès de mon livre, *Entertaining With Style*, et aux conférences que j'avais données pour en faire la promotion. Pour prouver à quel point les investigations avaient été complètes et méticuleuses, l'inspecteur de Brunner déclara qu'elle n'était pas au courant de l'existence du livre ni des conférences.

La juge Rafferty, qui avait l'air aussi incrédule que le reste de l'assistance, intervint :

— Est-il exact que vous ayez laissé les deux princes dans l'ignorance de la vérité ?

— C'est exact, répondit l'inspecteur.

— Vous ne pensez pas que le fait de ne pas avoir démenti ces mensonges induisait le prince de Galles en erreur et constituait une injustice pour M. Burrell ? enchaîna lord Carlile.

— Tout ce que je peux dire, c'est que je ne l'ai pas informé des changements, répondit Maxine de Brunner.

— Il ne vous aurait pourtant pas été difficile de téléphoner au conseil du prince de Galles, maître Shackleton, et de lui apprendre que le prince avait reçu une information erronée, n'est-ce pas ?

— J'aurais pu.

— Et vous ne l'avez pas fait ?

— Non.

Deux mois avant le début du procès, mes avocats avaient tenté de tirer les sonnettes d'alarme, de frapper aux portes des palais, de hurler dans les porte-voix, et d'allumer des balises. À part installer une gigantesque affiche devant St. James' Palace avec ces mots en lettres de feu : ÉCOUTEZ-NOUS ! ON VOUS A TROMPÉS !, je ne vois pas ce que nous aurions pu faire de plus pour attirer l'attention royale.

Le 20 août 2002, lord Carlile avait eu une entrevue avec Fiona Shackleton et son expert en droit pénal, Robert Seabrook, pour les avertir que « la décision du prince de Galles de soutenir une mise en accusation a été prise sur la base d'informations fausses et non étayées par des preuves... ». Un mois plus tard, le 30 septembre 2002, lord Carlile avait rencontré à nouveau Mr Seabrook.

*
* *

Collée sur la porte de la salle d'audience numéro 1, une feuille de papier indiquait l'intitulé de l'affaire en cours : *Regina contre Burrell*. Cette formule semblait une distorsion de la vérité. Ce n'était ni la reine ni la famille royale qui avait voulu me mettre dans le box des accusés. Il aurait plutôt fallu dire *Spencer contre Burrell*.

Une connaissance des Spencer m'avait rapporté qu'ils « en avaient assez d'entendre rabâcher que ce salaud de majordome était le roc de Diana ». Au tribunal, Scotland Yard leur offrait l'occasion rêvée de prouver le contraire.

Appuyée sur sa canne, Mme Frances Shand Kydd avança à pas mal assurés jusqu'à la barre. L'incarnation de la fragilité. Une vieille dame très maigre, aux cheveux blancs, dont la voix rauque donnait l'impression qu'elle était incapable de se défendre. Le jury était touché par cette vision, mais moi je n'étais pas dupe. Comme elle prenait appui sur la barre des témoins, la juge Rafferty se pencha vers elle :

— Madame Shand Kydd, préférez-vous vous asseoir, ou rester debout ?

— Je peux parfaitement rester debout un petit moment.

— Dans ce cas, restez debout jusqu'à ce que vous vouliez vous asseoir, et alternez autant de fois que vous le désirez.

— Merci, madame la juge, répondit Mme Shand Kydd avec reconnaissance.

William Boyce se leva pour commencer son interrogatoire.

— J'espère que vous ne nous trouverez pas insensibles, discourtois ou irrespectueux, mais durant ce procès, nous évoquerons votre fille en l'appelant Diana, princesse de Galles, son titre officiel.

Ne vous en faites pas pour ça, monsieur Boyce, pensai-je. *Elle a gratifié sa fille de noms bien pires que celui-là !*

Tandis que le procureur la faisait naviguer dans des monceaux de dossiers, je ne la quittais pas des yeux. Jamais elle ne regarda dans ma direction. *Pourquoi me faites-vous ça ?* songeais-je. *Avez-vous oublié tout le temps que vous avez passé chez nous après sa mort ? La croix et la chaîne que vous m'avez données pour me protéger ? Votre généreuse proposition de m'acheter une maison à Londres ? Qu'est-ce que j'ai fait pour mériter ça ?*

En réalité, je connaissais la réponse à cette dernière question. J'étais devenu trop proche de sa fille, qui me considérait plus comme un membre de sa famille que sa propre mère, et cela blessait les Spencer. Dans sa déposition, elle m'appelait tantôt l'accusé, tantôt M. Burrell, jamais Paul.

Je fus tiré de mes pensées par une question de M. Boyce.

— Comme décririez-vous la relation que vous entreteniez avec votre fille ?

— C'était une relation pleine d'amour et de confiance, répondit-elle, ce qui me fit m'agiter sur mon siège.

— Tout le temps ? Ou y avait-il parfois des hauts et des bas ?

Mme Shand Kydd s'éclaircit la gorge.

— Il y avait parfois des hauts et des bas. Je voudrais dire à la cour que c'était normal, et que dans toutes les familles il y a des désaccords... et que ces désaccords sont vite oubliés.

Cette phrase ranima le souvenir d'une scène à Kensington Palace, six mois avant la mort de la princesse, au printemps 1997. J'étais à l'office, quand j'entendis des sanglots au premier.

— Paul ! Venez vite ! cria la princesse par-dessus la rampe.

Je me précipitai à l'étage. La princesse, vêtue de son ample robe de chambre blanche, ramassa le combiné du téléphone qu'elle avait jeté sur le tapis, devant la cheminée de marbre gris. Une voix hurlait à l'autre bout du fil. La princesse était assise en tailleur sur le tapis, le combiné collé à l'oreille, penchée en avant. Elle me fit signe d'approcher. Je m'agenouillai à côté d'elle, et approchai le plus possible ma tête du combiné.

Je reconnus la voix de Mme Shand Kydd, qui tenait des propos ignobles. La princesse reniflait et secouait la tête, incrédule. Elle recevait en pleine face une bordée d'injures de la part de sa mère, qui lui disait clairement ce qu'elle pensait du fait que sa fille ait des amis musulmans. « Tu n'es qu'une... ! » Des mots qu'aucune mère ne devrait infliger à sa fille.

La princesse raccrocha violemment et pleura de plus belle. Je m'assis avec elle et lui entourai les épaules de mon bras.

— Je ne parlerai plus jamais à ma mère, Paul, jamais !

Et il en fut ainsi. Chaque fois que Mme Shand Kydd envoyait une lettre à KP, la princesse, reconnaissant l'écriture, la retournait à l'expéditeur sans la décacheter.

*
* *

Vint le contre-interrogatoire de lord Carlile.

— En ce qui concerne vos rapports avec votre fille Diana, je n'ai pas l'intention d'entrer dans les détails, en dehors de points pertinents pour cette affaire. Votre fille et vous n'étiez plus en contact depuis le printemps 1997.

— C'est exact, mais c'était le cas pour tous les membres de notre famille, et elle s'est réconciliée avec...

Puis, dans le même souffle, elle entreprit d'amoindrir le rôle que j'avais tenu dans la vie de sa fille.

— ... mais je pense que l'on a mal interprété le fait qu'elle appelait M. Burrell « son roc », poursuivit-elle. Elle employait cette expression à tout bout de champ, et au sujet de nombreuses personnes. Elle disait de moi que j'étais son roc et son étoile.

— Mais votre fille considérait Paul Burrell comme, disons, « un » roc ? demanda mon avocat.

— Oui, répondit-elle, mais pas plus que d'autres personnes, dont, notamment, ses chauffeurs... les personnes chargées de sa sécurité... sa famille.

C'est ainsi que le jury entendit que tout le monde, même ceux qui avaient abandonné la princesse, était son roc. Et comment Mme Shand Kydd, dont je savais qu'elle lui avait brisé le cœur, était aussi son roc.

À ce moment précis, les jurés contemplaient une frêle vieille dame aux cheveux blancs, dont l'humour acéré avait fait sourire de nombreux membres de l'assistance. C'était la mère de la princesse, et l'attaquer en pareilles circonstances aurait été risqué. Je brûlais de les éclairer sur leur ultime conversation, mais mes avocats estimaient que cela aurait pu retourner certains jurés contre moi. Lord Carlile devait faire preuve de prudence, et la vérité ne pourrait éclater qu'après le procès.

— Vous saviez que Paul Burrell était présent, s'il plaisait à votre fille, depuis le moment où elle ouvrait les yeux, jusqu'au soir, lorsqu'elle lui signifiait qu'elle ne requérait plus ses services ? lui demanda lord Carlile.

— Peut-être, répondit-elle. Elle ne me parlait pas de son emploi du temps.

— Mais vous pensez que c'est possible ?

— Pas vraiment. Parce qu'elle était très souvent sortie, ou absente.

Je n'en croyais pas mes oreilles. Et mon malaise devait encore s'accroître.

— Elle faisait très, très attention à tout ce qui venait de la famille royale, disait-elle en parlant de la princesse. Ainsi qu'aux cadeaux qu'elle avait reçus... Je peux vous assurer qu'elle n'offrait rien, en dehors de ce qu'elle achetait pour Noël et les anniversaires.

Mais au moins, elle se montra franche au sujet des documents qu'elle avait détruits sans discernement. L'anéantissement d'une page de l'histoire qui m'avait conduit à évoquer la façon dont on gérait l'univers et la mémoire de la princesse lors de mon entrevue avec la reine, en décembre 1997. « Je craignais à l'époque du décès de la princesse qu'il n'y ait une conspiration pour changer le cours de l'histoire et effacer certaines parties de sa vie. Mme Frances Shand Kydd a passé deux semaines à détruire de la correspondance personnelle et des documents », avais-je déclaré dans ma déposition.

— Vous avez passé un grand nombre d'heures à broyer des documents des jours durant, n'est-ce pas ? demanda lord Carlile.

— Des jours durant, répondit Mme Shand Kydd.

— Combien de documents pensez-vous avoir détruits ?

— Entre cinquante et cent.

— Et vous n'avez jamais dit à Paul Burrell ce que vous détruisiez ?

— Non, je ne crois pas l'avoir fait.

— Vous saviez que Paul Burrell était sincèrement désireux de préserver autant que possible la mémoire de votre fille Diana ?

— Oui.

— Vous saviez qu'il souhaitait que l'histoire ne soit pas réécrite d'une façon qui soit critique à l'égard de la princesse ?

— Ce désir ne m'a pas été exprimé.

Elle ne se départit jamais de son attitude provocante. Après sa déposition, elle passa devant moi. Pour la seconde fois, Mme Shand Kydd fut incapable d'affronter mon regard.

*
* *

La dernière fois que j'avais vu lady Sarah McCorquodale, c'était six mois après mon départ forcé de la Fondation Diana. Elle traversait le Westminster Bridge, et nous avions échangé quelques politesses. Mais c'est à l'Old Bailey qu'eut lieu notre première véritable confrontation depuis notre repas avec Anthony Julius dans un bar à vins de Londres.

À la barre, elle se montra sûre d'elle, très aristocratique. Je ne la quittai pas des yeux, espérant qu'elle le remarquerait. Le numéro 2 de la famille Spencer allait déposer contre moi.

De tous les Spencer, c'était lady Sarah qui était la plus proche de la princesse. La Patronne avait souvent dit combien elle appréciait sa gaieté. C'est surtout pour cette raison qu'elle l'emmenait à titre de dame d'honneur dans les voyages à l'étranger. Après la mort de la princesse, lady Sarah et moi avions été de grands alliés. Je me souviens des boutons de manchette qu'elle m'avait mis dans la main, de la robe de chez Versace qu'elle avait offerte à Maria, des cinquante mille livres en ma faveur dans le testament, en reconnaissance de mes bons et loyaux services. J'étais peut-être devenu trop proche de sa sœur, j'évoquais trop souvent son souvenir, en termes trop passionnés. Mais en l'écoutant, je ne pouvais que me demander comment nous en étions arrivés là.

— D'après vous, qu'est-ce qui devait être légalement en la possession de M. Burrell ? lui demanda William Boyce.

— Des boutons de manchette, des photographies encadrées, des boîtes en émail, des épingles de cravate, des cravates, et c'est à peu près tout.

*
* *

Lorsque l'on est assis dans le box des accusés, il est facile de noter quels sont les anciens amis et collègues qui se transforment soudain en témoins à charge. En préparant sa défense, on constate aussi les réticences de ceux qui ne sont pas prêts à se compromettre pour offrir leur soutien.

J'ai longtemps cru que l'intendant de Kensington Palace, Michael Gibbins, était un ami. J'avais tort. Cet expert-comptable était arrivé au palais environ un an avant le décès de la princesse. Toutefois, il vint à la barre en tant que témoin à charge, prétendant connaître les véritables liens qui unissaient le majordome et la princesse. Voilà qui était étrange, étant donné qu'il travaillait dans un bureau complètement séparé des appartements 8 et 9. Mais comme je m'étais plaint un jour de ce que mes journées de travail étaient longues et épuisantes, il s'était estimé en position de parler de mon sentiment d'« insécurité » par rapport à mon emploi.

William Boyce et M. Gibbins avaient dit à la police que les liens entre la princesse et moi n'étaient pas aussi solides que je le pensais. « Il existait bien entre eux une certaine complicité, mais pas de l'ordre que M. Burrell a décrit », déclara le procureur. Il alla jusqu'à suggérer que j'envisageais de m'installer en Amérique. Ce qui était exact – parce que la princesse l'envisageait aussi.

Michael Gibbins déposa le vendredi 25 octobre. Ce jour-là, la reine, le duc d'Édimbourg et le prince Charles se rendirent à la cathédrale St Paul pour assister à un office à la mémoire des victimes des attentats de Bali. La Rolls-Royce de Sa Majesté passa tout près du Palais de Justice.

*
* *

Le lundi suivant, j'eus la surprise de voir Olga Powell, nurse à temps partiel, apparaître à la barre, qui m'avait dit avant le procès qu'elle n'avait aucune intention de témoigner. « Je suis trop vieille pour tous ces tracas. »

Tandis qu'elle parlait du prince William à la cour, je me demandais pourquoi elle s'était retournée contre moi. Et je compris. Elle cherchait à protéger William et Harry. Mais en même temps, elle brandissait le marteau de l'accusation, avec lequel on devait me clouer au pilori.

De toutes les habilleuses avec qui j'avais travaillé, c'était sans doute Helen Walsh, catholique pratiquante comme Maria, qui avait l'esprit le plus pur. C'est peut-être pour cette raison qu'une fois à la barre des témoins, elle dit la vérité. Dès qu'elle prêta serment, je perçus sa réticence à faire partie des témoins à charge. S'exprimant avec une franchise à laquelle le ministère public ne s'attendait pas, elle raconta que la princesse avait pour habitude d'entasser par terre des vêtements qui ne lui plaisaient plus, et de distribuer à son personnel des bibelots ou des cadeaux de la famille royale dont elle ne voulait pas. Elle aussi avait reçu de nombreux présents.

Interloqué, M. Boyce lui demanda ce qu'on lui avait donné.

— Je ne pense pas que cela vous regarde, rétorqua-t-elle, et j'eus du mal à garder mon sérieux.

— Je ne savais pas qu'elle roulait pour lui, dit un des membres du ministère public, réflexion qui fut entendue par mes avocats.

L'accusation tombait enfin dans ses propres pièges.

En sortant de la salle d'audience, j'aperçus Helen dans le couloir pavé de marbre. L'accusé et le témoin à charge tombèrent dans les bras l'un de l'autre.

— Merci de votre honnêteté, Helen.

— Je n'ai fait que dire la vérité, Paul.

Pendant ce temps-là, la conseillère du prince Charles, Fiona Shackleton, s'était entretenue avec le commissaire John Yates de Scotland Yard. Nous ne devions l'apprendre que le lendemain.

*
* *

Le mardi 29 octobre débuta comme un jour ordinaire. La veille, mes avocats avaient émis l'hypothèse que nous avions gagné du terrain. J'allais bientôt livrer à la cour ma version des faits. Lord Carlile m'avait préparé pour ma déposition du lendemain. Plus que vingt-quatre heures à attendre avant que la défense contre-attaque.

À notre arrivée au tribunal, aucun de nous ne se doutait de ce qui se tramait en coulisses. Les huissiers demandèrent à la presse, à lord Carlile et aux autres avocats de quitter la salle. Le ministère public s'enferma dans un bureau avec la juge. La séance fut suspendue pendant une heure.

— Qu'est-ce qui se passe ? demandai-je à lord Carlile. Ça risque de me porter préjudice ?

Il n'en avait aucune idée.

Lorsque la juge Rafferty réapparut, elle fit une annonce qui nous stupéfia.

— Mesdames et messieurs, dit-elle aux jurés, il y a un léger contretemps. La cour ne siégera pas aujourd'hui. Rentrez chez vous.

Et voilà. Elle renvoya le jury et ajourna l'affaire jusqu'à nouvel ordre. Lord Carlile bondit sur ses pieds. Il demanda les raisons de cet ajournement mystérieux. La juge refusa de l'informer. Elle se leva. Tous en firent autant. Et c'est ainsi que la séance se termina. Il était un peu plus de 11 heures.

Je ne savais pas quoi penser. Toutes sortes d'idées tournoyaient dans ma tête. Les journalistes se pressaient devant la salle d'audience, tout aussi médusés. Le mystère planait sur les bavardages. Dans notre « chambre forte » du premier, nous nous perdîmes en conjectures.

— Ils ont des preuves supplémentaires ? Qu'est-ce qui va se passer s'ils croient qu'ils ont des preuves supplémentaires ? m'écriai-je, en proie à la panique.

— Non, Paul. Si c'était le cas, nous le saurions forcément. C'est quelque chose de plus grave, dit lord Carlile. Paul, reprit-il après un instant de réflexion, est-ce qu'il y a quelque chose que vous ne nous auriez pas dit, en rapport avec votre affaire ? Réfléchissez bien.

Nous nous mîmes tous – lord Carlile, Ray Herman, Andrew Shaw, Shona et moi – à fouiller dans le passé et à passer en revue les moindres événements, un peu comme dans les films policiers, quand les enquêteurs sont dans une impasse. Lord Carlile était au courant de l'offre d'hébergement faite par un membre influent de la famille royale, tout le monde était au courant de mes rendez-vous avec Mark Bolland. Cela concernait le prince Charles ? Le prince William ? Mon entrevue avec la reine ?

Pourtant, j'avais déjà parlé de cette entrevue avec Sa Majesté, dans une déposition que j'avais faite à la police avant le procès. Je l'avais mentionnée également dans la déclaration de soixante-quatre pages destinée à n'être lue que par mes avocats. Voici ce que je disais : « J'avais l'impression que toutes les personnes que la princesse avait connues voulaient se décharger de leur chagrin personnel sur moi. Même la reine... m'accorda une audience longue de trois heures dans ses appartements privés de Buckingham. » Je n'en disais pas plus parce que c'était tout ce qu'il me semblait devoir écrire à l'époque. Je n'étais pas entré dans les détails de la conversation.

Peut-être était-ce le prince Charles qui avait été cité comme témoin, et cela ne nous posait pas trop de problèmes. Mais si c'était le prince William ? La pensée d'être assis dans le box des accusés tandis que le fils aîné de la princesse déposerait contre moi m'était insupportable. Mon imagination s'affolait.

Plus tard dans la journée, on nous informa que les débats ne reprendraient que le vendredi.

Je n'ai pas fermé l'œil de la nuit. Plus les heures passaient, plus je devenais paranoïaque. L'incertitude me rendait fou. C'était de la torture mentale, et j'enrageais que le système judiciaire se joue de moi ainsi.

Après avoir passé la matinée à arpenter de long en large la maison des Hart, j'avais besoin de prendre l'air. Je ne m'étais jamais senti aussi déprimé depuis le début du procès. Je sortis, sous prétexte d'aller acheter du lait.

Je marchai pendant des heures, et finis par me retrouver dans Bushey Park. Il tombait des cordes, et les promeneurs se pressaient dans les allées, tête baissée sous les averses incessantes. Au loin, j'entendais le chuintement des voitures sur la chaussée, et les gouttes de pluie rebondissaient sur les parapluies. J'étais la seule personne à ne pas se soucier d'être mouillée. Je jetai un coup d'œil à ma montre. Cela faisait trois heures que j'étais parti chercher cette bouteille de lait. Je regardais le monde tourner, en pensant que j'aurais dû être au tribunal, en train de défendre mon honneur, et non dans le parc à me ronger les sangs. J'avais envie de hurler. Je pris une décision. J'appelai un ami journaliste qui couvrait l'affaire, et je lui fis part de mon irritation. Je lui ai tenu la jambe pendant un quart d'heure.

— C'est plus que je ne peux supporter. Je deviens cinglé.

— Paul, me disait Steve, vous ne savez pas ce que ça peut être. Ça pourrait être un autre témoin, ça pourrait être la fin. Ça pourrait être n'importe quoi... et ça pourrait vous servir...

Il essaya de me remonter le moral, mais je ne le remerciai pas.

— Même dans mes rêves les plus fous, je sais que c'est impossible, alors ce n'est pas la peine de me dire ça.

Cette incertitude était insoutenable.

Kevin Hart me cherchait dans tout Hampton. Il me retrouva dans le parc et m'entoura les épaules de son bras.

— Viens, on va boire une bière, me dit-il.

*
* *

Le jeudi soir, nous nous sommes réunis dans les bureaux de lord Carlile. Une fois de plus, nous nous creusâmes la cervelle. Nous revînmes à la lettre que j'avais écrite au prince William, puis à l'entrevue avec la reine.

— De quoi avez-vous parlé avec la reine ? demanda lord Carlile.

— De beaucoup de choses. De Maria et des enfants, de sa famille, de la princesse, de William et Harry, et je lui ai raconté tout ce qui se passait à Kensington. Nous avons parlé d'un tas de choses.

— Avez-vous mentionné votre inquiétude au sujet des documents détruits par Mme Frances Shand Kydd ?

— Oui.

Tous les regards se tournèrent vers moi.

— Ah, fit lord Carlile, manifestement déconcerté. Pourquoi ne nous en avez-vous rien dit ?

— C'était une conversation privée avec la reine. Nous avons parlé de beaucoup de choses.

Je ne suis pas sûr que même à ce moment-là nous ayons été pleinement conscients de la signification de cette conversation. Il était utile de connaître son existence, c'était un renseignement important pour la défense. Nous pourrions l'incorporer dans ma déposition lorsque je serai à la barre. C'était ce que nous pensions à ce moment-là. Aucun de nous n'aurait cru que nous avions en notre possession de quoi déstabiliser le procès.

Apparemment, une aura de perplexité, de cynisme et de théorie du complot entourait ma rencontre avec la reine et ce qui s'y était dit. Oui, j'avais dit à Sa Majesté que j'avais des papiers en ma possession, que je les conservais à des fins de sûreté. Après tout, quelle est la différence entre apprendre à la reine que j'avais certains objets en garde, et le divulguer au prince William ? D'ailleurs, j'avais aussi écrit une lettre au prince Charles le 5 février 2001, lui exposant exactement la même chose. La lettre ne lui était, paraît-il, jamais parvenue. Mais son secrétaire particulier adjoint Mark Bolland l'avait vue. Par conséquent, je ne saisissais pas en quoi avoir informé la reine de mes intentions était si capital.

Tout comme je n'ai toujours pas saisi, à ce jour, pourquoi cela a été une telle surprise pour le ministère public. Ce que William Boyce allait s'obstiner à dire à la cour résumerait, à mes yeux, le caractère grotesque de l'accusation, et l'aveuglement dont le ministère public faisait preuve depuis janvier 2001.

*
* *

L'atmosphère était lourde de perplexité ce vendredi 1er novembre. Il semblait y avoir encore plus de journalistes que les autres jours. Après m'être installé dans la routine du procès pendant les deux semaines précédentes, j'étais revenu à la case départ, et je tremblais intérieurement.

— Il se passe quelque chose d'important, m'avait dit lord Carlile la veille.

Comme si tout cela ne suffisait pas, les alarmes d'incendie se déclenchèrent au milieu de la matinée. Tout le monde fut évacué dans la rue. C'était la débandade. Je restai planté sur le trottoir entre lord Carlile et Andrew Shaw. Les caméras de télévision et les photographes s'agglutinaient autour de moi. Je m'efforçai d'avoir l'air décontracté, et de me concentrer sur ce qui se disait à côté de moi, mais j'étais distrait et tendu.

Puis on nous autorisa à rentrer dans le tribunal.

Quelques minutes plus tard, lord Carlile m'apporta une première lueur d'espoir.

— Les policiers s'agitent et remballent leurs affaires. C'est bon signe.

J'étais dans le couloir, devant la salle d'audience, quand mon portable sonna.

C'était Steve Dennis, le journaliste. Sa voix tremblait. Il se trouvait de l'autre côté des portes battantes, près de l'escalier.

— Paul, le procès va se terminer ! Personne ne sait pourquoi, mais c'est fini. Les porte-parole du ministère public et de la police métropolitaine sont en chemin.

Je ne saisissais pas.

— Qu'est-ce que ça veut dire ?

— Ça veut dire qu'ils viennent réparer les dégâts. Paul, on sait tous que c'est fini. On le sait !

Je ne pouvais pas y croire.

— Non ! Non, ce n'est pas possible ! Écoutez, il faut que j'y aille, dis-je en raccrochant.

— On doit entrer, Paul, me dit lord Carlile.

Soudain, je me sentis complètement détaché de moi-même. Je pénétrai dans le box des accusés. Michelle, ma gardienne, me sourit. Trois coups frappés à la porte annoncèrent la juge Rafferty. Le terrible silence propre aux salles d'audience s'abattit sur l'assistance.

William Boyce se leva.

— Madame la juge, l'accusation s'est fondée en grande partie sur le fait qu'il n'était pas prouvé que M. Burrell ait informé quiconque qu'il détenait des objets appartenant aux exécuteurs testamentaires de Diana, princesse de Galles...

J'étais trop impatient de savoir la suite pour m'attarder sur l'inexactitude de cette affirmation.

— ... De plus, l'interrogatoire et le contre-interrogatoire auxquels les témoins à charge ont été soumis reposaient sur le fait que l'accusation ne possédait aucune preuve attestant que M. Burrell avait prévenu quiconque qu'il détenait des objets ayant appartenu à Diana, princesse de Galles...

Faux, une fois de plus, pensais-je. La lettre que j'avais écrite au prince William était sous votre nez depuis le début.

— Lundi dernier, poursuivit-il, la police a informé le ministère public que, au cours d'une entrevue privée avec la reine quelques semaines après le décès de la princesse, M. Burrell avait mentionné qu'il...

M. Boyce continua à expliquer comment le dossier de l'accusation avait été monté sur une « fausse hypothèse ».

Il s'avéra que, la semaine précédente, en route pour la cathédrale St Paul, le duc d'Édimbourg avait mentionné au prince Charles que j'avais signalé à la reine que je détenais des documents. Le lendemain, le prince Charles en avait informé Michael Peat, son secrétaire particulier. Lequel avait vérifié auprès de la reine. Ensuite, St. James' Palace avait rapporté la teneur de cette conversation à Scotland Yard.

— ... Et il semble donc qu'aucune charge ne peut être retenue contre M. Burrell, et nous invitons le jury à le déclarer non coupable.

Le cœur battant la chamade, je cherchais à comprendre ce que cette déclaration prononcée à toute vitesse signifiait. Je jetai un coup d'œil à lord Carlile. Il souriait. Je regardai alors Andrew Shaw, qui avait été à mes côtés depuis le jour où la police avait fait irruption chez moi : il s'appuyait au dossier de sa chaise, soulagé. Puis la juge prononça des mots que je n'oublierai jamais. Accompagnés d'un sourire chaleureux.

— Monsieur Burrell, vous êtes libre, déclara la juge Rafferty.

Je restai figé pendant une seconde ou deux. Je regardai lord Carlile. Il hocha la tête. « Venez », articula-t-il en silence.

Je me levai dans le silence, sans savoir si mes jambes me soutiendraient. Une énorme boule d'émotion me noua la gorge. Michelle me tendit la main pour me guider. Les journalistes me dévisageaient en silence. Je quittai le box, descendis les trois marches qui menaient au banc des avocats et m'assis là tandis que trois acquittements étaient prononcés en ma faveur en l'absence du jury.

Mme la juge Rafferty se leva et quitta la salle. Les journalistes se précipitèrent pour expliquer au monde l'importance de l'intervention historique de la reine. La reine, que j'avais servie il y a tant d'années, avait agi en ma faveur, pour défendre le souvenir d'une autre figure royale remarquable : Diana, princesse de Galles. Tandis que les reporters et les producteurs de télévision fonçaient dans la rue, j'allai retrouver lord Carlile.

— C'est tout ?

— Oui, c'est tout, Paul, c'est fini. C'est terminé.

Incapable de réprimer un sanglot, je m'appuyai sur l'épaule de mon avocat. Tandis que mes larmes mouillaient sa robe, il me donnait de petites tapes dans le dos.

— Allons déjeuner. Je connais un bon petit restaurant à Covent Garden, proposa-t-il.

Andrew Shaw me passa son téléphone portable.

— C'est Maria.

Je pris le téléphone et l'entendis pleurer de joie. Après avoir réussi à articuler « Chérie ? » je me mis à pleurer avec elle.

— C'est la reine, chérie ! C'est grâce à la reine, lui dis-je, entouré par mes avocats.

Dans son euphorie, Maria ne prononçait que des paroles confuses, mais je compris qu'elle me disait d'écouter. Un immense hourra retentit dans le téléphone. Elle était dans notre magasin, où famille et clients clamaient leur soutien.

Andrew Shaw et moi sortîmes dans la rue. Assailli par un essaim de journalistes, de photographes et de reporters de télévision qu'une rangée de policiers empêchait de passer, je crois bien que mes pieds ne touchaient pas le sol. Je dus rétablir mon équilibre en me rattrapant aux policiers qui se trouvaient devant moi.

— Paul ! Paul ! criaient les photographes. Paul, par ici !

Je trébuchai sur la jambe d'un photographe qui était tombé. En levant les yeux, je vis des visages appuyés contre les fenêtres des immeubles de bureaux, tandis que d'autres employés se penchaient par les fenêtres ouvertes et me faisaient des signes. J'essayai de leur répondre, mais je pouvais à peine bouger les bras.

Puis Andrew Shaw fit une déclaration aux journalistes en mon nom. Un espace entouré de barrières avait été aménagé au bout de la rue pour tenir une conférence de presse. Il distribua des remerciements, évoqua mon soulagement. J'avais la bouche sèche et j'aurais été incapable d'articuler un son, mais j'avais envie de hurler à la face du monde : « Seigneur, que c'est bon, la liberté ! »

Il n'y avait que quatre clients attablés dans le restaurant de Covent Garden. À notre arrivée, ils applaudirent spontanément, puis chacun de ces aimables inconnus vint me serrer la main.

Deux personnes qui m'étaient chères se joignirent à nous, et ajoutèrent de l'émotion à notre petite fête : Richard Kay et Susie Kassem, des amis de la princesse. J'ai serré Susie dans mes bras, plus fort que je ne l'avais jamais fait.

Comme nous nous asseyions, une autre figure amie fit son apparition : Fiona Bruce, de la BBC. Il pleuvait et elle était trempée, mais cela ne semblait pas la déranger. Elle avait apporté du champagne.

— Je suis venue vous féliciter, Paul.

Elle m'embrassa sur la joue avant de partir et de nous laisser boire à mon acquittement.

Ce soir-là je retrouvai le Cheshire et le sanctuaire de la maison d'un parent. Par la suite, puisqu'on ne m'en avait pas laissé l'opportunité au tribunal, je pus publier ma défense dans le *Daily Mirror*, telle que je l'aurais présentée à la cour. C'est alors que le reste des journaux me tomba dessus. Après avoir subi l'épreuve du procès, je dus subir les persécutions de la presse pendant deux semaines. J'avais vendu mon âme, disait-on. J'avais trahi la princesse.

Même en écrivant ce livre, je sais que je ne me suis pas rendu coupable de trahison vis-à-vis de la princesse. Car avant d'accuser quelqu'un de ce forfait, il faut d'abord mesurer l'ampleur de ce qu'il sait. C'est pour cela que je sais que je suis resté loyal. La princesse le comprendrait. Et cela m'amène à poser cette question : Et maintenant ?

J'ai laissé l'Old Bailey derrière moi pour me tourner vers un avenir neuf, et pourtant je refuse d'abandonner le passé. Je ne sais pas s'il s'agit d'une force ou d'une faiblesse. Mais après avoir lavé mon honneur au tribunal, il m'incombe encore de laver celui de la princesse, et de préserver la mémoire de cette femme hors du commun. On dit que c'est devenu mon obsession, mais c'est tout simplement que je suis hanté par un fantôme exceptionnellement bienveillant.

Cela fait longtemps que je ne me suis pas senti aussi fort, et, en dépit des actions de la police, je crois toujours en la nature humaine et en ces millions de personnes qui pensent, comme moi, que le souvenir de la princesse doit demeurer aussi vivace et ardent que l'empreinte magique qu'elle a laissée dans la vie des gens.

Vais-je passer à autre chose ? Bien sûr.

Vais-je oublier ? Jamais.

J'espère que la personnalité lumineuse de la princesse se dessine au fil des anecdotes et des souvenirs merveilleux dont je vous ai fait part. Jusqu'à la fin des temps, je continuerai, en dépit des obstacles qui se dresseront, à défendre la princesse et à honorer sa mémoire. Elle savait pouvoir l'attendre de moi.

Je sais ce que nous avons vécu. Je sais la force des émotions et des heures que nous avons partagées. Je sais vers quel avenir nous nous dirigions. Et la seule chose que l'on ne pourra jamais m'enlever est sa dernière lettre, qu'elle a déposée sur mon bureau le mois de sa disparition.

Je la relis souvent car elle m'apporte une force et un réconfort immenses. Il s'agit, en quelque sorte, d'une lettre d'adieu, et constitue à mes yeux une conclusion adéquate à cet ouvrage.

Cher Paul,

Comme votre sixième sens l'avait prédit, le week-end prochain sera capital !

Je le sais également, et je voulais vous écrire que je suis extrêmement touchée que vous partagiez cette immense joie. Quel secret !

Jour après jour, vous supportez mes questionnements avec une patience merveilleuse, et il est quelque peu agaçant de constater que vous avez toujours raison !

Sérieusement, votre soutien, comme toujours, a été inestimable, et m'a aidée à ne pas perdre pied pendant certaines périodes cauchemardesques...

Aujourd'hui, la chance a tourné et c'est l'esprit tran-
quille que nous pourrons tous nous réjouir à la pers-
pective de bonheurs à venir et de nouveaux foyers !
Merci, Paul, pour votre force inébranlable.
Avec toute mon affection,

Diana

De quoi il s'agit ?
Désolé. C'est un secret entre le majordome et la princesse.